西西看電影 下

西西 著

趙曉彤 編

中華書局

目錄

第二部分

「電影筆記」專欄及其他

正文凡例

一、原文字形模糊不能辨認者，編者據字形、文理嘗
試補遺者，以〔 〕表示；脫文而無從臆補者，只
能以□闕如；

二、明顯錯字、倒字、衍文逕改，明顯漏字逕補；

三、尊重西西當年用字和標點習慣，一般不逕改；

四、異體簡化字，今義同，如伙、夥，癡、痴，不逕
改；今義有別，如担、擔，逕改；

五、方言助詞，如呢、哩，不逕改；

六、早年的報刊多以引號標識作品，一律改以書名號
或篇名號；

七、西西使用的電影及人物譯名偶有不同，部分今已
不用。為保存原貌，一篇出現不同譯名，予以統
一，不同文章譯名相異，不逕改，悉數保留於附
錄，俾便讀者查索；

八、一般情況不加註釋。惟編者不確定的用字、附錄
無法收入的個別譯名，或行文出處未及完整者，
倘容易引起歧義，才斟酌補入註釋。

第一部分

《星島晚報》「特稿」

我看《獨臂刀》之技法

且從第一 S 之謬誤說起

電影三 S 中之一的 Surprise 手法，其作用完全在於令觀眾產生驚訝之感。對於一個神秘的謎，未到揭曉的時刻，是可以暫時保密，對觀眾加以隱瞞的。如今，這手法竟誤置於長臂神魔身上。神魔一現身即背對觀眾，使觀眾對此人物產生問號。導演如此策劃，除非：神魔一如「金菩薩」，竟是齊家自己人，使觀眾感到意外，或，神魔面貌可怖，深仇現之於臉。事實則不然，神魔揭示真面目時，並非意外人物，而且面目完善。對白中當時有：三十年前一刀之仇。若當時神魔之臉有半邊刀痕，醜陋不堪，觀眾必會接受其不露面之理由，同時，亦認為神魔復仇極為合理。「鐵金剛」片集之頭子多愛避不見人，故弄玄虛，實為一病，反觀《金手指》，並無此種弊風。

且說剪輯尺度之偏差

剪輯之失水準，可能亦為導演本人所始料不及者。方剛負傷倒栽下船，事前並無船景提示，漏去一鏡，屬剪輯過緊之誤。齊家大弟子敗戰，臨終時只說得：師父，鎖。鏡頭割接神魔面部特寫，半晌，才見此人仰天大笑，此剪輯速率又過寬矣。剪輯方面對劇中人物步行的場面似很留情，該濃縮處不濃縮，展覽多餘膠片，是為不智。齊家三人被誘入屋，兩名弟子被刺殺，敵方三人無須慢吞吞踏上石階，步入戶內，不如直接割接齊女倒伏戶內，眾人環立

談論。人物步行如非有事發生，可以省卻。片中其他場景對於人物步行之處理並非一無成績，如方剛之疾走奔返師門，是為表示氣氛而行；方剛投棧，途遇師兄負傷，是為引導劇情，皆有所為而為。

且說特寫之是與非

特寫之作用，乃在渲染事物之壓力，或放大事物之真相。《獨》片偏重其一。初次介紹金鎖之特寫，是放大真相式，至以後直接交戰，則捨金鎖而取剖刀；刻劃刀鋒切腹，血流披體，捨棄成敗關鍵之鎖。若用多次特寫，甚至呆照，描寫鎖之威力，氣氛當有不同。

方剛負傷上橋，導演以主觀眼拍攝燈籠及樹。前者前後擺盪，後者東西擺盪，甚怪，有賣弄之嫌。方剛病愈，又以主觀眼目小蠻，是時用矇矓清晰交替，上乘多矣。

齊家一弟子自剖。倒地時首鏡向前俯伏，次鏡竟仰臥於地，不知是否又漏去數鏡。

且說雪林等同虛設

電影中之風雨霜露，皆為加強劇力而設。《獨》片只取雪。雪此物，無聲無色，不若風雨之潑辣。單是雪而無風，氣氛上重靜態，營造此一氣氛只可靠象徵，用對比；以靜對動，以封固對迸裂。雪林中的同門斷羽，正陷此一處境。可惜對比全無。整場戲只有一斷枝折墮〔，〕點出「夜深知雪重，時聞折枝聲」之雪，且此折枝本身並非刻劃雪，而是導演藉以轉位的。（齊如周讀留表轉同門起干戈）此種轉位方式，在片頭用過，是以「物」作時間轉位，我

較取後一場以「動作」配以象徵式的轉位。（神魔逼退齊如風，轉方剛逼退鄭二壽。）以雪林一景觀之，則導演無法把握一船舵，只落得降低一層，後來以巨鵝隱喻愛情充數。

且說語音物音樂音之取捨

電影配音的作用有三：引導事件，營造氣氛，刻劃現象。《獨》片中對以配音營造氣氛一項幾乎交白卷。引導事件之配音甚為流暢，齊家門外遠景一瞥，音響即報以鑼聲，鏡頭緊接強敵從高處縱下，此鑼音暗示有重大事故來臨。刻劃現象亦配得適當，交戰時的兵刃相碰聲，人的奔走跳躍聲，把現場的音響卻網羅在內。如能誇張人的沉重呼吸聲，相信可解解單調。至於男女談情說愛，對白甚多，觀眾如入餐室，背景音樂我行我素，劇中人各各交談，彼此河水不犯井水，配音與劇情如此分歧，哪有氣氛可言。反觀方剛與鄭二壽劇戰一場，只有音響（物音），而無音（樂音），效果極佳。電影畫面宜注意空間之價值，電影音響宜重視沉默之意義。

西西（一九六七年八月二十八日）

在威尼斯的《荷蘭人》

《荷蘭人》是英國參加威尼斯影展的兩部作品之一。全片放映時間僅五十五分鐘，成本是二萬鎊。導演安東尼夏維還是第一次執導，但成績可觀。該片原名《但丁之地獄》，是改編自美國青年黑人劇作家李萊瓊斯的一個獨幕劇，主題是：黑白人種唯有藉痛苦和謀殺才能相識。由於該片甚短，相信將來必不會在戲院公映，只有在藝術電影會中才有機會見到。

該片的內容是說一個白種的女郎在一輛地下火車中向一名青年黑人挑撥的事情。電影一開場時，攝影機就冷冷地以一連串空鏡頭描寫晨早的紐約火車站的景物，並且把孤立的月台，赤露的鐵軌，光裸的鋼鐵交織成一個地獄的模樣。這時導演特別以靜來引發將來臨的爆炸性的劇情。

觀眾首先見到的人物是一個白種的金髮女郎，忽然站在空蕩蕩的月台上等待火車。她穿貼身條紋的衣服和有跟的涼鞋，架一副大太陽鏡，整個模樣有點卑賤。火車駛入車站時，車廂內只有一名黑人青年搭客，他們視線相遇，他目注她的腿和小腹，她則貪婪地看他。火車駛出車站時，她已經進入他的車廂。這一場的佈景並非實景，而是在杜維堅漢片場搭景拍攝，攝影師葛里杜平的攝影出色，拍出了車站之熱浪和暴風雨前之燥悶。

在車廂內，她從紙袋拿出蘋果來嚼，並坐在他身邊，逐漸〔挑〕撥他：有時靠在他身上，有時撫摸他的腿。在中場的時候，攝影機向後拉，觀眾忽然見到車廂中原來還有其他的乘客，有白種人，黑種人，帶着袋，報紙，有的

戴眼鏡。對於觀〔眾〕來說，這一手法着實令他們驚訝，因為車廂中一直都像超現實般的只有一男和一女，而正是這時，觀眾更要知道將會發生甚麼事。車廂內的女郎變得歇斯底里起來了，她滿車廂跑，大叫大鬧，擺動軀體，又抱車內的柱，引誘年輕的黑人。於是，忍無可忍的黑人抓住她，掌打她〔，〕並且憤怒地說只有謀殺才可結束瘋狂。

結果，女郎把他殺了，和同車的白種旅客一齊，把屍體拋出了窗外。結尾卻是更令人難過的：在另外一天，她又一個人，上了另一個空車廂，開始引誘挑撥另一名年輕的黑人。火車駛離了車站，銀幕上最後的一鏡是車廂在暗中消失，留下一個白色的四方形 —— 仇恨。

演女郎的沙莉禮和演黑人的小阿爾富里曼的演技都很出色，約翰巴里的音樂和葛里杜平的攝影亦是到家的，整個電影給人一種熾燒的力，它在藝術上的成就是有目共睹的。安東尼夏維也將成為一個值得重視的新人。（取材自《視與聽》及《市鎮》）

西西譯述（一九六七年九月二日）

電影的多種面貌（一）

電影是有許多面貌的，有一個時期，風行的是鐵金剛的面貌，有一個時期，風行的是蝙蝠人的面貌，又有一個時期，風行的是哭呀哭的面貌，而這些，都過去了。

最近，電影的面貌轟了二個大轟，於是，所有的電影都朝這二個方向走過去。其中的一個更是《春光乍洩》已經走在前面的面貌。

現在的電影不喜歡荷里活式的繁華，但他們仍要描寫消費者，那些把花花綠綠的錢去買花花綠綠的物品的階層的面貌。因為自從倫敦的「搖擺」使社會的模樣變了許多，如果電影把這絕好的題材放過，一則就沒能夠反映最當前的現實，二則就也會自動和觀眾隔絕。

所以，現在的電影的「神」已經不是一個明星，一個性感象徵像碧姬芭鐸〔，〕就可以呼召大家到電影院來的了，而是「一個社會」，一個豐富的多姿多采的社會。這，《春光乍洩》已經做了先知。於是，電影的題材來了，高達的《我所知的關於她的兩三事》就是描述一個社會的。這個社會的人，奢侈成風，消費者的投向商店物質正暴露出頹腐的趨向，片裏邊的主角瑪蓮娜維拉地就飾演一位漂亮的太太，穿時穎的衣飾，過奢華的生活。

時裝模特兒和攝影師是現在電影中的風頭角色，說不定，他們將會取代鐵金剛的位置，因為鐵金剛有點「神」跡，又太過誇張，不像是個活生生的人；時裝模特兒和攝影師則是百分之一百「人」的，觀眾對他們的「英雄」形相並沒有消失，又依然當然他們是「高人一等」。像《春光

乍洩》中的攝影師湯瑪士，正是女孩子追求的對象而不惜
整天追上門來。至於時裝模特兒，更不用說了，英國的卓
姬現在正瘋魔整個世界，女孩子們都把她當作「英雄」。

電影朝這方向走是極自然的，電影依然給觀眾以偶
像，並且，人們天生愛好消費，這些電影的外貌，有漂亮
的時裝，時代的氣息，已經夠吸引觀眾的眼睛了，如果再
加上靈魂，像《春光乍洩》，觀眾就把心也獻了出來。

有個叫威廉克連的人，擬了一部幻想式的喜劇，叫《保
莉馬古》，講的也是一個時裝模特兒和時裝攝影師的故事，
這位新導演所以拍這樣的電影，是因為三十八歲的他本來
就是美國的一名時裝攝影師，當然巴黎的評論界認為他抄
襲安東尼奧尼，但這證明了，大家都知道該轉轉風向。

碧姬芭鐸在最近演的《九月中的兩星期》中就扮演一
名巴黎時裝模特兒，那電影也反映現代社會的迅速的改
變，當然，故事方面和《春光乍洩》比，就差多了。（未完）

西西（一九六七年九月三日）

電影的多種面貌（二）

現在的電影的第二個面貌是復古的〔，〕就是把以前的吸血殭屍和木乃伊再掘出來。鐵金剛的電影證明了觀眾喜歡刺激，追逐，打鬥，神秘，恐怖，並且還有色情；而這些，吸血殭屍和木乃伊都可以給觀眾。人們到現在對偵探小說，狂暴案件，仍發生濃厚的興趣，於是，電影就把殭屍和木乃伊重新搬上銀幕。

波蘭斯基，拍了一連串的「恐怖」，「謀殺」的題材，現在拍「吸血殭屍」。波蘭斯基是電影界的高手，技術高超，拍殭屍片大概又在嘗試表現新形式。他的故事就說一個教授和他的助手帶了十字架到小村落去找吸血殭屍，當然，總是又有一位美麗的少女失了蹤之類。

另一方面，安東尼漢斯卻在拍一部叫《木乃伊的裹屍布》的恐怖片。題材的靈感是製片人在遊英國博物館時觸發的。當時，他在參觀博物館所搜集的木乃伊，卻看到其中有一個木乃伊特別恐怖，參觀的人都紛紛避開，他就拍了照，找導演拍一部恐怖片。不過，現在的木乃伊和以前的已有不同，不是時隱時現巨人式的木乃伊，相反，現在的木乃伊大概和科學怪人差不多。因為這樣，木乃伊片和科學神怪片混而為一了。這次的木乃伊人物，是個公元二千年前的青年法魯王，一些考古家就出發去找這個木乃伊，當然，電影中又少不了木乃伊大戰少女之類，結果，死了不少人，終於把木乃伊克服，放進了博物館。

吸血殭屍和木乃伊都是恐怖片走的路，它們的再臨大概又和時裝界有關，因為時裝正在復古那些假髮，花邊又

把人們帶〔回〕了十九世紀；古堡，舊傢俱的流行使人們都懷念以前的日子，於是，舊題材的復甦也是必然的，而且，這種題材，每過數十年必會再重現一次。

　　法國的畫家尚布列還設計了不少女吸血殭屍的圖樣，其中一隻是穿無上裝的，手和腳都有爪，十足一隻怪物，相信遲一些有人會採用這藍圖，因為穿無上裝的女吸血殭屍電影上從來沒有過，而這又色情又恐怖的時髦玩意，正合製片家的心。所謂電影的普普面貌，是指忽然流行的一種面貌，對於許多導〔演〕和藝術家來說，流行不過是一種風尚，吹一陣就會煙消雲散的了。所以，英瑪褒曼還是繼續依他自己的方法拍嚴肅的探討人生大問題的電影，維斯康堤還是娓娓地給我們講述大家族的支柱人物的故事，而安東尼奧尼，他總是走在前面，他的搜索是最尖銳，他的眼光總是最前哨的。（完）

西西（一九六七年九月四日）

看電影臉想電影心兩則

A：每個人大概都有過拍照的經驗，而且大家也都明白，一般的相片，有兩種。一種是生活相，另一種是影樓相。

生活相是比較隨便的，只要拿了照相機，隨便在公園，郊外，大街上都可以攝取，條件多半又只有一項：白晝；因為白晝有天然的陽光。生活相的特色是陰暗分明。許多生活相裏的人物總是黑黑白白，如果站在樹蔭叢中，說不定就有大花臉出現。在電影裏，這情形是沒有的。演員的臉從來不花的，那些背光而站的演員的臉，也不會黑成一團。

影樓相就是那種在影室內拍攝的。一個人坐在正中，然後在影室內，這邊開一盞燈，那邊開一盞燈，後面，正面都是燈，照片拍出來後，光線和生活相的完全不同，而且，臉也不花，並且，沒有影子。電影就是這樣的一種相片。因此，我們在看電影時，就可以明白：電影上的人物多半沒有拖着影子（除非劇情需要），而背光的臉從來不會黑成一團（也除非是劇情需要）。

一部電影，最直覺的看法，是畫面的面貌，畫面拍得好不好，雖然已經有攝影師，編劇，導演設計好，但那燈，卻完全是打燈的功勞，照明失敗的話，再好的電影藍圖也是廢物。因此，看電影時，我們可以注意畫面的光線。

B：我們每個人也都知道，光速走得比聲速快。所以，在雷電大作之夜，我們總是先看到閃電的光，然後才聽到雷聲。

　　光和聲的速度並不一致，在電影上，又是處理上的一個大難題。電影是十分聲光藝術的，這一點大家又都知道。所以，配音的好壞，足以影響一部電影的成績。

　　一般的電影，現在都採用事後配音法，即是說，在拍電影畫面時，人物的嘴在動，聲音是不同時錄取的，這要到後來另外再配對。在這方面，配音人員是很仔細的，錯總是很少。碰到轉位時，這情形較難控制，如果上一場是抒情的，音樂抑揚，要強而漸弱至隱隱而失，在音樂唱片上，這容易，配電影畫面可難了，電影畫面是光，畫面很快就搖過了，下一場一接，氣氛和上一場完全不同，而音樂的「強而漸弱至隱隱而失」的要求就往往要犧牲了，因此有時我們在看電影，往往見到畫面一變，配音突然中斷，這完全是因為光走得比聲音快，而配音的配得不夠準確的緣故。因此，以後我們看電影，可以注意一下配音是否流暢，時間準不準，又可以看畫面的光線來源投射自然不自然，不一定要老是看演員的演技或畫面的結構。

西西（一九六七年九月五日）

電影的多種面貌（三）

（按：本文上接九月四日同題文，因遞送有誤，故遲刊了，謹此致歉。）

電影一開始的時候，就喜歡和科學走在一起，又在做着征服太空的夢，現在的電影，依舊是這樣。

早在一九〇二年的時候，梅里哀就設計過一部《月球旅行》的短片，梅里哀自己是繪圖人員，卡通設計師，是他拍了最早的「太空」電影。在那部十六米釐的短電影中，他自己飾演一名到太空旅行的地球人，被一枚大炮彈射到月球上，碰見了一些月球怪物。

到了戰後，以太空為題材的電影又有不少，像一九五〇年的《火箭船XM》，寫的是一艘有人駕駛的太空船抵達月球的故事，但那太空船在半路迷了途，結果就抵達了火星，這時候的科學幻想電影顯然已比二十世紀初的進一層，至少，那些上月球的人不是被炮彈射上天空的。

一九五五年的《地球這島》及一九五六年的《被禁的星球》，也是屬於科學幻想故事，以太空題材拍成的電影，所不同的是，它們又多了一層意義：在別的星球上，生物也曾遭到外在強力的摧殘，他們也在逃避戰爭的災難。

近年來，太空題材尤其受到製片家的垂青。太空人真正的進入了太空，人類正在努力探索宇宙之奧秘，所以，電影在這方面，感應得比甚麼都快，而且，這些題材不斷有新的資料源源而來，彷彿是一個大礦場。相反來看，鐵金剛之類，就越拍越乾澀，沒有甚麼新血了。

《火星上的魯濱遜》就是一個太空上的《魯濱遜飄流記》

的再版，是說一名太空人流浪到一個陌生的星球上過活的故事。《月球上的第一人》是說一〔群〕人在一百年前已經〔有〕抵達月球的幻想。這兩部片，都在一九六四年製成。

通常，拍太空題材電影的多半是英美兩國，但近來，西德和捷克對太空也發生了濃厚的興趣，於是西德和波蘭合作，製了《寂靜的星》，捷克則拍了《窮宇宙之末的旅程》，說的是廿二世紀的太空船去探索我們的太陽系以外的太空的故事。

由於電影銀幕的不斷延伸擴展，拍太空題材的電影是佔優的，但拍這類電影〔，〕如果佈景考究認真的話，費用極大，加上又沒有大明星支撐，收入並不如理想。於是，不少此類電影的製作計劃，現在還在雪藏着。

我們要等的只有一部，是史丹利寇布列的《二零零一‧一首太空史詩》，用仙藝拉瑪銀幕體拍成，如果成績良好，對太空題材電影將是一支有力的先鋒隊。史丹利寇布列的電影我們是寄予信心的，因為他的《密碼一一四》就是一部題目出眾，形式可圈可點的電影作品。（取材自《國際電影指南》）

西西（一九六七年九月十二日）

電影題材胡思亂想一感

我們中國的古代，有許多古怪的東西是可以拍成電影的，我現在忽然胡思亂想，想到一則。

這是一個很古老的故事，大概是屬於「祖母的故事」之類，我覺得可以搬上銀幕去。

一個有錢人住了一間大屋，屋側搬來了一名補鞋匠，有錢人不喜歡，就趕他走，補鞋的無家可歸，苦苦哀求不肯走，兩人鬧將官裏去。縣官是個文縐縐的人，叫他們來個「文鬥」擺一個擂台，比賽學問。有錢人就去請了一位有道的大法師來，和補鞋匠打擂台。

某日，擂台築成，人山人海。大法師和補鞋匠兩人上台，各坐一端。不久，比賽開始，是不作聲式比賽，兩人只可用動作。兩人動作如下：

大法師按一按頭，補鞋匠頓一頓足。大法師摸一摸肚子，補鞋匠摸摸背脊。大法師伸出二隻手指，補鞋匠伸出四隻。大法師搖搖手，鞋匠伸出一隻手指直指大法師。

兩人動作到此，大法師忽然起身，慚愧地說自己敗下陣來了。有錢人問大法師怎麼比不過補鞋〔匠〕，大法師說：他好厲害，我按一按頭，是指頭頂三十六道天光，他卻頓頓腳說他腳踏七十二層地獄。我指指肚子說我滿腹經綸，他卻指指背脊說他背後乾坤。我伸出二隻手指說哼哈二將，他卻伸出四個手指說是四大天王。我又搖搖手表示眾星朗朗，他就伸出一隻手指，說是孤獨明。

經大法師這麼一說，大家都承認補鞋匠好學問。當晚，補鞋匠回家，妻子問他怎會贏的，補鞋匠說他自己也

不知道，他說：我是照直說的，他一開始按按頭，大概是問我是不是做帽子的，我就頓頓腳，說我是補鞋的。他又指指肚皮，大概問我用的是不是牛肚皮，我就說，我用的是牛背皮呀。他伸兩個指頭，問我二毛錢補不補，我就伸四個手指答說要四毛錢，誰知他竟搖搖手說不補不補，我一時生氣，就伸一隻手〔指〕指他的鼻子，意思是，這麼便宜還要講價，看我不按扁你的鼻子才怪。這樣，大法師不好意思，就下台了。

這個故事，是可以拍電影的。如果拍短片，可以分為九場。我所以認為它適合拍電影，有幾點：

一、電影是畫面，人物的動作是值得重視的，這故事中有很多純動作。二、電影的題材多半掘不出真正的中國風味來，而這故事的文擂台，是十分中國風的。三、這故事有它本身的諷刺意味，大學問和大愚者誰勝誰敗不是正比例。窮富的對比寫照，又很能反映古國的社會陋風。

西西（一九六七年九月十三日）

分角鏡、西洋鏡及其他

《大賽車》這部電影有三點好說。

一、這部電影畫面好怪，時常像孫悟空一般會變的。有時候，一變變為四格；有時候，一變變為九格，這是怎麼變的呢？原來他們有一種新的東西，叫做分角鏡，用這種鏡頭拍出來的畫面就像看萬花筒一般了。

人的眼睛和蒼蠅、蜻蜓牠們不同，這點大家都知道。牠們的眼睛是複眼，就是眼睛裏邊有眼睛，小小的，小小的，合成一個。所以，蒼蠅看東西時，一隻大眼在看，許多小眼上都有影像印着。分角鏡就是這樣的一種東西。

聽說，香港有這種配有分角鏡的攝影機，但沒有這種配備的電影拍攝機，所以目前，我們沒辦法學《大賽車》這類鏡頭。

二、這部電影的裏邊，車子飛得好快，這怎麼拍呢？如果要我拍我只有兩種方法。第一種，我就把自己的妻子跟得和賽車們飛得一般快，跟着拍，當然，技巧要好。第二個方法就是用電影上最常用的「快動作」鏡頭方法。我們看卓別靈的電影，老見到人拍跳呀跳，原來，這是拍攝機吵架的緣故。放映機（現在的）一秒鐘只放廿四個格子，但如果我們不給它廿四格菲林，它當然就會把本來正常的動作變快或者變慢。我們在拍畫面時，一秒鐘故意拍十二格菲林，比放映機要的少一倍，於是，放映機說，怎麼只得十二格呀，不夠不夠，就去搶多二十格來擠沙甸魚般放出來。糟就糟在，我們把正常的速度分成十二格，現在多了一半，迅速就飛一般了。拍這類快動作騙人，畫面裏是

不能有人的，不然就拆穿飛車西洋鏡。

　　三、這部電影裏邊，有許多畫面，正中人物清清楚楚，但旁邊的矇矇矓矓，這算甚麼呢？原來那是導演故意的。賽車場面很闊大，所以，每一個畫面都要收羅很多景物，那就要用一種叫闊角度的鏡頭來拍了，《大賽車》用的是叫做 Super wide angle lense 的一種〔，〕特別闊的。

　　本來，拍電影有三種鏡，一種是標準鏡，拍正常的景物。一種是長焦距鏡，拍集中的一件物件用。一種就是闊角度鏡，拍多些視野用。凡是拍很近的景物，又一定要收入很大的視野的，像拍面對的大峽谷，大嘉年華會景之類，就都要用闊角度了。但這種鏡頭拍出來的畫面有個毛病，就是正中的物件很清楚，兩旁的就不清不楚了。《大賽車》呢？它卻是故意的，導演故意這樣〔，〕要大家覺得賽車怪誕得像做夢。只是，有一個畫面就糟透，就在法拉里的大車廠內，導演不錯是用闊角度給我們見到了許多大汽車，一面聽到占士加納挨老闆的罵，但我們卻見到那車廠像照哈哈鏡一般，會動的，建築物會動，你說糟不糟。

西西（一九六七年九月二十九日）

談電影的「眨眼」

人會眨眼。電影也會眨眼。電影的眨眼，我們給它一個名字，叫「割」。

割，就像日本武士的刀一般，那麼地一切，快得不得了。電影上的一個鏡頭到一個鏡頭，籟的一變，[1] 也是快得不得了，我們除了叫它做割，又叫它做跳接，就是 Cut。

看電影，有時候我們就看它眨眼眨得好不好，但又有一種電影，我們特別注意它好久好久也不眨一眼，《蓬門綺夢》中就有一個好漂亮的鏡頭，長呀長，一眨都不眨。

妮坦梨活坐在火車中，大家看見她的臉（那是特寫）然後，她漸漸退入銀幕框（那是影機的拉動作）大家漸漸看到她坐的火車的大車窗和一部分車身（那是中景）她越退越入銀幕框，大家看到她坐的一列長火車的車身原來在橋上，橋下是水（那是遠景）忽然，我們見到火車的頂，我們像坐升降機一般，升到火車頂上（那是影機的升動作）。我們竟然在火車頂上橫過，慢慢降下來。這時，我們見到的火車窗已經不是妮坦梨活所坐的東邊的，而是西邊的一列。火車揚長而去。

這一個鏡頭好長，但沒有在中間眨一眨眼。我們要看的就是它眨都不眨眼。它是一氣呵成的。拍那鏡頭，不算新鮮，但這電影裏用得很適合，長長的鏡頭，長長的旅程。黃宗霑拍的。一定是坐直升機拍出來的。

這種眨都不眨眼的鏡頭，許多電影中都有，像《東京

---

1 此句不通，原文如此。

世運會》，就用得很好。《東京世運會》中有一場是一名
日本青年手持火炬入場，要一直奔跑到聖壇上點燃世運火
炬，他一直要上許多的梯級，這時，不眨眼的鏡頭就出
來了。我們見到鏡頭一直看着持火炬的青年，跟着他一直
登、登、登、登地上梯級，好久好久，直到他上了棚頂，
點燃了大火炬。像這樣，如果中間只要有忽然那麼地中斷
一下，就前功盡廢了，而我們所要看的，也就是那一氣呵
成的效果。

當然人是應該眨眼的，電影也應該眨眼的。一般電影
愛用短跳接不用長鏡頭，有兩條大道理。第一，如非必
要，不用眨都不眨的長鏡頭。第二，短跳接在處理上容易
得多了。如果我拍了一百尺非林，其中有十多尺要不得，
那容易，剪掉刪掉就行，剩下八十多尺可以自己接起來，
高興的話，這裏又可以一剪，那裏又可以一剪，但長鏡頭
呢，怎麼剪，拍了一千尺，要是稍有不如意，無從剪起，
除非重新拍過。（製片第一〔個〕不高興。）

因此，要拍長鏡頭，不得有南郭先生式取巧手法，要
有真本領。其次，既然非必要，就不要用，因為一個電影
好不好，和一兩個鏡頭漂亮並不相干。

西西（一九六七年十月二日）

電影裏的三種鏡頭

　　這部電影，原來〔有〕電影文法，那當然好極，我們看了回來，就特別懂得電影裏邊原來有三種鏡頭方法的。

　　一、搖鏡頭。所謂搖鏡頭，就是和探射燈相仿，燈一亮，光線可以向右或向左慢慢地搜索，一點東西都不遺漏。在電影上，搖鏡頭就是這樣了，作用也和探射燈沒甚麼分別，是要把一些隱藏在一角的人和物特別搜索出來給大家看。如果有一個人躲在門後面，但電影通常不直接告訴大家，而是先拍一幅牆，然後一直把鏡頭移拍過去，直到發現門後躲着的人為止。

　　有時候，搖鏡頭可以很快地描寫許多人在同一剎那之間的表情，如果有一大堆人，看到一個人死了，各人有各人的看法和感情，於是搖鏡頭就可以逐一把他們的表情反映出來，因為人多，搖一陣並不算不對。

　　《垂死天鵝》裏搖鏡頭不少，從關山的臉搖到秦萍的臉，又從秦萍的臉搖到關山的臉，再從關山的臉搖到秦萍的臉（在夜總會中）就是一個好例子。

　　二、高角拍攝。所謂高角拍攝就是把鏡頭放在高處向下俯拍，這樣，大家看起來覺得人物都在底下，產生一種渺小，不重要的感覺。如果我們要描寫一個很落泊的人，終生受人欺凌，鬱鬱不得志，就可以盡量用高角俯拍。當然，因為用高角俯拍的畫面和平視角度拍出來的畫面有點不同，感覺上是有點新鮮的，但如果把這當作是美麗畫面的好方法而動不動就搬出來，真是笑大人的嘴巴。《垂死天鵝》裏有很多這種鏡頭，在秦萍的房間內，她一病倒在

床，高角拍攝就轟出來了，而且兩次病倒的畫面角度都一模一樣。

三、Zoom 鏡頭。所謂 Zoom 鏡頭，就是一種推拉手法，把拍攝機向前推，可以把景物放大，把拍攝機向後拉，可以把景物縮小，Zoom 的推拉極快，所以景物忽的走近，忽的退遠，而且 Zoom 的拍法較推拉容易，因為拍攝機是不必動的。推拉則連拍攝機也要向前或退後。

一般的電影，不會貿貿然用快推快拉，除非是要在一大堆物件中找一件特別的物體出來，使它離群孤立在我們眼前，或者把一件物件迅速放回群體中去，使它不再特別顯眼。《垂死天鵝》中的 Zoom 大概佔了全片鏡頭方法的十分之一，總之每五分鐘就出現兩次，從紅屋頂向後快拉，又對着關山的臉快推；或是在海灘上這邊一 Zoom，那邊一 Zoom。誰要是看了這部電影還不知道甚麼叫做 Zoom 的話，大概只好把頭撞向牆，意會一下。不過，我看一定沒有人不懂的了，因為這部片裏的 Zoom，必定令最飯桶的觀眾也印象深刻的了。

西西（一九六七年十月四日）

一部「電影語言」的電影

　　和《風流劍客走天涯》一樣，《入錯棺材死錯人》也是喜劇，鬧劇；也用了好多古老當時興的手法。我們看這個電影，可以注意一下那些故意搬弄的技法，因為它們是整片風格的構成要素：

　　「字幕」。在默片時，因為沒有聲音，電影中的對白或細節，常常要用字幕來說明。現在的電影用字幕，是故意的，而且有點復古。在本片中，「字幕」用得很精警，像一句「撞車」，由於有了字幕一提，導演就不必把撞車一幕細意拍出來了：字幕之後的一鏡就是一群人在路中心打架（撞棺材車那場）。在撞火車那場，導演就不肯用字幕，而是特寫幾個火車工人的臉來描述事件的逼近和發生。這樣，兩次撞車的表現手法就不同了。

　　「慢動作」。表兄妹搬雕像木□那場，電影中就用了一半慢鏡頭來描寫兩個人相戀的情形，調子當然很不錯，配的又是很抒情的背景音樂。《風流劍客走天涯》加插的是追逐的「快動作」，這部電影剛相反，用了「慢動作」。一般上，「慢動作」可以沖淡〔整〕個電影的衝力，而且，也可以調節一下電影的節奏；在表現「夢境」，「甜美」，「柔和」，「冗長」等氣氛，「慢動作」是最佳的手法。

　　「配音」。本來，每一場電影的對白，誰對誰說話很少會搞亂。《入》片裏就故意把對白緊接了提前道出，和觀眾開開玩笑。像男女接吻一場，忽然幕外有聲〔，〕叫了一句「等一等」，大家還以為房內有第三者在場，豈知道，那句「等一等」卻是下一場開始的一句喚車的對白。這樣的手法

使電影變得十分有趣，頗合此片風格。另一場是兩兄弟替叔叔收拾行李上倫敦，這位叔叔是個話盒子學者，大談食品，兩兄弟一直把他拉出門去，下一場割接他們已在火車中，但對白可沒有中斷過，這種用一句對白連環扣住兩場的手法，又使電影很流暢。

開幕的第一場就很精彩，一個是大特寫（是叫人特別注意），然後搖鏡頭寫一群小孩（是叫人逐個去數人數），直到寫到一個小孩子挖鼻子，搖鏡頭因此不得不停，變為割接。這方法可謂清脆聰明，然後，寫那些「老人會」的老人們多半用低角度拍，表示他們很有權威，拍小孩子時用的卻是平角，表示他們平平凡凡。

《入錯棺材死錯人》有個有趣的故事，對白怪誕，人物個性鮮明，是一部很好的「電影語言」的電影。看這個電影，喜歡電影故事的觀眾可以去娛樂一下，喜歡電影藝術的觀眾也可以去上一課「文法」課。而且，大家一定會喜歡那一群演員，又可以看看導演叫彼德斯拉那醫生把那些貓要來怎麼用。

西西（一九六七年十月十一日）

38

齊法拉里的鏡頭運用

看《馴悍記》，找到它的兩種特質。

這個電影好像有地心吸力似的，所有的人都拼命地在朝地面上走下來，這，和我們現在看甚麼「鐵金剛」，甚麼《夢斷城西》，大大地不同。在《馴悍記》那個時代，天上沒有飛機，火箭，人們甚至還不知道地球是圓還是方，所以，導演齊法拉里就很明白，他老是把攝影機放得很低，不讓它升高。電影裏邊的樓宇是有兩層樓的，而攝影機最多也升到那裏為止。即使要分別高處低處，導演也多半用仰角拍攝，叫人以土地為立足點。像，麗莎和波頓在屋頂上走，拍的時候，就從地面上向上望，真父親遇到假父親時，也用地面看向露台的角度拍。如果換了《縱橫四海》就不同了，《縱》裏邊有一座海上別墅，導演就特別用直升機的角度向下拍，我們處於現代，當〔然〕覺得合理。《馴悍記》的鏡頭以平角居多，即使是波頓一群人跑到麗莎家外大叫大嚷大說不怕不怕之類的時候，導演寧願這邊寫波頓一景，那邊接麗莎從窗縫中偷看一景，而不把攝影機置於高處，網羅雙方在同一視域內，所以，我們也一直不知道麗莎那間房子前面到底是甚麼樣子的。

《縱橫四海》末鏡的高空俯拍，純粹是導演眼在作怪，因為電影中的人物並沒有升空，但《馴》片不同，角度的高低多半跟隨演員的視線，像波頓「馴」服了麗莎走出長廊時，向下俯視廳中眾人，就完全因為波頓站在樓上的緣故。

這個電影的顏色是泥土般的。像這種顏色，我們多半

在西部片中見到，因為峽谷，黃沙，牛群，都是那種陽光的色彩。《馴悍記》的時代很古，我們知道，那時候的畫還以壁畫居多，而那時畫家們用的顏色也很有限。齊法拉里在這電影裏邊的確把許多古畫中的人物寫活了。我們要是翻開幾本文藝復興時期的畫集看看，就知道，電影中的臉譜，衣飾，顏色都十分貼切地和畫中人物相似。齊法拉里是意大利人，他跟過維斯康堤，維斯康堤是個拍電影拍得有點走火入魔的人，他本來很有錢，是意大利的貴族，但他為了拍電影，不惜傾家蕩產，有時候不過為了電影裏需要一隻古瓶作道具，他會賣掉家產換一隻古瓶回來。齊法拉里在考究服飾道具上，也頗有維斯康堤風，單看裝置已可證明。

　　麗莎的一襲嫁衣，普通的導演大概找一件純白色的就算了，但電影裏的卻是一件綠的。至於頭髮由中間分界，髮上纏珠串，也都是那時的風尚。國片裏邊，像這類注意景物和服裝設計的，應該數李翰祥，但這樣子只能成為一種風格，而不相當於偉大。

西西（一九六七年十月二十一日）

電影中的「意外」

　　大家都知道，拍電影，該拿些意外的事給大家看，可是，真能這樣做的，並不很多。說《男歡女愛》吧，那就一點意外也沒有。那兩個人很相配，一個沒了丈夫，有個女兒，一個沒了妻子，有個兒子，於是，兩個人碰上了，相愛了，合情合理，觀眾是那麼地擔心，擔心有甚麼「意外」來拆散他們，結果當然很好，觀眾看到他們抱在一起，站在火車的月台上。

　　《男歡女愛》並沒有意外，正如《日月精忠》也沒有意外，大家知道可以信任湯瑪士莫爾，他會堅持他的信仰到底，至死不屈，所以，他就在眾人的意料之中上了斷頭台。

　　許多電影都給我們意料中事，像「鐵金剛」，他老是死不掉，還可以「活兩次」。獨行俠也是個有出頭的英雄，至於那些大商人老是肥肥胖胖，總經理偏要含雪茄，壞人呢，就連眼睛鼻子也不漂亮，好像這些全是上天的安排，其實，世界上的事物，出乎意料的多的是。

　　電影中的「意外」多不多呢？只要仔細看看，想想，就發覺，許多導演一早就給我們「意外」，偏巧我們不用心。說那套《巨人》吧，洛克遜有錢，是個大富翁，他是像透了，結果呢，我們卻見占士甸那位牛郎變了有錢人，占士甸這種型，任誰也想不到會發財，但事情就發生了。如果電影一開始讓辛康納利或奇連伊士活來演那牛郎，我們會相信，這個人將來會爬上來，可是，竟是那個占士甸。

　　《安排香餌釣金鰲》也是一個意外，因為誰會相信歷士夏里遜竟是個壞蛋，而他的秘書又是一個好人。不過，這

種「意外」並不高明，因為題材上安排如此一個曲折的故事在先，不得不這麼辦。

「意外」得最瀟灑的該數《縱橫四海》。導演晏里柯簡直就偏和觀眾作對，叫大家氣壞。譬如說，片中的兩個男主角，一個是大家都喜歡的阿倫狄龍，另外一個呢，卻是個肥肥胖胖搞機器的生意人（一天到晚想開餐室，發明機器），於是，來了一位漂亮小姐，如果普通人拍電影，那還用說，當然是漂亮的小姐和阿倫狄龍談戀愛，可是，《縱橫四海》就是不這麼辦，那位小姐愛上的不是阿倫狄龍，到了最後，在古堡中打了一場，大家又想，那個胖個子大概要死掉了，可是他又不死，死的又是身手矯捷的阿倫狄龍。像這樣子，意外又意外，就使電影的味道不同了許多，也因此，我們確知晏里柯實在有他的方法，他本來可以不這樣，但他做了。他做了，因為他是晏里柯。

西西（一九六八年一月十六日）

電影律法三取捨

構成一個電影，本來並無一定的律例和法則，所有的電影方法都是摸索出來的。對於一個電影工作者而言，「先熟知其方法，然後才去衝破」，用在電影製作上，同樣生效。讓我們選擇幾個例子以證之。

律法一：一定要拍「搖鏡頭」的話，要搖得慢。

「搖鏡頭」所以要拍得慢，是因為要把「搖」的過程中牽得到的景物，清楚地展示給觀眾。如果拍「搖鏡頭」而拍得迅速，除了畫面模糊不清外，還足以使觀眾感到暈眩，彷彿在遊樂場中坐上了旋轉木馬。但是，尊赫士頓在 *Moulin Rouge* 開場的一場肯肯舞片段中，就用了一連串的快搖，故意〔導〕成一種團團轉的熱鬧景。

現在，「搖鏡頭」的律法改變，依然是，當必須要「搖」時，得搖得慢，但，我們承認了快搖，並且給它們好幾個名稱，有的就叫「快搖」，有的叫「拉鍊式搖」。

律法二：剪接彩色菲林時，不要把冷色調鏡頭接連着暖色調鏡頭。

彩色菲林最易碰上的麻煩，是早午晚拍出來的顏色會不一樣，所以，剪接時要注意的乃是特別要接配顏色近似的菲林格，免得露出破綻。否則，觀眾會覺得女主角的臉本來紅的，但忽然竟會變得橙橙的。但在一部 *Black Narcissus* 中，積卡迪夫（他現在當了導演了）用超卓的彩色攝影拍了兩場色調冷暖走極端的片段，故意把它們剪接在一起。前段是教堂的內景，以白色及藍色為主調；下一場的景物是整整一銀幕的紅花。該電影所以要這樣剪接，

是因為它的主題描述的是一名修女，用以對比修女的修道院生活和外在的花花世界。

律法三：在從左到右搖鏡頭後，不可接一個從右至左的搖鏡頭，或者右至左後，不接左至右。

這一律法的目的是避免混亂觀眾對方向的認識。但希治閣在 *North By North West* 中，卻故意搖了來又搖過去。加利格蘭和占士美臣同在一長形房間中同方向各佔一邊前行。我們先以占士之主觀眼由左至右搖着加利格蘭，然後鏡頭一割，我們以加氏之主觀眼由右至左搖着占士美臣。不過，我們並沒有覺得這一「反叛」的拍法有何不妥，同時還覺得，希治閣特別藉以營造出來的一點效果是達成目的的。我們的確覺得此兩人在那裏互相猜忌，彼此虎視眈眈。

我們又常說，電影中人物的動作不得「脫節」，不可有 Jump Cut，但看看《春光乍洩》中攝影的一場，安東尼奧尼卻在那裏着意令活動圖畫變為不連環圖。

西西（一九六八年一月十七日）

電影中的「預知」

　　甚麼能讓你笑呢？這是拍電影要研究的問題。一般上說，電影的情節不重要，而是那些鏡頭的次序。

　　拍讓人笑的電影是：盡量製造意外。有許多電影就運用了這一條原則。像卓別靈的那套《摩登時代》，差利從一間屋子裏跳到外邊去游水，誰知，碰的跳下去，水不過才六吋深淺，他只好站起來，摸上頭皮。這就是意外。事先，我們不知道水很淺，到差利跳了下去，我們知道了，就笑了。但這能笑多久呢。

　　另外一個方法是要叫觀眾笑，但又要觀眾們大大地緊張一番，這，就得用「預知」的方法。最近，有好多叫人嘻嘻哈哈的電影，「預知」用得最適當的就是《天師捉妖》。大家記得波蘭斯基如何碰上了吸血殭屍王的兒子嗎？那隻同性戀殭屍起初乖乖的，忽然就露出大牙，於是，波蘭斯基就像《風流劍客走天涯》般地和殭屍演出了一場追逐戲。只見波蘭斯基逃呀逃，殭屍呢？站着不動了，靜靜的等波蘭斯基走過來，而波蘭斯基果然〔傻〕得要命，繞了一個大圈，回到殭屍的身邊來。在這一個過程中，觀眾完全看得清清楚楚，於是急得要命，甚至有人在電影院中幫波蘭斯基的忙，大叫着：喂，喂，殭屍啊，別走過來啊！結果，當然是波蘭斯基一定要走過來，而且一定要懵然不知地和殭屍打個〔照〕面，才突然醒悟，毛骨竦然地拔腳再逃。

　　因此，拍電影的原則是可以變換的，本來要盡量製造意外，但也可以製造意內。

　　有些電影中的「預知」並非叫大家笑的，而是叫大家

逐漸去認知悲劇的必然性，在這種情形之下，「預知」有助於氣氛的發展，像《雌雄大盜》的下半部，三番四次的「預知」，就是重複地告訴我們，電影的結局不會意外，悲劇是不可避免的，這種「預知」不希望我們突然面對一件悲劇的突發，因為那不是「意外」，而是必然的。所以，該片中邦〔妮〕寫一首詩，說他們會死。郊外野餐時，母親知道他們不會再見。而同時，警方又正和同黨的父親商量陷阱的擺設，像這樣一而再，再而三的「預知」，觀眾早就步入了悲劇的氛圍，用不着到主角死去時而感到突然。幾乎是下半部開始，那些血流過以後，大家就明白，沒甚麼好笑了，導演用「預知」來滲透我們的感覺，他不要我們吃驚，而要我們接納這一事實，很冷靜的去面對它。

現在的電影愛用三S，就是令人意外，令人牽掛，令人滿足，其中有兩樣是事後的，有一樣是可以「預知」。我們應該重視「預知」的手法。

西西（一九六八年一月二十一日）

鏡中的反映

照鏡子，每個人都有經驗。我們只要一站在鏡子面前，鏡子裏面就有了我們在內。電影裏邊鏡子多極，可是，我們從來沒見到過，鏡子裏面會反映出拍它的那具攝影機。那麼，拍攝機哪裏去了呢？

我照鏡子，鏡中有我。拍攝機拍鏡子，鏡子裏竟然沒有拍攝機。這，就要我們知道一件事：我們如果對正鏡子，會照到自己，如果我們不對正鏡子，鏡子就不一定照到我們了。所有電影裏面的鏡子，都是並非和銀幕框的四周平行的，它們總是斜在一角，於是，拍攝機的樣子就可以逃掉，不走進鏡子裏。

同樣的理由，我們就明白《天師捉妖》裏邊為甚麼不見了殭屍的影像了。第一次用鏡子照着室內的床時，我們如果留心，可以發現鏡子斜在左邊，和活人成一個特殊的角度，而那個所謂「殭屍」，剛好不入鏡。當然，拍這樣的鏡頭時，是要非常的小心的。後來的那一場大舞會也是，拍攝機用高度俯拍，只拍取了鏡中三個人，其他的又給避開了。

關於鏡子，還有一個方法可以拍取，就是用騙人的方法（電影本身就是最愛騙人的）。像《天師捉妖》的那場大舞會，我們可以乾脆不用鏡子，只利用那個大鏡框，不鑲玻璃鏡片，而另外呢，我們就找三個替身，穿上了和老教授等三個劇中活人一般的衣服，站在鏡子的另一端擺着原來三個人站的相反姿態，於是，這一來，我們就使用最正的角度去拍那面「鏡子」，也不會拍出一隻殭屍來，而且也

不用費心而把拍攝機遮掉。

電影裏邊鏡子越多當然越麻煩，有時候，一個房間裏邊要有兩面鏡，這樣，拍攝機更要躲避有術。有的時候，一間房間四面八方都是鏡，演員會像化身的孫悟空一般一變變為幾個，在這情形之下，拍攝機多半是躲到佈景的上空去了。

除了正常的「鏡」，電影裏邊還可以利用變形的鏡，譬如說，一個人如果喝醉了酒，那麼照鏡子時，鏡中的反映就是一些怪模樣，有的是碎成四分五裂的人形，有的是忽長忽短忽胖忽瘦的樣貌，拍這些畫面時，攝影〔機〕也要躲起來，道具卻要特別選，用不着甚麼特別的攝影技巧。拿一些「哈哈鏡」可以把人變形，拿一面破鏡可以使一個人的臉拆散，再不然的話，就得用一隻「分角鏡」，這，以前我們已經提過的，就是用來拍《大賽車》的一種鏡片，可以使一個畫面重複成許多的相同份，出現在銀幕上。

西西（一九六八年一月二十五日）

波蘭的波蘭斯基

□〔去看看〕《天師捉妖》，於是，讓我們來認識波蘭斯基。我所以特別把他稱為波蘭斯基，因為他是波蘭的。

波國的電影產量不多，一九五○年至五五年的幾年內，他們一共才得十八部劇情片，現在呢，每年也不過是三十部左右。但是，他們也出了幾位出色的導演，其中死了一個邁克，剩下的，連波蘭斯基在內，一共是三個，但波蘭斯基最年輕，誕生年不過一九三三。

波蘭斯基大概是個〔喜〕歡看電影，看得多了又想自己玩玩的傢伙，他從許多人那裏看來了不少東西，終於自己也拍了四大部，第一部是《水中刀》，講的是兩夫婦〔和〕一個青年學生，他們一起乘艇出海，發生了一段「事情」，這部電影，法國新潮的影子很重，那是一九六二年，波蘭斯基還不過三十歲。

到了一九六五，波蘭斯基拍了一部《拒斥》，這大概是他的最佳的作品，在這部電影中，他講的是一個患精神分裂的女孩，如何殺死了兩個人，從這部片，大家卻覺得，英瑪褒曼的「模糊不清」的影子也很重。雖然，波蘭斯基從高克多的電影中搬來了一些超現實的景象，例如牆中伸出怪手之類，但是，大家不得不佩服這個人的確很能吸收別人的東西，而且，嘉芙蓮丹妮芙的造型之佳又實在令人驚訝。

之後，是一九六九，波蘭斯基拍了《死巷》，被大家稱為是「伊安納斯柯的人物，在貝克特的劇本中，由波蘭斯基拍成電影」。而伊安納斯柯和貝克特兩個人，不是別個，

乃是荒謬劇的宗師，可見《死巷》實在是一部怪題材拍成
的電影。

　　大概是拍了兩部「怪」主題的電影，波蘭斯基再想怪
誕一次，於是就想到了吸血殭屍，本來那該是恐怖電影，
但波蘭斯基不想十足十學別人，他開始要大家笑，看恐怖
片看得嘻嘻哈哈，這，他又和希治閣分了家。

　　大衛連在《沙漠梟雄》中如何展示沙漠的宏偉呢？波
蘭斯基給我們的是雪景，他的雪比大衛連的沙漠拍得好。
而且，這片中的顏色主調又勝過幾套以愛倫坡為題的恐怖
片，如《生葬驚魂》之類。

　　這部片中鏡頭與鏡頭之連接以「交替反射式」居多，
都以因果相環扣，沒有甚麼多餘的虛鏡。像眼的仰望，即
見大蒜，莎拉在浴缸中仰望，卻見魔王，例子極多。大家
感到最有趣的自然是那面鏡子，為甚麼鏡子裏會沒有殭屍
的影子的呢？那大概是用特別角度把其他人物避開的了。
關於這一點，倒要把電影再看一遍，注意拍攝機當時的角
度，才能決定是不是。

　　　　　　　　　　　　　西西（一九六八年二月二日）

意大利電影實驗中心

看《寂寞的十七歲》時，許多人都注意到了，怎麼在片頭字幕導演白景瑞的英文名字之後多了三個英文字母：CSC，甚麼是 CSC？原來這三個字母是意大利電影實驗中心的縮寫，正式的名字是 Centro Sperimentale di Cinematografia。《寂寞的十七歲》的導演白景瑞，就是在那間電影實驗中心出來的。

意大利的電影實驗中心是一間規模龐大的電影學校，位於羅馬的近郊，這間學校的設立雖然是為了訓練一批新的導演，製片，編導，剪接，攝影，設計〔，〕演員等等的人才，但實際上已經是一座大片場了。意大利許多的名導演要拍甚麼片，常常就跑到這個實驗中心去，所以，那裏的學生根本就和名導演常常碰面。最近，一個在那裏「讀書」的朋友來信說：費里尼在這裏拍片，我寫這信時，和他不過相距五碼之遙，你知道，在香港看《八部半》時，我們是〔多〕麼敬仰他。在電影實驗中心，大家雖然心裏很佩服某一位光臨的大師，但表面上大家都〔裝〕作若無其事，沒有人上去找大導演簽名，也沒有人結結巴巴上去問話，因為大家都覺得，這裏是電影實驗中心，誰也不比誰了不起。

電影實驗中心是在一九三二年成立的，附屬於聖太西西利亞的音樂學院，到了一九三五年，它才獨立成為一個單獨的電影中心，直到一九三九年才搬到羅馬的郊外。這所電影實驗中心由政府資助，政府每年撥出二億五千萬里拉作經費。校內有教職員約五十名，另有三十名校外的講

師，學生約有八十，來自世界各地，包括德國，西班牙，非洲，巴基斯坦，荷蘭，比利時，美國，英國，也有中國人。入學的學生要作〔競選〕和考試，即使幸運地入選，還要經過校內的數次淘汰，因此，有些學生入學後才幾個月就被淘汰出來，不禁抱頭痛哭。

在學校內，學生學的都是不同的科目，有的專攻編導，有的專攻攝影，到畢業的一年，應屆的同學就要自己〔拍〕一部電影出來，費用全部由校方供應，大概是每組可以獲得五百尺菲林，通常是三十五米釐，至於編導，演員，攝影師，佈景師，大家就得找同學合作。除了平日不斷的實習外，在電影中心的學生覺得最高興的是校內有一間大圖書館，書籍方面不單是電影的，多的是美術，音樂，文學之類，校內的電影圖書館多的是整千整千的經典電影作品，學生們上電影史的話，根本不用老師講書，一提到甚麼電影，馬上就放映，看完才討論研究。

目前，從該中心回國的中國學生除了白景瑞外，還有在港的孫家雯和一個月前才回台的劉芳剛。仍在就讀的還有一個，是去年入學的，學的是攝影。

米蘭（一九六八年六月十日）

倫敦影展大目標：《遠離越南》

　　《遠離越南》並沒有參加去年的康城影展和威尼斯影展，原因之一，是時間上趕不及，原因之二，是製片人根本不打算把這部片拿去競選，因為，《遠離越南》不是甚麼藝壇上〔的〕傑作，而要反映法國的一群導演們有話要說。越南在作戰，越南離開我們很遠，但那邊在打仗，我們只每天從一些記者的報道知道一切，於是，法國的導演們拍《遠離越南》，參加了去年倫敦影展。倫敦影展是展而賽的。《遠離越南》在影展中成了一個大目標。這部電影由雷奈，克連，伊雲，娃妲，利勞殊和高達六個導演聯合起來，各人拍一個片段，成為一部長達一百十五分鐘的長片，剪接是由馬克擔任，可算是集法國的一流高手在一起了。至於電影的面貌，簡直是一個萬花筒，因為導演足足有六個，所以各人拍各人自己的風格，因此，這部電影既是彩色，又是黑白；既是劇情片，又是紀錄片，既有真人演員，又有卡通漫畫，既有三十五米糎的菲林，又有十六米糎的膠片。這部影片是在去年四月至六月間拍成的，外景地點很廣，包括了南越，北越，美國，古巴，波利維亞及巴黎。

　　阿倫雷奈拍過一部《廣島·吾愛》，在《遠離越南》中，他拍的幾乎是一段「河內·吾愛」。至於高達，他的一段可以稱為「真實電影」，由他自己現身銀幕，獨自一人面對觀眾，講了一大番話，當作有人在訪問他。這種手法，是高達最慣用的。高達就藉這一場表示他打算到越南去拍一部電影，彷彿是電視訪問實錄。利勞殊拍的是一段越南

現場和戰艦，伊雲拍的是河內，克連拍的是美國片段，娃姐本來有一段，但結果給刪掉了，留下來作獨立的短片。

　　整個的來說，這部電影不屬於雷奈或高達或利勞殊等任何一個，而該是一部克列斯馬克的電影，是他出的主意，是他作剪接，是他用一隊樂隊來配音，把所有的片段連貫起來，並且可以前後呼應。

　　《視與聲》及《電影與電影製作》都給了這部電影三顆星標，因為它是新的，豐富的，奇異的，當然，它也有缺點，像音樂太傷感，有些場面太作狀。不過，這部片多少也反映了現代人對現代事的關心，而且激發大家去思想現存的一些問題。

　　本來，《遠離越南》的工作人員還會多些，像杜魯福，他也曾被邀參加，但杜魯福拒絕了，他認為，《遠離越南》是反戰的，但也是反美的，在群眾還沒有決斷出美國這樣做是對還是不對之前，拍這一部這樣的電影並沒有甚麼意思。

米蘭（一九六八年六月十一日）

美國西部片史話：一、第一部西部片

西部片，我們通常叫做牛仔片。

電影中的第一部西部片，是一九〇三年的作品。那部電影很短，不過是九分鐘；要說的故事也極簡單：一群火車劫賊，截停了火車，把乘客排成一排，劫得了財物。於是，當他們回到鎮上時，一路上被緊張地追捕着。這部叫做《火車大劫案》的電影，不但是電影史上的第一部西部片，並且是電影史上第一部有戲劇性的動作映畫。直到現在，西部片還是一位不倒翁。辛康納利和碧姬芭鐸的新片是西部片，泰倫斯史丹的新片也是西部片，意大利把西部片拍出了一種風格，又拍濫了風格，但西部片還在開展，電影的年齡很年輕，西部片卻像青草，每年總是綠得十分熙爛。西部片無異是一種最淺白的語言，它的道德觀念總是那麼基本，它的背景總是那麼原始，而且，西部片總是充滿了動作。

到了一九一四年，施素杜美導演了第一部西部劇情片，所謂劇情片，就是指長度上有一個多鐘頭放映時間的電影，也就是一般公映的電影。人們除了喜歡西部片的動作多於一切外，還喜歡西部片裏的壯麗的景色，這種美麗而原始的大自然景色，實在是一般電影無法與之抗衡的。在一部叫做《蔭蓋的篷車》中，人們第一次見到西部的自然面貌，導演占士克魯茲第一次把西部的遼闊的原野搬上銀幕，拍的時候就用的全是實景，那是一九二三年。《蔭蓋的篷車》在題材上和涵意上來說，並非甚麼了不起的作品，不外是浪漫主義色彩甚濃的兩個篷車主爭奪一位

《星島晚報》「特稿」

少女的故事，但導演給我們感覺到西部的空間：壯麗的篷車行列，黃沙，槍枝，馬刺，牛群，猶如一首西部的純樸的詩。克魯茲自己一共拍過兩部西部片，他的經典作品集了當時電影三大家 —— 格里非斯，赫特和英斯 —— 的大成，不過，他雖然替西部片墾荒，卻沒有繼續播種耕耘，承繼他而發揚光大的，卻是西部片的第一號導演尊福，尊福在一九二四年時拍了《鐵馬》。

在默片的時代，西部片無異是天之驕子，因為西部片實在用不着一大堆對白，而且也無須唱歌，聲片面世的初期，戶外錄音是一件困難的工作，有〔人〕以為西部片大概要壽終正寢了，但是，《維珍妮亞》和《老阿里桑邦》兩部有聲的西部片一樣賣座，奠定了西部片的基礎。

西部片的時勢，造就了不少西部片的英雄明星，幾乎沒有一個著名的荷里活明星不曾和槍桿牛群馬匹〔打〕過交道，像老去的尊榮，他單憑三套西部戲服，就演了這幾十年的百分之九十以上的西部電影。

米蘭（一九六八年六月十二日）

美國西部片史話：二、紅番與女人

　　紅番是西部片的特產。初期的西部片，把紅番描寫成殺人的冷血動物，又把所有紅番當作是兇狠殘暴的野獸。這情形一直到一九四九年才有了轉機。在該年，戴爾馬戴維斯的《折箭為盟》一反常態，把紅番寫成一個有血有肉的人，反映出他們也有正義忠誠的一面。

　　並不是說在《折箭為盟》以前，紅番就沒有被人正面地描寫過。格里非斯也曾以紅番為題材拍過一些電影，在一部叫《雷蒙娜》的電影中，瑪琍碧馥演的還是一名印地安族的女孩。《蔭蓋的篷車》也站穩中間立場來寫紅番，因為當時的技術指導是後來成了名的麥該，麥該是一位印地安文化和歷史的專家，又精通阿拉巴可族人的記號學和方言，阿拉巴可族的族人還因此納他入族，稱他為「高鷹」。麥該給了導演克魯茲不少意見和建議，所以在當時，《蔭蓋的篷車》並沒有把紅番醜化過。

　　一般的西部片雖然沒有醜化紅番，但他們並沒有深入去把紅番的「人性」表現出〔來〕，在早期的西部片中，紅番不過是一些活動佈景版，是一些西部英雄藉以成名的該死的族類，直到《折箭為盟》，以後的電影，就開始把視線投向紅番的本身了。甚至畢蘭加士打不但不演白種英雄，或與紅番為友的正義人物，反而扮演過阿巴支，連柯德莉夏萍也飾演過一名紅番女。

　　西部片的世界，是男人的世界。不管白種人也好，印地安人也好，西部片要講的是惡霸和俠士之間的恩仇，田園的血淚史，因此，西部英雄人物的同伴是他的馬匹他的

槍枝，第三位才數到女人。女人是不重要的，她們最多在酒肆中唱唱歌跳跳舞，或者就是最後終於以淚眼目送英雄遠去。她們多半是弱質女子，雖然有的已經風塵僕僕，但她們是文弱的，而且常常是英雄們的累贅。像《龍城殲霸戰》中的新婚妻子，就發誓以離開要和亂人拼到底的丈夫作威脅。

也有一些西部片中的女人是耍槍的好手，像巴巴拉史丹域和鍾歌羅福，但這類電影畢竟是少數，而且，她們也永遠無法和加利谷巴及尊榮相比，甚至那麼紅的瑪蓮德列治，瑪麗蓮夢露，在西部片中也不過是一些很好〔的〕綠葉，她們從來不是西部片中的花。

或者，我們會想起《脂粉七雄》這類的電影來，那部電影中有一大堆的女孩子，不過，《脂粉七雄》並不是西部片，而是一部歌舞片。許多德琵雷諾的電影也是歌舞片，它們是西部片的表兄弟。在一部傳統上的西部片中，女人就和諧趣一般，只是藉以調劑一下粗豪的氣氛吧了。

米蘭（一九六八年六月十三日）

美國西部片史話：三、「替身」演員

　　銀幕背後有英雄，我們不知道他們的臉，不知道他們的名字。但銀幕前面也沒有例外，許多許多的人，我們不認識。在西部片裏邊，流行的一句說法是：沒有一匹馬不能被人騎，沒有一個人不能被人扔。西部片裏的英雄都是高手，他們能夠從馬上摔下來，不受一點傷，又可以躍上篷車頂上作戰。事實上，真正的明星並不是那麼了不起的，他們還不〔是〕和普通人一般，甚至有的幾乎和玻璃一般經不起拋擲，一扔就粉身碎骨了。

　　自從西部片的降生，銀幕上就多了一種叫做「替身」的演員，他們專門代替大明星演各種危險的動作，因為「替身」的軀體即使受了傷也可以換一個替身上鏡，要不然的話，讓大明星受了傷，電影就不能繼續拍〔下〕去了。

　　在尊榮早期演的電影中，他的替身是一個印地安牛郎，名叫耶基瑪甘納。甘納有時候在電影中要演歹徒的角色，如果碰上尊榮剛好要和這名歹徒打上一場劇烈的戰鬥，甘納實在分身不開，導演只好要他替尊榮，反而找一個替身來替代甘納。

　　當然，不一定所有的打鬥場面都由替身上場，許多演員認為多用替身就有損自己的威風，寧願自己演，像馬戲班出身的畢蘭加士打，演危險的動作他可一點也不在乎，至於格力哥利柏，他在《太陽浴血記》中縱身上馬的出色騎術，也就由自己來演。

　　專做替身的耶基瑪甘納一直沒有變成大明星，但他也有自己的成功捷徑，他終於組織了一隊「打鬥隊」，專替電

影的打鬥場面表演。倫敦有一間專門的學校，訓練的就是一批「打鬥人」，這些「打手」多半是退役軍人，其中不少是降傘兵，有不少人演了幾年「打手」而成名，轉行成為電視片集的紅星。

做一名打手替身除了身體強壯和勇敢之外，還必須有相當的技巧。如果在一場酒吧大戰中，打手要演的不光是被人一拳打倒，立刻翻一個跟斗闖到一面鏡子上算數，他們通常要注意攝影機的角度，注意自己站立和停頓的地位，使自己的動作雖然分段表演，而連貫一體。當大明星的替身的話，最重要的就是不能讓臉部入鏡，所以，一般的替身實在是一批「背部明星」。

近年來打鬥片風行，除了西部片，還有特務打鬥片，武俠片。這些片的風行，也就是「打手」們的黃金時代，我們常常可以見到一些著名的「打手」在一部電影中死去七八次，換過一個角色又再出場，來來去去都有他們的臉，這也證明了一點，電影其實就是在做戲。

米蘭（一九六八年六月十四日）

美國西部片史話：四、西部片演員的特色

　　西部片明星自己拍部西片，一共有兩部。一部是尊榮的《錦繡山河烈士血》，一部是馬龍白蘭度的《龍虎恩仇》。

　　尊榮所以要拍一部電影，大概因為自己演戲演得太多了，想當導演。他的《錦繡山河烈士血》拍得並不壞，但我們自該片後就不曾見到他再繼續製片，因為他實在不是一個第一的製片家。單是拍一部《阿拉模》，他就用掉了一千萬，而且不能照原意在墨西哥拍攝，要改在德薩斯。一千萬拍一部電影，那實在是貴了些，所以，尊榮拍了一部電影，又乖乖地當他的西部老英雄去了。但那部長達三小時零一刻鐘的陶德禮特藝彩色片卻是一部很有尊福味道的地道西部片。

　　馬龍白蘭度的《龍虎恩仇》本來是史丹利寇列克執導演筒的，但結果卻是馬龍白蘭度當上了導演，足足拍了兩個年頭，片長三十個鐘頭，結果剪為七個小時，最後才刪成二小時零二十分。

　　馬龍白蘭度一直被人評論的是他的方法演技，因為他是一個方法演員，就是說，他可能不是適當的人選，就硬要演得活龍活現。但在西部片中，他靠一切小動作來取勝，撫撫鼻子，觸觸肩膊，搔搔耳朵舐舐嘴唇之類，他以這種方法造成電影上的懸疑，把時間拉得很緊，因此，他反而有了他獨特的風格；雖然他講話時是那麼地壓低了嗓子，像在喃喃地唸經，但每個字都清晰可聞。

　　通常，一個西部片的明星用不著是一個方法演員，也即是說，不必是一個演技演員，而是一個性格演員。這，

加利谷巴，尊榮，就是最典型的人物。尊榮這種人，不必說話，不必移動，只要一站站出來，大家就覺得單憑外貌已經是西部片的理想人物了，同樣的，加利谷巴也是這一類型，他們都給人一種先入為主的印象，這種印象是十分重要的。因為初期西部片的先要條件是忠奸分明，而且故事聯絡是一線到底的，中間很少曲折轉變，英雄就是英雄，奸黨就是奸黨，性格鮮明使西部片顯得更為明朗純樸。相反來說，偵探片，恐怖片就比較不一樣，人物可以古怪些。

　　試拿馬龍白蘭度和尊榮相比，前者在體型上吃了虧，樣子也不像西部片裏的人物，反而尊榮就像了，因此，我們無須奇怪為甚麼尊榮這類人會屹立不倒，在西部片中〔雄〕霸半邊天，說到演技可沒甚麼，連對白也少得可憐，接吻也不會，但他和馬龍白蘭度是兩種類型的演員，而西部片，傳統的西部片是性格演員的天下。所謂性格演員，並非指演得很有性格的演員，而是看演員本身的類型而定，和演技演員剛好相反。

米蘭（一九六八年六月十五日）

美國西部片史話：五、歐洲的西部片

　　西部片是美國的產品。不過，因為西部片是那麼地賣座，又越拍越多姿多采，別的國家也就競相模仿了。歐洲當然也有山，也有馬匹，也可以有人扮頭上戴着羽毛的紅番。

　　在歐洲，德國最先開始拍起西部片來。他們的電影也沒有例外，照例是牛郎，紅番和歹徒。德國的第一部西部片叫做《銀湖寶藏》，演員方面，他們找來了演慣泰山的力士柏加，至於紅番，他們找了一個法國演員。整個片的外景是在南斯拉夫拍攝，賣座的情況並不下於荷里活的牛仔片。

　　英國也拍過西部片，他們拍的第一部西部片叫做《鑽石城》。西部片裏的槍戰，馬匹，酒吧，舞孃，《鑽石城》裏都齊了，他們選的外景地點卻是南非。但那部影片並不出色，人們所記得的只是演一名吧女的戴安娜黛絲演得倒不錯。英國西部片被人津津樂道的是狄保嘉第演的《龍膽忠魂未了情》，外景是墨西哥。

　　最近，拍西部片著名的國家當然要數意大利，「獨行俠」的風格是那麼地鮮明，實在又替西部片開拓了新天地。可惜的是，意大利西部片漸漸地又被拍濫了。

　　自從有了西部片，白人和紅番和歹徒的故事也轉變了很多，起初，大家拍西部片實在是在湊熱鬧，不是求壯觀就是求刺激。但漸漸地，大家知道，一個電影描寫的不外是一些人的故事，而人，本來都是有血有肉的。人的世界，又充滿了感情，正義，律法，不光是打打殺殺。於

是，西部片的電影裏開始有了「人情味」，也就是一般人稱的「西部文藝片」。其中，最著名的兩部電影當然要數《原野奇俠》和《龍城殲霸戰》。

直到現在，西部片的公式雖然不曾有大的變動，但題材上已經做到了化腐朽為神奇，尤其是近十多二十年來，西部片除了表面還是那樣子，總有了新的意義。而且，大家都懂得對古老的西部片重新〔評估〕，對那些英雄的看法也逐漸從「神化」回到「人化」來。西部片中一貫的好人就是好人，壞人就是壞人，也不再是那麼地公式化了。此外，我們在西部片中逐漸發現有一些車輛代替了馬匹。一些直升機的出現正說明了西部片的西部，也隨着時間的更換而變着。《巨人》，《情場浪子》，《匹馬走天涯》都是新的西部片，像《牧野梟獍》這類的電影，我們還稱之為「哲理西部片」，因為它不過是借西部的背景來表現現代生活中的絕望感覺。到了今日，西部片已經不再是「碰碰，你死掉了」那麼簡單的故事，甚至有些「鐵金剛」，也不再同樣地像初期的那麼膚淺了。

米蘭（一九六八年六月十六日）

電影上的「割入」和「割離」

　　拍電影，有一種手法，叫做「時間的濃縮」。所謂「時間的濃縮」就是把日常的現生活中的瑣碎而冗長的時間搬上銀幕時，加以剪裁，把多餘的刪掉了。譬如說，電影想描寫一個人上樓梯，在日常生活中，一個正正常常的人上樓梯總是從最低的一級開始，一步一步地踏着梯級走上樓去，但在電影中，如果也把那個人上樓梯的情形詳細地拍下來，實在是浪費菲林，而且，照這樣的拍法，一個半鐘頭的電影，也就只能描寫現生活中一個半鐘頭的事。電影不是現生活，而是現生活的一種反映，而這種反映，是經過選擇的。像一個人上樓梯，電影要做的只是告訴大家：這個人上樓梯。拍攝的時候可以把整個上樓梯的過程分為三個或二個鏡頭：人在樓梯底，人在樓梯頂，人在樓梯中間。電影這樣做，是因為人會聯想，而且人有上樓梯這種經驗。

　　要把時間濃縮起來，通常可以用「割入」和「割離」的手法。這些手法不但可以使電影節省時間，還可以使一些鏡頭多些變化，不至於太沉悶。譬如說，電影要描寫一個人在插花，鏡頭可以先拍一個人拿着一枝花正插在瓶中，然後，下一個鏡頭可以拍一隻手把花插在瓶中，再下一個鏡頭是一隻手再拿一枝花，最後，就是一個人拿了最後一枝花插在瓶中。這時，瓶中的花可能不止四枝，而是十多枝，但是經過上述的四個鏡頭，大家一點也不會覺得有甚麼不妥，而且很明白花都插在瓶裏了。像這樣的一種手法，就是「割入」。「割入」是把一件事件的過程分別局

部放大了來描述，觀眾雖然看了幾個畫面，就可以聯想到整個過程，拍攝時要注意的只是把人、手、花或瓶在畫框內孤立起來。

「割離」的手法比「割入」活潑一些。譬如說，電影要描寫一個人打保齡球，如果用「割入」的方法，鏡頭一定跟着人和球分別來拍，但「割離」可以跳到第二個目標上去。起先，鏡頭可以拍一個人拿着保齡球；下一個鏡頭就是這個人擺了很好的姿勢扔球，球開始滾動；第三個鏡頭可以拍旁邊正在觀看的一位朋友，拍手哈哈笑；最後一個鏡頭可以拍球落進溝裏去了。像這樣的拍法，也是短短的四個鏡頭，觀眾明白那是打保齡球，不但看到人的動作還看到旁觀者的反應。

一部電影，就由很多組的「割入」和「割離」構成，我們有時覺得一些電影的畫面太呆，老是兩個人一個一邊站着對話，這就是因為當時沒有大量地利用「割入」和「割離」的緣故了。

米蘭（一九六八年六月十八日）

「真實電影」

我們現在看的電影，不管是安東尼奧尼的《春光乍洩》也好，耶哥貝蒂的《殘酷世界》也好，都不算是「真實電影」。「真實電影」是一種「自然電影」，不是「藝術電影」。

拍電影，當然，得有人編劇，於是，對白一句句編好，演員到時背述出來，這就是「演」，不是真真正正的生活。電影片場裏搭了很多佈景，那是假的，即使是安東尼奧尼，他的《春光乍洩》中的倫敦，那些糖是被塗過了色彩才上鏡的，這，也是假。「真實電影」並不這樣。

電影裏邊有很多溶，淡，割，等等手法，又有時間的濃縮，又有蒙太奇等等，這些都是技，都是「做作」，所以，也是假的。不過，要分別的是，「假」並不就是不好。塞尚是個大畫家，他的畫是傑作，藝術價值很高，但我們可以用阿里士多德的看法來說，那也是假的，塞尚畫的蘋果的確是名畫，但那些蘋果不能拿了來吃。這就是指：畫裏的蘋果像蘋果，但不是真的，而電影，裏邊的人生活得像真的，卻並不真。

於是，有一些人就開始拍「真實電影」了。他們把現生活忠忠實實地反映出來。有人拍了一部關於一個人吃飯〔的電影〕，鏡頭就一動不動地對準那個吃飯的人，絕對不用「時間的濃縮」。如果那個人吃飯吃十五分鐘，電影就拍十五分鐘，如果那個人吃半小時，電影就拍半小時，那個人怎麼拿起碗，怎樣吃，怎樣嚼，都拍進畫面了。如果要拍一個人睡覺，由晚上十時睡到凌晨七時，那麼電影也拍足那麼多小時，雖然，這部電影既沒劇情，又沒對白，

甚至睡覺的人可能兩個鐘頭都不動一動，但，這是真實的，我們人就是那樣的，我們現生活中的確有這種事實。

「真實電影」豈不是很發神經？其實並不，凡是一種「新」事物的出現，必定是有人對舊的起了厭倦，懷疑而有所「悟」和「省」的。「真實電影」追求真，而真不一定美。現在我們看的電影盡量給我們美，但它們不真。「真實電影」可以說是一種「實驗電影」，現在很多的電影中，尤其是高達的，就常用「真實電影」加插在內。

其實，我們每天也接觸「真實電影」而不自覺，因為電視節目就是「真實電影」了。一些訪問節目，一些問答的節目，事先都沒有編好的對白，所以都是真的。「真實電影」所採用的是拍紀錄片的手法，紀錄片求的就是真。像美國故總統甘迺迪被刺，一個途人無意中拍到了一卷紀錄片，它的價值就是真，大家能否批評它不夠美，鏡頭拍得不好呢。對於有一些電視節目，大家也可以〔用〕同一態度來批評，因為傳真和傳美有時是兩件事，出發點並不一樣。

米蘭（一九六八年六月十九日）

電影幕後工作的知識：一、電影的導演

一個導演，該做些甚麼工作呢？一共是十三項。

一、參加寫劇本的工作。導演應該和編劇或加上原作者一起合作，編寫一個劇本。

二、指導演員如何演。（這項工作，在舞台劇是由製片擔任的。）

三、他是片場內的最高權力者。每日片場內所做的每一件事，全由導演下令進行。

四、和攝影師討論攝影角度，特別包括打光攝影師在內。拍一部電影，光線是極為重要的，光線一差，電影也就完蛋。攝影和光是分不開的。

五、改善佈景和服裝的設計。提供意見。

六、注意演員的化裝，是否適合劇情。

七、每日要看所拍出來的毛片（毛片就是未加剪接選擇的初步電影膠片）。決定要取〔哪〕些鏡頭。

八、計劃配音：包括音響效果（即車輪聲，關門聲，電話聲等等），對白（演員說的話）和音樂（一首歌，或一段樂曲）。

九、和作曲者一起研究，寫出適合的曲子。導演可以提供劇情，由作曲者譜樂配合。

十、和剪接師一起研究，把電影片段如何剪開來再接合。通常，一個導演喜歡自己親自參加剪接，而且花的時間比剪接師還多，這是可以的。

十一、時常和製片人共同磋商。因為有些問題並非一經製片決定就不會改變。片場上隨時會有意外，如演員受

傷之類，或拍攝時間過期，用錢太多，都得由製片下主意是否有甚麼要臨時變更。

十二、磋商聲帶的剪接工作。電影膠片的剪接不光是要剪接畫面，同時要剪接聲響的聲帶，而聲帶的聲音有對白，音響和音樂三方面，導演對聲音的〔配合〕亦要和配音人員合作。

十三、在電影拍完放映後，等待影評人的批評。

以上十三項是一個導演的工作，任何一個人看了電影後要加以批評的話，都可以依其中八項或九項來〔評〕，像演員演得不好，角度不行，都是導演的責任。如果畫面剪接聲帶剪接佳，則導演也有一份功勞的。

有些電影的導演是製片請來的，而且已經先有了劇本，這樣，劇本如果不行，導演也無能為力了。有些電影我們可以看到導演的本領，因為他們拍的多半是「導演電影」，因為導演權力大，成名的導演多半是。有的導演受製片家的控制，只能拍出「製片家電影」，那也是沒辦法的事。

米蘭（一九六八年六月二十一日）

電影幕後工作的知識：二、電影的聲音

電影的聲音有三類：對白，音響和音樂。

以前拍的一些電影，對白是當場錄取的，但現在，很多的電影都採用了事後錄音的方法。如果一部電影需要在拍攝畫面時同時錄音的話，片場內就要設〔置〕一些米高峰，把演員的對白錄下來。這時候，專管米高峰的人就得小心，不可以讓米高峰，或者米高峰的拖影被攝進拍攝機。不過，現在的電影已經把畫面的工作和聲音的工作分開來，事後再合在一起。

自然音響多半是事後配音的，一些普通的音響如電鈴，水流聲，火車聲，都不是大問題，有一種專為配音用的配音室，裏邊有很多錄音帶或樂器，要甚麼音響都可以找出來，不管是風聲雨聲，腳步聲，汽車喇叭聲，鳥啼〔聲〕，都有。

電影中的音樂，可以分兩類：一是背景音樂，一是前景音樂。背景音樂是陪襯用的，有些劇情需要有些音樂營造氣氛，所以，當人物在表演時，音樂就響起來。一些大規模的製片對電影的音樂極為重視，他們不惜聘請音樂家作曲，在配音時，還特別請一隊樂隊來演奏樂曲，配〔合〕劇情的發展。這種配音是嚴謹的，配音場內有銀幕放映着電影的畫面，樂曲指揮就依照劇情的發展來指揮，忽慢忽快，或者有時還要特別強調某一樂器的聲音作效果。如果樂曲要和畫面配得天衣無縫（在特別情形下）的話，音樂師要用秒鐘來計算時間。

前景音樂是劇中人自己唱歌或樂隊在銀幕上演奏，這

可以用事前錄音或事後錄音來配合，銀幕上的歌手在攝影機前就不必真的唱歌，而只做唱歌的姿勢就行。早些日子，一些歌唱黃梅調的歌，就是事後配音的，有些演員根本不會唱，聲帶上是別人的歌聲，但銀幕上的演員照樣演得一面做一面唱。

對白的配音也和一些配樂一般，銀幕上放映着電影的畫面，演員就依照演員該說話時講對白，這樣，注意的只要對口型，方便的是演員可以不必理會演技，把對白盡量講好。同時，一個演員如果演國語片而不會講國語，對白可以由別人配音，不必擔憂自己國音不正。

很多電影的配音都是大規模的，尤其是一些歌舞片如《英雄肝膽美人恩》之類。《齊瓦哥醫生》的配音工作也是大規模，整隊的樂隊在配音場工作，像這種電影，如果我們光看畫面，認為大衛連並沒甚麼功勞，或是那個劇本實在編得糟，但只要注意一下它的配音方面的成就，也就不至於把它貶得過低，該片把配音那麼重視，完全為了柏斯特納克本來是一個詩人。

米蘭（一九六八年六月二十二日）

電影幕後工作的知識 [1]

電影分為畫面和聲音兩部分。除了製片〔,〕導演和編劇之外〔,〕電影工作人員分為兩部分。一部分替畫面工作〔,〕他們是:攝影人員〔,〕設計人員和剪接人員。另外一些則為聲音工作。

我們通常稱的攝影師,其實是從來不直接拍取畫面的,他的工作只是照顧片場裏的光線,因為攝影畫面是一件輕易的工作,要的不過是技巧,但對於光線的認識,卻是一大學問。因此,我們稱的攝影師,其實是打光師,他才是攝影組的首領。他總是走來走去,指示亮甚麼燈,用甚麼光,看看用甚麼光才能使一件絲質的衣服拍出來的效果更好之類。〔所以〕,有時候,我們不能說,啊,這畫面真美,攝影師了不起,其實,真正站在拍攝機前的持機人並沒有甚麼大功勞。他不過是一名用手的「執行者」,Operator,用腦的 Cameraman 才是值得我們佩服的。執行攝影的人員需要的只是明確的視線和平穩的手勢。在攝影機旁站的另一個人是扭轉焦點的人,有時候一個鏡頭在拍攝的中途轉換焦點,而他就做這一項工作。拍攝組還需要一個拍板的人,板上寫着場數和片名,這是〔便利〕剪接時易於認別而用的。

為電影畫面而工作的第二組人員是設計師,他們包括專設計佈景和專搭佈景的,這些人裏邊,一邊是畫家,一邊卻是木匠和泥水匠。除了佈景外,另外有人設計服裝和

---

1   西西未為此文立副題。

化妝及髮型。知道一些電影上的花〔技〕，這樣設計的佈景可以省許多工程，他還得懂設計模型，熟悉歷史文物。

為電影畫面工作的第三組人是剪接師。當然，嚴格的說，他們還得〔負責〕電影的聲音工作，因為剪接一部電影的片段，是包括畫面和聲音在內的。剪接師整天拿着一把剪刀，把一段一段的畫面接起來，畫面需要甚麼配音的話，他又要把聲帶配好，這種工作是最困難〔的〕。我們看一部電影時，常常見到上一個動作和下一個動作不連貫，或是聲音不對嘴型，這些都是剪接上的毛病。其次，我們知道，光的速度比聲音快，一些電影的畫面常常亮了好了，聲音還沒來，或者，畫面消隱了，聲音卻被強迫截斷，像這些，也是剪接上最要注意的。

剪接是電影的一門重要的工作，所以，許多導演對於剪接總是親自動手，有的人拍一部電影也要半年，但在剪接室可能會獃上三季，每年，所謂電影的十項獎品，總把最佳剪接算在內，可見剪接是多重要了，而通常，看電影的人對剪接是最不關心的。

米蘭（一九六八年六月二十四日）

電影幕後工作的知識：四、電影的編劇

　　直到現在為止，許多人還在爭論，到底一部電影的成功，該是導演的功勞，還是編劇的功勞。而導演和編劇也一直在爭論自己的〔職責〕。一般的編劇老是說，導演沒好好地照劇本拍，把編劇的意思歪曲了，拍壞了。至於導演呢，也老是在訴苦，說一些編劇實在太過分了，把導演該做的事都拉到自己身上去。所以，直到現在為止，導演和編劇，誰該當電影的第一功臣，還沒爭論完畢。

　　照傳統的製片方式來說，一部電影的功勞應該是屬於導演的，許多編劇者往往走錯了路，把自己當作了「電影作者」。如果一個導演自編自導，那他當然可以是一部電影的「作者」，但如果編和導是分工的話，編劇的責任就是好好地寫對白，好好地描述人物，至於怎樣拍，得由導演自己來決定，譬如說，在一場戲中，主角睡不着躺在床上睜着眼，他看見牆上的鐘，屋頂的花紋，窗前的花。那麼，編劇要做的就是向上述的詳細的描寫，而不該是：鏡頭從主角眼睛向左搖拍，至一鐘，再向上升，拍屋頂的花紋，溶一串屋頂的花紋之類，如果編劇寫這些，實在是犯了過錯，因為編劇的人沒有理由要限制導演如何運鏡，編劇的責任是盡量提供劇情，至於如何表現，那是導演的事，導演可能喜歡用一連串的割接而不愛搖，或者喜歡推推拉拉不喜歡溶。所以，編劇不能搶導演的飯碗。當然，如果編導是一個人，那根本不成問題，別說該如何編，就是沒有劇本也無所謂。

　　編劇要做的事是：不必顧慮文字的風格，除非是對白

上的需要，他只要詳細地描寫動作，並且把整場的意思清楚地寫出來。在默片的時代，編劇的工作不是詳細的故事，當聲片面世，編劇才多了一件工作，乃是要寫對白。當時，製片人發現寫默片的編劇不會寫對白，於是他們只好找舞台的編劇，結果，他們又發現，編舞台劇的人雖然會寫很精彩的對白，卻不懂得如何編電影的場面。現在，許多的電影製片採用雙編制，就是編電影劇本的先寫劇本，另外找人去寫對白，這樣的成績當然會收效得多。

通常，編劇的要自己寫對白，在對白方面，好的編劇要做到的是使對白生活化，最好別像舞台劇中背莎士比亞的台詞，而且，許多對白都是可以濃縮的，聰明的編劇應該懂得多利用畫面的出現來替代長篇累贅的對白，而且對白的作用其實也是輔助性的。

一個好的劇本，是在寫完了被讀的時候，看劇本的人會覺得他不是在讀一個故事或劇本（一如文學作品）〔，〕而是彷彿看到電影一般，所差的就是缺少了導演自己的表現方式和風格而已。

米蘭（一九六八年六月二十五日）

電影幕後工作的知識：五、電影的製片

　　一部電影，總少不了起碼有一個製片。甚麼叫做製片呢？「製」又是製甚麼呢？一個人可以自己買布，自己裁自己縫，一件衣服做成了，那件衣服是自製，而電影的製片，他們做些甚麼工作呢？

　　一個電影的製片，要做的有五大項工作。

　　一，製片要為電影找新的拍攝題材。他們可以去找人寫，向人買故事，要拍甚麼的話，得自己去找回來，並且要付錢。當然，有時候，好的故事或題材會自動找上門來，製片人也可以委任別的人代理，結果由自己決定。有的大公司的製片則把題材的來源交給編劇部門，最後也由製片決定。

　　二，製片要想辦法找錢。做一個製片人，不一定要自己是個大富翁，一個窮光蛋也可以當製片，只要他可以籌到足夠的錢。有不少的人就因為找到了好題材，然後找有錢人出錢，自己當製片。大製片家當然有足夠的錢製片，不必找外界支持。有了錢，製片人要計劃如何用錢，最好是分文不浪費。

　　三，製片要供給片場的拍攝設備，像片場，道具，服裝，佈景，拍攝機之類。所以，片場裏如果沒有軌道可以推拉，沒有升降拍攝機，一概由製片負責。製片還要負責和外界接觸和聯絡。譬如說，有的電影要找監獄實景，那就得和警方或有關方面聯絡。

　　四，製片要找一批人來拍電影。這些人包括了導演，攝影師，演員等等。因此，製片人對導演的功力本領，演

員的演技性格等〔，〕都要有相當的認識，有時候，我們見到一部電影中的一個演員實在不該演某一個角色時，不要急急地責罵導演，〔因〕為導演沒有犯甚麼過失，角色的分派，是製片的工作。

五，製片要注意電影上映時的賣座紀錄，觀眾的反映，影評人的批評，影片的盈虧。所以不能說製片人只顧錢，他們是要關心錢的。

製片人也有不該負責的工作。

一，指導演員如何演戲。電影和舞台劇是不同的，舞台上的製片是要兼理演員的演技的。電影上由導演負責。

二，寫故事，或把電影片段剪輯起來。尤其是把電影片段剪輯起來，因為這是導演和剪接師的工作，製片是不插手的。但目前，不少的製片喜歡自己拿剪刀，胡亂把影片刪剪掉。

一個好的製片人，計劃重於一切。而且，一個聰明的製片人很少跑到片場去實地觀察，因為片場是導演的天下。正如一個校長不會亂闖入一間課室一般。製片人應該守着他的電話和寫字桌。

米蘭（一九六八年六月二十六日）

新潮之風格

　　「新潮」所以會令到舉世矚目，重要的還是他們的電影風格。新潮導演的出身，不若真正的電影學徒，所以他們沒受到傳統條件的約束，他們沒受過訓練該如何拍一部電影，所以一切由自己想出來，碰到技術上的難題時，他們尋求解決的方法也就不是依照標準的方法，而是自己用自己的辦法。結果是，他們因此創出了前所沒有的自由風格。從來，甚麼格列非斯，愛森斯坦的理論一直霸道影壇，碰上這群新潮導演，根本全成了廢物。電影有文法嗎，電影有標點符號嗎，新潮導演根本不理，他們拍電影不講規則文法，甚至明知是這樣，也不怕把它打破了衝出去。

　　傳統上的說故事方法是順時間次序的，但新潮導演把過去，現在，未來交叉在一起。傳統上的拍攝角度是一百八十度，新潮導演卻會來一個三百六十度。新潮之後，很多電影都用了各樣的新異手法，而這，不能不說是受了「新潮」的影響。

　　「新潮」的導演不是製片家，那是說，他們窮。窮起來當然不能搭大佈景，乾脆跑到大街上去拍，寧願拖了手提機去追蹤物體，而且是清一色地拍黑白，小銀幕，只在畫面上下功夫，這就難怪那些「新潮」作品雖然略為粗糙，畫面卻是如詩如畫，不然的話，就像是新聞報告。

　　「新潮」作品都是「可讀」的，那是說，它們都有內涵，像文學出身的高達、杜魯福之輩，簡直是拿了攝影機在拍小說。像杜魯福，要不是他本身也是小說迷，哪會

選中《烈火》的原著呢。所以「新潮」的電影，並不是慢吞吞的鏡頭，描寫沒甚麼的劇情。相反，新潮電影都是一篇篇上乘的小說，看了電影的人還結結巴巴地去找劇本來讀哩。

如果要欣賞「新潮」電影的風格，以下的電影是必看的。杜魯福的《四百擊》，《祖與占》。雷奈的《廣島之戀》，《去年在馬倫巴》。高達的《斷了氣》，《槍兵》，都是代表作，現在已經是「新潮」的經典。

最近，這群當時的新潮健將拍成的《遠離越南》正集合了各家之長，如果有機會看的話，倒是一部溫習「新潮」手法的好課本。

一九五九年康城影展時，《廣島之戀》得國際評判員獎，《四百擊》得最佳導演，一位記者撰文報道，用了「新潮」兩字，從此，電影上的「新潮」就舉世皆聞了。在影壇上，義大利一直處於領導的地位，而法國，一向以藝術稱雄，要不是有了「新潮」，在電影上，晚近的法國幾乎就要交白卷了。

米蘭（一九六八年六月二十九日）

電影學的後設理論

有一種語言，叫做「對象語言」。

另有一種語言，叫做「後設語言」。

我們大家都去看電影，看了以後，每個人可以寫一篇影評。譬如說，大家看的是《鐵金剛橫掃皇家賭場》。於是大家就針對那個電影來評。在這個時候，大家寫的是影評，對象是電影。因此，影評是一種「對象語言」。

我們看了很多篇影評，有的認為《鐵金剛橫掃皇家賭場》很差勁，胡鬧已極，不知所云。有的卻認為〔它〕實在很有靈氣，風格清新可喜。完全沒有殘暴冷血的鏡頭。我們看了之後，可以也寫一篇文章批評一下，到底誰對誰不對，或是把自己的另外一個看法寫出來。當我們批評影評時，我們的對象不是電影本身，而是影評這篇文字，而這，即是「後設語言」。

假如我們說：《破曉時分》這電影拍得不錯。這句話是「對象語言」，其對象為電影。假如我們說：認為《破曉時分》這電影拍得不錯是說對了。這句話，指的是上述的「對象語言」，卻是一句「後設語言」。

電影學的後設理論，不是用來討論電影的，而是用來討論「電影批評」的。換句話說，電影學的後設理論即是供人研究的一套「電影批評原理」。

大家都喜歡看電影。大家同樣地覺得好的影評是那麼地缺乏。這其中當然有許多理由。一般來說，電影本來就沒有甚麼批評的標準，說得更不濟的話，對於一部電影，許多人簡直就有不知從何評起的感覺，或者是，怎樣才算

是一篇影評呢？一篇影評要做到的是哪些事呢？所以，直到現在，大家還是各寫各的影評，各用各的水準，有的愛談美學，有的愛引作者論。有的又提倡科學化，嘗試以記號學的方法來研究電影學。所以到現在，碰上一部電影時，大家還是議論紛紛，各談各的。

因為影評是那麼地亂，批評的標準不一，所以，最近有幾個朋友就打算努力做一番功夫，要把電影稱得為電影的條件研究一下，又把構成電影的種種手法因素加以分析，希望建構成一套有系統的原理，供大家參考，讓大家批評電影時，不致於標準〔太〕懸殊，或是寫了一大堆題外話，還沒談到本身。同時，也可以把一些詞語名詞弄清楚，否則，甲說的「場面調度」可能和乙說的完全是兩回事，看得大家越弄越糊塗。

在正須建立良好的電影批評態度和水準的今日，積極致力於建構一套「電影學的後設理論」不失為一件值得嘗試的工作。而這，也有待大家的努力。

米蘭（一九六八年六月三十日）

新潮派影片主將查布洛

　　《冷血兇手》不是一部寂寂無聞的電影，因為，它的導演不是別個，而是新潮的主將查布洛。現在，提起法國電影，少不免要提到新潮，一提到新潮，查布洛就是一個響亮的名字。

　　在電影創作的成就上，查布洛不算是頂兒尖兒的，因為在一堆新潮高手中，高達，杜魯福，阿倫雷奈他們的才華都蓋過了他。作為一個導演，查布洛不過是新潮的一份子，也用新潮的手法處理電影，也拍過不少氣息清新不落俗套的電影而已。但是，如果要說到他在電影上盡了多少力，幫助別人多少忙，那麼，查布洛的名字要佔好幾樣第一，當年《電影筆記》中的一群影評人，第一個拍成劇情片的就是他，當時並沒有人支持他，查布洛只好請太太出錢，拍了第一部《好沙治》。故事是說一個讀了十二年書後回到家鄉來的學生，如何幫助老朋友沙治的一段情節，用的技巧很經濟，直接，活像一部紀錄片。但這部片是成功的〔，〕是這部片使法國政府開始展開以經濟計劃資助青年製片。查布洛因該片借得一筆錢，足夠他開第二部成名作《表兄弟》，這筆錢就是向官方借貸得來。《表兄弟》說的是兩兄弟的故事，表兄放蕩不羈，任性愛動，表弟沉實樸素，努力讀書，結果，一切倒霉的事卻發生在表弟身上，自己的愛人變了表兄的情婦，辛辛苦苦讀書，〔考〕試偏不及格。（這部電影將於七月九日或十日，在大會堂高座演講室，由大影會主持〔，〕放映一場，有意認識新潮作品的朋友，可以想辦法看看。）《表兄弟》一片後，查

布洛的導演地位已穩固，之後他開始拍彩色片，規模也較龐大，一連拍了四部，但是，這四部片，沒有一部賣座，從一九五九年至一九六二年，查布洛沒停過，可是，他的電影都失敗了，不是拍得一塌糊塗，就是，拍成了俗套電影，表現力差。

到了一九六二年，查布洛想，如果他的電影再不行，實在〔沒〕錢再拍下去了，賺點錢仍是十分重要的，於是他拍了《藍鬍子》，劇本由莎岡執筆。這次比較幸運，查布洛又成功了，雖然這樣，自《藍鬍子》之後，他等了兩年，才有一部新戲拍。到了一九六四年，查布洛重新起程，但他〔拍〕的是一連串的「悚慄式喜劇」，這些都十分賣座。今日的查布洛顯然已經變了個商業化的查布洛了，不過，我們看他的電影，總能找到一些新潮的影子，而且，我們總是因為他，而想到高達、杜魯福和阿倫雷奈他們，將之比較一下，也就覺得，新潮之後，路還是要各人自己去走出來的。

米蘭（一九六八年七月一日）

場面調度與蒙太奇

大家在談論電影的時候，總會提到「場面調度」與「蒙太奇」。但如果要解釋，甚麼叫做「場面調度」，甚麼叫做「蒙太奇」，卻十分困難。問題是，這兩個詞本來的意思並不深奧，但現在因為談的人多，越講越玄，甚至各有各的解釋，越說越抽象。

「場面調度」本來指的是舞台上演員走動的位置，在電影上，指的卻不是人物移動所造的畫面效果那麼簡單。至於「蒙太奇」，本來的意思是把零碎的部分接合起來成一整體，但在電影上，也不光指電影的剪接。所以大家在談起「場面調度」和「蒙太奇」時，只能舉例再舉例，明白哪一場是哪一類手法，對於下定義並不容易。

廣義的說法是，大家現在習慣了把一些電影分開兩類來談，一類是以「蒙太奇」取勝，一類是以「場面調度」見長。

拍電影，愛用「蒙太奇」手法的導演，是愛森斯坦那一類。他們喜歡把電影畫面分得很細微，然後接起來，像這類電影，可以說是一種「砌圖遊戲」，是把一格格畫面切碎了再拼起來。像這類的電影，拍攝時比較容易，畫面甚至可以一格一格拍，困難的是剪接，而且，觀眾欣賞時側重於畫格與畫格之間聚合而呈現的面貌，和一種畫面跳動而產生的奇妙的節奏。法國派的「作者論」影評人對這類電影並不恭維，所以他們把愛森斯坦的電影地位列得並不高。要知道，拍這類「蒙太奇」手法的電影，拍的時候實在輕鬆，畫面碎，拍得不好，可以像拍照片一般，一幅

一幅來。千百幅中總有一幅像樣。

　　拍電影，愛用「場面調度」手法的導演是雷諾亞那一類。他們不習慣把畫面切碎，而是一整場一整場的畫面，剪都不剪一刀。看這類電影時，觀眾只覺得攝影機活潑得很，會到處走動，雷諾亞的電影場面常常是一鏡到底成為一場的，一個人如果由廳房到走廊，走下樓梯，在一群人中打一個轉這麼多畫面，他照樣可以不用一次割接，攝影機只流水行雲式地追蹤着人物，幻變無窮地表現出異乎尋常的畫面角度。法國派「作者論」的人比較取「場面調度」的拍攝手法，所以，他們覺得雷諾亞在電影的地位上頗高。當然，拍這類以「場面調度」為主的手法，拍的時候真要看導演的功夫，因為既不靠黑房或事後的剪接，拍的時候就可以看到導演的本領，如何把演員的位置調動，如何把畫面的剎那面貌取入鏡，而「剎那」卻是短暫得不易把握的。在舞台上，畫面景物角度是不動的，動的是演員，但在銀幕上，演員，景物瞬息變化無窮，若用「蒙太奇」的手法多剪接，從某一角度看是浪費了大好的變幻景象。

米蘭（一九六八年七月二日）

「三隻石獅子」式的蒙太奇

我們看電影，當然要搜索一部電影的主題。但是，通常，我們着重於電影的表現方法。電影所以不同於繪畫或音樂，就因為電影的表現方法和繪畫或音樂並不相同。我們稱一部電影是否拍得好，總牽涉到「表現得好不好」在內。同是一句話，或者同樣是表達一個意思，表現不同，成績也就各異。

電影作品中有很多著名的片段，都是表現手法超群的，像「三隻石獅子」即是一例。「三隻石獅子」是愛森斯坦的《波特金戰艦》中的三個鏡頭，但這三個鏡頭卻劇力萬鈞，予人以深刻的印象。

石獅子是很多地方都有的，即使香港，一些銀行，酒店的大門前也有。石獅子又有很多形態，有的睡有的臥，有的昂首，有的傲立。石獅子本來是死物，但是，愛森斯坦就用了一組剪接的蒙太奇，把三隻石獅子拍出了感情和氣氛來。首先的鏡頭是一隻石獅子在睡着。第二個鏡頭是獅子醒來，第三個鏡頭是獅子爬起身仰首張望了。本來，這是三隻毫不相干的獅子，但經過上述的三個次序（次序的先後在電影剪接中佔很重要的位置）〔，〕睡醒和起立，在銀幕上不過閃三閃，大家忽然就覺得氣氛不平凡了，而愛森斯坦要表現的「憤怒與醒覺」也表現出來了。

「場面調度」的拍攝法和「蒙太奇」的拍攝法剛〔好〕是反方向而行，但我們知道，它們各有優點，像以「三隻石獅子」這樣的蒙太奇運用於電影上，實在使電影的語言豐富了很多，除了光是寫實，還有象徵和比喻。

我們平日常常覺得有些意思話語是「只可意會，不可言傳」的，到了電影上，也有這種困難。譬如說，小說上有四個字：心花怒放。碰上這樣的幾個字，搬上銀幕該怎麼表現呢？方法當然是多極的，有人可以拍那個心花怒放的人快樂地手舞足蹈，有人可以拍那個人抱着枕頭大吻一頓，有人可以拍那個人跑到大雨中奔跑。如果運用「三隻石獅子」式的蒙太奇來辦，我們原來可以兩個鏡頭就夠表現了〔：〕第一畫面是一朵蓓蕾，第二畫面是一朵美麗的盛開的花。如果這樣拍，省時省力，而且除了有象徵的作用外，用花來比心花也實在很貼切。

「三隻石獅子」式蒙太奇的例子，我們在很多電影中都可以找到，有些電影拍的是一個人死了，鏡頭會突然接一棵大樹被風雨吹折，這就是一種象徵。不過，一部電影不能加插太多這類蒙太奇手法，甚麼東西太多了總是令人生厭的。此外，這類鏡頭越精簡越好，要像打針似地把觀眾刺一下，久了，就使大家麻木了。

米蘭（一九六八年七月三日）

雷諾亞的演員方法

導演雷諾亞喜歡用「場面調度」式的手法來拍電影，那即是說，他的一場場戲，很少用剪刀剪，而是一鏡到底式地一氣呵成的。當然，拍這一類的鏡頭，導演對演員的指導要用很多的功夫，尤其是各人在一場中移動的位置。

雷諾亞是怎樣訓練他的演員的呢？譬如說，演員要講對白，演的時候要配表情。有的導演從來不告訴演員戲劇的內容，也不告訴演員他演的是甚麼，就臨時叫演員演，像是導演自己在下棋。費里尼這類導演就是這樣，所以，有些演員要到整個電影拍完了放映出來，才知道自己演的是甚麼。雷諾亞不是這類導演，他和一般的導演一樣，讓演員知道他所演的角色，並且要他們去演出來。

雷諾亞說，他很遲才發現到有一種奇妙的方法可以用來訓練演員，而這種方法，卻是從舞台上借過來的，叫做「意大利方法」。方法是這樣，導演和一群演員一起圍着坐，演員打開劇本，大家就讀出聲來。本來，讀劇本，演員要讀出表情來，可是，「意大利方法」是，當演員初次圍讀劇本時，不許有任何表情，一定要讀得越生硬越好，就像讀電話簿一般，毫沒生氣。這時候，導演要很嚴格，因為，這個階段是要讓演員知道劇情，不是要他們演。經過好多次的圍讀，演員自然會越讀越多感情，而這些感情，已經和演員融在一〔起〕，不是硬生生地演出來的。

譬如說，劇情要描寫的是一個母親，孩子死掉了。那位演母親的女演員怎麼辦呢，不用說，她可能第一次讀劇本時就會一把眼淚一把鼻涕地哭着讀了，她所以會這樣，

因為她覺得劇情是在說母親死了孩子，所以是該傷心的。而這，實在是俗套。雷諾亞採用的方法是〔，〕即使是這麼的一場戲，演員在首讀時，還是若無其事地當作讀字一般讀，不能有任何表情。

像這樣的毫沒表情的讀，讀過幾次，演員已經把劇本讀得爛熟了，結果，他們一起賦予表情地讀。這次，導演往往發現演員們開始大顯光芒，他們忽然會演得頭頭是道，而且，還表現得從來沒有人想到會那麼好成績。也許那個演死了孩子的母親，竟然一哭都不哭，傷心得咬碎自己的嘴唇也說不定，而這些，就不是俗套了。

做演員，如果一讀劇本就想到該如何演，那麼他們是在那裏找方法演，這怎麼演，那怎麼演，他們就去看看別人怎麼演，自己就照做。「意大利方法」要打破這種模仿式的演技，而要演員把自己投〔入〕了角色，不是去學人家，而是把自己當作是那個人。演員在多次讀劇本後，漸漸地把自己投入角色，自己即是角色，那麼演員是在表現當時的自己，角色也就成功了。

米蘭（一九六八年七月四日）

新潮電影是怎樣產生的？

二次大戰後，意大利很窮。當時的意大利導演紛紛拍電影來展示該時代的民生困境，在電影上，我們稱那類電影為「新寫實」。實際上，任何時代，任何國家，都有人拍〔這〕類寫實電影，但是，我們只把戰後意大利的那一類電影稱為「新寫實」，而提起來總是指第昔加，羅沙里尼這些人。

一九五八至五九年期間，法國的電影毫沒生氣，剛巧有一群年青的導演，生氣勃勃地拍起電影來了，而且這些電影很有它的特色。大家就稱這些電影為「新潮」。我們稱「新潮」是指那個特定的時間內所拍的那批特殊的電影，即使杜魯福是新潮導演出身，我們指他的新潮作品是指他的《祖與占》，或是《四百擊》，而不是他最近的《烈火》。可能《烈火》中不乏新潮電影手法，但新潮是有它的特定的時間的。

新潮的一批導演在當時都很年青，大約都是二十歲上下，大部分本來都是影評人，常常給《電影筆記》撰稿，他們一來看不慣當時的電影，二來也想自己親自拍，就形成了電影上的「新潮」了。直到今日，這批導演多半成名了，像高達，杜魯福，查布洛（注意他的新作，即是《冷血兇手》，值得推薦），他們都是影評人出身，書讀得多，文學修養早已不錯，另外的雷奈，女導演娃達，法蘭佐則是拍紀錄片出身的，那些馬克，尚盧殊還是「真實電影」的健將。

說到新潮，原來還要千分感謝羅渣華丁，他碰巧娶了

個碧姬芭鐸。當時,華丁挨了好一陣的助導,卻遇上機會
自己作導演,以妻子作主角。結果,他拍了一部《上帝創
造了女人》,是部賣座片子,從此,製片家忽然覺得值得和
青年導演打賭,說不定也能賺錢,製片家這一轉念頭,第
一眼當然看上了《電影筆記》的前衛份子,因為他們已經
在搞「實驗電影」,又拍短片,又拍紀錄片。

新潮旗下的傑出人物為數並不少,差不多當時的法國
電影工作者都有份,除了導演外,還有編劇,攝影,都有
機會一顯身手,到現在當然都是響噹噹的名字了。

新潮之於電影,是一種「入侵」而不是一種「革命」,
他們因為不少是半途出身,所以反而手法新鮮,不抄襲成
規,他們認為別的青年人能寫新一類型的小說(甚麼反小
說派之類),當然他們也能拍新一類型的電影。而且,他
們自己想怎麼表現,也就做了。重要的是,他們的自信心
夠強。雖然羅渣華丁使一些製片人願意投資,但很多的新
潮導演都以自己的經濟支持,像查布洛的第一部片《好沙
治》,成本是五十多萬港幣,卻是太太的投資。

米蘭(一九六八年七月五日)

電影的音響

電影有畫面，有聲音。聲音中有一類是音響，像開門聲，電話鈴響等等。一般的電影若要配音響，可以去找錄音帶，有些錄音帶錄的全是各種各類的音響，專門供給電影配音用。不過，一些比較普通的音響，任何人都可以自己配，對於喜歡自己拍電影玩玩的人，這是最省錢的。我們在看電影時，是否曾想到，音響也和畫面一般，在我們面前玩了很多把戲呢？

腳步聲的音響，一般上不必錄取真人步行的聲音，而是拿了兩隻椰子殼來敲打，於是我們就覺得有人在一步一步地走了。馬匹奔跑的蹄聲，用椰子殼敲打更相似，只要節拍配得和畫面動作一致就行。

特務片中最愛用的爆炸聲，最普通是用爆竹聲。另一個方法是把空紙袋吸滿氣，重重地把它打破，但這要在戶外做，才可以避免牆壁的回聲。

鳥的聲音是可以用人的口哨來替代的，用錄音帶錄好，再把速度轉到適合為止。樂器中的笛也可以吹出聲音來。我們在一些名曲中就常常聽到過。

行雷閃電的聲音，可以用最古老的方法，把一張薄薄的大鐵片沿空掛着，使勁地搖鐵片，它就會發出巨大的音響來。一些舞台劇就用這方法來加強雷雨來臨的威勢。

下雨的聲音，是要找一些古老的唱片，把唱針刮唱片的雜音錄下來，然後用慢速度放出來。另一個實際的方法，是用水喉把水射向天空，讓水落在水泥路上。

機器的聲音，可以利用任何機器來配。小至一輛玩具

車，大至一座洗衣機，當然都要事先錄好，然後配速度。如果是一間大工廠，可以用幾種不同的機器聲疊在一起，縫衣車，甚至鬧鐘也行。槍聲的配音，要用一條木條打皮的椅枕，這種聲音聽起來像各式各樣的槍聲，包括點二二口徑，或獵槍，只要速度控制得適當。

風聲，有的人會做一個搖風機，把捲筒接在帆布上滾動。但最簡單的是低低地吹口哨。

瀑布聲是把水通過水管，落在膠桶裏，重疊的聲音就更像。浪濤的聲音，是叫人把一桶桶水向牆上倒，然後加上一些風聲夾雜其中。

飛機聲可用錄音機自己的嘈雜聲，如果是噴射機，可以把錄音帶迅速從卷筒中抽拉出來，或是把貼在平面或玻璃面上〔的〕膠紙撕開。

火燒木塊的必剝聲，不過是把大柴或牙籤折斷，至於火聲，把膠袋在米高峰前搓就可錄得。

米蘭（一九六八年七月七日）

法國《電影筆記》群

　　《電影筆記》是一本電影月刊，這本電影刊物，現在是出了名了；因為法國的新潮導演多半從《電影筆記》這個圈子裏轉出來的，而且，大家一直稱法國青年導演為「筆記派」，只有外行的人才叫他們做新潮派。

　　《筆記》的中心份子一共是六個人，三個是大家比較熟的：查布洛、高達、杜魯福。另外三個則知道的人比較少，他們是里維特，華古魯茲、盧馬。起初，他們在《筆記》上撰稿，寫影評，後來，就自己拍電影。他們在同一刊物上發表意見，到拍電影時，也是互相幫助，像查布洛，他最先拍一部劇情片，然後就幫高達，里維特和盧馬製片。高達自己也承認他們是志趣相投，甚至興味也相若。他說：我們在許多事上相同，如果和里維特，盧馬，杜魯福個別來比，當然有別，但我們對電影的看法一致，我們喜歡的小說相若，喜歡同類的畫和同類的電影，我們在彼此間相同的事物遠比相異的為多。

　　到了現在，高達當然很少寫稿了，他把精神都放在拍片上，但他說：「我現在仍然把自己當作一個影評人，而且比以前更甚，我只不過沒有寫評論，而是用拍電影來介紹出我評論的角度。」

　　《電影筆記》的影評人所以會拍起電影來，是因為他們對當時的一般影片看厭了。他們說：「我們要做的是把很老套的故事，用另外一種方法來重新整理。」雖然他們揚棄了很多舊方法，但他們對真正的電影大師極為尊敬。在他們的電影中，我們不難發現很多引述，都來自他們所尊崇

95

的導演作品中;尤其是高達,他的電影不走柏林明加的影子,他又用希治閣或侯活曉士的方法來處理安東尼奧尼式的題材,而他的《斷了氣》中的珍絲寶角色,卻原來是莎岡《日安‧憂鬱》中女孩的延續。

《電影筆記》這本刊物有兩個特色,他們認為電影好不好,要看「場面調度」。其次,他們以「作者論」來評電影。「筆記派」影評人尊崇的導演為:希治閣,柏林明加,盧西等,他們不喜歡第昔加或聖泰也哲雷,認為這些人太注重人道的主題,把內容移置在風格之前。最近,他們對謝利路易又另眼相看,認為他是不可多得的藝術家。

一九五一年,安德烈巴辛和華古魯茲創辦《電影筆記》。去年,《筆記》出現了英文版,直到現在,英文版的《電影筆記》,一共出了十二期,最近卻無影無蹤,實在令人牽掛。不過,不管是法文的《電影筆記》或英文的,這裏的書店裏一本也沒有,於〔是〕熱愛電影的朋友,他們得到書店去訂,因為這是一本必讀的電影刊物。

米蘭(一九六八年七月九日)

電影在探索地回顧

　　電影在發展中。現在的電影，像一隻阿米巴，有很多偽足，可以朝任何方向爬去。有的電影以「真實」面目出現，有的電影把銀幕變了形，有的電影衝破電影文法的束縛，有一類，則在那裏「探索地回顧」。

　　電影的歷史，六、七十年了，電影圖書館裏的電影成千成萬，這一批寶藏對於現在的電影工作者有甚麼用處呢？大家把電影看了又看，抄襲嗎，那何必拍電影哩；創作嗎？電影的手法和題材又被拍了用了那麼多，何況，創作談何容易。電影，還不是光和暗，還不是割接再割接。對於老去的電影，許多人就開始在「探索地回顧」了。到古老的電影中去找靈感吧，那會使電影充滿了新意的。

　　最初，電影的靈感是哪裏來的呢？有人曾經把一疊圖畫迅速地翻過，圖畫裏的人物居然移來移去，像活動了起來。這正是一種有趣的視覺錯覺，一部叫做《艷女迷春》的電影，把這種手法用上了。一個男孩跑進一間店，拿起了一疊歌舞女郎的呆照洗撲克牌似地翻，那些女郎就跳舞地移動起來。這樣拍電影，其實變化無窮，就看甚麼人再把它加以積極地採用。

　　許多的古老電影的手法，在很新的電影中都用上了，大家都知道它們是那麼地舊；像快動作，慢動作，字幕解釋，重複動作，可是在新的電影中，它們一樣令人覺得新鮮。所以，向古老電影中掘寶藏的人是越來越多了。有的往新潮作品中找，有的往默片找，如果小心地觀察，有哪一部電影不是古意盎然的呢。

越是古老的電影，古怪電影的手法越是多，像一九〇〇年時已經死掉的喬治梅里愛，他的電影就很有趣。一部叫做《沒法脫衣》的短片，說的就是一個旅客走入旅店，他把外衣脫下掛在衣架上，但外衣立刻又在他身上，他再脫下掛上，外衣仍跑回身上。他大怒，迅速脫衣服，但衣服脫得越多越快，它們回到身上也越快越多。他結果在地上打滾，睡在床上，被一大堆衣服蓋着。梅里愛拍過這類電影不下數百部，如果這種電影在近幾十年才出現，說不定有人會稱之為「荒謬電影」。其實，拍喜劇能用這類超現實的拍法，加以變化，實在可以使電影更活潑有趣。

卓別靈如何吃一隻皮鞋，格里非斯如何把幾個古今的故事交替拍成電影，或者是一種旋盤式圖畫板，走馬燈，都可以重新發揮它們的效能。電影固然可以不斷地向前邁進，但也可以回顧，高達的電影甚新，英瑪褒曼近作《人》也很新，但這些電影中，不在古意。像《人》裏邊有些片段，簡直是默片一樣，就是很好的例子。

米蘭（一九六八年七月十日）

耶可貝蒂的殘酷手段

耶可貝蒂的《殘酷世界》上映過了。在這裏，我想說的一共有三點。

《殘酷世界》是一部彩色紀錄片。拍紀錄片用彩色，那是希望把銀幕與觀眾之間的距離縮短，因為黑白產生的感覺是隔絕，彩色產生的感覺是親近。我們所生活的世界是彩色的世界，拍電影而用彩色，就使我們覺得「活在其中」。拍電影，一般上的不成文規則是，拍歡樂的紀錄如嘉年華會，用彩色來增加「近」的感覺，令人身歷其境，如果拍殘暴的鏡頭，則多半用黑白來沖淡它的罪惡面貌。而耶可貝蒂，他用彩色來拍這部《殘酷世界》，他是想盡量把殘酷的景象拉到觀眾身邊。紀錄片貴乎真，這種逼切的目的是達到的，但是，這是耶可貝蒂的殘酷手段之一。

耶可貝蒂在非洲獃了兩年，說是在那裏紀錄。作為一個記者式的拍攝，拍攝才是他的責任。但耶可貝蒂在拍紀錄片時居然還當上導演。誰聽過拍紀錄片也可以自導自拍呢。譬如說：公主結婚，記者們能否叫婚禮進行的程序延遲，或者等記者把攝影角度擺好了再進行？但耶可貝蒂是這麼辦。《殘酷世界》中有一場，是槍斃一個小販的，本來，一槍打死那個小販就是了，但耶可貝蒂要拍「紀錄片」。他先對白人軍官說：等我擺好攝影機，取好角度再槍斃行不行？白人軍官無所謂，耶可貝蒂馬上預備好一切，拍攝人員各就各位，而這就是「紀錄片」了。耶可貝蒂要表現非洲是一個大屠場，但他自己這種手段卻沒有攝進鏡頭去給大家看看。

　　孫家雯早在兩年前已經介紹過這部電影是「劊子手傑作」，他在意大利時，就有參加拍片工作的朋友告訴他：其中有許多鏡頭，並非在非洲實地拍攝，而是大隊人員回到意大利後，在一個意大利沙灘上拍的，甚麼小孩，修女，阿拉伯人，都是臨記的扮演，而這，就是一部「紀錄片」了。至於狩獵，動物死得那麼〔淒〕涼，卻原來是耶可貝蒂花了錢僱土人，專門為拍攝而去殺戮的。

　　《殘酷世界》，不錯，是殘酷得很，但，是甚麼人拍了這一部電影呢？紀錄片求真，而耶可貝蒂的手段實在令人心寒。

　　該片在世界各地很多個城市上映時，曾因群眾反對而停映過。我們能夠看到，總算認識出了這是一部甚麼樣的電影，重要的是：在看電影時，不要被畫面欺騙了。尤其是該片的旁白，說來娓娓動聽，而實在不外是一大堆的謊言而已。

米蘭（一九六八年七月十一日）

諾克影展述異

　　比利時的諾克影展，兩年才舉行一次，而且選中了十二月，總是在聖誕節舉行。這個電影節是個有名的怪誕電影節，比賽的電影越標奇立異越好，凡是地下電影，聞所未聞，見所未見的電影，拿去諾克，就可以出風頭，因為諾克電影節其實是個實驗電影大展覽。參展的條件只有一項：從未展出過。

　　去年十二月是諾克第四屆影展。這個影展既然以「新奇」標榜，當然花樣極多，節內有突發性事情等等插曲助慶。會場大門口光閃閃地亮着「電影，電影」兩個字，一個播音筒播出來的聲音卻是叫來賓把菲林從放映機中取出來毀掉。詢問處有一個黑色的袋，裏面躺着的是大野洋子（她拍過一部短片，全部是人們的屁股，現在，狂人連儂正在和她談戀愛），一塊大招牌上卻寫着「此地無大野洋子」。

　　影展放映的電影共有二百部左右，簡直五花八門，有的短得眨眼也來不及就不見了，有的卻長達幾小時。得大獎的是美國的《波長》，獲值四千美元之獎金。由米高史諾製成。這部短片是甚麼呢？是一架攝影機在一間長的房內的極端，用一個慢得要命的「鬆鏡頭」，一直「鬆」到對面的牆上。過程中，角度不變，且沒任何事情發生。聲帶方面卻是吵得要死的聲波，足夠把耳朵震聾。〔維〕護這部短片的人解釋是，它所以成功因為它是一部「默想」的電影。現在「冥想」，「默想」之類如此流行，不算無因。另外四個獎每獎值二千美元。看起來，都不值那麼多錢。

　　諾克影展中的裸體鏡頭一向是最多的，但即使這樣，

有一晚，據說有位住在附近酒店的莎莉拉克〔說〕有「外圍」電影看，大家都溜了過去，竟把房門擠滿，連放映機也沒處擺。結果，他們把白床單掛在走廊外的電梯旁的牆上。誰知搞了一陣，電線卻燒了「灰士」。而意外的是，當晚，在官式的影展中，放映的卻是一套同性戀的比利時片，改編自葛納。[1] 電影內有些青年人，赤裸裸地在教堂的院落中相摟。依照往年諾克影展的取捨，這部片才應該是「外圍」的影片，有人會將它放映在酒店走廊牆上的白床單上。

影展中當然也不乏佳作，但得獎的總是新奇的作品。別的影展如康城，最多美女赴會，諾克影展多的卻是一群「搗蛋派」，他們有時會衝上台遮住銀幕半小時大叫「文化革命」。電影還沒放映時，他們就到處走，身上掛了牛鈴叮噹地響。主持這個影展的人是積里杜，如果有人提起「里杜博士的受罪花園」，他就是指諾克電影節了。（取材自 SS）

米蘭（一九六八年七月十三日）

---

1 此句不完整，原文如此。

電影片名二三事

　　電影常常有一些怪名字，這些名字可能很好聽，很吸引人，可是，卻好像和電影毫不相干。有的電影片名更費解，像《誰怕維珍妮亞吳爾芙？》，許多就不知所指。維珍妮亞吳爾芙是個寫意識小說著名的女作家，至於把她的名字拉到一首唱遊的歌《誰怕一頭大壞狼？》而變成了《靈慾思春》的片名，真是難以想像。又像《吃南瓜者》的片名也是令人莫名其妙，原來是出自民謠的：「彼得，彼得，吃南瓜者；他有個妻子，但不能留她。」意思是妻子背他而去。電影描寫的是妻子的心情，如果用《吃南瓜者》來解，真是風馬牛不相及。

　　《亂世佳人》原名《隨風而逝》，這是大家都能意會的，是指南方的傳統和生活，已因戰爭隨風而逝了，並不是指甚麼人死掉。外國的電影片名，來源自成語最多，可能是因為成語是人們常常講及而又熟悉的緣故。像《四百擊》，《月與六便士》，《法國式離去》。有的片名用動物來隱喻，像《豹》，《熱鐵屋頂上的貓》，《沙漠之狐》，《麻雀不會唱》等。

　　電影片名的第二大來源是來自聖經，第三來源是來自莎士比亞。第四才數到童謠民歌。《田中的百合花》，《巴拉巴斯》，《第七封印》，《萬王之王》，《往哪裏去？》（《暴君焚城錄》）都是。「田野中的百合花」出自馬太福音第六章：「你想野地裏的百合花怎樣長起來，它也不勞苦，也不紡線。」意思是指何必為地上的財物擔憂。「第七封印」則出自啟示錄第八章：「羔羊揭開第七印的時候，天上寂靜約

有二刻，我看見那站在上帝面前的七位天使，有七枝號賜給他們。」這裏，指的是上帝審判世人，《第七封印》的電影表現的也就是末日的來臨。

至於莎士比亞的作品，《仙樂飄飄處處聞》的「音樂之聲」是出自《威尼斯之商人》：「月光睡在堤上該多美啊，我們將坐在此地，讓音樂之聲爬入我們的耳朵。」希治閣的《西北西》則出自《哈姆萊特》。《窈窕淑女》、《桑樹下團團轉》、《哦蘇珊娜》都出自歌謠。

除了莎士比亞，作家中被人引用句子作片名最多的要數吉百齡，「從此直到永恆」即其中之一。詩人的詩句作片名的也不少，像雪萊的「如果冬天來了」，即是說：春天還會遠嗎？唐尼的：所以別去問「喪鐘為誰鳴」，它是為了你。格雷的：「光榮之路」只引向墳墓。羅賽蒂的：當我死後，「別為我唱悲歌」〔，〕都是名詩句被選作片名的。在眾多的作家中，狄更斯和王爾德卻從沒有一句話被人引用過，實在是一個意外。

米蘭（一九六八年七月十四日）

一部國語「電影」

近來最好的一部國語片，並不是名氣甚響的白景瑞導的《寂寞的十七歲》。而是由李翰祥策劃，宋存壽執導的《破曉時分》。白景瑞作為一個導演，我們的確可以看到他的功力，可惜，那個劇本拖得他很苦，使《寂寞的十七歲》成了一部「用心而不出色」的電影。相反，《破曉時分》的面貌就不同了，這部電影即使拿到外國去參加影展，絕不會有人笑大了嘴巴，因為它的文法上章法上全不出錯，它所以還不夠成為一部傑作，只因為它是那麼地四平八穩，而且不夠創造力。

撇開衝力和創造力不談，找到一部合格的電影，實在是不容易的了，而《破曉時分》就是一部合格的電影，因為談起電影來，大家要談的是「電影語言」本身，就像小學生作文一般，小學生的腦子裏想的有趣事物實在不少，但若是他們下筆不能表達出來，或是文字寫不通，一篇文章的分數也就不會高。電影的語言，也即是構成一部電影的手法，包括了標點符號，習用上的規則，在這方面，《破曉時分》都運用得工工整整。

《破曉時分》沒有耍過任何特別的把戲，也沒有特別表現一種前人沒用過的手法，它的成功就靠它足踏實地，老老實實地，用很傳統的手法拍出一部電影來。

色彩用得很合適，整個電影沒有鮮明的色彩作強烈的對比。縣衙內的幾個搖鏡頭，清晨赴約時行過石階的大特寫，冤獄時拍攝「明鏡高懸」幾個字的心智蒙太奇，鞭打疑犯時的主觀聯想，都拍得那麼合適，而且，分鏡之詳細

準確，可知道幕後人並沒馬虎過。

目前，一部電影最難做到的大概是「寫實」，許多的電影是在那裏反映青年人，但青年人不過是穿了校服在操場上奔奔跳跳，總是描寫得不夠深入，《破曉時分》卻做到了這一點，在刻劃「衙役」生涯的一種形態，的確是入木三分了。至於對白之精簡，大概是因為改編自小說的緣故。這方面，小說當然〔幫了〕編劇不少忙。

我們看過《龍城殲霸戰》，它的電影時間和真實時間可以合而為一，看《破曉時分》，大家也當有如此感覺，要是把這電影在清晨三時或五時放映，這幾乎可以成為一部「感覺電影」了。

這部片中的演員絕不出風頭，所以，本片不是「演員電影」，我們也看得出，它也並非製片家的電影，而是導演的，國語片能夠呈現「導演電影」的曙光，那麼，國語片是有救了。但即使這樣，國語片並不是在進步，要知道，許多年前的《小城之春》那些電影早已走過《破曉時分》的路，此刻，它不過是逆水行舟而沒倒退而已。

米蘭（一九六八年七月十六日）

古董電影的趣味

　　古老的電影比現在的活潑。古老的電影很笨拙，但是，它們比現在的電影能吸引更多的笑聲和詫異和青眼，但那些影片，許多都散失了，許多都變了古董，不輕易回到市場上來。

　　一隻豬被送進一架機器裏去，出來的時候竟變成了一串串的香腸。這是多麼有趣的一回事，大家都知道這就是電影的緣故，可是，現在的電影，不再給我們這些有趣的故事了。

　　有人開了一間小小的電影院，放映甚麼電影呢？老闆請了幾個攝影師，站在十字路口提了拍攝機拍過往的行人。到了晚上，電影院內放映的就是這些菲林。那些在十字路口呆過站過湊過熱鬧的人，都以為自己被攝入了拍攝機，紛紛跑進電影院去看看自己的模樣。這又是多麼有趣的一回事，現在呢，沒有人幹這種傻事了，一天到晚開照相館的人也從來不會想到該替顧客拍一些短短的活動相片。

　　一輛火車的車廂內。乘客們坐在裏邊。火車終於到站了，火車停了。於是乘客們紛紛下車。這是第一組鏡頭，下一組鏡頭寫的是火車站（不是車廂內），本來，照時間上的次序是：乘客正在離開車站。但古老的電影是怎麼樣呢？一輛火車慢慢地駛來，火車到站，停了下來，乘客們紛紛地下車。

　　同一時間內的事，可以分兩個角度來寫，大家現在當然說它荒謬，可是，古老的電影是那樣，它是那麼有趣。

現在呢，沒有人再拍那麼有趣的事情了。只有也很舊了的
《赤足天使》，阿娃嘉拿演的，曾經用了一次類似的手法，
其他的人已摒棄了它。

只有很少的人把古老電影的趣味帶給我們，像娃達的
《幸福》，美麗的妻子死了，丈夫過來扶着她的屍體。他扶
起她的屍體。鏡頭連續重複了幾次，時間不再存在，忽然
地，古老電影的精神就在那時刻裏復活了。

電影明明是一種魔術，但魔術忽然板起了臉，即使有
時在說笑話。那是多麼可惜的一件事。大家老是向古老的
電影中找大特寫，全遠景，平行剪接，就是很少再拾得瘋
瘋呆呆，電影就失去了如此多的光采，瘋狂的技巧現在是
那麼地多，所欠缺的大概是一些瘋狂的腦子。說不定，這
樣下去的話，大家寧願坐在家裏看走馬燈。

《橫衝直撞出重圍》一點也不有趣，但大家還不是看得
嘻嘻哈哈，那個電影，只有一些喜劇演員，一些喜劇手法
上的「預知」，可是沒有一個喜劇頭腦。

米蘭（一九六八年七月十七日）

文字在電影中抬頭

　　有一個趨勢是這樣，圖畫漸漸侵入文字的範圍。文字漸漸侵入圖畫的範圍。

　　別說看外國的畫展，香港的中元畫會等等舉行畫展時，許多畫裏邊有不少的字，王無邪的畫中是一行行的詩句，韓志勳的畫中是一個個字，或是整段落的字。本來，用來做衣服的布印上的總是花紋，但現在，許多布上印的是字。很流行的一些海報，起初全是圖畫，或者明星相片，但漸漸的，海報上全是字，而最近，我們稱為標貼畫的海報，已經不光是畫，有人正在出版一張張的標貼詩。整首詩印在紙上，可以掛了來看。總之，文字是侵進畫的領域去了。

　　起初，人們看小說，但現在呢？連環圖出來了，麥魯恒出版的一些新書，裏邊全是畫面，雜誌也越來越多圖，廣告也越來越多畫面，這也是說明了一點，圖畫在侵入文字的領域。

　　電影是甚麼呢？電影一開始就是畫面，電影不是文字。不過，文字和電影也結過緣。當默片流行的時刻，銀幕上少不了一段一段的字幕，到了聲片面世，大家逐漸排斥文字，於是，電影幾乎就是圖畫的天下。可是，漸漸地，文字又回來了。銀幕畫面裏文字出現得最多的，相信要數高達為第一。高達從來不放棄任何可以走〔進〕了鏡頭的文字，不管是街招，標語，而且，他懂得利用這些字來達成心目中的要求，他尤其懂得選擇字眼，把一個字的某幾個字母孤立了起來造成新的意義。在這方面，高達無

疑是成功的。為甚麼電影中不可以多出現一些文字呢。

外文中除日文外，多半是橫行的，而且是由左讀至右，這已經使它們出現在銀幕上時的趣味性大打折扣。相反來說，中文字如果橫排，可以由左至右，右至左，兩方向來讀。如果銀幕上映出的四個字：「喜有此履」，則反方向成「履此有喜」，倒不失是一種笑料。

拍喜劇如果能利用現成的文字，其實也可以省卻不少菲林。譬如一個「飽」字，用攝影機來〔回〕拍，就可以拍出趣味來。攝影機可以先拍「食」字邊，然後搖右拍「包」，攝影機可以再移右，使銀幕一空，再搖回左的「包」，然後又搖左至「食」，隨着來一個「鬆」鏡頭，讓整個「飽」字遠遠呈現在畫面上。觀眾跟隨攝影機的帶引，談到的一句句子是：「食包包食飽」。這種手法，是電影才能發揮出來，而我們卻活活把它棄置了。當然，這裏只是舉的一個例。高達也不過是用這種方法把字拆開和結合，使〔他〕的電影多姿多采起來的。而我們中國，一向不是把「字」當作「畫」的嗎？

米蘭（一九六八年七月十八日）

女影評人寶蓮基爾

在當代美國女影評人之中，風頭之勁，名氣之響，要數寶蓮基爾為第一。這個人霸氣勝於才氣，但下筆洋洋數萬言，自成風格。看寶蓮基爾的影評，如果要看她如何分析作品，本身有何獨特的精闢見解，那是會大失所望的，但她會吱吱喳喳的講她的一大套觀感，並且像一座圖書館似地把你壓扁。寶蓮基爾是著名的「資料王」，她寫一篇影評，資料之豐富，足以令所有的影評人退避三舍。

寶蓮基爾是加州人，三年前才搬到紐約在婦女雜誌《麥考》上寫電影觀感，她下筆完全沒有一點女性〔化〕的柔媚，相反，對於一些電影，她用的可是空手道式的劈殺招數，毫不留情地批評論斥，所以，在《麥考》上站不住腳。她以為能挨六個月，誰知五個月就不得不執包袱。她在《新共和》上寫，最後，轉到《紐約客》上。現在，寶蓮基爾就在《紐約客》上擺她的電影擂台，不但對導演〔，〕製片，演員針鋒相對地評斥，還和其他影評人論戰。由於寶蓮基爾是個「包頂頸」的人物，所以，和影評人打筆戰不是一件新聞。很多電影，別的影評人說好，她偏說壞，別的影評人貶斥的電影，她卻又起死回生地把它捧起來，像《牧野梟獍》，這部保羅紐曼主演的電影，別的影評人認為甚差，她卻把自己父親拉了出來作比喻。她說，她父親也曾反叛過，也曾鬼混過，但還是以很民主的西部方式活下來，而這，東部人無論如何是不懂的。

寶蓮基爾所以會和同行人大打筆戰，原因之一，是她並不欣賞前衛電影，甚麼《廣島之戀》，《赤色沙漠》，《去

年在馬倫巴》這些，她不喜歡，她喜歡穩實的好電影，而且是美國至上。她最喜歡的導演是法蘭根海默，與奧遜威爾斯他們。她喜歡老老實實的電影。

法國「筆記派」影評人以「作者論」來評影，寶蓮基爾就隔州罵過去，評斥「一個好導演拍不出壞電影來」是如何地荒謬，她說，用作者論評電影，就像先看「招牌」買衣服，瑪麗鄺的出品嗎？那就一定是好貨。她又指出，「題材不重要，風格重要」是那麼地差勁，甚麼「場面調度」全是捨本逐末。自從和「筆記派」影評人罵戰之後，寶蓮基爾的名字是舉世聞名了。最近，她出版了兩本書，一本是《在電影中失落了》，另一部是《接吻，接吻，碰！碰！》〔，〕香港的書店中大概可以找到其中之一。

《時代周刊》七月十二日的一期上有一篇短文介紹寶蓮基爾這位四十九歲的女影評人，至於想看她如何向「筆記派」開炮的文章，可以買本第九期的《劇場》來看，該期是「作者論」專輯，寶蓮基爾那篇中譯也長達七大頁。

米蘭（一九六八年七月二十日）

普杜夫金的經驗

普杜夫金是一個名導演。有一次，他拍一個電影，其中有一個戰爭場面，要來一次可怕的爆炸。普杜夫金想把這鏡頭拍得很逼真。他果真把很多炸藥埋在地下，然後引爆，並且把當時的情形拍攝下來。那次的爆炸，現場上十分壯觀，但把電影放出來時，卻平平無奇，不過是慢得很的毫沒生氣的一場爆炸。從這次以後，普杜夫金知道這方法行不通，於是他經過好多次的實驗，決定加插一些附屬的鏡頭進去。他先去拍一些能發出很多煙的燃燒物體的鏡頭，又個別拍一些火舌吞吐，爆炸時爆裂的小場面，甚至接一條小河，把這些加起來之後，銀幕上的爆炸景象居然逼真起來。事實上，這次的拍攝並不是一次真的爆炸，而是由想像疊成的。但觀眾看的時候，都承認那是一幕真實的景象。

由於這種經驗，普杜夫金認為剪接可以「寫電影之實」，這種「寫實」不是現實的真，而是在電影上靠剪接做成的。普杜夫金用這種方法拍了很多電影，他的這種手法也就是「蒙太奇」手法。我們現在要是談「蒙太奇」，就不得不提到普杜夫金或愛森斯坦他們，因為他們畢生研究的就是這一類的電影拍攝方法。

在一部叫做《母親》的電影裏，普杜夫金有一場是要寫一個將被釋放的囚犯是如何地歡樂。問題是：該如何拍他歡樂呢？普杜夫金不想拍他的臉充滿了笑容，因為不夠強烈，而且，如果這樣，就沒有盡量發揮「蒙太奇」的功能。於是，他用了另外一個方法，他先用一個特寫拍攝囚

犯的手在不安地移動，並且拍他的鼻子之下的半個臉，描
寫嘴角的微笑。下面卻是接着幾個插入的不同的鏡頭：一
條小溪，充滿了活潑流動的水，陽光閃爍在水上，鳥濺入
池塘中，最後，是一個小孩在笑。經過這一連串的鏡頭，
「囚犯」之歡樂竟成形了。本來，那些小溪，鳥，小孩，和
囚犯毫不相干，但接在一起，就成了意義。

電影能夠用這樣的方法千變萬化，而且，任何人可以
把巴黎鐵塔搬到比薩斜塔旁邊，又可以把古代和現代連在
一起。而這，就是「蒙太奇」的優點。當然，這也是為甚
麼現在的很多年青導演，地下電影，前衛份子認為電影實
在太假了〔而〕要拍起「真實電影」來的緣故。「蒙太奇」
的確是太「技巧」了些，不過，在電影的立場上來看，它
倒是功過於罪，尤其是有些電影，拍得很呆，倒不如老老
實實在蒙太奇上多下一點功夫，打好其基礎再說。譬如說
拍一個人等人，通常總是接滿地煙蒂，若照普杜夫金的
「飛躍」剪接，他可能接一個人鬍子長長了，落葉淹沒了公
園椅等比較新鮮的影像。

米蘭（一九六八年七月二十一日）

《我好奇》與影評人

瑞典並不是只有一個導演。但習慣上，提到英瑪褒曼，大家知道多些，提到有個叫做維果史佐曼，聽過的人就不多。

早些日子，「第一影室」放映過維果史佐曼的一部電影，名為《妹妹吾愛》，看得很多人大搖其頭。大影會月刊的電影總評星表上，有七位影評人勉強賞它一顆星，有兩位乾脆贈它光蛋。那部片電影章法並不差，但題材上是兄妹相戀，人死了還剖取胎兒，看了會作嘔不已。該片的背景正描寫「貴族的沒落」，但和《氣蓋山河》比，就相差甚遠了。因此，對於維果史佐曼這個名字，大家並沒有好感。二十年前，史佐曼出版第一部小說《教師》，當時他廿七歲，他的小說使他和電影□打了交道。稍後，他得了個學位到美國去讀了一陣書，回瑞典後，因為得到朋友英瑪褒曼的協助，拍了第一部片《情婦》，講的是一個少女愛上有婦之夫的故事。以後，他拍了三部電影。最近，維果史佐曼拍了第五部電影，叫做《我好奇》，這部片，惹了一些風波。大家都知道，瑞典電影，一向是衣服穿得最少的，裸露演員身體更是家常便飯。可是，維果史佐曼的這部《我好奇》，除了女主角一絲不掛外，連男主角也整個地赤裸，這還不算，電影中的男主角〔脫光〕的身子出現於銀幕上的並非上半個身子，或是整個背脊（像《春色撩人夜》，《逃獄金剛》）〔，〕而是，自腰以下赤裸地正裸面面向觀眾。這一個鏡頭當然令觀眾為之嘩然，有的雜誌說：啊啊，以後還有甚麼可以拍呢？

在歐洲，《我好奇》是否禁映，不得而知。《我好奇》到了美國之後，電檢處一句「黃色」，不通過。一部黃色電影？那真是太吸引不過了，就像一些禁書一般，越禁越暢銷。《我好奇》被禁之後，美國電檢處連接受到影評人轟炸似地要求：要看《我好奇》。而美國，偏偏又和英國相反，居然很大量，准許一群影評人在曼赫頓一看此片。事情就惹來了批評。到底影評人算是甚麼東西，為甚麼他們要有這樣的特權。他們和群眾有甚麼分別，難道要他們看了電影後回去寫一篇影評：這電影黃色，大家不能看。既然電影黃色，影評人為甚麼有權過目呢。影評人一不是電檢專員，二不是甚麼特權份子，絕沒理由要比普通觀眾佔優。如果說影評人讀過一些書，是「知識份子」，但觀眾難道就不是「知識份子」？在美國，大學生可滿街都是。再說，有些所謂「影評人」，根本也就不是甚麼有高見，真正介紹藝術的「知識份子」，不過是替電影公司作喉舌，是些宣傳專家吧了。

米蘭（一九六八年七月二十二日）

從蒙娜麗莎說起

「蒙娜麗莎的微笑」這幅畫，許多人都知道。如果我們把這幅畫掛在牆上，雖然，它只有「一個畫面」，或者照電影的說法，它只有「一個鏡頭」，但沒有人不承認這是一幅傑作，一幅畫，是畫家所選給大家欣賞的一個角度，而這一個畫面，前後左右是甚麼，上下關連的是甚麼，沒有人要去追究，因為一幅畫本身即是一個整體。

在電影上，一個畫面，就是許多菲林格中之一，即使有人拍一個畫面拍得像名畫「蒙娜麗莎的微笑」那麼美，那麼和諧，但是，我們不會因為一個畫面美，而說那部電影是傑作。看電影，個別鏡頭是否美並不是構成好電影的條件，電影之成功與否，如果把「蒙太奇」作為前提和先決條件的話，則構成好電影的因素在於畫面與畫面之間的關連，也即是說，欣賞電影，不該看一個鏡頭，而該看一組。

譬如說，我們用「蒙娜麗莎的微笑」作為一組鏡頭中的一個單獨畫面，觀眾要明白的是，其他的畫面是甚麼。不同的其他畫面，會使人對蒙娜麗莎的微笑有不同的解釋。假設我們第一鏡拍的是蒙娜麗莎在微笑，下一畫面接的是馬戲班一個小丑在扮鬼臉，在這情形之下，我們覺得蒙娜麗莎不過是因為有趣而在笑。假設我們第一鏡用同一的蒙娜麗莎，下鏡接的是一個小女孩，這兩個相關的畫面給我們的感覺就不同了，我們會覺得蒙娜麗莎的微笑是慈母式的。

我們還可以用其他的畫面去接。接一個魔王的猙獰面

117

目，接一位提着琴的抒情詩人在吟唱，都可以使「蒙娜麗莎的微笑」表現出不同的意義。這種例子，庫里肖夫第一個舉例，運用於電影理論中。這些例子只說明一點，在電影裏邊，單獨的畫面毫無意義，即使拍一幅一幅沙龍照，並不能使電影成為傑作，最多不過是一次攝影展覽。電影不是一個鏡頭一個鏡頭給我們看的，而是一組一組。

怎麼把一組鏡頭拍出意義來，怎麼把一組鏡頭組織得好，怎樣把 N 鏡頭和其他任何一個鏡頭配合，這也就是電影上的「蒙太奇」。通常，一個電影編劇的工作之一，也就在如何把這類鏡頭編好，否則，電影不是電影，而是「攝影」而已。

我們看書豈不是一樣，我們不是把一個字一個字孤立了來看的。普杜夫金早就指出，個別的字並無意義。譬如說「電」，如果它不是〔與〕別的字相連成詞成句，它就是電而不是別的。我們必須看它是電燈，電影，電飯煲，才知電指的是甚麼，還是電自己。所以展覽攝影圖片〔般的〕美麗電影不一定是好的電影。

米蘭（一九六八年七月二十四日）

荒謬的喜劇笑料

初期的電影，喜劇有很多形式。有的專門演扔奶油蛋糕，有的以小丑的姿態出現，把馬戲班的技倆搬上銀幕。稍後，喜劇才發展到兩個比較穩固的方向：一種是心理的喜劇，一種是荒謬的喜劇。（這裏不涉及「荒謬劇」。）

直到現在為止，荒謬的喜劇並沒有失去它的魅力，觀眾仍然喜歡見到一些怪誕的趣事，一些現生活中不常見的好笑的事情。荒謬的喜劇是建立在一種不近情理的情況的邏輯發展上。譬如說，叫兩個人站在一幅大銀幕後面，一個人露出頭來，另一個只露出腳。兩個人可以唱歌跳舞，走來走去。如果配合得一致，觀眾覺得怎麼有個人身高十多呎，十分有趣。但這兩個人如果把動作掉亂，頭在唱歌，站在東面，而布幕下的腳卻走呀走，走到西面的地方去，這一來，觀眾就會笑了，一個人怎麼可以把頭和腳分成兩段的呢，這種事簡直是怪事，但因為它們表現得那麼有趣，即使大家知道是假的，也會笑起來。

一位中古時代的武士，穿了一身鐵甲，一不小心，把自己變成了吸鐵石，把所有的針，螺絲，水管，招牌等都吸到身上來，就是荒謬的喜劇的一個例子。好好的一個男人，要假扮女人，也可以製成荒唐的喜劇。像《熱情如火》中的積林蒙，就扮成了一個女人，在日常生活中，男人並不會扮成女人。男人穿的應該是男人的服飾，一旦變了女裝，自然是不合情理，但觀眾會覺得這種場面極為有趣。一套愛德絲威廉絲主演的一部游水歌舞片中〔，〕有一場是一群女孩子在跳芭蕾舞，但怪事發生了，有一個男人扮了

女人闖進來一起跳，這還不止，這個男人不知甚麼時候黏了一張糖紙在手上，於是一面跳舞，一面跟着舞姿把糖紙黏在另一個男人的手上，這張糖紙黏來黏去，沒有人能夠把它擺脫，觀眾看了，幾乎笑得跌倒在地。

即使不是喜劇，笑料可以出現在任何的電影中，並且可以淡淡地顯一顯，像《金龜婿》中的那個神父，他就給觀眾帶來了不少笑料。通常，神父應該是嚴肅的，而神父嘻嘻哈哈，還學狂人彈結他，唱流行曲，就有點不近情理，但《金龜婿》中的神父正是那樣的一個人，還說對人說好話，安慰別人，〔乃〕是自己的職業。所以，這個角色含有荒謬的一面，觀眾因此好笑起來。

一部《槍兵》的電影，銀幕上放映一間電影院裏正在放映裸女出浴，電影院中的一位大兵觀眾居然跳上台，去追蹤裸女，而且因為看不清楚而跳起來朝浴缸中瞧。像這樣，也是屬於荒謬的喜劇笑料，因為沒有人傻成那樣，難道一個露出背面的裸女在電視中出現，大家會衝到電視後面去看個清楚麼。

米蘭（一九六八年七月二十五日）

約瑟羅西的《意外》

　　約瑟羅西的《意外》，大家有機會看到了。這是一部傑作。《視與聽》給了它最高的星標：四顆星。在香港，譯名是《意馬心猿》。

　　對於約瑟羅西，認識他的人較少，即使看過他最近的《女金剛勇破鑽石黨》，也覺得那部電影實在胡鬧。但，只要我們懂得甚麼叫「普普藝術」，就不會奇怪，而且反而會佩服約瑟羅西的彩色是那麼地絕，狄保嘉第的一把女人傘，一會兒轉一個顏色，蒙妮卡維蒂的衣服，同一剎那也會一忽兒黑，一忽兒白，隨氣氛而變換。

　　約瑟羅西的電影作品一共有十七部，其中包括《意外》在內，只有四部是彩色的。約瑟羅西對彩色的處理很嚴格，在《意外》中，他要拍出一種田園景色，用的卻是一種很淡的伊士曼色彩，使影片看來幾乎是沒彩色的，他還特別避免了特藝彩色中強烈的藍色和濃郁的黃色。此外，他用的是低調拍攝，在近年來，彩色片而用低調子，根本是沒有人傻得要去拍的。

　　看《意外》，要注意的特別是它的音響效果，尤其是開頭和結尾（所以，觀眾千萬別遲到）。開場字幕完畢後，約瑟羅西的鏡頭對準一間屋子不動，夜很黑暗，一架飛機在頭上掠過，一隻鳥啼，屋內的打字機低低地響，鏡頭開始推前，很慢很慢地，這時，音響上是一輛汽車失事的聲音（這一段音響是《意外》整個片中最著名的）。但拍攝機的鏡頭並沒有轉移，仍在推前，直至良久，〔門〕開了，狄保嘉第跑出來。這一段的音響和影像的配合極為特殊，但

把一件「意外」投入平靜的環境中造成的氣氛的分裂，卻很成功。在結尾的時候，約瑟羅西也把鏡頭對準屋子，這次是往後拉，空洞洞的門外，一隻狗走出來，而這時，一輛汽車失事的音響又重現了。（充滿象徵意味。）

很多人會覺得《意外》甚為沉悶，因為導演喜歡把鏡頭拖長，誇張地描寫一扇空的門，一張空的椅子。譬如說，一個人走向椅子坐下，人還沒到，約瑟羅西已經把椅子展示了好一陣，但這些都是約瑟羅西故意營造的氣氛。

《意外》是一部要人去思想的電影。它可不是甚麼開心果，而是一般見了就頭痛的「藝術片」，但重要的是：這是一部真正的電影，劇本出自名戲劇家夏洛品德之手，對白精警異常，他本人在片中飾演病了的電視製片的副手，到時，大家可以一睹編劇的廬山真面目。《意外》的攝影，演員均出色，片長一百零五分鐘，（相信不會被刪剪）。誰要找尋真正的電影佳作，《意外》是他們不可錯過的片子。

米蘭（一九六八年七月二十六日）

喜劇的心理因素

　　喜劇，是想令觀眾笑，但甚麼才可以令觀眾笑呢？其中一個方法，就是把握觀眾的心理。在喜劇上，這就是「心理因素」。

　　地上有一塊香蕉皮。大家知道，如果有人走過來，而踏在蕉皮上，會滑一跤，於是，觀眾要知道甚麼人會走過來。問題是：並不是任何人踏上了香蕉皮而滑一跤就可以叫觀眾笑起來的，譬如說，一個頭髮白了的老人因此而跌了一跤，觀眾便不會笑了。觀眾會感到同情，絕不會笑。但如果跌一跤的是一個年青的大胖子，或者是一個又肥又笨拙的女人，觀眾就笑起來了。老人和大胖子雖然同樣是人，可是觀眾對他們的看法並不是一樣，要知道，觀眾總是覺得老人是可憐的，大胖子是可笑。

　　人們又天生喜歡看到尊貴的人狼狽不堪的樣子。一般觀眾又喜歡對有錢人和居高位者作幸災樂禍的旁觀。所以《橫衝直撞出重圍》裏油漆匠的一桶漆，絕不能落在別人的身上，一〔定〕是要不偏不巧地落在德國軍官的身上。軍官是尊貴的人物，這種人物總是高高在上，八面威風，而一桶漆就令他狼狽不堪。這種場面，觀眾最開心，好像誰替他們出了氣一般。要是那桶漆落下來，跌在一輛嬰兒車上，年青的母親驚叫起來，嬰兒毫無聲息，觀眾會笑得出來麼？假如是那樣的一個場面，喜劇也就不是喜劇了。

　　卓別靈最懂得這個「心理因素」，而〔且〕是把這種因素發揮得最透徹的先驅，所以，他的電影一直在影壇上屹立不倒。有一個場面，卓別靈和一位年輕的姑娘一起在

露台上吃雪糕。在露台下面，卓別靈指示要站着一位肥胖胖的貴婦人，穿很名貴的衣服，一副莊嚴不可侵犯的樣子（如果是瘦貴婦，當然效果也要大打折扣）。這時，卓別靈在露台上吃雪糕，一不留神，雪糕滴到下面去了，而且是不偏不巧的，落在貴婦人的脖子上。貴婦人大叫大嚷當然可以藉表情讓觀眾笑，可是最大的原因卻是，觀眾喜歡看見很神氣活現的人狼狽的樣子。要是雪糕落下來掉在一個窮苦女佣人的脖子上，觀眾是絕不會笑起來了。

　　西部片中很多的笑料都是出自無名小卒作弄大惡霸而令人笑的。喜劇裏邊也就常常拿警察，銀行家來作弄，就因為在觀眾的心理上，他們有權力有金錢。卡通片也常常令大家笑，一隻小老鼠專捉弄貓，用的也是這種「心理因素」，貓從來是捉老鼠的，但老鼠夾子夾着的偏是貓的鬍子而不是老鼠的尾巴，這正是觀眾愛看的威風的貓狼狽的樣子。世界上，有錢的人比窮人少，威風的人又比卑賤的人少，所以，「心理因素」正因為這樣有它的一個面目。

米蘭（一九六八年七月二十七日）

視覺觀點鏡頭

視覺觀點鏡頭，即是主觀鏡頭。

一部電影裏邊，鏡頭多半分為兩類，一類是客觀鏡頭。客觀鏡頭是讓觀眾站在第三者的立場上看電影，就像大家聽音樂時看別人演奏，看芭蕾舞時看別人舞蹈。或者，就像我們站在窗前向街上看，滿街的人走來走去。另一類則是主觀鏡頭，這種鏡頭是觀眾被迫站在演員的立場上來看景物，如果演員演一個醉漢，他看見其他的人是模模糊糊，或者一個人變形為兩個，那末觀眾看見的景物也是模模糊糊，一個人變形為兩個。做一個觀眾，我們沒有權力選擇去看任何一種鏡頭，客觀或者主觀，完全由導演來決定。

《春光乍洩》中，當攝影師駕了車子到古董店去的時候，車子在街上開行，安東尼奧尼就給了我們兩個「視覺觀點」的鏡頭，我們當時的立場就移到攝影師的身上去。首先，汽車彷彿要撞向一幢紅色的房子，但汽車那麼地一轉（我們看到的是紅屋子歪歪斜斜地飛過），這個鏡頭，坐汽車的人都有過類似的經驗。另外一個鏡頭是汽車開到古董店門口，忽然，古董店整個地傾斜起來，連街上的行人也隨着斜了。安東尼奧尼的下一個鏡頭接的是攝影師下車，車子停在路邊，而路面像是斜的。這樣的一類電影手法，絕不是在〔賣〕弄甚麼花樣，而是用了「視覺觀點」的鏡頭。當然，一部電影中，適當地運用幾個是可以刺激一下觀眾的視覺的，要是整部電影都這樣，觀眾從電影院出來後要立刻去見醫生了。

電影製作者在很早已經懂得用「視覺觀點」鏡頭攝取畫面了，一九○○年的時候，人們已經拍過《祖母的放大鏡》,《望遠鏡中所見的景象》等短片。有的導演為了要拍「馬匹的視點」，把攝影機綁在一匹奔跑的馬的身上。至於一部拍攝拿破崙在十三歲時打雪球遊戲〔的電影〕，法國的一名導演甘斯要拍「雪球的視點」，竟把攝影機拋到空中，結果，把攝影機摔壞了。甘斯還嘗試拍「炮彈的視點」，他把攝影機放置在一個足球裏，然後當足球是炮彈般地拋彈出去。

視覺觀點鏡頭不一定是彎形的，一個人看見別人手中握着一管槍，鏡頭描寫一管槍，就不過是最常見的大特寫而已，大特寫也是一種視覺觀點鏡頭，不一〔定〕要彎形。

現在的一些電影仍然喜歡利用「視覺觀點」鏡頭，利用它來描寫吞食迷幻藥後的景象，或者是一個人被洗腦時的感覺。「獨行俠」中的回憶鏡頭也是這一類型。能夠善用「視覺觀點」鏡頭對於電影來說是有很大的幫助的。

米蘭（一九六八年七月二十八日）

畫面的景次

　　我們看電影時，總會發現畫面中有許多東西，人啦，桌椅啦，牆啦。如果是郊外的，則是樹，房屋，遠山等。所有這些景物，都有它們的距離，絕不會排排坐地列在同一個「地點」上。譬如說，畫面中有人有海有山，通常是人離我們最近，海又遠些，山則在海的另一邊，離開我們最遠。像這樣子，人海山這三件物體便形成了三個景次，人是在前景中，山則在背景中，海在中間，一半前一半後。

　　畫面所以要有很多的景次，是因為只有這樣，才能夠產生透視感，前景的景物大，後背的景物小，景與景之間便有了距離，我們一看上去，就覺出「縱深」。我們如果站在空地上看景物，也必然會發現距離越近的物體體積越大，距離越遠的體積越小，當把這些景物搬入畫框，我們就要設法保存「透視感」，並且盡量把透視感誇張起來，否則，所有的畫面都是扁扁的，物體和物體都貼在一起了。

　　女主角的臉，為甚麼在銀幕上總是要側一些的呢？有人就以為女主角的臉輪廓不美。或是臉太肥，所以，導演只有一天到晚側了角度拍。其實，這和女主角的臉無關，而是透視感在作怪。如果一張臉正面對着觀眾，就沒有了「縱深」的感覺，凡是畫面的臉，總是側一些，用四分之三的角度。（當然，故意強調此面的咄咄逼人，或有「真實電影」那種拍法，是例外。）

　　在電影的例子，費里尼的《八部半》其中一段是描寫一群人在排隊喝礦泉水，這一場的畫面景次，真叫人看了歎為觀止，單是人的景次就有好多層。再舉一個比較熟悉

的例，如《春光乍洩》，一群模特兒在攝影室中，在這一場中，本來只有攝影師，模特兒，和背景的牆，如果這樣，透視感覺是有的，但景次不夠多，於是安東尼奧尼用了一層層的垂簾，這一來，畫面上一層一層的，成了多景次的透視畫面，而這也是用「線條透視」用得精彩萬分的一場。有一些電影描寫宮殿之深，常常用重重的紗幕，也是這個道理。

　　要拍有「透視感」的畫面，重要的是如何利用前景來誇張，所以，我們常常看到銀幕中的男女主角在郊外談情，偏愛站在一棵樹下面，事實上，在郊外，樹是最好的目標，一棵孤立的樹作前景，背後是遠山，炊煙，整個畫面就是「由近入遠」的。樹在電影中出現了幾十年，雖然是很古老的辦法了，但是，如果沒有了樹，就很難利用更適當的物體來代替它，而拍出多的景次來。

米蘭（一九六八年七月三十日）

所知與所見

　　看電影，「知」很重要。電影本來是給人看的，可是，觀眾要有最起碼的「知」，不然的話，不會明白電影，說得最顯淺的話，可以舉時裝為例。如果有個人現在在街上走，穿的是長及小腿的裙，腰束粗闊的皮帶，領口密密麻麻是花邊，見了的人一〔定〕會認為異相，因為滿街的人穿的都是短小的裙。但如果大家「知」道，長裙子粗腰帶闊花邊才是最流行的服飾，一定就沒有人〔覺得〕奇怪。

　　很多時候，我們覺得一些電影怪，是由於我們不知。而這不「知」，包括很多方面。如果我們不知道電影是所謂新潮，就會覺得《冷血兇手》最後的鏡頭怎麼是三個人打在一堆，而銀幕上的景物一直向中心點飛去，顏色和構圖都是那麼怪。但如果知道新潮有很多別緻的手法，而電影又不斷在尋求新的表現手法，就一點也不覺得奇怪。而這，除了「看」之外，是要去「知」的。

　　譬如說，看《破曉時分》。如果大家知道現在的一些小說，早已不是甚麼《紅樓夢》，《水滸傳》那麼地長篇大論數家族，拉親系，而是只描寫一個片段，而是「小」說，就不會覺得怎麼竟是個沒頭沒尾的電影。誰要是說《破曉時分》是沒頭沒尾，我只想問一問：報紙上每天豈非都是登一些沒頭沒尾的電訊。你且說說：那個林志生的結尾給我聽聽。你且說說，越南的結尾給我聽聽。或者，誰告訴我地球的結尾怎樣，人類的結尾又怎樣。

　　我們看電影，要知的很多，即使知道一首很普通的許多〔年〕前才流行的歌〈雨客茶〉，在看《橫街直撞出重圍》

時就明白那不過是一個暗號，所以用來做暗號，是因為大家會哼會唱。電影所以用了它，因為觀眾也都會哼會唱。

知道一些專門的電影知識當然好，其實，在今日看電影，電影要求觀眾常識豐富遠多過要求觀眾是專家。大家多知道一些流行新裝，最流行的畫，最流行的音樂，最流行的小說，電影就更能深入群眾。

我們看甚麼《萬王之王》，《萬世流芳》這類的聖經片，絕不會說動物一雙雙上方舟是怪事，也沒有人說一顆星會引導三博士來到馬槽是荒謬的，因為這些不是「電影」的外，而是電影的內，是來自聖經的。我們對於聖經的故事已經有了「知」在先，〔就再〕絕不會奇怪於後了。

像聽音樂也是一樣，在音樂廳內敢於鼓掌的人（不是那些亂拍一通的）都是早已「知」了才做的，而且，知得越多的人，聽的趣味也一定比別人來得濃厚。知並不是一件難事，最怕是不肯去知，既然不知，所見的也就極為有限了，而光拿所見的來批評，就不免會有所偏差矣。

米蘭（一九六八年七月三十一日）

康城無影展

　　五月，法國國內掀起大罷工的浪潮。很多導演和技術人員因為響應大罷工，所以使康城影展不得不中斷，所以為期兩週的影展，剛開幕便告終結。

　　阿倫雷內，得到製片和編劇的支持，自動把影片收回不參展，於是其他導演和製片亦紛紛傚效，在影展的劇場內，並無暴力事件發生，只是像法國雷諾車廠一般，擠滿了技術員工，擠得像沙甸魚一般。其中有一名身份不明的男子，打算打高達一拳，但由於人太多，連打一拳的「用武之地」也沒有，結果卻從台上跌下來，高達則不知如何在混亂中失去一副太陽眼鏡。上演了這一幕趣劇後，大會仍可繼續進行，大家仍可照以往般舉行討論和放映電影。但到了第二天，當討論會正在進行中，影展主理人卻宣佈電影節已告終結。這時，在場的人都為自己的困境而擔憂，遠從國外的來賓更不知該如何回國，因為一切的交通工具已經停頓。

　　在影展未正式宣佈終結之前，赴會的記者，影評人，仍能看到展出的兩打以上的電影，至於最佳電影獎，最佳男女演員獎等等，今年則沒有頒發。在放映了的一系列電影中，比較出色的有英國參展的《桑樹下團團轉》，由克里夫杜南執導。英國參展的另外兩部電影，一部是阿爾拔芬尼導演的《查里巴布斯》，這是阿爾拔芬尼第一次當導演，該片的演員演得出色，但全片並無故事架構，以至看來不免令人厭悶。另一部則是邁克沙尼的《鍾娜》，描述時下的流行青年，據稱成績欠佳。

影展中被認為最出色的電影乃是米洛士科文的捷克喜劇 *Au feu les pompiers*，米洛士科文以前的作品有《金髮女郎之戀》（第一影室今年曾放映過）。另外兩部值得注意的電影是意大利的。一部是《謝謝姑母》，是意大利新一代導演的作品，寫的是一位三十歲的女醫生和她的侄兒的故事。另一部則為索里尼的《坐在他（神）的右邊》，是十架受刑的一個註釋，其中基督的形象則用一名非洲革命首領來象徵，描寫他如何被出賣。

此外，瑞典的《我好奇》也在影展中放映過，此片如今是臭名遠揚了。比較成功的瑞典參展片則是 Bjorkman 的《我愛，你愛》。說的是一雙情侶本要分手，但為了女方懷孕而仍生活在一起。這部片分為四個片段敘述。

日本的新潮作品在康城亦很受人注意，N 大島的《環首刑》是一部以反死刑為中心的電影，受刑的人因刑具失靈而被暫時收回獄中，故事就由此展開。

這次影展，法國自己沒有影片展出，序幕是《亂世佳人》的回顧。（取材自 Q）

米蘭（一九六八年八月二日）

齊法拉里和電影

　　齊法拉里，大家還記得他不呢？這個意大利導演，他是意大利電影圈中最「不電影」的一個人了。如果翻看意大利電影史，找他的名字是沒有的，甚至連《今日意大利電影》這本厚厚的大書裏面，也沒有這個人的介紹。說齊法拉里不是電影圈的人，那又不是，他跟維斯康蒂跟了許多年，早在一九四六年，維斯康蒂搞舞台劇時，一部《罪與罰》中，齊法拉里就演員榜上有名。一九四九年起，齊法拉里的名字就出現在維斯康蒂導演的舞台劇《欲望號街車》職員表上，職務是，舞台設計。有人說，齊法拉里的電影（《馴悍記》，大家看過的了）受維斯康蒂的影響最深，尤其是室內佈置，其實，設計，包括服裝在內，根本就是齊法拉里的本行。不過，齊法拉里是維斯康蒂的好助手倒是真的，像維斯康蒂的《大地震動》，齊法拉里就是助導之一，另外一個是法蘭德西斯科洛西。

　　齊法拉里不是一個拍「純電影」的人，他似乎不是電影的導演，因為在他的電影中，他喜歡的是那些文學（像莎士比亞），那些美術（像文藝復興的畫面）。他這個人，喜歡的不是電影，而是藝術。他喜歡文學，美術，音樂，舞蹈，建築等等，所以，既然電影也是一種藝術，他就也湊熱鬧在那裏搞一頓。看齊法拉里的電影，覺得很怪的一點，他的電影，電影味道很少，但藝術味道很濃，那即是說，很多文學，很多美術，就是很少電影。像《馴悍記》，文學味重重，美術味重重，電影味，糟得很。因此，齊法拉里給我們的電影也總是那個樣子。他的《羅米歐與朱麗

133

葉》是本年度女王御前放映的作品，也是莎士比亞味重，美術佳，攝影精。電影味，則稀稀薄薄。《羅米歐與朱麗葉》暫時不會過港，但可以介紹給大家的則是八月二十五日至三十一日的一部齊法拉里導演的音樂片，歌劇《波希米亞人》。這部片其實不是電影，而是一部舞台歌劇的紀錄，不過，齊法拉里的設計和他的那種是他才有的氣氛，加上歌劇本身的魅力，大家還是值得看看。只是票價稍高，因為那是「音樂」，而非「電影」。至於《波希米亞人》這歌劇，是大家很熟的，相信到時「音樂專欄」的陳浩才會再給大家報道一下。

齊法拉里喜歡「再造」，他總是找現成的材料，用自己的方法去塑造。自《馴悍記》，《羅米歐與朱麗葉》之後，他現在導演的是柯德莉夏萍的成名作《金枝玉葉》，但卻把它改為歌舞片。以齊法拉里的才華，歌舞片對他倒是頗適合的，他的電影成績雖然不過是平平穩穩，但設計這方面，着實是第一流的水準。

米蘭（一九六八年八月三日）

視線的角度

我們看自己腳上的鞋，是俯視。我們抬頭看天花板，是仰視，我們看壁上掛的畫，是平視。（看一個人會不會掛畫，只要看他把畫是否掛在普通人高度的眼睛水平線上。大會堂高座畫廊的畫，總是掛得位置極佳。而一般人大廳中高高在上的畫，只是裝飾，不是給人看的。）

導演在拍片時，也替我們選擇了他個人喜歡的角度，有時我們在天空朝下看，有時在平地向高樓看，多半時，就用正常角度看。用視線的角度看景物，有幾種特別的稱呼。一種叫「蛙式透視」，即是大角度仰拍。如果我們當自己是青蛙，伏在地面，仰望物體，所見的物體就有向上升的感覺，所看見的人，特別見到鼻孔和下巴。一種叫「騎士式透視」，即是以騎士的視線角度俯拍，見到的人物總是特別看到頭頂和肩膊。另一種是「鳥瞰式透視」，是把我們當作在空中飛行的鳥，看見地下微小的景物。

在電影上，俯拍，仰拍的意義是很多人都知道的。仰拍就是要說劇中人很重要，很驕傲。俯拍就是說劇中人很卑微，很被人看不起。這種例子，電影中多得很，在《金石緣》中就有了。窮小孩阿瑟被帶到商店去的時候，門一推開，老闆就在樓上吆喝，這時，導演用的是仰拍，然後鏡頭一轉，我們站在老闆的立場上見到樓下站着阿瑟這個窮小孩，這時，導演用的就是俯拍了。至於《橫衝直撞出重圍》中的降落傘滑翔機，爬屋頂，簡直就在那裏〔耍〕「鳥瞰式透視」的鏡頭。

現在的一些電影，差不多已經想盡了方法來展覽「鏡

頭」上的俯仰,《夢斷城西》的序場,全是屋子的天頂,拍
得十分出色,觀眾簡直是躺在一堆雲上。一些躺在鐵軌上
仰拍火車飛過之類的鏡頭,差不多十部電影中就可以見三
幾次。

　　電影過分注重視線的角度,或者在視線的角度上太下
功夫,結果只有兩種面目,一種是薛尼富利式的電影(《虎
俠》和《逼虎跳牆》的導演),畫面弄得很新奇,角度奇
詭,因此造成喧賓奪主,使觀眾迷戀於個別鏡頭的表現,
而個別鏡頭,對於一部電影來說,是沒有意義的。另一種
面目則是令觀眾看得莫名奇妙,因為世界上的物體,有很
多的角度是觀眾從未見過的,連想像也不能,那麼,銀幕
上出現這種畫面,觀眾當然不知是甚麼。所以,拍電影,
耍手法不是正道。電影所以用俯鏡仰鏡,一定有特別的意
義,尤其是要強調甚麼事會發生。如果光為了畫面構圖怪
異而用,就失去了一種誇張事態,揭發劇情的功能。而
且,怪角度的鏡頭只能偶爾用之,這樣才能在其他平常的
角度中顯出不平凡來。

　　　　　　　　　　　　　　　米蘭(一九六八年八月四日)

一個圓形的音響效果

電影是「視與聽」的藝術。我們看電影不單是看影像，還同時聽音響。因為電影有「畫面」和「聲音」兩部分，電影也常常會走上兩條路，有的電影畫面勝於聲音，有的電影，聲音勝過畫面。

看《破曉時分》時，覺得它的影像不錯，音響普普通通；看《龍門客棧》，則覺得影像表現普普通通，但音響則十分出色。電影中有一類音響是「引導音響」。在一部電影中，凡要引導一件甚麼將要發生的事情，常有一種特別的音響作先導，這，日本武俠片中最多，交戰前的吆喝，節奏樂器的拍擊，都會隨畫面先行。像《姿三四郎》那種電影，決鬥前〔便〕前導一種風聲。有一類「引導音響」則是陪襯人物出場的，不少電影中的重要角色多半會有「引導音響」作介紹式先導。《龍門客棧》中的東廠督主曹少欽是個重要的人物，所以，電影中用了一個特別的「引導音響」來陪他出場，那個音響是一種類似舞台大佬倌出場時特有的鑼鼓喧鬧聲，只要曹少欽一出場，音響就響了起來。這種音響的好處是用了幾次之後，觀眾聽慣了，只要音響一響，即使曹少欽沒有露臉（片中有一場即是），大家都知道這位厲害人物已經到了。

通常，配音響多半配的是原音，像電話鈴響，配的就是電話鈴聲，但配音響也可以用超現實的手法，像有一部電影，寫的是一群女人擠進百貨公司搶購商品，配的卻是牛叫的聲音，很是有趣。《龍門客棧》中一個十分特別的音響也配得很成功，我稱它為一個「圓形」的音響效果。當

曹少欽被四人圍攻時，曹少欽因有氣喘症，主觀的音響出現了，那個音響像搖擺的彈簧，又像迴旋的飛行物體，給了聽眾一種「圓」的感覺。音響本來不會「圓」，因為聲音並無形狀，可是這個音響聽起來，混合了好「圓」的感覺在內。其中有一種像風扇在頭頂轉動的聲音，而風扇要作圓形轉動的；音響中又有一種蚊子跟着人嗡嗡盤旋追逐的聲音，還有似飛機聲，馬達聲等等循環轉動徘徊的聲音，於是整個音響就在轉圈子，而且是越來越響，配上畫面上四個人團團轉的圍攻，加上一組疊印鏡頭，稱得上是好手法。如果沒有了這個怪音響的幫助，這一場大決鬥可要失色許多。

《龍門客棧》中用了擊板節奏連貫全片，也算是一種風格，而這，也是十分中國的。把舞台劇的配樂帶進電影（《第一劍》等電影早已在做了）未嘗不是一個辦法，這就總比看中國武俠打鬥片，居然聽到「鐵金剛」的配音要強得多了。

米蘭（一九六八年八月五日）

愛森斯坦與溝口健二

　　有兩部電影可以介紹給愛好電影的朋友。一部是蘇聯愛森斯坦的《阿力山大尼夫斯基》，另一部是日本溝口健二的《雨月物語》。

　　看愛森斯坦的電影，是研究蒙太奇的好機會，雖然，這部《阿力山大尼夫斯基》不是愛氏最著名的作品（他的《戰艦波特金號》才是古典十大名片之一），但是，《阿》片中的一場「冰上交鋒」，卻是世界電影史上著名的一個片段，以影像與音樂配合得天衣無縫著名。這部片是一九三八年的作品，還是默片與聲片的交替時刻，我們要重視的乃是片中的音樂尺度如何陪襯畫面的劇情。同時〔，〕看愛森斯坦的電影，要知道的是：他的攝影角度很嚴，人物坐立的位置全像一局棋中的任何一粒棋子，有一定的位置。其次，愛森斯坦對人物的造型，服飾佈景的研究下過很多功夫，他本人深諳美術，拍片時一切的美術設計多半親自繪圖起草。而且，愛森斯坦的演員是用的方法演技。《阿力山大尼夫斯基》表面上寫的是一個中古世紀式的人物，是一位英明的領袖，但劇中的衛國戰卻隱喻是對德軍而戰，其中，德軍的造型，是愛森斯坦向德國電影中找來的。一九二七年，正當德國電影「表現主義」的蓬勃期，德國名導演謬諾拍了一部《大都會》，其中的德軍頭戴鐵帽，帽子只露出兩條線，愛森斯坦則把這副打扮重現在《阿》片裏。

　　《雨月物語》這部電影，只要稍微喜歡電影的人都會覺得易於欣賞。這部片是一九五三年得威尼斯金獅大獎

的作品。日本片在國際影壇上揚名原自一九五一年黑澤明的《羅生門》起。雖然,《羅生門》在一九五一年先獲得威尼斯金獅大獎,但在國內,溝口健二的名字比黑澤明重要響。《雨月物語》的「物語」指的是故事,該片有一個完整而感人的故事,即使不理會電影技巧,乃可當一篇小說看。但值得重視的乃是溝口健二如何營造此片的電影氣氛,其中最著名的兩場是河上行舟和女鬼出現。河上行舟一場,畫面一片迷濛,音樂淒怨感傷,境界奇佳。女鬼出現一場頗長,草地上嬉逐的一場尤其拍得出色,至於女鬼歌舞的一場,氣氛怪異,很能表現日本的風格。此外,《雨月物語》整部片不〔失〕隱喻和象徵。像燒陶器可以詮釋為人的長成,須經過磨煉。本片在描述平靜生活時能夠寫得如詩如畫,衣光閃爍,柔髮如絲;但描述戰亂時,則拍成紀錄片一般,可以和意大利的寫實相媲美。

這兩部電影將在八月六,七,八三日由第一影室放映(注意報上一隻大眼標誌的廣告),非會員最好與一位會員陪同購票入場,時間是晚上七時及九時半各一場。

米蘭(一九六八年八月六日)

藍色的夜晚

　　人的眼和人的腦有時不怎麼合作。譬如說，月亮的光是甚麼顏色的，眼睛看的是一種，腦子指的又是另一種。月亮本身不會發光，月亮反映的是太陽光，這種光其實在我們的眼睛看來是帶點藍和綠的成分的，可是，我們的腦子自己卻解釋說月亮的光是白的。於是，我們總是說，月光是白的，我們的眼睛也就跟着腦一起走，說看見白色的月光。

　　在月光下面，一切有顏色的物體（除了燈光，交通燈之類）都呈現一種灰色，我們的眼睛看沒有燈光照射的物體，在月光下是灰色的（它們應該是灰的），可是，我們的腦又出了錯，指那是藍色。在這情形之下，凡是曝光不足的影像，又經過藍色的過濾，就使人生產一種「晚間」的感覺。這一點，在拍電影時便大有用場。

　　電影中有很多場面是要拍夜景的。拍夜景，不一定要在晚上拍，如果工作人員齊了，白天也可以拍夜景，只要把畫面拍成晚上的模樣就行了。晚上，晚上是甚麼模樣的呢？那就是上面已經提到的：晚上的景物是帶點藍色的。因此，凡是拍晚上的景，就得把藍色帶進畫面去。當然，這並不是說 —— 拍夜景就要把一切景物塗上藍色，或是劇中人要穿藍衣服，甚至把眼睛鼻子也塗上藍色。夜景的藍色，乃是攝影時照明上的燈光的利用。用一些藍的燈光（把藍玻璃紙蓋在燈上是一種方法）投射在物體上。譬如說，劇情是一個少女夜間在宮廷中打算自殺，面前躺着死去的情人（《羅米歐與朱麗葉》即是），這時，主要的光照

得如同白晝，但副光從側面打過來，卻是濾成藍色的。於是，我們見到女孩的臉，手，正面的衣服，石柱，男孩的臉都是黃色的；但女孩的背，頭髮，石柱的背，男孩的頭髮，卻帶上一層藍色，我們看了這些顏色，自然會解釋，這是月光，這是夜晚。而其實，像這樣的景色，只是日間在片場內拍的而已。

以後，我們看電影時不妨抽空仔細看看一些夜景，是不是有一些藍色的光，投射在物體上。對於看電影，這也是一種趣味。最近，《衝出封鎖線》這部電影，就有很多場夜景，每一場中藍色都出現了，尤其是演員的頭髮，都呈現一片藍色。這時，我們絕不會感到奇怪，我們不會說怎麼頭髮是藍色，我們只覺得，那是晚上。

《齊瓦哥醫生》中有些夜景也是很美麗的，如果要我找出它何以那麼夠抒情，也只因是其中一片藍色的調子而已。我們常常說，燈光照明是電影製作中一件重要的工作，以彩色片來說，它的責任還是重。

米蘭（一九六八年八月七日）

線條透視的畫面

利用線條，可以使畫面產生透視感。所以，拍電影最忌的就是把一個演員放在空白的背景中。如果一個人貼着一幅牆而站，背景中既沒有窗，沒有門，沒有畫幅，沒有牆與牆的交角線等等，那麼人就變了像畫框中的一幅肖像了。這情形正如拍攝在藍空中飛行的一架飛機，如果藍空中沒有一點雲，則飛機並不像是在那裏飛行。（不過高達的電影倒是喜歡玩弄這種把戲，喜歡叫一個人站着貼牆，背景空白。那是例外。）

一些電影，如果是室內的，總有一些景物來陪襯畫面物體的距離。一些窗、門、日曆、牆上的畫，都有線〔條〕，都可以被利用了來增加縱深感。畫面中的線條，多半不會和銀幕框的四周平行，而是斜向一個中心點，如果畫面中是一條鐵路，則兩條鐵軌在前景中距離甚遠，在背景中則連為一體了。要是一個人睡在地上，他的腳板剛好對近觀眾，則我們看見他的腳板起碼要比他本人的頭大上三四倍，這，就是透視感的緣故。

拍電影當然要有佈景，有的可以用實景。佈景除了陪襯劇情的發展外，還可以被利用來增加畫面的透視感。譬如說，《獨行俠決鬥地獄門》，是利用墳場來處理最後一場的，但為甚麼要選擇一個圓形的墳場，墳場中間又有一塊大空地呢？這可能是巧合。但我們不得不佩服這一個地點被選得如何適合。起初，好漢〔，〕壞人〔，〕醜怪中的醜怪在墳場中奔跑，一排排的墳，其實就是一條條的線。有了這些線，我們就覺得畫面的深和闊了。直到三個人在

143

圓場中決鬥時，畫面的景次也一層一層顯出來。最前景是
幾個墳堆，一些十字架，和一堆黃土，然後是一個灰白色
耀眼的大圓場，其後是一點一點的墳，最後才是遠山。通
常，在郊野，很少能找到這麼多的景次，而又能黃灰黃地
間格成幾種顏色。當然，很多電影就會利用河流，就是樹
木，大道，河流，遠山，也可以有幾個景次，但河流是長
形的，比不上大圓圈佳，因為決鬥的是三個人，圓形正
好是一個連環。一般用來增加透視感的線條多半是直線，
《獨行俠決鬥地獄門》用的是弧線，如果銀幕體是最弧形的
那種，效果相信更佳。美國西部片決鬥時多數把雙雄擠在
窄狹的街道兩端，成一長形，意大利西部片比較喜歡用圓
圈，也算是一種特色。

　　《警匪血戰摩天樓》整片充滿了線條，每一個畫面都
是硬的直線，樓梯，窗門，天台，房間，桌椅，汽車，
街道，（顯得匪徒的眼鏡特別圓）〔，〕這些本來不過是些
背景，但它們每一個畫面顯出了「縱深」，就發揮了兩種
功能。

米蘭（一九六八年八月八日）

電影技巧之父

電影技巧之父，指的是美國的格里非斯。

那時候的電影，沒有甚麼「遠鏡」，「近鏡」，全部是「一鏡到底」。那即是說，一般人拍電影，就是把攝影機放在距離演員一定的遠近，一動不動地把演員的動作拍下來。所以，拍出來的人物全是有頭有腳，現在稱之為「中景」。沒有人想到要把甚麼景物放大了給人看，即使是要描寫兩個人驚怕的臉部表情，但銀幕畫面中的人物依然要有頭有腳，甚至把毫不相干的雜物也攝進畫面。格里非斯覺得這樣不對，他認為：既然要說的是一個人臉部的表情，就把臉給觀眾看。於是，他在電影中用了特寫。他開始把攝影機向演員推近或拉遠，因此，他的電影中有「遠景」，「中景」，「特寫」等鏡頭，以後的電影，便依這種「電影語言」來拍電影。

因為電影中有了特寫，電影就需要一些年青的臉出現在銀幕上，於是，即使不是舞台演員〔也〕有機會做明星了。為了要使特寫拍得出色，格里非斯開始注重照明的效果，從此，燈光的工作不再是單為了照明，還有了營造氣氛〔的〕功用。直到現在，燈光一直在電影中佔重要的位置。

那時候的電影是「流水式」的描述的，時間順着次序，沒有人懂得電影可以同時分頭描述許多事情，也沒有人明白，攝影機可以把賊逃兵追的場面交錯地放映出來，但格里非斯第一個想到這個方法，他發明了「平行剪接」，攝影機發揮了話分兩頭的功能。現在的電影，幾乎沒有一部是

直述的了。

格里非斯的《忍無可忍》是四個古今的故事組成的一部巨片。他在四個片段之間用一個特別的鏡頭作為連環扣，那個鏡頭是一個小婦人在推着搖籃。這個意象是取自惠特曼的詩句：「自那搖籃，不停地搖着。」單是這麼一個鏡頭，到時到候便出現一次。這種手法，前人沒有用過，現在也很少人想到它是多麼地出眾。

以前的電影由一個畫面過渡到另一個畫面就是直接的「割接」，格里非斯卻發明了「淡入淡出」，於是一場比較抒情的鏡頭就不至於被粗豪的「割接」破壞了。從格里非斯起（一九○九起），電影開始有了一些標點符號和電影語言，而這些，都是格里非斯的功勞。

格里非斯自己當然拍過幾部偉大的電影，場面宏偉，即使甚麼《埃及妖后》也比不上。但大家特別記得他怎麼把電影從「反映」帶到「表現」的階層上去，他的場面偉大的電影，可能有人會勝過，但是他獻給電影的功勞，卻沒有人能夠奪去，而且直到今日，大家還在沿用他的「淡」〔，〕「特寫」和「平行剪接」。

米蘭（一九六八年八月十日）

也談《如此運動生涯》

　　看看《加美樂》（《英雄肝膽美人恩》）的時候，大家都覺得演約瑟王的李察哈里斯實在演得出色，做皇后的沒有理由要去愛上那個法國的蘭斯諾。大家甚至覺得，李察哈里斯應該得一枚金像獎。其實，李察哈里斯的演技早已名聞影壇，要知道他本來就是一九六三年康城影展的最佳男主角，演的是《如此運動生涯》。現在，《如此運動生涯》將在八月十二日星期一晚在大會堂由「大影會」放映兩場，此片值得注意。

　　法國有過一個「新潮」，英國沒有。但英國也有優秀的電影工作者，他們也看厭了老一套的陳俗濫調，於是年青的英國導演也出發了。英國的新電影，也有一幫人，法國的是「電影筆記」群，英國的卻是「自由電影」群加上英國的「憤怒的青年」群。法國有一本《電影筆記》作先鋒，英國則有一本《繼起》雜誌（*Sequence*），創辦於一九四七年（壽命不長，現已停刊），圍繞着這本《繼起》的電影工作者，有林賽安德遜、卡里萊茲等人。

　　英國新電影的人才都是新秀，像來自劇場的東尼李察遜，來自電視的約翰史萊辛傑，來自紀錄片的卡里萊茲，來自電影本身的傑克萊頓，都是。他們現在也都是英國新一代的導演。他們找新的演員，像阿爾拔芬尼，烈打達仙涵，湯葛坦尼他們來演，又找新的小說來改編，起用大衛史多雷，阿倫西利多的小說，造成了英國電影的新面貌。

　　「自由電影」的中心人物林賽安德遜就是《如此運動生涯》的導演，他和高達，林普福，安東尼奧尼他們一樣，

147

也是影評出身。然後他投入紀錄片的行列，再正式拍劇情片。《如此運動生涯》是他的第一部劇情片，改編自大衛史多雷的小說（入企鵝叢書，第一六七四編號）。安德遜在看過原著後，還找到史多雷一起編劇本，又到大溪地找到李察哈里斯（他在那裏和馬龍白蘭度一起演《叛艦喋血記》），哈里斯給了安德遜很多意見，劇本終於完成。

《如此運動生涯》講的是一個橄欖球員的成功及幻滅史，原著中前部的三分之二全是回憶的結構，由於這樣，電影中也免不了要「時空交錯」起來，不過，看這部電影，我們可以看到安德遜如何用電影手法來表現「意識流」。當然，這部片也如其他的新電影的特色一般，同樣是用廣大的實景拍攝，同樣是起用陌生的演員，並且以一個謹慎的風格去嘗試。林賽安德遜在該片中沒有依賴〔傳〕統慣用的旁白，也沒有耍主觀攝影技巧，片中的主角是以第一人稱，這全靠李察哈里斯的演技幫了導演不少忙，他的方法演技實在是出色的。

米蘭（一九六八年八月十一日）

方向文法兩則

電影有電影的文法。這些文法不知由何人規定，但因為大家都說「一定要這樣」，又因為「大家都這樣」，就成了文法。因為成了文法，大家就又照做了。

如果把電影銀幕面分為兩半，假設一邊為 A，另一邊為 B。電影畫面中常常有「兩人鏡頭」，那即是說，畫面中有兩個人在那裏講〔話〕。這兩個人，一個在銀幕畫面的 A 裏邊，另一個則在 B 那邊。文法的規定就是，只要鏡頭沒有轉移（沒有搖拍或從另一角度再拍），而人物又沒有走動，那麼，在 A 裏的演員不能忽然跟到 B 去，而 B 的演員也不能跟到 A 這邊來。

譬如說：畫面中有兩個人，一個是蕭芳芳，一個是謝賢。他們在談天。我看見他們的時候，芳芳在 A 的一邊，正面對觀眾，謝賢在 B 的一邊，背了身子。方向這樣決定了之後，就不可以隨便換了。如果他們繼續談天，大家都沒有移動，而鏡頭又沒有顯示有甚麼轉變的話，他們的方向就不可以變，雖然下一個鏡頭可能是謝賢面對觀眾，但他一定要留在 B 畫框這邊，芳芳是背對觀眾了，但仍要留在 A 畫框內。

車子在街道上開，如果向西行，就要保持那個方向，不然的話，觀眾覺得怎麼車子回來了。尤其是敵軍雙方坦克軍決鬥，要是亂了方向，就不知誰打誰了。

電影裏邊又常常有人要走出畫面。譬如說兩個人坐在沙發上談天，忽然門鈴響了，其中一個起身，走去開門。我們看畫面的時候可能看不見門，只知道一個人朝銀幕框

的一邊走了出去，畫面中剩下一個人坐在沙發上。過一陣，去開門的人回來了，他進來的方向就得走他出去的那個方向，如果他向西邊走出，那麼他得從西邊進入，不能走錯。當然，如果場景地點已經換過，人物就可以遵從新方向了。

為了〔不〕把方向弄錯，尤其是使人物在畫面內的位置不倒亂，拍攝的時候攝影師就要利用「假想線」，假設地上有一條直的線，攝影師只能站在線的一邊，不能越界，這樣，就不會拍出錯畫面來。

不過，有很多人說不定會故意打破文法的束縛，將來也許有人偏把人物左右倒置，故意叫觀眾頭昏眼花。很多時，有人看到一些令人「打瞌睡」的電影不知該怎麼辦，其實，即使最差的電影也有很多電影文法可供研究，譬如說，最簡單的就是看看方向有沒有錯，透〔視〕感有沒有都行，糟電影其實也是研究電影的好試驗品，難道我們傻到找《春光乍洩》來研究方向的〔文〕法麼。

米蘭（一九六八年八月十二日）

名導演的招數

在電影上賣弄技巧，即使大導演也不能免。所以，有時候，看到賣弄技巧的鏡頭時，不禁覺得，名導演有時也很頑皮，而且，他們和普通人並沒甚麼分別，有時少不免技癢，露幾手給大家瞧瞧。

黑澤明的《赤鬍子》，曾在一九六五年獲得威尼斯影展的威尼斯市特獎，[1] 這一部電影拍得精巧異常，技法高超。但連黑澤明這樣的大導演也沉不住氣，在片中賣弄了一下有趣的手法。《赤鬍子》中有一場是窮小孩一家喝了毒藥，全家被送入醫院救治。窮小孩也中了毒，醫院中的一群人希望能救活他，除了由醫生悉心診治外，一群女人跑到一口井邊對着井大叫小保的名字。相傳，對着井大叫，可以把將死的人的靈魂喚回來，因為井是直通地府的。這一場的一組鏡頭拍得很出色，起先，是一群人圍着井在叫，然後鏡頭進入井內，沿着井內由上至下降下去，我們只見的井邊，彷彿自己在井內坐了電梯降到井底去。最後一鏡是，拍攝機對正井底拍，這時，觀眾見到的乃是井底全是水，水中反映着井口圍着的一群人，然後，有一粒小物體投入水中，水波蕩漾，水中的倒〔影〕散開了。這樣的一組鏡頭，看的時候不過幾秒鐘，但大家都知道，拍攝起來可就十分辛苦。譬如說，拍攝機和人怎麼降下井呢？當時可以另外造半個井的模型，這並不成問題。但拍到井底看見水反映井口的人物時，大家就得佩服拍攝的技巧了。拍攝水的反

---

1 《赤鬍子》在一九六五年威尼斯影展獲得最佳男演員、聖喬治獎及 OCIC 獎。文中的威尼斯市特獎應為聖喬治獎。

映，和拍攝鏡子的反映一般，大家會想，咦，〔那〕麼拍攝機躲在哪裏呢？很多導演喜歡對正了鏡子拍攝鏡頭，但放出來的畫面，大家看不見拍攝機。（費里尼的《八部半》就有一個例子，一條直直的走廊，正中一塊大玻璃，但拍攝機的影子半點也沒有。）

井底的反映裏並沒有拍攝機的影子，但這可不是導演在賣弄手法，而是正當井底反映出人物的倒影時，忽然有一粒小物體落在水中，這一粒小物體當然不是女人的耳環戒指，要不然她們就會叫失落了東西，這一粒小物體也不像是沙粒，要不然沙粒是一小堆，而不是一顆的。在這個時刻忽然投了一顆石子下井，那不外是在告訴觀眾（其實是在告訴威尼斯影展的評選人也說不定），這個井裏邊真的是有水的，那反映人的倒影的可不是鏡子，而是真真正正的水，你看，水在蕩漾。導演怕我們以為井底不過是放了塊鏡子騙大家，所以故意扔了一塊石子，好讓大家知道那是水，而這個鏡頭是拍得多麼小心出色。

賣弄技巧並沒有甚麼不妥，只要用得適當。而且，那顆投入水中的石，也的確用得很有力，使冗長靜態的畫面忽然有了動感和生之氣息。

米蘭（一九六八年八月十四日）

顏色的溫度

　　顏色是有溫度的。牛頓在一六六六年最初發現，白色的光（正午的陽光）其實是由很多種顏色組成，多種顏色，即是彩虹的顏色。到了一八五〇年，科學家們才知道，如果把紅綠藍三種顏色適當地配合起來，就可以產生各種顏色，包括白色。而我們人的眼睛，剛好對紅綠藍三色最為敏感。但是，對於顏色的溫度，則菲林比眼睛敏感。

　　如果我們帶了一個攝影機到郊外去拍電影，我們叫演員一早十點鐘就站在草地上，這樣拍了一陣，到了正午十二點鐘，我們再繼續拍，下午三點鐘又再拍，然後回家。在我們看來，並沒有甚麼不妥當，可是，到我們把電影沖出來一看，就會大吃一驚，原來畫面中人物的臉一忽兒紅一忽兒白，一忽兒深，一忽兒淺。但我們拍的時候一點也不發覺。

　　我們的眼睛是不會發覺顏色的溫度的差異的，但它們會影響菲林的感光。顏色其實即是光線，光本身是有溫度的。我們可以把一把鐵火鉗放在火上燒，起初，火鉗會變成紅色，漸漸的，火鉗會變成橙色，如果火力夠強，火鉗就會燒成白色，放出白閃閃的光來。從這些顏色來看，就可以知道它們所以顏色不同，是因為溫度不同。當鐵火鉗發紅時，溫度較低，鐵火鉗轉白時，溫度則高。高溫的色光不但是白色，且還帶點藍，如果見到閃藍光的鐵，那就是很熾熱的。我們常常說「爐火純青」，其中青字的確是最適當的形容詞。

　　所以，拍彩色片比較困難，因為顏色並不容易控制，

因為在一天之內，早午晚的色溫不一樣，拍出來的彩色畫面，就不易剪接在一起。要校正色溫，攝影師就要利用各種的過濾鏡。尤其是要過濾紫外光，人的肉眼不發覺紫外光，但菲林感光強，不小心讓紫外光大量入鏡，拍出來的畫面顏色色溫高，會呈大量的藍色。有時候，我們看電影拍得好不好，也可以注意它的彩色剪接，看看有沒有忽深忽〔淺〕的地方。

計算色溫的溫度計，不是華氏也不是攝氏，而是基氏（K氏）。這個表的特色是，它的零度是「絕對零度」。那即是說，到了K氏零度，就不能再冷了。其他溫度計還有零下，零度不過是冰點，K氏的零度則是最冷點，別的溫度計以零度或三十二度為冰點，K氏的冰點為二百七十三點一六。計算顏色的溫度就常常是甚麼五千八百度，三千四百〔度〕，普通的溫度計並不適合。

正午的色溫所以高，是因為大氣層吸取掉的熱較少，當陽光直射時，要穿過的大氣層也較薄，乃是「兩點之間直線最短」的原理。

米蘭（一九六八年八月十五日）

夢氣球等等

　　我們講話，有聲音發出來，聽到的人就可以知道我們講的是甚麼。但要是我們思想，別人就不知道我們在想甚麼。畫卡通漫畫的人們，也曾面對這種難題，畫漫畫的人可以畫人們的動作表情，但沒法畫對話和思想。但是漫畫想到了一個新方法，凡是想像的，他們就在人的頭上畫一個氣球也似的圓圈，然後把想像中的物體景色放置在圓圈內。譬如說，一個人在街上看見一隻大肥雞，他可能立刻想到一盒很香很甜的雞，而這想像中的一隻雞，就畫在頭頂的圓圈內。在電影中，以前，古老的電影也用這種「夢氣球」的方法來表達。一個人在做夢，夢中的情形就出現在他頭頂的「氣球」中，一個人回憶往事，想起遠離的朋友，在古老的電影中，都是用一個「夢氣球」來表達。「夢氣球」有的人則稱為「思想氣球」。現在，電影喜歡用直接割接，所以，沒有人再用氣球了。當然，「夢氣球」在一個畫面中佔了一半的位置，表現力也就不及割接整幅畫面來得有力。

　　漫畫中的對話，也是用氣球來表現的。一個人說話，在漫畫中就是像吐飛箭一般，吐出一個大圓圈。字就在圓圈內。到現在，有些圓圈雖然是省卻了，字卻還是少不了。電影裏邊文字漸漸多起來，可是，怎麼沒有人想到可以利用一下「夢氣球」呢？電影和舞台劇一般，劇中人有時會和台下的觀眾偷偷的講幾句話，劇中本來有三個人演戲，其中兩個也許在談情說愛，第〔三個〕劇中人卻會忽然站到觀眾的立場來，和觀眾談天。遇到這種場合，「夢氣

球」實在很派〔上〕用場，劇中人根本不用出聲，用一個「夢氣球」裏邊出現幾個字，就很有趣。

現在有些電影又愛用字幕，其實用「夢氣球」也很適當。一個肥人走了十七層樓梯，走到樓上，已經不能說話。這時，不妨叫他的嘴巴吐一個「氣球」出來，裏邊裝上「冇晒氣」三個字，這個不能再說話的人一樣可以表達他的意思，而我們聽不到聲音，也覺得很合邏輯。其實，「夢氣球」是很有趣的，裏邊可以用中文英文，也可以大草小草，正楷草楷，又可以用卡通，等於是電影畫面的二重奏。

電影畫面的二重奏，其實已經實行了，我們在銀幕上時常可以看到電視的映現，這就是畫面中的小畫面。將來，電影和電視配合得好，畫面與畫面攜手而行，電影畫面一定有更新的面目。電視畫面，在電影中又何嘗不是一種「夢氣球」呢。早些日子看過幾部短片，漫畫的《犀牛》之類，就用了很多「夢氣球」的方法，把對白口吐出來，效果很好。

米蘭（一九六八年八月十六日）

電影的新花招魚眼鏡

過一陣，我們看的電影，將會變成一種「哈哈鏡電影」了。這些日子，很多電影都在想出一些古怪的拍法要討好觀眾，有的把畫面拍得花花綠綠，叫觀眾走馬看花，眼睛都不能眨；有的則把畫面弄得古古怪怪，叫觀眾看了覺得新鮮刺激。

看電影，大概多半和我們照鏡子一樣，我們是甚麼模樣，鏡子就把我們照成甚麼模樣。我們要是肥，鏡子就老老實實照出我們肥豬般，我們要是瘦，鏡子也很忠實的照出我們像竹桿。但是，哈哈鏡就不簡單了，哈哈鏡會把我們的模樣變形，有時頭大腳小，有時腳肥頭瘦。

電影，是用攝影機拍出來的，攝影機有鏡片，這鏡片可以隨導演高興來選擇，導演可以選出鏡片拍出正常的物體的模樣來，當然也可以選些鏡片拍出哈哈鏡顯示的怪樣子。以前，《大賽車》的導演法蘭根海默用過一個分角鏡，把畫面拍成一分為幾。這種畫面，新潮導演保格儂在《星期日與西貝兒》中也用過。

最近，導演們又喜歡用一種甚麼新的玩意兒來拍古怪畫面呢？《金石緣》裏邊，我們見到了一種怪畫面，當阿瑟在店中當學徒時，一清早，有一大群人來買東西了，這時，導演用的是一組快鏡頭，而其中，有一個肥女人在穿腰封，當拍攝她的臉的表情時，我們覺得那個畫面很怪，完全是圓形的，女人的臉在畫面正中發大，四面的景物都彎彎斜斜的。原來，這個畫面是用現在新出的一種叫做「魚眼鏡」拍成的。

157

魚的眼睛，尤其是金魚的眼睛，大家都見過，是弧形的。如果我們透過魚的眼看物體，反映在魚眼上的景物就是弧形的了。用「魚眼鏡」放在攝影機的鏡頭上，拍出來的物體特徵是：物體的中心被放大，物體的四周成弧形，畫面是圓形的。如果銀幕是四方形的，魚眼鏡拍出來的畫面在銀幕上少去了畫框的四隻角。

拍一間房間內的景物時，我們會發現整間房間的物體都像皮球似的向外彎，很是有趣。不過，這種不常見的畫面在電影上出現太多的話，觀眾的眼睛和腦子就受罪死了。其實，誰要是喜歡用「魚眼鏡」的角度看物體，可以自己做試驗，找一個圓形的鬧鐘，把鐘面的玻璃（凸形的才行）拆下來，放在黑的背景上。用這麼的一塊玻璃看景物，有趣的弧形畫面就出來了，而這，也是一種怪誕的哈哈鏡。除了鏡面玻璃，一隻圓的酒杯，圓的金魚缸，圓的玻璃花瓶，都可以用來反映景物，但說到拍電影，就得去買特別的「魚眼鏡」片了。英文名字叫 Fish-eye Lens。

米蘭（一九六八年八月十七日）

攝影師比利

我們知道電影史上有個甚麼「電影技巧之父」格里非斯，但是比利的名字，就沒有人注意了。其實，提到格里非斯就不能忘掉比利，比利實在幫了格里非斯不少忙。比利在一八九六年的時候，就在所謂「片場」裏當電工，一直升到攝影師，格里非斯第一次拍片，公司就叫比利幫他忙。比利那時候可是老資格了，格里非斯還要向他請教，他們一共合作了十六年，格里非斯一想到甚麼好主意，就去問比利，格里非斯又總是說：四隻眼睛是比兩隻好。

攝影師比利的工作並不輕，在那個時候，他甚麼都要做，找道具，打燈，拍攝都是一腳踢，連化妝，鏡頭角度也由他負責，導演做的不過是指導演員如何演。那時候，連劇本也由比利編出來。

比利是不是意見完全和格里非斯一樣的呢？並不，他的腦子乃是相當保守的，像拍《黃金熱》時，格里非斯要拍一個女主角的「特寫」，這是一件破天荒的事，比利不肯，說從來沒有這種拍法，於是戴上帽子走掉。格里非斯沒有了比利是不行的，千辛百苦地把他找回來，結果比利終於答應了一個「特寫」，當時，製片的很不高興，觀眾則在放映院裏大叫：拿她的腳來看。因為銀幕上只有女主角的臉，沒有腳。

那時候拍電影，只有一架攝〔影〕機，只有一個攝影師，所以，格里非斯的幾部《大國誕生》，《忍無可忍》等，都是比利一個人拍的，拍起這些電影並不容易，像《大國誕生》中的馬匹的奔跑，為了逼真起見，比利伏在地上，

讓馬匹〔在〕鏡頭前跳過，至於那些戰爭場面，用的是爆竹當大炮，困難的是，爆竹扔得太遠，鏡頭拍不到，如果鏡頭拍到，卻差點把比利燒傷，拍了該片後，比利的手中的確掛了不少彩。

《忍無可忍》中有一場是寫巴比倫的，這一場的佈景極宏偉，度高的城牆上可以操兵〔。〕[1]拍這一些的景物時，比利要坐〔在〕一隻大氣球裏，由人在下面拉，他就像坐升降機一般降下來，而這種鏡頭，就是現在的「升降」。很多製片廠現在仍沒有可以升降的攝影設備，必要時，他們只好向汽水廠借一種可以升降的運輸車，把人和攝影機一起搬上車去。

說到「淡入淡出」的發明，其實應該是比利發現的，因為是他在拍攝時影機出了小錯，以至畫面忽然出現了一個小圈式的暗影〔，〕把畫面變暗，但這個效果卻很有用。到了今日，我們提起格里非斯，實在不能忘了比利，正如我們提起高達，就不能忘了葛達這位老著名的攝影師一般。

米蘭（一九六八年八月十八日）

1　此句不通，原文如此。

「電影語言」

一部電影拍得好不好，我們通常會說：它的電影語言好不好。所謂「電影語言」，並不是指電影中人物互相講的話，或是甚麼旁白，簡單是指電影的表現方法。

音樂也有音樂的語言，一些樂譜是一聲不響的，五線譜不過是五條線，一些高音譜號不過是一井字，但如果大家都懂得它們的意義，大家拿起了樂譜就能哼出音樂來，一本樂譜可沒有說甚麼話，但它裏面充滿了音樂的語言。同時的，繪畫也是，舞蹈也是。

語言是要來表達用的，它本身是一種媒介。語言有很多的模樣，它並且可以用符號來代表。譬如說，街道上的斑馬線。市政局可沒有在地上寫斑馬線幾個字，也沒有寫上，這裏是可以安全過馬路的地方〔而〕你還要注意燈號，紅燈的時候不可以過，綠燈的時候可以〔，〕也得先看左再看右，再看左，沒有車輛，快快走過。斑馬線整個意思是那樣，但是，我們只要在地上畫一條條白線就行了。大家都明白那是斑馬線，同時知道它「要說的是甚麼」。

一個從來沒有見過斑馬線的人，當然不知道它是甚麼，也不知道它「指的是甚麼」。同樣的，電影也有它自己的語言，如果對電影的本質一無所知的人，不知道電影有很多表現的方法，也就不十分明白電影的語言了。

其實，我們每一個人，只要是常常看電影的，即使不去翻開比較專門一些的書，也懂得電影語言的。譬如說：一個人在一間屋子裏對着鏡子跳舞轉呀轉，忽然，她一變變為在一個舞會上了（《夢斷城西》中的一個轉場）。像這

種情形，是電影的一種表現手法，到了今日，沒有一個人再會覺得奇怪，也沒有人會不懂（也許有，相信是少數）。當我們說，《夢斷城西》的電影語言並不差，我們指的就是這些電影手法。

電影語言從來不是甚麼深奧的東西，我們就當作導演是一個「說書的人」，端看他怎樣像我們講《紅樓夢》，或者《水滸傳》。在一部電影內，他用了些溶或者搖，或者推拉，或者□等等，都是電影語言。至於用得好不好，也就往往決定一部電影的成敗得失。從電影語言為主，我們還可以詳細的分析出語句的類型，標點符號，語句的文法等等，這樣，看起一部電影來，就可以更深入些。

學一種外國的語言，英文、法文、日文等等，要經過長時間的訓練，學習懂得音樂或繪畫等，也須要很長的時間，對於電影來說，這也沒有例外。不過一個人不懂電影語言而會看電影不是一件奇怪的事，很多人不懂樂譜，還不是一樣會唱歌麼。

米蘭（一九六八年八月十九日）

杜萊葉的提議：綠天藍草

　　丹麥的導演杜萊葉曾經說過，藍的天和綠的草，觀眾見得太多了，他們應該歡迎綠的天和藍的草來換換口味。杜萊葉所以這麼說，是因為在五十年代的時候，彩色片已經面世了二十年，卻很少人好好地把彩色運用到電影中作為一種表現的工具，而是在那裏拍「顏色片」。所以，他還進一步提議，導演應該用彩色來創造，凡是寫一個拍攝劇本，最好配一個彩色劇本，另一位俄國籍的美國導演麥莫連也同意這一看法，他主張拍彩色片要和佈景設計師，化妝師，外〔國〕買手合作，並且要選擇菲林。（因為用特藝彩色或伊士曼彩色，矮克發彩色等菲林，拍出的效果都不同。）那是籌備的階段。第二階段則在正式拍攝時注意如何利用燈光濾色和噴彩漆，到第三階段才留給黑房工作。

　　不論杜萊葉或麥莫連，他們都不贊成「生硬的自然」，因為單是「反映」，實在是太生硬了。所謂藝術，總有「自然的加工」成分在內。所以麥莫連說，一個導演不應該問自己：在現生活中它是這樣的嗎？而是問：這是否表現劇中情緒的最適當方法。他自己拍《虛榮市》一片時，就用了彩色來表現。片中有一場是描寫滑鐵盧之夜，一群人從舞會中奔跑出來。如果按照常理，首先跑出來的該是舞會中的軍人，然後是其他的小姐貴賓，但麥莫連利用色彩〔的〕協助，使氣氛越來越緊張，卻讓非軍人先奔出來。這些人的衣服是灰呀（男人），紫呀（女人）等，這時顏色較深沉，然後，接着才是軍人跑出來，軍人們穿的卻是深紅和橙色的耀眼軍服。這一來，在彩色的層次上便是由冷

色變為暖色，觀眾也覺得漸漸緊張起來，如果一開始就用紅橙，漸漸轉灰，就一點也不緊張了。

我們看《春光乍洩》時也可以看得出，安東尼奧尼對於彩色的運用也是極重視的，整條街的房屋，都被他重新塗上一種顏色，一座屋子是藍的，另一座又是紅的，那些屋子本來並不是紅和藍，但在電影中〔它〕們就變了顏色。很多導演遲遲不敢拍彩色片（像黑澤明），並不是他們不能拍，而是他們不想浪費了彩色，如果他們不能把彩色當作表現的工具〔去〕善用的話，他們是寧願拍黑白片的。

有些導演認為：一部好的彩色片是一部彩色不受人注意的電影。但愛森斯坦則加以反對，他認為彩色和音樂一樣，不妨在片中加以強調，使它們顯得分外鮮明。照這樣看，《夢斷城西》倒做到了這一點。最近在香港見到彩色用得好的電影也不缺乏，像《柳媚花嬌》，《烈火》都是。《亂世佳人》大家都看過，它是電影史上第一部最長的彩色片。

米蘭（一九六八年八月二十日）

《基督傳》二十年

　　只要是關心一下電影的人，如果到了丹麥，第一件想知道的事乃是《基督傳》怎樣了？其實，大家要知道的是：杜萊葉的《基》在開拍了嗎？因為杜萊葉，這位著名的丹麥導演，打算拍一部描述基督一生事跡的電影，並不是一，二年的事，他已經計劃了整整的二十年。直到現在為止，這部電影還沒有開拍，最大的問題，當然是經費。

　　去年十一月，丹麥的電影學院照常頒發了全年最佳製片獎，但這些獎並不值得大驚小怪，因為那些電影並非傑作，而獎金也比往年低。只是大會上令人矚目的卻是電影學院當局決定撥出三百萬克朗那（約值十五萬美元）資助杜萊葉的《基督傳》。電影學院所以這應做，明眼人都看得出他們實在是不得不以行動來塞住別人的嘴巴，因為全世界的人都在議論紛紛，怎麼杜萊葉不拍其他的電影，而法國的高達也在那裏喊：今日的杜萊葉是丹麥的囚徒。

　　三百萬克朗那撥出來了，有人說是太遲了吧。但這也不能怪電影學院，因為它不過才成立了三年而已。再說，三百萬克朗那是這所學院撥出來最大的一筆數目，並且不是借款。這筆錢不是撥給杜萊葉個人的，而是撥出來給任何一間丹麥製片公司，只要他們能請杜萊葉拍《基督傳》〔，那就〕算是一部分的製片費。稍後，有兩間丹麥製片公司有意考慮，其中一間是丹麥最大且歷史最久的挪狄斯克，另一間為小型的但野心甚大的拉瑞挪。

　　杜萊葉在丹麥記者訪問時曾表示過自己的感想。他覺得很快樂，但不免有點受寵若驚。他認為這件事還不夠現

實，二十年前照他的估計是三百至五百萬可以拍《基督傳》，但現在實在不行。到了今年二月，照杜萊葉的報道，一直沒有甚麼丹麥製片公司打算拍該片。他覺得，任何一間製片公司〔都〕無法製這部片，而難題卻在，三百萬克朗那要撥給本國製片公司拍製才生效。不過，杜萊葉並沒有完全失望，最近，意大利的 RAI 電視公司願意製這部片（並非電視片），他們知道整部片的工作情形和費用，知道杜萊葉要在以色列拍該片及找演員，要拍出猶太氣氛來；技術人員則由杜萊葉由丹麥帶去。《基督傳》不會長達三小時，而是一百一十分鐘，不會是新藝綜合體，而是全景大銀幕。該片打算印英語拷貝。杜萊葉要全世界的人都一看該片。

《基督傳》最值得我們注意的一點是：這部片將是彩色的。杜萊葉畢生的願望乃是拍一部彩色傑作，他對彩色有一套創見，目前，他並不打算透露。而正是這一點，值得全世界的人拭目以待。（取材自 SS）

米蘭（一九六八年八月二十六日）

開麥拉畫筆

近來看了幾個汽水廣告，不得不佩服他們拍得如此出色。但汽水廣告不是電影，它們只有開麥拉畫筆而缺乏開麥拉鋼筆。

我們常常聽到有人說，這些電影搞甚麼鬼，不知所云。所謂「不知所云」，大概是因為他們看電影，看來看去，找不到開麥拉鋼筆何在。像《救命》，《一夜狂歡》，《鐵金剛橫掃皇家賭場》，《艷女迷春》，《女金剛勇破鑽石黨》，和將要來的《燦爛時光》，都屬於一般人所謂「不知所云」的電影，其實，這些都是不錯的電影，只要我們知道，人家的一枝開麥拉畫筆如何活潑生動，畫筆後的腦袋又如何清新可愛，就明白看電影，不一定老要追究開麥拉鋼筆。再說，單是開麥拉鋼筆用得純熟別創的，如新潮電影，也不是人人看得懂。

很多電影，我們可以稱之為開麥拉畫筆電影，像《男歡女愛》，大家說是好看好看，但那個假得一塌糊塗的故事，實在沒有甚麼值得一提，可是那個電影明明很吸引人，這就是因為它的開麥拉畫筆是如此地瀟灑。還有那些《柳媚花嬌》，那些《英雄肝膽美人恩》，都是很不錯的電影，要不是因為有一枝好的開麥拉畫筆在背後支持，相信真會一錢不值。

單靠一枝開麥拉畫筆只能拍好看的電影，〔但〕像《春光乍洩》，《八部半》，《色情男女》，就除了有好的開麥拉畫筆外，還有一枝好的開麥拉鋼筆。鋼筆固然除了寫作外也可用來繪畫，但加多一枝畫筆就如虎添翼。有的電影，

本來可以拍得不錯，但為了光在要開麥拉畫筆，就變得有點走火入魔。像費里尼這個人，他的《八部半》是個很好的電影，但到了《茱麗葉神遊記》時，只見整個電影不外是一枝開麥拉畫筆在作怪，於是，拿起這部電影來比《春光乍洩》，費里尼就給安東尼奧尼比了下去。

要看電影，看懂一些《救命》這類的電影也是很重要的，誰要是不懂《女金剛勇破鑽石黨》居然是部出色的奧普設計電影，就不會明白開麥拉畫筆在該片中的最重要性，如果不懂得電影中〔的〕開麥拉畫筆，也就不明白《春光乍洩》為甚麼拍成這樣子，而且要用彩色拍攝。怎樣才能看懂一些用開麥拉畫筆拍成的電影呢？起碼的條件是懂一點兒畫，知道一下潮流上的趨勢，有些普普奧普，新藝術和哂其眼力等等。[1] 然後，就是不要朝故事情節去鑽，不要太追究邏輯。最後，就是自己要灑脫一點，甚至不妨超現實一點，這樣，對於開麥拉畫筆下附帶的一些幽默和情趣，就更易領略了。

米蘭（一九六八年八月三十一日）

1　此處不明所指，原文如此。

境遇電影

　　自從去年的博覽會之後，「擴張電影」漸漸受到普遍的注意。在香港，電影院還是用一個長長方方的銀幕體放映電影，電視也是只有一個銀幕面。但「擴張電影」不同，是把原有的銀幕面擴大，不再是一個小小的長方形了。有的「擴張電影」有兩個銀幕畫面，一部電影放映出來，有兩個不同的面，每個畫面裏邊分別演出一些劇情，觀眾看這樣的電影，當然感到有點目不暇〔給〕。有的「擴張電影」是把銀幕倍大，本來是一個，現在可能倍為六個，但畫面六位一體。「擴張電影」並不是一九六七年的產物，早在一九二七年時，法國的名導演阿陪甘斯已經在一部《拿破崙》中用過，他把一個畫面倍大了三倍，成為一張長形的特藝拉瑪體。

　　「擴張電影」的發展，可能使我們將來一入電影院無所適從。電影院內可能會有三個或四個畫面，甚至十多個畫面分別同時映出，這時候，觀眾就不知到底該看哪一個畫面才對，如果要同時一眼觀十，幾乎是不可能的。這情形，就和我們上遊樂場去玩一般，在同一時間內，要是我們去看電影，就沒法去看粵劇，看了粵劇，又沒法兼顧諧劇和魔術。所以，將來有一些電影，不是要我們去仔細看的，不是要我們像看目前常看的電影一般，可以集中精神，把一個畫面完全捕捉了的看法，而是只能去感覺，只能在那個環境裏邊偶然遇到甚麼就看看，因為那將是一些「境遇電影」。要是電影院內有七十個畫面，你剛剛站在第五十六，七，八等的畫面前面，你就只能看看這七十分之

幾的一點兒，但你知道畫面有好多，你會感到一些氣氛。而且，你也可以坐着，視〔而〕不見。

我們生活在香港，世界上有很多國家，很多城市。在同一時刻內我們是否能一眼看盡紐約在做甚麼，布拉格如何，巴黎怎樣，或威尼斯影展要開不成了等等？我們只能看到眼前，自己的地域，甚至只〔是〕眼前的一條街道。「境遇電影」和這情形沒有多大的分別，所以，碰上這一類的電影，沒有人需要一眼把所有的畫面看盡，也不需要斤斤計較於甚麼完整的故事情節，因為「境遇電影」，不是要給我們那些。

如果電影只有一個畫面，那麼，放映在同一時間內發生的事就得採用交替剪接的方法，一會兒說這，一會兒說那。但如果有幾個畫面，每個畫面都可以單獨記述一件事。假如我們裝兩座電視機，同一時間內就可以看到有線電視的節目，也可以看到無線電視節目，當然，我們不一定要兩個都看「盡」，可以自由取捨。電影還會有甚麼新面目，一九七〇年在大阪舉行博覽會將是最令人矚目的。

米蘭（一九六八年九月一日）

從蒙太奇到確立奇

很多人都同意這樣的說法：我們個人接受祖父母那代的遺傳遠比接受自己父母的遺傳為多。那即是說，如果我們的祖父母們高，我們也會高；說不定，我們的父母也許會矮，我們的父母也許都瘦，但要是我們的祖父母肥，我們也有肥的傾向，藝術也有這一種趨向，近年流行的畫風，並不是對上一〔代〕的印象派野獸派，而是還要早一些的新藝術，我們現在的時裝，正是流行祖母那一代的衣飾，決不是母親那一代的，電影也沒有例外。

如果把電影分為幾代的話，早期一些的電影，是蒙太奇手法最蓬勃的時期，蒙太奇的特色是：鏡頭與鏡頭之間很短，幾乎是由一幅幅畫面〔連起來〕。畫面之短是由於剪接做成的，稍後，電影進入場面調度手法的階段，鏡頭與鏡頭之間開始延長，一場戲依蒙太奇的剪接可能要分剪成幾十個畫面連起來，但場面調度用一兩個長鏡頭就拍完了。我們看黑澤明的電影，就可以看得出，那些鏡頭都是長的。

由蒙太奇手法過渡到場面調度手法，鏡頭的變化是由短變為長，但是我們試看今日的一些電影，就會發現，鏡頭又短起來了，不管是高達或安東尼奧尼，不管是《春光乍洩》還是《廣島之戀》，鏡頭都短起來了，像《春光乍洩》，單是一開場由一輛車子到大衛漢明斯回到攝影室，鏡頭就短得很。如果蒙太奇是祖母那一代，場面調度是母親那一代，顯然地，此刻的電影正在回到蒙太奇的手法上去，而且是依照長短的次序，回到用短鏡頭來作表現方式

的基礎。

　　現在的一些電影，不錯是每一鏡頭越來越短了，但是，現在的電影，用的並不是一成不變的蒙太奇手法，而是採用了一種新的手法，叫做確立奇（Collage）。蒙太奇本來的意思是：把部分整理編合成一整體。確立奇卻是繪畫上的一個名詞，指的是把現成的材料黏貼起來成為一幅畫。因此，用蒙太奇手法拍的電影就和用確立奇手法拍的電影並不相同，最低限度，現在的一些電影裏邊已經多了一種叫確立奇的手法。這種手法，即使何藩也用過，他拍的一部《大都市小人物》裏邊，用很短鏡頭拍攝十字路口的面貌，只見銀幕上閃着的是一個交通標誌，一個路牌，一盞紅綠燈，經過這一組鏡頭，觀眾可以立刻獲得一個十字路口的概念，而那些交通標誌，紅綠燈的出現，並沒有一定的邏輯，只像依照導演剪接時隨意輯起來（看似隨意，當然也費過心思），而這種手法，並不單是甚麼愛森斯坦的蒙太奇，而有確立奇的成分在內。

米蘭（一九六八年九月三日）

運動中的物體

電影中有好多種「運動」。有的是「影機的運動」，那就是指電影拍攝機對着一件物體移動，一切的推拉，搖鏡頭，拍攝機放在鐵軌上推拉，放在升降機上升降都是。那是拍攝機自己也在動。有的是「物體的運動」，就是指拍攝機也許不動，呆在一個定點，但物體在動，像飛機飛行，人物走路，都是「物體的運動」。有的運動是攝影機和物體一起動，像一個人在奔跑，攝影機也可以一直跟着向前推。

物體在電影中有很多「運動」，我們幾曾見過一部電影中的人物一動不動的呢？即使是一幢樓宇，屋子本來是不會動的，但有時，導演可以用一個醉鬼或一個駕車人的「心理觀點鏡頭」（或稱視覺鏡頭，主觀點鏡頭）把屋子晃幾晃。於是，樓宇也像有了運動。在電影中，物體如何移動才對，並沒有一定的法則，但是，在某些情形之下〔，〕有幾項不成文法卻是一般導演都遵從的。

要是電影中有山和人一起的戲，做導演的多半要想一想，人該是上山還是下山。一般人都明白的是：下山容易上山難。一個人上山要一步一步走，下山卻可以一直滾下來。因此，如果要表示一個人很辛苦，受盡挫折，那麼最好是拍他上山，觀眾就會覺得劇中人物是在那裏受苦，一步一步地挨上去。一個人如果是失戀了，獨自一人在山坡上，那也最好拍他步上山坡，不要拍他走下來。如果情形是相反的，描寫的是一個快快樂樂的牧童，一面唱小調一面趕牛，那麼，要拍的就是牧童如何輕快地從山上跑下來，不該拍他如何爬上去。同樣的，如果一個人很快活，

他不妨從樓梯上一面吹口哨一面跑下來；如果一個警察去抓大盜，他就該從樓梯底下一步一步走上樓梯去。有一個人病得很重，醫生去看他，也可以在樓梯底一步一步走上樓。

划船也有一點方向。不管寫中文或英文，要是橫寫的話，習慣上是由左至右。如果要大家由右至左，就會覺得不習慣，而且像是有點阻礙。因此，銀幕上是有一條船在輕快地划過，船上的人唱着歌，那麼這條船可以由左向右方航行，因為這樣是表示輕快，有順水而行的意思。但若是當時船中人心情不好，前途又有甚麼大災難，那麼船的方向可以由東向西，這樣，觀眾的感覺上就覺得有點沉重了。我們人的眼睛看東西時，也習慣由西至東橫掃，逆方向時就有點不自在，所以，銀幕上的物體移動時，也就產生了「順和逆」，有些導演明白了這一點，在拍電影〔時〕就利用了一下。只是，並不是說，懂得了這些小巧妙就一定要這麼拍，很多導演喜歡自由自在，可以完全不理這些小把戲。

米蘭（一九六八年九月四日）

邁克尼可斯的手法

　　《畢業生》的導演邁克尼可斯得了本屆奧斯卡最佳導演金像獎。奧斯卡從來不算甚麼重要的獎,所以得了獎也不值得大驚小怪。不過,在《畢業生》中,我們的確看到了很多電影手法,那部電影也不算沒有成績,值得一看。

　　一個人是不適宜放在空白的背景中的,這樣,背景和人物容易疊在一起。在《畢業生》的序場中,第二組鏡頭是描寫班傑明背着一幅白牆,但這幅牆,有很細緻的磚形的圖案。這幅牆所以要有圖案,有兩層意思,第一個意思是可以使人物在它的前面明顯一些;第二個意思是可以讓我們覺得班傑明是在「運動」中。凡在運動中的物體,如果要表示物體是在動,一定要想辦法讓觀眾覺得它是,所以,一架飛機在空中飛,天空中就不能光是一片藍,最好是有些雲。人物要是在走路,背景若是一片白,我們就不知道人是在「運動」中。

　　班傑明潛水的一場,導演用的有兩種手法。一是用了演員的主觀視覺,所以班傑明所見的畫面是透過潛水鏡(把四方畫面的四周遮去了),同時,水面的人影在晃動。二是用了演員的主觀聽覺,所以班傑明一點也聽不到他的父母在說甚麼,只聽到自己沉重的呼吸聲。因為導演用的是演員的主觀感覺,我們做觀眾的也只好變位為班傑明,和他一樣感覺了。

　　我們常說電影中有時空交錯,《畢業生》中的一組時空交錯異常鮮明,尤其是當班傑明坐在電視前的那一組鏡頭,他一忽兒回到家,父母在外面用餐;他一忽兒回到酒

店，婦人穿起衣服來回走而離去，那是一個好例子。至於睡在浮水床上，一忽兒變為睡在酒店的床上也是（剪接十分出色）。我們還可以發現導演好幾次用了「先行配音」。那即是說，一些話語本來該在下一個畫面出現時才說的，但畫面還沒出現，在上一場中已經先說了。在電影中，這是一種手法，不是出錯，可以迅速連接兩個場，並且可以做回憶的扣連。

順便要一提的是，這個電影的剪接異常出色，尤其是一輛紅色的車面對我們駛來，剛衝出銀幕，立刻又轉接一輛紅色的車尾衝入銀幕離我們而去，車駛得很快，割接也很清脆，整個印象就是乾淨俐落。

並不是說，一部電影用了很多手法就是一部好電影，電影手法的運用，是要以電影本身來決定。《畢業生》所以給人的印象是如此活潑，完全因為上述的一些電影技巧都用得十分適當，剛剛配合了內容，這是它的難得之處。就像一個女人到海灘去游泳而穿上了泳衣，你能指斥她為甚麼不穿晚禮服嗎？

米蘭（一九六八年九月七日）

電影中的一輛紅色跑車

為甚麼電影中喜歡用紅色的跑車呢？像《畢業生》，班傑明的畢業禮物，就是一輛紅色的跑車。汽車有很多種顏色，藍的其實也很漂亮，但電影中通常都選了紅的。如果不是紅的，就選了白的。

汽車所以要選紅色，這完全是顏色本身的問題，拍彩色片對於彩色的運用是要花不少腦力的。一般人都會明白，鮮明的顏色給人的印象是「接近」和「迅速」。所以，在一大堆的黑灰藍綠等等的顏色中，紅色或白色都來得特別搶眼，也許正是這個緣故，外國人結婚就披白紗，中國人結婚就穿紅裙大褂。

拍電影要用很多種不同距離的鏡頭，有的遠有的近，對於一些近鏡，則一輛紅色跑車和一輛黑色跑車觀眾一樣可以看得清清楚楚，但若要用到遠景，在一大堆顏色中，一輛黑色的跑車就不及紅色的跑車來得鮮明了，而且，觀眾會覺得，紅色的車會比黑色的車駛得快。

曾經有過這麼的〔一〕件事情。紐約的一位威伯連納博士是一位美術教授，有一天，他收到了一張警方的控票，指控他開快車，犯了交通規例。當時，公路上一共有四輛車同時開行，威伯連納教授駕駛的是一輛紅色的跑車，雷達測得有車開得太快，但沒有指出是四輛車中的哪一輛，警察卻認為是威伯連納教授的車犯例。威氏在法庭上為自己申辯，他指出人類對鮮明顏色有特殊的反應，他認為交通警察所以選中他的車，是因為在四輛車中，其他的三輛是藍，灰和黑，而他的卻是紅色，警察自然第一眼

就看見了紅車。結果，威伯連納教授勝訴。

在《畢業生》中有好幾場戲描寫班傑明如何飛也似地趕去找他心愛的伊琳，所以一輛紅色的跑車是再適合也沒有了。在眾多的車中，我們會覺得它是駛得那麼快，而且，在很多的「遠景」中（像橋上，公路上）它又是那麼地鮮明。本來，《畢業生》裏邊可以用上一輛白色的跑車的，但我們就會覺得，如果是一輛白色的跑車，就不像紅色那麼能夠隱喻劇中人火焰也似的感情，尤其是最後一場，班傑明奔進教堂大叫，簡直像一團火在那裏燒，這種性格，用紅色跑車陪襯是適當的，相反的，我們看《春光乍洩》中的湯瑪士，他的性格是冷冷的，很有隔絕感的，所以，白色的跑車才更適合他。

在黑白片裏，彩色起不了作用，所以，白色的汽車和紅色的汽車最出風頭，如果《畢業生》是一部黑白片，毫無疑問的，班傑明將駛一輛白色的跑車，因為白色也給人以鮮明和接近的感覺，黑白則剛好相反（當然也有例外）。

米蘭（一九六八年九月八日）

電影中的確立奇

「確立奇」這個詞的英文字 Collage 是從法文 Coller 變過來的。意思就是「黏貼」。繪畫史上出現過一些野獸派，表現主義，未來主義等。其中有一派，是立體派，現在享譽國際的畫家之一畢加索，曾經有一個時期畫了很多立體派的畫，幾乎有人把他認作是立體派的創始人。（其實是早幾年才死去的布立克）立體派的畫（看起來像七巧板砌圖遊戲那種）有一陣採用過「確立奇」的方法，就是一幅畫，不完全是畫的，而是由畫家用一些破布，紙張，木片等等的現成材料砌貼而成。達達主義的畫家也喜歡這種繪畫的方法，他們常常把報紙，畫報雜誌撕下來，貼在畫布上，然後再繼續畫。野獸派的瑪蒂斯在後期的畫中，根本不再繪畫，而是把有顏色的紙代替了油彩。

現在，電影中出現了「確立奇」的手法。並不是說現在有人把好好的銀幕貼了一些破布，〔爛〕報紙上去，而是我們看電影時，發覺電影中多了很多故意被放進銀幕框去的現成材料。這些是指報紙的頭條新聞，示威牌的字句，書本的封面，唱片的封面，路牌，交通標誌，海報等。也並不是說，以前的電影中就沒有報紙的頭條新聞，而是出現的方式不同，意義也不同。

以前，如果是一部警匪片，可能是一個小孩子被擄去了，於是，電影上可能會出現一張報紙，登上重要的新聞，如：「富家子被劫，勒索五十萬」之類的和劇情有關的消息，這段新聞完全和劇情有關，銀幕上出現了報紙的頭條新聞，是故意拍成的。但現在高達拍的電影，就不用這

種手法，而是很偶然很自然碰上的。譬如說，一個正要上班的男人，一早起來吃早餐，桌上有一份報紙，他隨手一翻，立刻有：「蘇軍侵犯捷克，布拉格成死市」這麼的一段新聞。其實，這段新聞和正在吃早餐將去上班的人毫不相干。這段新聞甚至和整個戲都無關，可是，我們在一些電影中常會見到這種鏡頭，導演們用類此的「確立奇」手法來寫實。

世界上的確有很多事和我們無關，但我們每天豈不也看新聞報，也知道越南和捷克的處境，我們走上大街，豈不也是抬頭滿是汽水香煙廣告，俯首滿地電車巴士廢票，這些就十分現實。所以，現在的一些電影中不時就那麼疏忽的沒頭沒腦映一段毫不相干〔的〕頭條新聞，或者映一本書的內衣廣告，再不然就是在背景中多了一牆的海報，滿街的字號招牌。對於電影中的「確立奇」，我們不必追究上下鏡頭是甚麼，或者硬要解釋它本身的用意（用意也不是沒有）〔，〕要明白的是：確立奇是用來寫實的一種方法。

米蘭（一九六八年九月十日）

羅殊及其習作

堅尼夫羅殊的《慾海紅蓮》不是一部電影傑作,而是一部電影習作。羅殊一直是電視片的導演,這一次,還是第一次拍電影片,而且,我們在《慾》片裏邊,只能找到很少羅殊自己(還是電視的羅殊,不是電影的羅殊),多的是大師們的投影。羅殊似乎特別喜愛高達,《慾》片中就明顯地給了我們高達式的場面。

高達喜歡用一下「真實電影」的手法,尤其是一種「電視式的寫實」,像一個演員竟會在銀幕上,像接受別人的訪問一般在答話。羅殊在《慾》中就用了相同的手法,大家一看,就自然說:唔,這是高達的,於是,羅殊自己就不見了很多。至於把一部片分為好多個分段,每一段插上一個標題,像「永遠不要嫁給一個賊」,「未來」,「我完善的一生」等,也是高達慣用的(《扭計師爺》中也是)。

羅殊似乎也很崇拜安東尼奧尼,他幾乎把《慾》片拍成了和《春光乍洩》的色調一般,那種倫敦的味道,實在相像。同樣是倫敦,同樣是一些活生生的人,同樣是有模特兒,不過,羅殊的故事不是《春光乍洩》,《春》片是安東尼奧尼從阿根廷一個小說家的作品中取得了靈感,羅殊則採用了尼爾頓的小說加以改編,說的是一個年輕的母親的淒涼遭遇。這個電影一開場,就是極寫實的一場嬰兒降生的過程,有如一部生育寶鑒。(這一段,不知〔道〕香港的電檢處是否准予通過。但大家可以到時計算一下時間就知道,該片片長一百零一分鐘。)

羅殊是拍電視片出身的。一個拍慣電視片的人拍起電

影來，大概會出現這幾種情形，喜歡用手提拍攝機，愛用外景實景，喜歡用長焦距鏡（以後另文介紹），演員常多即興對白，或是對白重重複複，呢呢喃喃。《慾海紅蓮》便有這類例子。（看過《舢舨》的話，也可以印證一下，因為該片攝、製兩人都是電視出身。）片中的每一個鏡頭都幾乎自己會喊出來：看，我是外景拍攝的，夠不夠寫實呀？當然，羅殊把畫面構圖組織得很好，彩色也調和得十分美麗，不過，電視和電影畢竟是不同的，所以，羅殊對於處理一些比較戲劇性（演出）的場面便有點侷促感，相反，他對於描寫一些細節（生活）便十分瀟灑。

《慾海紅蓮》整個來說，是呈現出一種半故事性，半紀錄性的樣貌，而且是走「寫實」的路線，人物講的是市井俚語，使人覺得那是活生生的世界。唐諾梵唱的主題曲是一片適當的綠葉。要是羅殊不那麼躲在大師們的樹蔭下而肯自己奔跑一下，他終會成為一個不錯的導演。

米蘭（一九六八年九月十二日）

注意這五部電影

　　喜歡看好電影的影迷這一陣應該很高興，因為一大堆的佳片忽然都一起在熱鬧了。有五個電影，都是值得注意的，它們是《意馬心猿》，《脫胎換骨》，《慾海紅蓮》，《偷情聖手》和《星期日與西貝兒》。

　　《意馬心猿》是五部電影中的首選，這部片上個月我已經介紹過，因為當時港大籌款曾優先放映過一場。此片得過康城的獎，但並非如報紙廣告上的：康城冠軍片。一般上，康城冠軍片指的是康城大獎，大獎是金櫚獎。去年，得康城金櫚大獎的乃是安東尼奧尼的《春光乍洩》，而《意馬心猿》和南斯拉夫的《有些吉普賽人快樂》，則分獲評選團特獎。《慾海紅蓮》和《星期日與西貝兒》這裏也介紹過了。《慾》片是羅殊的處女作，他用了很多安東尼奧尼的彩色，高達的技巧，香港從來沒有高達的電影在市面公映（只在電影會才有），所以，看《慾》片是間接認識高達的一個小小的機會。《星期日與西貝兒》則是新潮作品。攝影和配樂精絕異常，想知道一下新潮到底為何物的，也可以去見識見識。該片的序場是十分出色的，因此，看該片不宜遲到。

　　《脫胎換骨》可算是千呼萬喚始出來的，因為這部片已經叫人等了很久。此片也曾參加康城競選，是一九六六年代表美國參展的兩部大片之一，另一部是大衛連的《齊瓦哥醫生》。當年的康城金櫚大獎落在利勞殊的《男歡女愛》上（法國），評選團特獎卻由英國《偷情浪子》所得。《脫胎換骨》在同期的五大片中，該屬於次選，導演法蘭根海

默，大家是比較熟悉的。在上次的《大賽車》中，他採用了「分角鏡」，把一個畫面倍為好多個，這次，他在《脫胎換骨》中用的可是「魚眼鏡」，把畫面圓了起〔來〕。（廣告中的一幅圖，手術床上的寫照，即是。）看《脫》片我們還可以注意另外兩個人，一個就是片頭設計家 Saul Bass。這個人，在電影片頭設計一行中，坐的幾乎是第一把交椅，我們那麼稱讚兼佩服的片頭設計，如《夢斷城西》，《神女生涯原是夢》，《碧血千秋》（刺殺甘地那套，由荷滋保賀斯主演）都是他的設計。這次，我們可以看到他如何用高角〔鏡〕攝人群，然後推鏡。另外一個值得我們注意的就是黃宗霑，《脫》片是由他做攝影，那幅如此出名也出色的「魚眼鏡」畫面，就是他的傑作。

　　《偷情聖手》風格上和上述的四部都不同，其他的幾部片大概都會看得人心情沉重，這部《偷》片，倒是比較樂觀，雖然，它絕不像《畢業生》那麼叫人嘻嘻哈哈。關於這部片，要說的很多，只好另外寫過。

米蘭（一九六八年九月十三日）

電影所以這麼這麼樣

電影不再是長長的一幕幕了，而是短短的一場場。所以，觀眾會奇怪，怎麼忽然這兩個人一起說說話，就變了這兩個人各自回到了家裏。電影的場景越來越短了，過一陣，它真會變作幻燈片一般，復古了。電影所以要這樣，是因為講故事的方法不同了，因為，沒有人再喜歡婆婆媽媽地給你講故事，電影所以不肯婆婆媽媽地給你講故事，又是因為，電影長大了，電影相信，觀眾也長大了。婆婆媽媽式的故事，只適合講給小孩子聽，如果誰看不懂《慾海紅蓮》或《偷情聖手》，那麼對不起，電影本來當大家已經長大了，原來大家還是小孩子。

電影變了彩色電影，但是，彩色有很多樣子。電影裏邊不一定要有紅有綠，而且還可以加插一些黑白的，咖啡的。《偷情聖手》就這麼做了。以前，如果拍回憶的鏡頭，銀幕上就會用慢吞吞的「溶」或是升起一個「思想氣球」之類，但現在，割接一個單純的顏色畫面就行。像《偷情聖手》，為甚麼忽然加插一些單顏色的畫面呢？那就是在告訴大家，這些是不同時空的事件。為甚麼要告訴大家這些是不同時空的事件呢？是因為電影可以不那麼單調，而且，因為觀眾中的確有很多還是「電影小孩子」。安東尼奧尼就不。費里尼也不。費里尼的《八部半》，從來不把觀眾當小孩子，從不低估觀眾，他把時空交錯，絕不預告，因為，觀眾長大了，如果不，觀眾應該長大，難道電影要跟着觀眾一直做一個侏儒。

電影可以聯想。電影和小說一般，忽然地就多了很多

185

的意識流。《偷情聖手》中怎麼忽然要插一段希特拉，又忽然要插一個死屍遍野的鏡頭？那就是聯想。奧遜威爾斯的角色說：二十世紀的人類努力的主要結果，就是製造了成千成萬噸的垃圾。現在所存的問題，就是去清除垃圾。沒有人看的盡是垃圾，一張包過乳酪的廢紙是垃圾。而集中營中被害的人，那些遍地的屍體也是攋〔撋〕。因此，清除屍體的一個鏡頭乃是攋〔撋〕的聯想。電影中越來越多這些聯想，所以，電影的眼睛比人類的眼睛要遠視要普視要 X 光視要無所不視得多。

（很是可惜，《偷情聖手》竟然割劃了 —— 聯想）電影可以像作文一般列大綱，《慾海紅蓮》就做了。這樣子，電影就變得真像一粒粒的珠子，每一粒都是那麼單獨，串起來就是項練。《慾》片不單是一段段的短鏡，一段段的標題，連唐諾梵的歌也是一段段地唱，整個電影看來是一整體，但卻全是碎片。這些手法又很像電視，電視常常是第一集第二集，中間呢？全是廣告的天下。

米蘭（一九六八年九月十五日）

小小的銀幕

銀幕體是越來越大了。許多銀幕電影，幕一啟，銀幕面往兩邊一展，聲樂齊鳴，很是威風的樣子。至於「擴張電影」，幾個銀幕一起映出畫面來。簡直是把四方塊小銀幕不知擠到那裏去了。可是，如果是想誠心誠意，好好地拍電影，不少的導演依然喜歡小小的銀幕。最近的《意馬心猿》，《慾海紅蓮》，就都是四四方方的銀幕體，而且都採用得極為適合。

大銀幕體要配合大場面多，人物多，氣勢宏偉的那種電影，如果是簡簡單單的幾個人，樸樸實實的故事，那麼還是小銀幕的好。銀幕的模樣是有很多種的，普通算起來，常常碰上的只有三類，一種是比較四方的小銀幕體，另一種也是比較四方形的，但卻是大銀幕，就是甚麼全景大銀幕體，還有一類就是長形的，也就是甚麼新藝綜合體之類。有些電影，不管青紅皂白，無論甚麼內容和調子，一概用闊銀幕，那是不對的，因為闊銀幕只適合強調一字長蛇陣，千兵萬馬行軍之場面，如果兩個人一起對話，就一天到晚只能一邊一邊頭，[1] 畫面中人多一點的話，人物就會變成一種排排坐的感覺。而且，闊銀幕是最難拍得好的，畫面的構圖會很呆，很多時，導演碰上闊銀幕，拍得頭都痛了，只好故意遮遮掩掩，把長銀幕遮掉一半，剩下一個比較方形的畫面。當然，闊銀幕最威風的時刻是描寫排長龍的鏡頭，以及開場時的開展氣氛，只是，闊銀幕體

187

1　此句不通，原文如此。

的電影，常給人以一種大而無當的感覺。

大銀幕在構圖上比闊銀幕自由，這類電影目的是想展示壯觀的場面，如《仙樂飄飄處處聞》之山林，或《夢斷城西》之類的背景，大銀幕是要以背景來吸引觀眾的，總之觀眾一面看一面就會喊：場面偉大，氣勢非凡。

《意馬心猿》和《慾海紅蓮》都沒有甚麼千萬人的場面，既沒有兩軍交戰，也沒有牛群馬隊，所以，沒有理由要用闊銀幕體；同時，這兩部電影並不想誇張背景之華麗，而是要觀眾把視線投在人物身上，而且，我們覺得這些人物是活在那個環境中，和四周合而為一，誰也沒有搶誰的鏡頭。片中既沒有崇山峻嶺，也沒有高樓大廈，幾乎所有的畫面都是兩三個人，空間是那麼地狹窄，劇力是那麼地濃縮，這種電影彷彿是一個氣球，要密密地壓縮成一個小小的體積，所以，四方塊小銀幕是最適當了。

《偷情聖手》本來可以用大銀幕，但是，它也用了小銀幕體，不過，我們並不覺得它小，而覺得它相當寬廣，這完全是因為該片用是特藝彩色，這種開朗活潑鮮明的色彩使電影伸張了，這正如一件淺色的衣服，使穿着它的人看來肥一些。

米蘭（一九六八年九月十七日）

且說米高詠納他們

　　米高詠納不喜歡改編小說，不喜歡翻拍戲劇。所以，他的《偷情聖手》，絕不是甚麼名著改編，也不是像《馴悍記》那般：要是沒有了莎士比亞，就成不了事。米高詠納找到了杜里柏寫劇本，他們想到了這麼一件事情：為甚麼有好多人要去做 HIPPIES，把金錢名譽地位全拋掉了呢？他們就把這一點發展成一個劇本，拍成電影。主角安德烈昆特當然並沒有去做頹廢嬉皮士，但他和嬉皮士的出發點有相同的地方，乃是要去尋找一種快樂的，誠實的，純樸的，簡單的，平凡的，自由的生活。

　　如果有人認為《畢業生》並無意義，因為該片不曾告訴我們甚麼，那麼，《偷情聖手》似乎是適合他們的。《偷》片告訴了我們很多，最重要的還是指出了：人們常在不滿現實，不喜歡自己的職業，不欣賞所處的社會，於是，大家希望「離去」，去重新創造或去開闢。但是結果，我們發現，世界上並沒有一個理想的樂園，一個人也無法離群獨居在荒島上，任何人跑不到甚麼地方去。所以，要尋找快樂，活得誠實，得靠自己，而且必須就從自己目前的環境中生活出來。安德烈昆特終於和妻子和好如初，回家去吃雞蛋，並且到對面的廣告公司去工作，正是明白了這一點。

　　《慾海紅蓮》是一部給我們看看的電影，《偷情聖手》則可以給我們去想想。不過，《偷》在視覺方面的表現也絕不遜色，它的特藝彩色是那麼鮮明活潑，比起《慾》片的伊士曼的彩色的陰暗調子，真是各有千秋。這兩部片同樣以豆腐銀幕體出現，不是一開場就「的的打打」地把銀幕

拉成一個郵筒嘴巴型,所以畫面構圖很自由。《偷》片所以要用四方形銀幕,是可以把新聞片(希特拉,集中營)之片段加插在電影內,如果是闊銀幕就不行了,因為黑白新聞片多半是四方形銀幕體,目的是求真,絕沒有人傻到花錢去拍大銀幕漂亮的新聞片。

《偷》片中值得我們注意的還有法蘭西斯黎,是他作的曲。那幾場康橋,校友會的背景音樂實在雄壯。法蘭西斯黎,大家別忘了,《男歡女愛》,就是他作的曲,那張唱片許多人都搶着買。另外一個小小的名字,是嘉露惠的片中服裝,由琵琶(Biba)供應。以前,電影明星的服裝總是甚麼伊夫聖羅蘭,狄奧,彼埃卡甸這些人設計,他們都是法國人,現在英國電影就指〔定用〕英國自己的服裝公司的名字。在英國,披頭四〔是〕最出名的樂隊,加納比街是時裝店總匯,瑪麗鄺是時裝設計家,琵琶就是第一間女孩子的時裝店,而這些人,就把倫敦變成了一個 Swinging 的倫敦。

米蘭(一九六八年九月十八日)

威尼斯六八影展（上）

今年的幾個大影展都遇到了困難。康城〔草草〕結束在先，威尼斯則勉強展出於後，因此，很多電影大概要轉到稍後的倫敦電影節去熱鬧了。由於詳細的報道消息還沒到（一些書刊雜誌最快也要個多月後抵港），現在只能簡單的介紹一下，資料來源則是參考的電訊。

（八月廿六日威尼斯）威尼斯市長重新計劃於明日舉行威尼斯影展，因為影展受到外界的騷擾。電影節主理人查理尼一方面受到左翼份子的威脅，說要和平坐鎮影展戲院，另一方面又因為警方決定採用武力阻止該事發生，以至影展不得不延遲開幕。影展公報發表一項消息稱，影展將延遲開幕。數小時後，威尼斯市長費斯卡宣佈影展將於翌日舉行。查理尼則自稱把影展大事交在市長手中。意大利新聞界以為查理尼的聲明乃是辭職的表示，但稍後時，查理尼說，他乃是電影節主理人。事實上，查理尼曾和市長爭〔辯〕過關於影展開幕的日期，查氏希望能延遲多些日子。

威尼斯市長接手主理影展，使左翼導演們大感意外，因此使他們的原定計劃粉碎了。戲院外的守衞也漸漸散去，直到只剩下一名。影展中的電影包括了來自十個國家的共廿六部影片。第一部電影放映時間是下午十時正，該片是捷克的《背棄者》，影評人看過後認為是劣作。

幾個星期以來，威尼斯影展的開幕已經受到毛派學生，共黨份子和左翼導演的威脅，影展場地附近常常可以發現有「菠蘿」。極端左翼人士指責電影節為資本主義口

味，事實上，查理尼已經把影展辦得絕不商業化，他曾經拒絕大製作的劣片參展，以致得罪了十六個國家的製片家杯葛他。

　　（八月廿七日威尼斯）今日，法國導演梅禮士畢立把參展的影片撤回，以抗議警方對當地電影工作者的干涉。該片預算在今晚的影展中放映。一群電影工作者，整晚在影展戲院中開會，警方到來把他們驅逐了。稍早時間，警方又驅散了在戲院中開會的八十名記者。當時，也有一群電影工作者在開會，由於是得到准許的，所以，警方沒有干涉，警方也沒有干涉會議廳外的群眾，有一些店員曾和電影工作者打架，有一人受傷。今晨，警方接到命令回到戲院驅逐開會的人，後來法國導演畢立及一名製片人米渣發了一封電報給威尼斯市長，要求撤回他們的電影，並說除非完全撤銷警察，否則，你不能放映我們的電影。影展本來是星期日舉行的（即八月廿五日），但已延至今日，查理尼因「強烈的反對」而把影展交給費斯卡，評選團亦已辭職。（上——未完）

米蘭（一九六八年九月十九日）

威尼斯六八影展（下）

　　（八月廿八日威尼斯）威尼斯電影節終於在昨晚開幕了，比預定的日期遲了兩天。警方在戲院門口守衛，一群左翼青年大叫「毛萬歲」，貴賓們則衣香鬢影，繼續前來。影展放映的第一部影片乃是法國導演畢立的《赤裸兒童》，說的是孩子們如何背棄了他們的父母。畢立曾因警方對整夜開會的電影工作人員採取了驅逐行動後要求撤回該片以作抗議。結果，在最後一分鐘他們（畢立及另一名製片）又回心轉意，因為影展當局表示警方絕不會干涉。數星期來，左翼電影工作者，學生及政客已經發動阻止電影節舉行，他們認為影展最不民主，小資產階級及受法西斯主義影響。參加角逐金獅獎的共有二十六部片，包括意大利七部，法國五部，美國五部，西德兩部，西班牙兩部，英國，希臘，南斯拉夫及荷蘭各一部，其中不少是青年導演的處女作。

　　（八月廿九日威尼斯）一名發言人昨天說，威尼斯電影節將放映捷克兩部片，不管〔駐意〕的捷克大使館表示反對。捷克大使館曾於今日致費斯卡一封電報，禁止展出計劃參展的兩部捷克片，為了要和反影展示威團結一致。捷克片《背棄者》在影展中放映曾受到熱烈鼓掌。影評人則認為是劣作。

　　（九月一日威尼斯）第廿九屆威尼斯電影節是越弄越糟了。影評人對昨日放映的兩部片大喝倒采。〔今大〕會負責人更頭痛是非洲森比尼導演憤怒地宣佈他要撤回《失蹤》一片。森比尼說，大會曾允諾他可得一個獎。但影展官方

193

人士加以否認，說該電影不過招待記者的。昨日所放映的兩個電影是意大利導演龐旦佩的《絕頂》及荷蘭布列史坦的《妥協》。影評人看後，大喝倒采，一名影評人稱：如果所有的電影都是這樣，影展不如現在馬上關門大吉算了。影展當局不理群眾的叫囂，宣佈今日放映的是西德阿力山大克魯治導演的《在峰頂的藝術家們》及另一部美國的獨立製片參展的《吾與吾弟》，由羅拔法蘭執導。

　　（九月九日威尼斯）西德影片《在峰頂的藝術家們》昨夜贏得威尼斯影展的最高獎，美國的《臉孔》獲得五個獎。紀錄片的獎則由史諾頓伯爵獲得，他的作品《別數蠟燭》，描寫年老人的問題。

　　以上是本屆威尼斯影展的一些始末，但由於電訊相當簡單，並且重複，得獎影片的詳細消息不多，這只好以後再作報道。康城和威尼斯都已過去，餘下的還有紐約和倫敦兩個「兄弟電影節」（同一人主理）比較受人注意，但這兩個電影是不競選的，即只展出，不比賽。（下——完）

米蘭（一九六八年九月二十日）

默片時代的電檢

　　一部電影拍好了，如果要公映的話，就得送到電檢處去檢查。電檢處覺得電影不適合公映，就不准上映。電檢處覺得部分鏡頭不可以公開，就要剪掉。

　　在一九二二年時候，美國已經有了電檢。這個電檢處，倒不是政府或甚麼權威人士設立的，而是由美國電影界自己創立，而且，所有的電影都乖乖的自願送去受檢。當時，電影事業很蓬勃，荷里活是個大金礦，一些明星賺很多錢，其中有些生活得太奢侈，私生活又不怎麼像樣，於是，許多人就看不順眼。碰巧發生了兩樁謀殺案，死的是少女，竟無緣無故牽涉到一名喜劇演員，這一來，婦女團體啦，衛道之士啦，都群起攻擊荷里活，幾乎連「電影」也變成罪該萬死的樣子。於是荷里活的製片家大吃一驚，連忙去找總統哈定，由他推薦了當時的郵政局局長海斯做了美國電影製片人及發行人協會的主席，這個會的工作就是檢查影片，至於檢查的「條例」，又是美國電影界自己訂立的，這一來，總算平息了一場大風暴。

　　當時的電影，有很多「誡」要遵守。現在已經不同了。像《金龜婿》這部電影〔，〕依當時的誡條，就要被剪。《金龜婿》中有一位牧師，嘻嘻哈哈的，依默片時代的電檢條例，牧師神父一定要正正經經，不可嬉皮笑臉。結婚制度被認為是神聖的，所以，不可以在銀幕上加以批評，但現在，許多電影堂而皇之描寫同居，又指斥婚姻制度為荒謬。甚麼搶劫，謀殺，不能表現得太迫真，免得被人偷師，現在呢？《雌雄大盜》的搶劫銀行卻有人照樣學，在以

前，這種電影是要被禁的。

白人和黑人結婚，銀幕上不可以有這種鏡頭，《金龜婿》中也沒有（這條例不知道是否已經解除）。裸體也是被禁的。直到現在，裸體依然是最受「剪刀光顧」的一個問題，一般來說，局部的裸體，上半個身子的，一個大背部的〔，〕不論男或女，都可以通過。要是像歐洲的一些電影（以瑞典片《愛撫與接吻》為例，一個女人一絲不掛對着鏡子，前前後後上上下下，一覽無遺）〔，〕就不是在任何城市都可以公映的了。

《花花公子》有一期訪問過安東尼奧尼，提到《春光乍洩》中赤裸的女孩子，說是露出了不該公開的毛髮，其實，要是真有這種情形，那些鏡頭絕逃不過電檢處的剪刀。況且，安東尼奧尼也不承認。

不可描寫復仇，不許描寫同情犯罪的人，不准描寫走私，不能描寫縱酒，這些都是默片時代的電檢條例，現在，似乎都已經變成歷史了。

米蘭（一九六八年九月二十二日）

片頭設計家蘇貝斯

片頭設計是一部電影的包裝，彷彿聖誕禮物一般，一份包裝得討人愛的禮物，是更能叫人喜歡的。早許多年，電影的片頭設計沒有人注意，大家都是交差似地把演職員表〔隨〕便映出來算數。

於是，岳圖柏林明加就說：電影的包裝太差了，簡直比電影本身落後了五十年。由於岳圖柏林明加反對胡亂設計片頭，所以，他首先找到蘇貝斯來替自己的電影設計片頭，於是，我們看岳圖柏林明加的電影，總有機會碰上蘇貝斯的設計。後來，許多人也覺得片頭設計實在是一件重要的工作，也就紛紛找蘇貝斯設計，於是，蘇貝斯就成了名。

蘇貝斯在設計片頭時第一點要注意的乃是把片頭和劇情連繫起來，他把片頭設計當作電影的一部分，有時是〔大綱〕似地列陣（像《八十日環遊世界》，幾乎把整個電影用卡通先畫出來讓觀眾看一次），有時是暗喻（像《神女生涯原是夢》，用一雙貓來比喻劇中人），有時是反映現實（像《夢斷城西》，那些人所生活的世界，就是牆與牆之間，交通標誌之前，泥土地上的現代的城市），有時是畫龍點睛式（像《碧血千秋》是描寫時間之逼近）。本來，蘇貝斯是個美術師，沒想到可以向電影中發展，當岳圖柏林明加提醒了他，他立刻覺得〔，〕發展片頭設計〔，〕在當時環境中正是一個黃金機會。蘇貝斯設計片頭的目的，是替觀眾調好氣氛，以迎接將來臨的劇情，這一點，他一直做得很成功。當然，片頭設計並不是一件輕易的工作，它

必須精簡有力，《八十日環遊世界》的六分鐘片頭將帶領三個鏡頭的喜劇氣氛，而《夢斷城西》的片頭設計，卻不是放在序場上，而是片尾設計，因為是在電影終結之後，才映出來，這時片頭設計要承繼〔悲〕劇情緒，不能加以破壞。漸漸的，蘇貝斯的片頭設計似乎有了他自己的商標，他的片頭設計總變成了一部電影的「預言」和「先知」。

蘇貝斯早期的片頭設計多半用卡通，後來採用了其他的方法，有的用動物，有的用實景。最近，他替《脫胎換骨》設計的片頭是把眼睛鼻子耳朵嘴巴等器官放大了扭曲了，所以，看起來倒是有點可怕，因此，有一個影評人告訴觀眾，不喜歡看這種鏡頭的，不妨遲兩分鐘才入場。其實，有很〔多〕人可能並不想看電影，但為了蘇貝斯，就去捧場。香港以前放映《夢斷城西》時，好多家電影院為了節省時間，或其他理由，把片頭設計的一段完全不放映，使許多觀眾失去了一個欣賞的機會，而那段設計，實在是異常精彩的。尤其是一些喜愛美術的觀眾，就把它當畫一般看。蘇貝斯在香港被人知道，也是由於《夢斷城西》，剪掉了該段片頭設計而起。

米蘭（一九六八年九月二十三日）

黎斯特的萬花筒

　　看黎斯特的電影，就像看最近的汽水廣告，說得正確一點，是現在的一些汽水廣告，在抄襲黎斯特的手法。對於黎斯特，我們看過他的電影不算少了，像《色情男女》，《一夜狂歡》，《救命》都是。這個人的電影，是給人看的，他拍電影，簡直就在要〔展示〕開麥拉畫筆，很像是叫人看萬花筒。

　　和邁克尼可斯《畢業生》那種技法來比較，黎斯特的風格又和《畢業生》迴形相異。《畢業生》的技法全在於電影鏡頭，那是指一些甚麼剪接，主觀鏡頭等等，畫面並沒甚麼怪現象，但是黎斯特是一個專愛搬演「畫面樣貌花款之繁華」的導演。他會把超現實感帶入畫面，像一個人奔下樓梯關門，關了幾十次，重複又重複，或者是要畫面的色彩調子大起革命，一會兒高調子，一會兒低調子，於是畫面的顏色一會兒白得只剩淺淺的輪廓，一會兒又花得一團糟。這些，是邁克尼可斯不要的。因此，《畢業生》實際上還相當保守，也很正統。黎斯特還喜歡很多怪東西，他的畫面構圖是絕對的標奇立異，他的服飾陪襯是絕對的唯美。黎斯特就是這麼的一個人，彷彿他不是電影的導演，而是個畢加索甚麼的人在繪畫。

　　《男歡女愛》在康城得過大獎，《色情男女》亦然。這兩個電影都有它們共通的優點，乃是彼此都是十分清新可喜，不落俗套。實實在在的說，《色情男女》又比《男歡女愛》成就來得高，而且也比《男歡女愛》難於叫人接受。看黎斯特的電影，大家都不易找到故事線索，因為場面跳

離得很頻繁，時空又不順序。對於這一類的電影，我們不妨這麼看：彩色設計漂亮不漂亮，畫面構圖有趣不有趣，還有，那些人物是不是很天不怕地不怕的樣子。大家可以當作去逛百貨公司，在馬路上閒蕩，在音樂茶座坐坐，見見五光十色的風景，如果這樣，就不會覺得黎斯特的電影有甚麼看不懂。

　　大家當然看過萬花筒，大家看萬花筒的時候也不會傻到要問：這是象徵甚麼，這有甚麼意義，也不會有人向一具萬花筒找故事。所以，看黎斯特的電影也是一樣。喜歡看萬花筒的人是很多的，那麼，大家可以去看看黎斯特的新作，一個女孩子的名字叫做《佩杜莉亞》，我們則稱她為《新潮小姐》。

　　黎斯特需要好的攝影師，《新潮小姐》攝影師乃是尼高拉斯洛，外景地點是三藩市。「如果你到三藩市，記得在頭上戴些花」，也許是這首歌吸引了黎斯特，但作為一個影迷，則黎斯特實在吸引我們。

　　　　　　　　　　　　　米蘭（一九六八年九月二十四日）

藍眼兒的信息

　　施維奧挪里薩諾的電影大家是不會太陌生的，因為他導演的《傻大姐偷情》給人的印象很不錯。奇怪的是，和邁克尼告斯一樣，尼告斯會導了一部《靈慾春宵》之後來一部《畢業生》，挪里薩諾則會導了《傻大姐偷情》後來一部《壯士山河血》。

　　挪里薩諾為甚麼會忽然拍起西部片來，實在叫人奇怪。據他自己的解釋則是：他剛碰上這麼的一個題材，而用西部片的方式來表現極為適合。挪里薩諾認為目前的青年人對於世界着實感到困惑，尤其是該對誰「忠心」，很多人都從戰爭中活過來，知道甚麼叫做原子彈，也知道甚麼〔叫〕集中〔營，〕但是，青年人並沒有憎恨德國人和日本人。青年人不再被困在小小的國家裏邊，他們所關心的乃是整個世界。《壯士山河血》中的阿索，便是時下青年的一個寫照，他不知道世界何以如此，為何被誕生在某地，又該屬於哪一邊，以及，該如何選擇等等。挪里薩諾本來可以拍一部較現實的題材，像一個青年人在越南戰場上的選擇之類，但是他覺得，用西部片的形式來表現更為適合，也比較容易處理。

　　《壯士山河血》以西部片的姿勢出現，若用尊福之類的作品與之相比，彼此當然相差甚遠，但如果我們能夠得到一點挪里薩諾要透露的信息，則這個電影也不算是白看了。

　　在《壯士山河血》中，我們發現有一個「第二小組導演」出現，這個人到底是做甚麼的呢？原來他是幫助挪里薩諾處理打鬥場面的，不過，在《壯》片中並非所有的打

201

鬥場面都由他處理，而只有最後的一場才是。最後的一場是一群人在河中槍戰，這一場才是第二小組導演處理的，至於其他的，則全是挪里薩諾自己的工作。不過，很多時，挪里薩諾在拍一些動作多的場面，如劫掠村莊時，就會找 Yakima 來商量，徵求他的一些意見。當挪里薩諾拍攝劫掠村莊時，Yakima 則在河邊準備槍戰場面，因此，電影可以同時分頭工作，效率大增。

本來，《壯》片的男主角是羅拔烈福，但他在開拍前突然辭去，因此，挪里薩諾才有機會得到泰倫士史丹，挪氏認為泰倫士史丹更適合，因為他有一種「奇異的美麗氣質」，而是劇情所需的。以前，拍《傻大姐偷情》時也一樣，雲妮莎本來是主角，但她也臨時去職，才由妹妹蓮格里芙替換，蓮的演技也是有目共睹的。

挪里薩諾本來的願望是當演員，後來卻入了電視，然後再轉入電影。照《壯士山河血》來看，以《傻大姐偷情》的成績來算，他倒是有點令人失望了。

米蘭（一九六八年九月二十六日）

薛尼盧密與科爾克影展

　　愛爾蘭的科爾克，每年舉行一次電影節，這是緊接威尼斯電影節的一個短片影展。威尼斯的展期通常是八月尾至九月初的兩個星期，而科爾克則在九月十五至廿二日左右，為期一週。科爾克電影節是一九五六年成立的，迄今已有十多年歷史，在影展期內，每日放映一些新的電影佳作，這些劇情片是不比賽的，但影展期內則有短片參加角逐。今年的科爾克籌辦一個「歐洲電影週」，同時舉行第四屆電視廣告片競賽。（我們在《偷情聖手》中已見到電視廣告片競賽的情形了，那一節電影插鏡是拍得相當成功的）但科爾克影展令人特別注意的則是選出一、兩位名導演的作品特別放映，而今年所選的則是薛尼盧密的四部電影。這次的「薛尼盧密回顧展」中展出的電影是《漫漫白晝》、《軍令如山》、《冷戰間諜網》及《十二怒漢》。

　　薛尼盧密的一部《冷戰間諜網》正要上映，這部電影當然是喜歡電影的人不會錯過的了。在美國的導演中，法蘭根海默雖然算是不錯的一個，但是，要是數到真正一等的好導演，而且是新導演的佼佼者，薛尼盧密才是當之無愧。薛尼盧密的電影這裏上映過不少，遠的如《十二怒漢》、《慾火焰情》、《戀火融融》，近的也有《軍令如山》、《慾海春夢》和《血印》等。薛尼盧密的電影總是很沉穩的，他絕不會像甚麼黎斯特那般把電影弄得像個萬花筒，而是真的用心拍電影。薛尼盧密的電影總是有話要說，他的電影是有內容的。像《戀火融融》，那是阿瑟米勒的原著，《漫漫白晝》則是奧尼爾的，那些都是改編自舞台劇。

但是，一般人改編舞台劇，通常把電影變得有點舞台化，薛尼盧密卻能真的拍出電影感來，而且，對於處理節奏，營造氣氛方面，薛尼盧密是有他獨到的地方。

「力」是薛尼盧密電影中的特色。像《軍令如山》，《戀火融融》，《血印》，都是充滿了力的。有人稱電影有陽剛派，那麼薛尼盧密的電影的確是陽剛的電影。《慾海春夢》是講一群女孩子的，也一樣有力。（高達則有一部《慾海驚魂》，由珍絲寶和貝蒙多主演，在香港放映過。早些日子，我說高達的電影片〔從未〕在這裏的市面上放映過，記漏了《慾海驚魂》，現在更正。）

薛尼盧密於一九二四年六月二十五日誕生美國費城，自小就在舞台工作，後轉入電視，再投入電影。他一共拍了十二部電影，《冷戰間諜網》是第十一部，是一九六七年的作品。不過，在薛尼盧密的所有的作品中，《冷》片只是普通的，並非最佳代表作。

米蘭（一九六八年九月二十七日）

彩色與黑白

對於彩色電影和黑白電影，很多人現在有了一個新的看法。以前，我們總以為，一般比較嚴肅的電影，該用黑白；新聞片，該用黑白；恐怖片，該用黑白。至於歡歡樂樂的，嘻嘻哈哈的電影，該用彩色。我們以為，現實的世界是花花綠綠的，所以，一些恐怖片，如殭屍片，希治閣的以緊張氣氛見長的電影，要用黑白來拍，這樣，使觀眾和電影間產生一些距離，造成一種「隔」的感覺。於是，我們甚至認為，新聞片所以不用彩色，是減少一些太過逼真的影像，免得叫人害怕。

現在呢？大家對彩色和黑白的看法有了另一個角度。黑白片其實並沒有〔隔〕，雖然我們生活的世界是彩色的，但是黑白片給人以一種「壓力」反而威脅觀眾的感受。因此，彩色片才是在減少殘酷電影的恐怖感。舉個例子來說，《雌雄大盜》是用彩色拍攝，要是這部片用的是黑白，那麼片中的血，和結尾一場的亂槍，一定會比現在的樣貌更可怕。時事片中的越南戰爭所以那麼可怕，也就因為它是黑白的。

我們試想想希治閣的電影，要是他的好幾部黑白片改為彩色，那麼他的緊張大師的名號大概要給打點折扣，這也就是為甚麼大家老覺得他的《衝出鐵幕》實在不甚緊張了。因此，黑白片其實不是在替觀眾解「恐怖」之圍，而是在那裏加強。說《脫胎換骨》吧，它之所以叫人看了覺得陰森，就是黑白的緣故，要是〔拍〕了彩色，大概只有怪誕的份兒了。同樣的，《意馬心猿》若是用黑白，則這幾

位教授的行為還叫人倒胃口。

直到現在為止，彩色還很難真真正正地反映現狀，那是說，銀幕上的彩色和我們現生活中的並不相同。我們有時覺得一些普通的彩色相片也和我們原來所處環境的彩色不一樣，何況電影上的彩色是加過工的。但黑白比較不同，黑白給我們更多幻想的自由；而且，人是很怪的，只要天一黑，走在陰陰暗暗的地方就有點膽怯，不是快點走就是哼小調，電影上的黑白大概是捉準了人的懼黑症。

很多武俠片用了彩色，對觀眾來說倒是好的，因為大家會覺得不太可怕，但以氣氛言，武俠片的咄咄逼人的氣勢就弱了不少。我們相信，如果《龍門客棧》用黑白來拍，蕭少滋的形象一定更為鮮明，即使《大刺客》，《獨臂刀》，黑白也會更有威勢（還可以藏一點彩色佈景之拙）。相反來說，要是日本的《切腹》或《羅生門》拍了彩色，大家就覺得它們不會像現在那麼出色了，而且，《切腹》和《羅生門》用黑白的優點並非由於它造成的「隔」，而是那份逼人的壓力。

米蘭（一九六八年九月二十九日）

《星島晚報》「特稿」

世界各國影壇近況

美國 —— 居住在美國的一些南歐人士對於《畢業生》甚為不滿，因為該片在對白中用了一個 Wops 的字，這個字是對南歐人士，尤其是意大利人的一種極不尊敬的稱呼，就像我們稱印度人為摩羅叉一樣要不得。

西班牙 —— 最近，一位製片家在西班牙的「太陽岸」建設一座現代化的片場。這個地方就在直布羅陀海峽附近，陽光燦爛，氣候良好。以前，很多人認為西班牙不是拍片的好地方，但是現在，情形已經有所改變。製片家覺得在西班牙拍片有如下的優點：當地工作人員薪酬低，大家很勤奮，又對工作有熱誠；而且，如果拍牛仔片，西班牙可以找到一大批瘦削個子的臨記。相反來說，意大利的臨記多吃意大利粉，又肥又胖，不能扮牛仔，此外，意大利的技工個個自以為了不起，整天轉的念頭卻是如何帶外國製片家去遊地方。看來，西班牙會搶意大利不少外匯。

蘇聯 —— 蘇聯演員兼導演布德察克以拍馬拉松式電影著名，他最近的一套《戰爭與和平》長達八小時，一共分為四部分。這部片在美國放映時是經過大量的刪剪。現在布氏正在籌拍另一部長片，名為《滑鐵盧》，這部片將在蘇聯拍攝，由意大利製片家羅蘭蒂斯製片，至於正式開拍的日期，要到一九六九年的夏天才能開鏡。

希臘 —— 希臘的電檢處最近對於電影的檢查很嚴格，尤其是對一些普力電影。那些打打殺殺太過殘酷的場面，現在在希臘是不易逃過電檢處的剪刀了。此外，該國還通過了一條法例，電影院的經理人或者一些家長，要是讓

十七歲以下的兒童進入電影院看一些註明 X 的電影（即兒童不准觀看的電影），最高刑罰可能為被判監禁六個月。

意大利 —— 一共有十四位導演，其中包括安東尼奧尼，第昔加，柏索里尼，洛西等，聯名要求在國內拍片可以用當場錄音的制度。直到現在為止，在意大利的片廠內拍片仍是採用拍後錄音的方法。導演們認為，由於拍片時不錄原音，工作人員在片廠內喧嘩吵鬧，演員和導演都無法集中精神，而且，事後錄音配嘴型不但破壞了電影原來的精髓，又因為常常是另找替身配音，更加使電影變了個大拼盤。

英國 —— 東尼李察遜拍了《輕騎兵之突擊》後，拒絕給英國的影評人一看他的新作，他在致《時代週刊》的一封信中作上述的決定，他認為英國的這些報道電影的影評人是全世界最差的。目前，英國的一些電影刊物雖有報道該片（由一首長詩改編的）但並沒有影評人的影評，電影刊物則紛紛公開徵求觀眾寫影評寄到刊物上刊登。（取材自 FF）

米蘭（一九六八年九月三十日）

新興的「迷你電影」

迷你裙是短小裙。「迷你電影」也短，但不一定短得只有三分鐘，而是最少變化，鏡頭運用最簡單的一種新興電影。「迷你電影」不但形貌短小，連精神也表達出短小，少量，最低限度的意味。

諾克影展上得大獎的一套《波長》，可以算是「迷你電影」的一個好例子。這部片共有四十分鐘，就是一個鏡頭由一間房內推到另一邊牆上的一個窗上。這部片所以是「迷你電影」的好例子，是因為在好幾方面它都是用了最低限度，最少量的電影手法。在四十分鐘內，銀幕上既沒人物，也沒故事，這就是內容上的短小，如果再短小的話，大概只有一片黑銀幕了。表現手法上，《波長》也是用最短小的手法，因為鏡頭就那麼的直推了四十分鐘，不割不切，也沒有變換角度。像《波長》這樣的電影，實在不是「迷你電影」，而是「悶你電影」，不過，拍這類電影也並非無因。原作者是在那裏發掘一條新的電影路線（發掘探索是一件事，成敗得失又是另一回事）而覺得「最簡單，最短小，最低限度」值得一試。「迷你電影」之面世也可能受一點嬉皮士風氣的影響，因為他們要過的也不過是最低限度的最簡單生活。而且，今年流行的也正是「短小藝術」，電影不過是其中之一吧了。

四月的時候，倫敦放映過安地華哥的一部「迷你電影」，名叫《夏洛》，是一部片長七十分鐘的電影，整個電影只有一個鏡頭，內容則是說一隻貓，一直在那裏打算跳出銀幕框。所以，這部片倒是有點「情節」的，也有點緊

張氣氛。安地華哥這部電影將來在電影史上大概會佔一位置，因為他的確能使我們對電影的發展一開眼界。

直到現在，大家覺得「迷你電影」是可以一走的路，只是，它們實在「悶你」了，而且，也太過短小。有人認為，短小是不錯的，但得短小出一些意義來，常言道在精不在多，精是不可少的。名導演布列遜也表示電影得洗淨鉛〔華〕，但他也是指先去把多餘的扔去，而且，到最後，總得剩下精華來。

以《波長》和《夏洛》為例，它們顯然不是我們一般〔所〕稱的短片，一般的短片可能只有十五分鐘二十分鐘，甚至三五分鐘，但內容多半很豐富，電影手法也多，畫面繁〔華〕而多姿多采，有一部老婦人種花生，很短，卻黑白彩色兼備，短片是短片，手法和內涵都不短。「迷你電影」如《波長》和《夏洛》都有四十分鐘和七十分鐘，幾乎可以成為普通公映的劇情片，但它們所以是「迷你電影」，是因為電影中只有最不故事〔的〕內容，最不技法的形式。

211

米蘭（一九六八年十月二日）

電影不再連環了！

電影本來是連環圖，現在呢，電影不連環了。本來，電影好像一本小孩子最愛看的連環圖一般，畫面是一幅一幅連着的，但是，現在的連環圖好像是有人把一幅一幅的畫剪成一份一份，然後隨便又貼起來，於是，我們一看，連環圖畫不連環了。電影叫人看不怎麼懂了。

為甚麼連環圖畫要不連環了呢？這有點像為甚麼一條裙子長了又短，短了又長一樣，是因為：太千篇一律了，太成為一個模式了，太沒有變化了。電影和甚麼音樂，繪畫，文學，建築，戲劇一般，不能老是走到了一個地步就停在那裏，它們要求向前走向前闖，希望能開發本身的新天地。因比，電影就變了。

即使是題材本身，為甚麼早一陣是黃梅調，再一陣是武俠片，現在又是性的文藝片了呢？這也是為了求變。為甚麼早一陣鏡頭呆呆的，再一〔陣〕鏡頭就十分靈活，現在又多了甚麼「鬆」，甚麼推拉搖升降淡溶等等的技巧呢？這也是為了求變。電影既是聲與光的藝術，在聲光方面的變化是最能吸引導演的。電影可以變內容，也可變形式。我們知道，世界各地都缺乏好劇本，電影的內容幾乎都已經寫盡。古代的現代的，地球的太空的，本國的外國的，悲的喜的，男的女的老的少的，內在的外在的，正常的變態的，甚麼都上過銀幕上了，目前，題材上的新已經到了有點山窮水盡〔的地步〕，所以，世界上一有甚麼新事件，電影就捷足先登地搶過來說，因此〔，〕嬉皮士三藩市也已經很古老很古老了。因為題材上再變不出甚麼來，大

家只好拿那些很舊的題材，用新的形式來表現。

最初的時候，穴居山洞的原始人想畫牛，他們想盡了方法表現，當他們探索到了方法，就用那種方法畫牛，還畫人，還畫風景和生活。後來，人們懂得畫牛和風景和人生，他們又再去探索別的表現的方〔法〕。電影也是一樣，起初電影不過想「拍照」，現在，電影已經會拍照了，它就想用新的方法來表現了。

最近上映的好幾部電影，以連環圖，[1] 它們都是在高的潮流中打滾的電影。電影能夠彼此影響，因此，我們不能在任何一部電影中找到「全新」的面貌，它們都受別的電影的影響。不連環圖的電影也一樣，它們從別的電影中得到很多，也會影響其他的電影，也許過了好多年之後，我們就會發現，目前這些不連環圖的電影，實在是電影史上一座重要的橋樑。

電影所以成了不連環圖，還是觀眾形成的，許多人不是老在批評：這種電影太婆婆媽媽了麼？

米蘭（一九六八年十月三日）

1　此句不完整，原文如此。

羅渣華丁之於法國電影

法國的導演可以分成好多類，有的是老兵，像雷諾亞，布列遜。有的是新兵，像丹美，娃妲等。在一群比較新銳的導演中，又可以分為好多類，或者，就有人把它們納入甚麼派。像查布洛，高達，杜魯福，里維特，這幾個人是影評人派。阿倫雷奈，麥克，娃妲則是記者派。尚洛殊是死硬現實派等，不過，一般上，因為法國早幾年的《電影筆記》形成了一個新潮，大家就把凡是和電影有關的工作人員當作新潮辦，而且，很多人也自以新潮標榜，一下子，整個法國好像都是新潮電影的天下。事實上，有許多人並沒有投入新潮的漩渦中，有些導演是自顧，各走各的。譬如說，路易馬盧（《瑪莉亞萬歲》的導演），他就一直不和新潮混在一堆，然後，就是羅渣華丁，他也不追隨新潮做啦啦隊，事實上，馬盧和華丁這些人根本也無須拍新潮電影，要知道，法國所以會有電影上的新潮，還是馬盧、華丁他們這些老前輩鋪好了道路。因此，先要明白的是，羅渣華丁不是新潮導演。

在法國的電影史上，羅渣華丁倒是有點地位的，原因並不是他的導演手法好，電影作品精，而是他的《上帝創造女人》賺了大錢，替年青的電影工作者敲開了投入電影事業的大門。在羅渣華丁自己來說，他努力要做的就是拍商業電影，「不是立志拍大片，乃是立志賺大錢」，這也是為甚麼他決不會走新潮同一路線的原因。《廣島之戀》，《四百擊》決不能賣很多錢，這是羅渣華丁深知的，所以，他走的路和「獨行俠」，「鐵金剛」沒有多大分別，只是，

他有才幹，他的電影雖非傑作，卻往往是好商品，碰上羅倫〔蒂〕斯這個也愛賺大錢的人，倒是志同道合了。

羅渣華丁的電影的特色是表面的燦爛，他的電影幾乎和彩色及闊銀幕分不開，不過，他對彩色的運用及背景的選配的確叫人十分佩服。羅渣華丁喜歡美麗的東西，所以他從不去描寫醜陋的事物，即使有，也不深刻，他不理會政法問題，社會問題，他最喜歡的就是「時髦」。他的電影主題也極有限，大概不外是兩個：女性美和性。羅渣華丁對任何問題都不深入追究，只靠明星表演，然後用他的美術設計粉飾粉飾，就把銀幕給填滿了。

關於這個人，可以告訴大家的是：一九二八年一月廿六日誕生於巴黎。羅渣華丁是真名，姓名是布連米亞尼可夫。做過舞台演員，後來做記者，再後來入電影片場做學徒。對於羅渣華丁，如果大家看得起他的話，可以把他當作披頭四，如果不怎麼瞧得起他，就把他當作彼埃卡甸好了，他們都是給我們「漂〔亮〕」和「時髦」的人。

米蘭（一九六八年十月四日）

法國式的湯鍾士

別以為在法國，新潮電影最賣座。事實上，除了一兩部著名的《四百擊》，《廣島之戀》之外，新潮電影也是很少觀眾的。像杜魯福的《殺死鋼琴師》，賣座奇慘，即是一個例子。法國觀眾也和世界各地的觀眾一樣，喜歡《巴巴麗娜》這一類電影，最近，在法國最賣座的電影是一部像英國的《風流劍俠走天涯》同類的電影，名字有兩個，一個叫《賓折敏》，或稱《一個處女的回憶》。

法國有一項杜勒獎，相當於法國文學上的岡果爾獎，《賓折敏》以九票比四票之數當選，一般的報章和影評人都普〔遍〕報以好評。《賓折敏》是一部喜劇，寫的是十八世紀的故事，坐在銀幕前的觀眾對於該片的佈景，服裝，鏡頭的流暢，演員如嘉芙蓮丹妮芙，彼埃克里明帝的演技都會覺賞心悅目，但是，在銀幕背後，則有三個人值得我們注意。

《賓折敏》的導演是米修狄維爾，編劇是妮娜康斑尼斯，這一對導演和編劇一共合作過九部電影，被稱為「法國電影界的安德烈馬勞」。安德列馬勞是法國的文化部長，他的職責之一乃是負責把巴黎的建築物粉刷一新，而狄維爾和妮娜，則剛好最有本領粉刷演員。像瑪麗娜維拉地這位女演員，以冷若冰霜，艷如桃李的典型見稱，但〔在〕《甜蜜的謊言》中卻一變作風，成為一個熱情洋溢的女郎。狄維爾和妮娜還拯救過梅琳狄夢嬌，免得她老是演毫沒頭腦的女孩。他們常常把演員改變類型，就像馬勞粉刷市容一般。妮娜的父親尚康班尼斯也是一位編劇，曾經編過

一百部以上的電影劇本，妮娜因為跟隨父親，所以也走了這一行，她在一九六一年已經開始編劇，狄維爾所導的電影，都是她編的。通常，妮娜編劇，狄維爾導演，然後妮娜再作剪接，當他們一起在剪接室工作時，就籌備下一部電影的題材。在《賓折敏》中，妮娜自己也演一個角色，雖然是演活動佈景板，但她和希治閣一樣，喜歡在銀幕上出現一下。

這部片的製片人也不是寂寂無名的，她是一位女製片家，可稱得上是電影界中極有成就的一位，她〔憑〕《雪堡雨傘》一炮成名，該片曾獲康城大獎及四項奧斯卡提名。她接着製的片是：華妲的《動物》和《幸福》，布列遜的《驢子》，丹美的《柳媚花嬌》，高達的《我略知她一二》和《中華女兒》及阿倫雷奈的《我愛你，我愛你》。單看這一批電影和導演，就知道這位女製片人梅寶達沒有製過一部低乘的電影，而且，她對法國電影實在是一位功臣。

米蘭（一九六八年十月五日）

高達和美國

　　法國的高達，現在是著名的導演了。大家一提起名導演，總是數來數去就好像只有安東尼奧尼和高達似的，而且，很多人又以為法國的高達，比美國荷里活的導演要高許多〔層〕次。其實，很多時，許多人過分估計高達，他好像變做了導演明星了。世界上有很多導演都是在那裏沉默地工作，然後，拿作品出來給人看，偏是甚麼費里尼和高達，記者們對他們特別感興趣，到處登他們的相片不去說，今天報道他們拍電影不用劇本，明天又刊登他們同時開兩部戲的消息，因此，高達就變了個明星了，這，就有點像沙特，也是像明星一般大紅特紅。

　　要是沒有荷里活，今日大概會沒有高達，事實上，高達並非天生的導演，也不是他創造了電影，在開始的時候，那該是十四、五年前的事，高達的電影都在向荷里活的電影中找靈感，他一直努力研究侯活鶴斯，唐施高，山美富勒及朗格的電影，然後，在自己的電影中模仿他們，引用他們的作品，侯活鶴斯這些導演實際上是高達的老師們，今日，當然，其中不少導演都已成了高達的朋友。

　　除了看美國電影外，高達還讀很多的美國小說，研究美國文化。在他早期的作品中，像香港市面上公映的《慾海驚魂》，這類暴力題材，就是脫胎自荷里活警匪片的。起初，高達崇敬美國，漸漸他才慢慢脫離這份美學上的仰慕而遠離美國。在高達的十五部劇情片中，《慾海驚魂》取靈感自警匪片，稍後的《女人是女人》，則是一部歌舞喜劇，打算模仿施瑞麗式的歌舞片，這兩部片是最典型的荷里活

式的翻版。到了一九六四年，高達開始轉變，他在《已婚婦人》中攻擊美國廣告事業，又在《阿爾伐城》一片中評擊美國之不人道及電腦化，到《狂人彼亞洛》時，高達正面反對美國干涉越戰，並且聲言，只要美國參與越戰沒有終結，他將繼續在電影中攻擊。果然，在《男性女性》，《我略知她一二》，《美國製造》及《遠離越南》中，高達都沒有食言。到《中華女兒》一片，高達竟描寫親共份子。

正是在這個時候，高達受到美國的里角潘碧克（發行《中華女兒》的公司）的邀請，在今年春天到美國一行。高達帶了《中華女兒》一片，遊訪了美國二十間大學。他不但免費不停放映該片，還和群眾討論電影，開研討會，聽取意見和觀感。因為高達到美國去了，所以，很多人都湊熱鬧去看《中華女兒》，觀眾中包括了各式各樣的人，有大學生，地下電影工作者，嬉皮士，葉皮士，影評人，電影從業員等等。《中華女兒》並不是描寫中國人，而是以幾名法國革命小將為題材，這幾個人活像搞文化革命的紅衛兵一樣。

米蘭（一九六八年十月六日）

大野洋子的《電影第四號》

　　大野洋子因為拍了一部《電影第四號》，又和狂人之一
在鬧戀愛，所以，只要一提起她的名字，幾乎是無人不知
了。很多人都知道，大野洋子的《電影第四號》是一部從
頭到尾銀幕上全是一批「八月十五」的短片，為甚麼她會
拍一部這樣的電影，該片又是不是黃色的呢？

　　現在要從艾略特保羅這個人說起。艾略特保羅是一位
幽默小說家，他寫了一部《窄巷》，故事是說有一位馬拉各
先生，寄了一張名貴的相片去給一位畫商，這位畫商一直
在說服他買一張署名華杜所繪的油畫。本來，寄一張相片
是不會惹出是非來的，可是這位馬拉各先生的相片，並不
是他本人的臉，而是他的又肥又大的屁股，並且是光禿禿
的一絲不掛。於是畫商認為馬拉各一定是表示那張華杜的
畫是偽造的畫，所以才寄張屁股相片來，竟因此控告馬拉
各毀謗名畫。馬拉各在證人台上作供時，則為自己辯護，
他說，一個人的屁股的相片，是和一個〔人〕的臉孔的相
片一樣珍貴的，因此，把這種相片寄給親朋，實在不算侮
辱。而且，這種相片比拍張臉孔的相片還要忠誠和恆久，
因為一個人的臉，暴露在空氣中，受到外界的侵蝕，漸漸
會改變，而一個人的屁股，則通常是不大會變的。

　　大野洋子從艾略特保羅的小說中取得了靈感，便開始
拍她的《電影第四號》。這部片一共有十五分鐘，數起來共
有三百六十個不同的屁股（全部是背後）。大野洋子在倫敦
報紙上徵求「屁股」，於是有很多人來應徵。這些演員要
做的只是脫光了褲子背着攝影機站一會兒就行，如果願意

表示意見的話，譬如說，屁股的相片是不是比臉孔的還珍貴之類等等，大野洋子會當場錄音，有的人則不肯說話。這些評論和意見在片拍好後才配音，而且是自由配合，所以，銀幕上放映某人的屁股時，聲帶上的聲音和評論不一定是他本人的。前往應徵拍《電影第四號》的都是倫敦當地的人，有男有女。大野洋子說，這是一部用屁股來簽署的抗議書。

本來，大野洋子想拍世界上各式各樣的微笑的臉，好讓那些操生殺大權的統治者，發動戰爭的屠手能夠看看，這些臉是不應該被毀滅的。現在大野洋子改用屁股來反戰，她認為用屁股更幽默，而且給人的印象更深刻。

《電影第四號》是去年八月八日下午十一時三十分在倫敦謝西戲院作全世界首映禮，入場券並不便宜，是每券三十先令，款項捐入現代藝術學院。該片的製片人由安東尼覺士和大洋野子分別擔任。《電影第四號》並無任何黃色鏡頭，只不過全是各式各樣的屁股吧了。

米蘭（一九六八年十月七日）

好電影在等待觀眾

近日，本港的院線有了一些轉變。因為院線多，所以影片的來源有點供不應求。本來，本港的戲院放映的電影多半是八大影片公司的天下，很少歐陸片有機會獲〔得〕影院的排期，可是，由於近來院線的增多和改變，獨立製片及一些歐陸片就有機會抬頭了。像《星期日與西貝兒》這些電影，就是一個例子。

雖然，在將來，香港將有不少比較「冷門」的電影上映，可是，情形實在並不樂觀。最大的原因不是由於沒有好影片，而是沒有觀眾。這裏的觀眾對於老套的電影不屑一顧，但對於手法新一點的電影又認為不能接受，譬如說絕不新潮的手法的電影如維斯康堤的《洛可兄弟》，大家認為不夠刺激，又認為節奏慢（黑澤明的電影也屬這一類），因此，院商就不敢再發行這些電影。據說，維斯康堤的《淡淡的熊星座》很早就到了香港，那是部威尼斯影展得獎的影片，直到現在，還沒有機會放映，而同年也參加該影展的《赤鬍子》，也是最近才獲上演的。我們拿《洛可兄弟》來看也可以看得出，這部片還是院商在試試看的情況下才排在早場放映的。

嚴肅的，慢調子的電影觀眾不喜歡，活潑的，節奏鮮明的又如何呢？也不行，早一期的電影，不管是《新潮小姐》，不管是《偷情聖手》，《慾海紅蓮》，都是認真製作的好電影，可是，這裏的觀眾又不欣賞。院商是要看觀眾的臉色的，觀眾不喜歡的電影，哪一個院商肯發行呢？目前，香港並不是沒有好電影，而是，這些電影有觀眾嗎？

《八部半》還在冰庫中，沒有一個人敢把它拿出來。早一陣，要不是《愛的世界》意外地賣座（那其實是一部並不出色的電影），我們是絕不會看到《星期日與西貝兒》及《意馬心猿》的上演。但是，《意馬心猿》並沒有賣座，證明了院商不會再冒險了，以後，好的電影出路更困難重重了。

外國這一陣正在放映的《二〇〇一，太空歷程》是一部出色的科學幻想片，但是，我們這裏放映過史丹利寇比力以前同類的《密碼一一四》，大家認為是不知所云，於是，院商們就在躊躇了。還有，一部很好的電影也在來〔，〕是三個片段合成的一部電影，由費里尼，路易馬盧及羅渣華丁分別導演，院商也在頭痛，但也許因為有一個羅渣華丁，這部片會比較好運氣。

問題是，電影在找觀眾。觀眾甚麼時候才可以和電影一般，是會進步的呢，很多電影都已經很出色了，只有觀眾還像蝸牛一般，還用很陳舊的欣賞法看已經蛻變了的電影。在這個世界上，我們如今要等待的不是「果多」，而是觀眾。

米蘭（一九六八年十月九日）

十月的電影節

　　世界各地每年舉行的電影節，很多，一共幾十個，最著名的當然是威尼斯，康城和西柏林，但是，除了這三個大影展之外，各式各樣的影展仍在世界各個角落不斷舉行，而且也非常熱鬧。

　　每年的十月，就有好幾個影展舉行了，比較為人熟知的，就是三藩市電影節。美國每年一度有影藝學院頒發奧斯卡金像獎，但這並非是一個電影節，因為通常一個電影節是有一段長時間的。或是一週，或有兩週，而且電影節總有影片參加展出，在節內評選。影藝學院只頒獎，並不展出，所以不是影展。美國的影展比較有規模的一共有三，一個是九月的紐約影展（和十一月的倫敦影展是兄弟影展），一個是十月的三藩市影展，還有一個則是十一月的芝加哥影展。

　　三藩市影展現在是由三藩市贊助舉行，主持人為阿爾拔莊臣。參加三藩市展出的影片是不競賽的，不過大會設有兩項獎，獎給優勝者，一項是獎給「電影作為傳達」，另一項是「電影作為藝術」。通常，約有二十部劇情片及二十部短片被選在影展中展出。除了放映這些電影外，大會籌備了一連串的節目，如專紀念某位導演而放映他的作品的「導演節目」〔，〕並且也有專紀念某一位演員而選映他的作品（一九六六年放映的佛烈雅士提的電影），此外大會設有電視影片競賽。

　　西德的曼恩海姆也在每年十月舉行一次電影節。這個電影節展出的多半是短片，劇情片長度的紀錄，卡通，及

專拍卡通和紀錄片出身的導演所拍的第一部劇情片。這些電影競賽的，但主題和形式上都必須展示和「我們時代中的人」的題旨有關的最新發展。獎品中的一項是一萬馬克的現金獎，只獎給是「第一次製的劇情片」的作品。荷西夫瑪史登堡曾於一九六六年訪遊該影展，從該年起曼恩海姆曾設一項史登堡獎，獎給該年最佳的「藝術電影」。另一項西蒙杜比利亞獎則獎給在該年內曾在其他影展中獲勝的短片中最佳的一部。今年的曼恩海姆電影〔節〕是第十七屆，這個影展的獎品以錢為主，除了現金獎外，還有「金幣」獎。

意大利的米蘭每年舉行兩次影展，一次是四月，一次是十月。這個影片專為製片人，租片人，發行人而設，好讓這些人去做生意。展出的影片包括劇情片，紀錄片及電視片，米蘭影展也領獎，其中有的是「五洲之杯」及「電視之珠」。前者獎給最佳娛樂劇情片，後者獎給最佳電視短片或電視片集。十月的米蘭影展是一九六〇年才創立，以前米蘭只有四月〔的〕一個影展，世界上目前最古老的電影買賣市場，共有四十六年歷史。（取材自 IFG）

米蘭（一九六八年十月十日）

成人連環圖與成人卡通片

　　《巴巴麗娜》是一部由成人連環圖改編搬上銀幕的成人卡通片。但這並非成人連環圖搬上銀幕的第一次，早一陣上演過的《萬能俠》，也是由成人連環圖改編的。

　　在很古老的時候，人類雖然在山洞中繪畫，但是，對於動作的表現，很難把握，所以，最初的畫都是單幅的。稍後，人類懂得用連續的畫把動作表現出來，這就是連環圖的起源。一些希臘的壁畫，埃及墳墓裝飾畫等等，都有連環圖的痕跡。到了一位叫喬多的畫家時，他的畫中的人物，似乎有想說話的樣子。在一三七〇年，有一幅木刻，出現了一個「對白氣球」，這就是圖畫開始說話了。但連環圖的書本卻要到一八四六年才正式面世，一個叫做魯道夫杜弗的人畫了一些圖畫故事，立刻受到群眾的歡迎，連哥德也很讚賞。連環圖面世了數十年，在一八九〇年，電影攝影機降生，就把連環圖的地位取代了。因為當時的影片還是黑白的，所以連環圖作者就畫彩色連環圖，或者創造新的人物，發掘出眾的題材來取勝。

　　電影本來就是連環圖的表兄弟，這些年來，雖然電影已經進展神速，可是連環圖也一樣擁有大批的觀眾，尤其是法國，有三部成人連環圖，是極為暢銷的。一般的連環圖，其讀者對象為小孩子，但是法國時下流下的《巴巴麗娜》，《萬能俠》及《朱狄兒》卻是成人的連環圖。因為這些連環圖描寫的都離不了色和性。《萬能俠》是寫一男一女，以盜劫為生，但生活豪華寫意。《巴巴麗娜》描寫太空英雌，奇裝異服，到處歷險。《朱狄兒》也是一個女郎，說

的卻是古羅馬紀元十四年的故事，有時候，朱狄兒又回到現代世界來。不管古代還是現在，她總是穿很少衣服的。改編成電影的《巴巴麗娜》是講公元四萬年以後的事，羅渣華丁自稱這是一部未來派《愛麗絲夢遊仙境》或《神奇媒姆》式的電影，而不是一部真正以科學為主的電影。一般的科學幻想片，常常以特殊的效果減低了劇中人的重要〔性〕（如將來的《二〇〇一，太空歷程》），但羅渣華丁要誇張的卻是那些人物，一些太空景象不過是背景陪襯吧了。

　　《巴巴麗娜》這部電影要我們注意的倒不是羅渣華丁和珍芳達，而是幕後的幾個工作人員。攝影師是克勞代雷諾（並不是導演雷諾亞，但也一樣著名）。一些佈景是由馬利奧加白里亞設計，實景搭在龐蒂那片場，包括一個五百呎乘五十呎的冰湖。至於太空服裝則由積方特雷設計。這個電影其實是一部卡通片，只是，和路迪士尼的卡通是手繪的，給小孩子看的，而這部《巴巴麗娜》是人演的，給成人看的。

米蘭（一九六八年十月十一日）

高達在洛杉磯（一）

　　高達去美國，他第一站到了洛杉磯。以前，高達也曾到過美國，但他只去過紐約。他從沒到日落大道上散過步，從不曾如此接近那些片場，那些他曾經那麼敬仰的導演，像侯活鶴斯，尊福，唐施高，岳圖柏林明加他們，在那裏拍過不少電影的片場。高達也沒見到燦爛的加里福尼亞的天然景色，但是，當他抵達加州時，他說他覺得有點沮喪。

　　在加州，高達先到洛杉磯的南加州大學，在那裏展映《中華女兒》並且開招待會及討論會。大家他和討論美學上的問題，其中發問和討論的多半是電影學生和電影工作者。高達在電影上的進展，在美國受到很多人的讚賞和支持，並非在他的政治立場明顯起來之後，而是遠在《遠離越南》等片以前，高達電影的即興手法，沒有確定的劇本，流暢的交接，世界新聞事件的穿插，或廣告字眼的運用，都是地下電影最欣賞的。對於洛杉磯的學生來說，高達這種手法完全是要衝破荷里活式的堅持要緊密的劇情及過度的技巧化，他們認為高達所說的「我覺得 —— 電影和生活並無異樣」是至理名言。洛杉磯的《自由報道》報紙上，有一位地下記者真楊布勒著文稱讚高達時說：當我說，在我的立場，及在不斷增多的嚴肅的青年人的立場上來看，高達和沙特，海斯和杜斯脫也夫斯基一樣重要時，我是絕對嚴肅的。

　　在小組討論上談及荷里活時，高達和京維多，羅渣高曼，彼得保登諾維奇及山美富勒坐在一起。開始時，高達

以自己和在座的導演相比，他說，我不想激怒各位，但看來，你們每個人，各為了各的原因，也和我一般，不是荷里活的導演。稍後，高達指商業化的導演為「奴隸」，他忽然轉向京維多說：維多先生，我簡直為你的所作所為感到慚愧，正如我為荷西璜史登堡或法列茲朗格感到羞恥一般。高達這麼一說，除了富勒一個人外，雙方都因此十分乏味起來。於是，美國導演開始自己談起製片問題，高達則被遺落在一旁瞪着天花板。

高達在抵達美國時受到《新聞週刊》雷蒙蘇高洛夫的訪問，他劈頭一句就指美國電影要不得。他說，每一部電影都是製造它的社會的成果，這就是何以美國電影如今是那麼差的緣故。這些電影反映出一個不健康的社會。高達一談起荷里活和美國電影，很多人立刻追問他對《雌雄大盜》的看法，又有人問他何以不在美國拍片，還有人問他最喜歡那些美國導演，這些問題都令高達有點生氣，因為，他到美國來，並不是來談這些的。

米蘭（一九六八年十月十二日）

高達在洛杉磯（二）

　　高達認為《雌雄大盜》是一部傳統的電影，而且是一部「死」電影，因為它乃是依照一般常見的電影的結構構成。當阿瑟佩恩拍《左手神槍》時，他很有創造力，而且拍得很新，正如柏林明加在《羅拉》及阿德烈治在《攻擊》中，但阿德烈治現在拍的卻是些《十二金剛》〔，〕而且真的是十分糟。高達說，我〔覺得〕，一個像阿瑟佩恩這樣的人，一個很有智力很好的一個人，竟會不警覺自己在做甚麼。當他以為他正在創造甚麼，當他以為他在發掘到些甚麼新事物時，卻原來一點也不新。因為他在荷里活這個地方工作，而荷里活，荷里活是沒有生命的。

　　大家所以要拿《雌雄大盜》來問高達，一則因為最初的時候，高達本來有意思考慮要拍這部電影，其次，《雌雄大盜》在法國也大受歡迎。可是，高達認為《雌雄大盜》是部死電影，使美國人着實十分難過，當美國群眾及影評人因為《雌雄大盜》一片而對本國電影企業重建信心的當兒，高達竟當頭潑了一盆冷水，又把他們的信心動搖了。

　　但群眾的失望還不止此。當大家問他最喜歡的美國導演時，高達提到的只有古典的麥森納，格里非斯及卓別靈，至於現在仍活着的電影製作者，高達說只喜歡一個謝利路易。群眾一聽到謝利路易的名字都不禁嘩然，有的還笑起來。（其實，高達他們真的認為謝利路易有天才，只要看過《電影筆記》就知道，高達並非在那裏開玩笑，這也證明了美國群眾對法國電影界的無知。）

　　高達絕不妥協地拒絕和荷里活簽合約，並且把一間荷

里活影片公司要求他導演的一部西部片劇本扔掉，他對這一方面很堅決。要我為荷里活拍片，我決不幹，不管他們會付我多少錢。高達說。

其實，高達並不想和大家討論美學，他想談論政治。他到美國的目的，乃是讓美國人看《中華女兒》，然後，想知道他們的反應，知道美國人的看法。於是，高達離開了南加州大學，轉移陣地到布克來的加大去。因為那裏最多政治份子。高達在布克來的加大停留了四天，他的《中華女兒》在四天內每日放映三場，場內充滿了來賓，觀眾是免費的。大家對於電影都感到有點驚訝，因為高達的手法總是很新穎的，而且，也有許多人並沒有看過高達的電影。不過，這一次，和高達討論政治的人甚多。但胡亂發問的卻也不少，本來，高達一共要訪二十間大學，結果，去了六間，就回國了，他大概覺得並無得益〔，〕也沒甚麼好再討論，尤其是在德薩斯，因為放映機失靈，損壞了《中華女兒》的影片，而一群牛仔學生卻紛紛搶了碎影片回去作紀念。（取材自 SS）

米蘭（一九六八年十月十三日）

波蘭斯基說康城

波蘭斯基的《露絲瑪莉之嬰兒》已經在外國上演了。在美國，他曾經對康城影展發表了一些意見。這位波籍的導演（這裏放映過他的《天師捉妖》，由他自編自導自演）表示他本來是本屆康城電影節的評選人之一，可是他臨時退出了。波蘭斯基的退出，據他自己說，是支持學生的革命運動，並非表示反對康城影展本身，而且，波蘭斯基特別要聲明，他的臨時退出和高達，杜魯福，利勞殊他們的出發點完全不同。

在法國的時候，波蘭斯基目擊革命的暴發，他說，我覺得那麼寫意地坐在卡爾登酒店吃吃喝喝究竟不像樣，報紙上整版是一片混亂的革命消息。波蘭斯基本人認為學生們的行動是對的，所以他決心加以支持，也因為這樣，他才毅然退出康城評選人之職務。但杜魯福，利勞殊和高達則不同，波蘭斯基說他們居然像小孩子一般，搞起革命來，至於他自己，我早已過了這種如小孩子般投入的時期了，而且，在我所居住的國家（波蘭）對於這種事是十分嚴肅的。於是波蘭斯基只支持，並沒有參加，而高達他們則在喊：我們要影展關門大吉。波蘭斯基認為，要是沒有康城電影節，你們這些杜魯福，利勞殊〔，〕現在會怎樣？至於高達，他當然最不耐煩，因為康城從來就沒有邀請他拿部片去展出。當時，在影展上，波蘭斯基想表明他的立場，但每當他準備說話時，高達就搶先說話，截斷了他。高達不斷說，影展是為大家的，應該是民主的，藝術的，因此，不准明星或生意人來參加。波蘭斯基則認為，要是

把明星全趕跑，大家來看甚麼呢？影展當局還有甚麼好給群眾看呢。大家不過是來看看大明星，沒有人高興來看那些悶死人的街頭採訪這類的鏡頭（高達最愛用的），就是今日的所謂新潮手法。至於生意人，法國最需要他們不過了，法國的經濟情況並不樂觀，如果不是靠外國的商人來買了影片到海外去發行，誰知道世界上會有個杜魯福或高達或利勞殊。最最荒謬的是，杜魯福現在可是一個製片了，利勞殊則已經當上了百萬富翁，這些人居然〔稱〕影展上都是晚禮服及星光褶褶是大錯特錯的事。總〔之〕，波蘭斯基認為法國這些導演簡直是乳臭未乾，還像小孩子一般吵吵鬧鬧。當然，杜魯福他們之反康城是有他們的理由的，〔乃〕是提倡藝術，全面公開。

由明年起，消息傳來，康城影展將有改變。該影展主持人布列最近在紐約對美國記者稱，康城影展明年將取消評選團制度，而以投票代替。凡是赴會代表，看過電影，都可以投票，但問題是，這方法有點不完善。事實上，投票取決何須開影展，電影院的票房紀錄不是觀眾最神聖的一票麼〔？〕（取材自 FF）

米蘭（一九六八年十月十四日）

233

古典電影名作

世界上每年有各式各樣的刊物或影評人投選十大影片，但是在電影史裏邊，哪些電影才是真正的不朽傑作呢？許多電影刊物都選過十大，其中，最著名的一次是在比利時布魯塞爾國際展覽會上，有一百一十七名電影史家，選出了十二部古典的不朽作品。現在依次序介紹如下：

一、《波特金號戰艦》。得一百票。這部片是俄國出品，年代為一九二五，導演是愛森斯坦。

二、《淘金記》。得八十五票。美國出品，一九二五年，差利卓別靈導演。

三、《單車竊賊》。得八十五票。意大利出品，一九四九年。第昔加導演。

四、《聖女貞德》。得七十八票。法國出品，一九二八年。杜萊葉導演。

五、《幻滅》。得七十二票。法國出品，一九三七年。雷諾亞導演。

六、《貪婪》。得七十一票。美國出品，一九二四年。史德路海恩導演。

七、《忍無可忍》。得六十一票。美國出品，一九一六。葛里非斯導演。

八、《母親》。得五十四票。俄國出品，一九二六年。普杜夫金導演。

九、《大國民》。得五十票。美國出品，一九四一年。奧遜威爾斯導演。

十、《大地》。得四十七票。俄國出品，一九三〇年。

杜夫茲漢可導演。

十一、《最後的笑》。得四十五票。德國出品，一九二四年。謬諾導演。

十二、《卡里加里博士之密室》。得四十三票。德國出品，一九二○年。維內導演。

依上述的十二部電影的年份來看，所選的電影都是一九五○年以前的，因為即使布魯塞爾也是十多廿年前的事了，所以，當時的一些電影史家還沒看過新潮的作品，也不知道有安東尼奧尼及溝口健二等人。而且這只代表了電影史家 historians 的意見，並非影評人的取決。當時，在選出了十二部電影後，大會還選了一個七位電影製作人組成的一個評選團，在十二部片中選出六部來，作為永恆價值而不朽的古典名作，結果，所選的六部以字母為序是：《單車竊賊》，《淘金記》，《幻滅》，《母親》，《聖女貞德》，《波特金號戰艦》。現在，這一個名單當然會有點出入，不過，無論如何，遇到這些影片時，誰也不該錯過了。（取材自 FF）

米蘭（一九六八年十月十六日）

看電影中的三種「運動」

　　看電影，除了看看彩色，看看故事，看看明星，還有甚麼可以看呢？有，可以看導演，但導演在哪裏，導演不是在銀幕的背後的麼。即使是希治閣，胖胖的他也不過一聲不響在銀幕一站就不見了。讓我們到電影院中去找導演吧，導演雖然不在，但他的靈魂在那裏。

　　我們可以看一部電影中的「運動」。這些就是導演活在其中的。看一部電影的時候，我們會看到三種「運動」。最明顯的就是物體在動。電影裏的人在走來走去，車子駛來駛去，船開過來，飛機飛去，一盞燈的搖擺，一扇門的關上，風扇在轉，電視映着人在說話，一個球在地上滾。這些都是運動。這些物體怎麼動，向前向後，轉彎還是團團轉，都是導演的意思。快樂的人從樓上奔上來，辛苦的人爬上山，在巨浪中掙扎的船向西行，都是導演的主意，這些物體運動得好不好，成功或失敗都屬於導演。《窗》裏的蕭芳芳對自己的影子轉一個圈，《紫色風雨夜》裏南紅和蕭芳芳在一間房中走過來走過去，這些都是運動。在電影裏邊，拍一幅結構精絕的畫面不難，難的就是如何適當地把握物體的「運動」。

　　第二種運動是觀眾常常不發覺的，那就是影機的運動。畫面中的屋子並沒有動，但我們怎麼會從街頭進入街尾的呢？紐約的高樓大廈也沒有動，但我們竟會從這些大廈的天台上浮過，一直來到城西的運動場（《夢斷城西》的開始）。這些，就是影機的運動。電影在開始的時候，影機是不動的，它們被困在一個固定的位置，在三腳架上（像

畫家們寫生一般），於是，演員走到影機前面來，那時候的電影，只有一種運動。早期的電影都這樣，為了要動，有一群人才發明了蒙太奇。蒙太奇並沒有使影機動，使影機動的乃是場面調度。

第三類的運動是影機和物體一起動。一個人在街上走，影機也跟着橫的拍，一群牛奔跑，影機也在鐵軌上滑行。當然，很多時，影機不一定要和物體一起動的，依據負負得正的數理，動動也可以成為不動，因此，要是影機和飛機平行動〔的〕速率一致，飛機也就等於沒有在進行了。

運動在電影中是一項大學問。電影本來是活動的影畫。怎麼動呢？就是導演的會考。我們可以特別找一個時間，才進電影院去，最好是找一部已經看過了電影，糟得一塌糊塗的也無所謂，就是坐在那裏，甚麼都不看，光是看「運動」。看物體的運動，影機的運動，然後是影機和物體一起動，看它們配合得好不好，又再想想為甚麼要這樣，或者，可不可以不這樣。這樣去看電影，是很有趣的，而且一定會覺得有點像和電影在捉迷藏哩。

米蘭（一九六八年十月十七日）

電影與時裝的趨勢

時裝正在復古，原因之一是：電影也正在復古。電影本來只是反映現實，譬如說，人們在某一個時代〔穿〕甚麼衣服，電影便叫演員們作那個時代的打扮。但近來，時裝界出現了一個奇異的現象，一切的時裝竟然跟着電影跑。

電影對群眾的影響是極大的，尤其在服飾髮型上。早些年，柯德莉夏萍的一頭短髮瘋魔了所有的女孩子。還有由於碧姬芭鐸，整個巴黎忽然都變了小肥裙，長頭髮，泡泡短袖的天下。現在呢，電影依然走在時裝的前面，《巴巴麗娜》這種未來服裝當然先進，可是像一些《亂世佳人》這樣的古往的服裝竟也在領導時裝。近來的電影，最掀起時裝潮流的大概要數《雌雄大盜》，一頂邦妮的帽子流行了去年整整的一個冬天。瑪利鄘也因此又賺了大錢。

電影的時代意味大概可以〔分〕為古代和現代（未來的和現代的，在時裝上相差不遠），所以，時裝也走了兩個極端，一類時裝是復古的，復古的服裝都是花邊縐褶，這些都從電影中重新取得靈感。《英雄肝膽美人恩》，《金石緣》，《星光燦爛樂昇平》這些歌舞片最能推動時裝的潮流，所以，一下子，直裙子，豬腸髮型，花邊的領和袖這類的時裝就流行了。

另一方面，時裝劇的服裝則在替設計家作宣傳，像《偷情聖手》中嘉露惠的服裝，全是琶琶的英國新裝，而《諜海間諜戰》則除了米亞花露外，連男主角羅蘭士夏飛的全部服裝竟都是皮埃加甸的設計。不過，時裝劇這一陣的設計並不夠古裝劇的影響力大，今年的時裝潮流，連男孩子

的尼克魯式衣領襯衫在內，都受了兩部電影的影響。一部是齊法里尼的《羅米歐與朱麗葉》，另一部則是東尼李察遜的《輕騎兵的突擊》。這兩部電影的時代都很古了，但那些服裝則最趨時。

《羅米歐與朱麗葉》中的很古典很貴族氣派的服裝，正配上了復古的主流，因此，女孩子的衣服就是天鵝絨，花邊，小小的胸針〔，〕小小的指環的天下。以往那〔些〕迷你裙，弧形的低腰腰帶，緊窄的條子毛線衣，光合圖案的，斑馬圖案的衣服，全部落伍了。但潮流中最受影響的卻是《輕騎兵的突擊》中的騎兵軍服。這種軍服有一件短短的背心，背心上繡上了花紋。當時的輕騎隊是一四五八年成立的，匈牙利是組織了他們去對抗土耳其。黎斯特把克里米亞戰爭中的這一段搬上了銀幕，該場戰役不過二十分鐘，死了二百四十七人及四百九十七匹馬，在歷史上甚為著名。距今六個世紀之前的一件輕騎兵的小背心，竟成了六八年時裝的重心，可見電影對時裝的影響是多麼厲害了。

米蘭（一九六八年十月十八日）

《卡里加里博士之密室》

電影史上最著名的兩部電影，一部是愛森斯坦的《波特金號戰艦》，另一部則是羅拔維內執導的《卡里加里博士之密室》。奇怪的是，這一部片的導演，名字並不響亮。大家提起《卡里加里》時，總特別提到另外四組人。第一組是製片人艾立克龐馬。在第一次世界大戰後，龐馬在德國電影界已經有了一個很好的基礎，他一直主持着一間艾克拉影片公司，手下有一批導演和演員。所以，有兩位編劇自自然然就跑上門去找他。《卡里加里》的第二組重要人物便是兩個編劇，一個叫梅耶，一個叫漢斯真諾維茲。這兩個人並沒有寫劇本，也沒寫甚麼故事小說，他們只把一些意見全部寫下來，譬如說，電影該怎麼怎麼拍，他們就作提示。當時，梅耶才二十五歲，由於《卡里加里》一片的成功，梅耶正式入了電影界，寫了很多「梅耶式」的劇本，後來，荷里活一些編劇家就以他的劇本作藍圖，成為今日電影劇本的雛型。本來，電影根本沒有一定的編劇形式，但梅耶自己創造了一種，乃是很詳細的把一切細節都寫下來，這樣，正式拍攝時就方便得多了。第三組重要的人物乃是三名美術指導，他們是里曼，羅里希及法爾。這三個人本來就是畫家，就把表現主義的畫風全搬上銀幕去了。他們把背景用舞台劇的方法一般，畫在布上，盡量配合了劇情的需要而加以誇張扭曲，甚至連陰影也畫在畫布上，這樣，只要一點燈光的陪襯，效果奇佳。該片的第四組人物就是演員，當時，德國習慣上選舞台演員投入電影圈（有的電影喜歡用性格演員，不用演技演員）。這些

演員本來就會演戲，現在加上化裝，誇大的演技，演得出色〔，〕使《卡里加里》的形象更為鮮明。至於導演，龐馬本來要請屬下最優秀的朗格執導，但由於朗格片務纏身，抽不出空，所以改由羅拔維內擔任，因為維內早一部的作品和《卡里加里》有不少相同的地方。事實上維內的聲譽及才氣都遠不及朗格。

《卡里加里》的故事本來是描寫一個瘋狂的博士（暗喻暴君），但在正式拍攝時，卻把整個事件當作一個夢，並且在序幕和結尾時聲明，該片是寫一個精神病院長，對一個青年人施行催眠術，令他去幹殺人犯罪的事，結果，青年死了，瘋博士也被拘禁起來。該片一直並不賣錢，也不是表現主義電影中最出色的一部，但它是第一部，而且是它〔奠〕定了德國表現主義電影的基礎，從此，表現主義的電影成為藝術中一項新的媒介。《卡里加里》在電影史中地位之高也因為它乃是這新學派中之第一部。該片曾用人工塗上藍色及琥珀色，字幕用手書斜體字出現。製於一九一九年，片長六卷。

米蘭（一九六八年十月二十日）

電影的標點符號

電影裏邊有很多東西。有的是推拉升降，這些，是電影中的「運動」。有的是淡溶劃割，這些，是電影中的標點符號。

寫文章要用標點符號，拍電影也一樣。一句句子完了，就得用一個句號，拍電影呢，一場鏡頭完了，也可以用一個溶，有時用淡入淡出，在電影裏邊，用得最多的是割。那就像一篇文章裏邊，最多的總是逗點和句號。

有的人寫文章喜歡用很長很長的句子，說不定一句句子有廿多三十個字。拍電影也不例外，有的導演喜歡一鏡長長的，割都不割。他們覺得，標頭符號多，一看上去，眼花花的，而且，只見符號不見字句，他們不喜歡。不愛標頭符號的導演多數喜歡「運動」，不過，觀眾看起來覺得自己像在那裏看走馬燈，怎麼老是看不完。另外一些人寫文章喜歡用很短很短的句子，三個字一句，五個字又一句，有點像填詞。拍電影，也有人愛這麼辦。導演們會用很多的割，鏡頭跳來跳去，誰要是一眨眼，說不定就要漏掉了一個畫面。（所以，看愛森斯坦的《波特金戰艦》時，碰到三隻石獅子的蒙太奇時，簡直就要打醒十二分精神，不然的話，連獅子都會見不到半隻。）

本來，寫文章和拍電影一般，很多人都是正正派派的，但是，世界上也的確有人喜歡不跟別人跑，自己寫自己的，自己拍自己的。愛爾蘭的喬也斯，他寫的《優力息斯》，最末的好幾頁（不是好幾行）一個標點符號也沒有。有一陣，很多人寫散文，從頭到尾都用圓圈圈句號，或

者，有的人不用點和圈，全部空一個字格作停頓。我們讀的古文，也是一串蟹似的字排成一行行，沒有標點符號。現在的電影，有的也學了這些文章一般，標點符號都不見了，或者是，用得很少很少。一些「迷你電影」，甚至一鏡到底，不割不跳，開始時就全亮了，結束時就全黑了，並不高興來一個淡入或淡出，至於甚麼劃過，溶，圈入圈出，更加欠奉。相反來說，《畢業生》這個電影，實在是在那裏展覽標點符號，所以，一篇文〔章〕，即使標點符號用得如何出眾，而句子又是配得多麼美妙，終竟不能成為一篇好文章的理由。

　　這一陣普遍的來說，電影流行的是「短句子」，「短點」用得很多。大家不要奇怪電影怎麼會這樣，且看看一些人寫散文的用句和標點符號，就明白文學也變了許多了。如果說到音樂，它的標頭符號則更不可思議。現在的一些電影大概最像一些「一圈到底」作標點符號的文章，因為，它從不說明哪裏是逗點，哪裏是句點，讀者和觀眾要自己去感應出來。

米蘭（一九六八年十月二十一日）

電影上的表現主義

　　繪畫有野獸派，印象派，立體派等等的風格，電影也不例外。電影有電影的新潮，那是法國的；有新寫實，那是意大利的，還有表現主義，那是德國的。只要一提起德國的電影（早期的德國電影，是非常著名的），大家就自自然然地會想起表現主義來，或者，只要一提表現主義，大家也就記起德國的一些名導演如朗格和謬諾他們。

　　電影上的表現主義是第一次世界大戰後的產物，洋洋地受了整個表現主義運動的影響。當一九一〇年的左右，第一次世界大戰終結，慕尼黑產生了一種藝術上的新運動，這種運動，是全面的，不但表現在繪畫上，同時表現在文學上，戲劇上，建築上，甚至影響到一些城市的設計，室內佈置（正如早一陣，新藝術的復興，連時裝，畫報設計都受了影響一般），它是敵對印象主義和自然主義的一種運動，現在，我們稱之為表現主義。表現主義在繪畫上給人的印象最深，畫家們藉誇張和扭曲的線條及顏色來尋求表現的方法，完全捨棄了自然模仿的畫風。德國著名的「橋派」，和「藍騎士派」，都是表現主義的支流。正在表現主義最蓬勃的時候，電影上也出現了這種新興的面貌。

　　一般的電影多半是反映現實，即使比較幻想一點的題材，用的也是常見的畫面，可是德國這一個時期的電影有一個非常特別的面目，乃是畫面構圖異常嚴謹，並且呈現一片古怪的味道。觀眾會覺得，銀幕上的景物有點變態，建築物都給誇張了起來，照明方面更使物體異於平常的樣子。表現主義的電影不但佈景設計特別，為了要配合這些

環境，演員也不再活生生了，他們的化裝是誇張的（有一個演員因為化得太自然了，竟把煤灰塗在臉上強調生硬粗〔糙〕），服飾也是誇張的，演技也是故作驚人的。因此，表現主義的電影，活像是設計家的電影。除了形式外，表現主義電影的內容也別成一樣，它們大都是描寫恐怖，幻想，犯罪，權威等等的主題，於是，大家總是把以後一些殭屍，蠟像院，木乃伊，這些恐怖片歸納為受到表現主義的影響，事實上，表現主義電影的目的不是在描寫恐怖瘋狂，而是在描寫暴君或魔王的勢力。所以，說得正確一點，稍後電影中的專制君王，獨裁者的題材，才是深受表現主義的影響。

　　表現主義電影的原則是以主觀出發來看世界。當時世界著名的導演有朗格及謬諾，但是，表現主義電影作品中最著名的一部卻不是上述兩人導演，而是由羅拔維內執導的《卡里加里博士之密室》。這部電影，現在已經成了電影史上的經典作品了。

米蘭（一九六八年十月二十二日）

245

左右左與排排坐

有一種電影鏡頭，叫做「左右左」。又有一種電影鏡頭，叫做「排排坐」。這兩種鏡頭，要不得。自從出現了新藝綜合體的闊銀幕後，電影畫面把黃金分割律的結構打破了。於是，畫面拉長了面孔，導演們就忙着把這些空間去填塞。當然，在一個長方形的圓形裏邊，要是放置一件物體進去，最好就是放在圓形任何一端〔，〕這樣總比四平八穩的放在正中好得多。因此，很多導演一碰上特寫男女主角的臉時，就把這些臉放在畫面的一個極端，讓其他的畫面空出來。這樣做，本來是對的。因為演員的臉要是放在畫面正中，除非是正面凝視觀眾，否則，決沒有人會這麼做。一來，正面的臉端放在畫面中會使畫面透視感〔消失〕，二來，畫面被分為三份比分為兩份更難處理。為了營造畫面的透視感，任何導演都懂得把演員的側臉（四分之三）攝入畫面，由於演員的臉多半是側面出現的，所以，在一個闊銀幕上，這些臉自然就「兩邊跑」了。

糟透了的畫面也是因此誕生的。碰上一些導演不善用場面調度只懂割接時，就把兩張臉互相的割接。譬如說，父親的和兒子的說話，一邊是父親，一邊是兒子，在割接的時候就變了父親的臉在這邊，一鏡，兒子的臉在那邊，又一鏡，像這樣下去三五個鏡頭之後，觀眾就會在那裏看人家打網球。凡是類此的鏡頭，就叫做「左右左」，如果一部電影特寫臉面多的話，觀眾不但是在看電影，還兼上一課眼睛體操課。

現生活中很少有機會叫大家排排坐的。拍照片才有機

會排排坐。一家人拍全家福，一班同學畢業拍畢業照，那時候，大家才排排坐，為的是好對準鏡頭；為的是，每一張臉都要入鏡。在生活中，人們各走的方向，並不「排排坐」。拍電影呢，也一樣。電影多半也反映現生活的狀態；所以，一個老人要死了，一群人走過來，應該是圍着床站，而不是排排站，全站在床的一邊。所以，幾個人坐着談話，應該是圍成一個圈，而不是一字兒排。電影是要努力打破排排坐的束縛的。起初，電影和舞台劇一般，演員都要面對觀眾，就是不能把背朝觀眾。但電影絕不這麼做，電影不是要演員怎麼怎麼站，而是叫拍攝機怎麼怎麼去拍攝。電影是生活相片，而以前，它卻是照相館的相片。

電視是排排坐的。因為電視要給大家看別人的臉，所以所有的人都坐成一排，好讓臉出現在幕上。如果電影也叫所有的人排排坐，那就十分怪了。當然，像布紐爾故意拍成名畫《最後晚餐》的排排坐，並不是犯了錯誤，是例外。

247

米蘭（一九六八年十月二十三日）

雷諾亞一二事

　　著名的導演，有的很老了。維斯康堤不年輕了，杜萊葉很老了，卓別靈更不用說了，雷諾亞呢？他今年已經七十三歲。但是，導演們雖然老，卻並沒有說，從此不再拍電影。相反地，他們似乎更想把握時間，快些多拍些好電影。所以，杜萊葉等了二十年，還要拍《基督傳》。雷諾亞則在那裏拍 *La Clocharde*。

　　每年十一月，倫敦影展是冬季的一件電影大事。去年，大會請了雷諾亞去揭幕。並且放映了他的《馬賽》。雷諾亞是法國人，他的祖國是法國，但他入的是美籍，在荷里活的比華利山上有一幢房子。不過，雷諾亞是個常常到處跑的人，有時去了□□，□□□□□□□□〔雷諾〕亞喜歡倫敦，在那裏，他看了一些電影，他最喜歡黎斯特，喜歡狂人的影片以及《色情男女》。在倫敦的去冬，他還看了《春光乍洩》。我羨慕它。他說。有人覺得，雷諾亞會喜歡《春光乍洩》真是一件怪事，但他說，我真的喜歡這個電影，它和我所能拍的電影是多麼地不同。雷諾亞現在很少看電影，事實上，他只有很少的時間。平日，他忙於講學，最近，他一直在美國的大學中講電影，並且，還出版了他的第一部小說。出版家知道他肯執筆，都希望他能寫一點關於電影的文章，大家搶着替他出書，可是，雷諾亞說：我就是不知道有多少好說。雷諾亞這麼說，一點也不虛偽，要知道，近年來，電影書多得厲害，甚麼都被人說盡了，所以，雷諾亞只好坦率地說沒有甚麼好說了。

　　在倫敦的時候，雷諾亞已經着手處理新電影的劇本，

這片乃由珍摩露主演。雷諾亞認為她是一個極為出色的演員，請她來做女主角，現在是如願以償了。在電影中，珍摩露演的是一個妓女，男主角還沒定，演一位四十多歲的英國貴族，結果，珍摩露用一把菜刀把他謀殺了。在倫敦影展之後，雷諾亞便回到法國去，他打算在法國逗留一個長時期，然後再回美國。

導演們老了，他們越來越珍貴了，尤其是雷諾亞，由於他長期居住在美國，所以一回法國，大家就好像見了親人一般，記者們紛紛去訪問他，電影會紛紛放映他的舊作，而他，則又回到霍洛折路的巴黎寓所去。這間屋子，如今是著名的，因為雷諾亞的父親不是別個，而是鼎鼎大名的畫家雷諾亞。

雷諾亞最不喜歡幕後的別人配音。他說，我認為在二十世紀高度文明的時代，人們如果拍片還用幕後替身配音，該拉到廣場上去燒死，因為他們是在那裏假裝人們有一個軀體，卻有兩個靈〔魂〕。

米蘭（一九六八年十月二十四日）

邏輯步驟的動畫

　　一般的電影，用人來演。有些電影，畫面是畫出來的，那些就是卡通，畫面中雖然沒有真的人物，但一樣有小飛俠，米奇老鼠等卡通人物。有些電影，沒有人演，也不是卡通，卻是一套套的植物生長圖，或者是一些風景畫。人們可以用各式各樣的題材拍電影，也可以用各式各樣的方法去表現。有的人把顏色變來變去拍一部短片，有的人用打字機玩字母的遊戲。而一個叫做史坦希活的人，他則在那裏嘗試用卡通的方式，拍一些有關邏輯的動畫短片。史坦希活的短片真的很短，每一片段三兩分鐘就完了，事實上，他的短片，也不過才那麼的三兩個鏡頭而已。在題材方面，他則把邏輯推理搬了上去。這裏且舉兩個例子。

　　這部短片共三分鐘，共三個鏡頭。開始時，淡入。畫面上有兩個大圓圈。一個圓圈內有個字，叫「嬰孩」，這個字在微微的抖動。另外一個圈內也有字，叫「抽雪茄的人」，雪茄的煙噴了出來。在這畫面的上端，有一行字，是：沒有嬰孩是抽雪茄的人。接着，第二鏡頭是句字淡出，隨着，一句新的句字出現；同時出現的還有一個小圓圈，圈內是一個字：森。新的句子是：森是一個嬰孩。這時森這個圓圈在移動，一直移向「嬰孩」的圓圈。第三個鏡頭是句子又淡出，再淡入，新句子是：森不是一個抽雪茄的人。這時，「森」的小圓圈已經走進「嬰孩」的大圓圈內，另外一個圓圈「抽雪茄的人」則噴出煙來。淡出。

　　另外一部短片也是三分鐘，三個鏡頭。淡入。畫面上

一個大圓圈，裏邊寫着：所有的電影都會終場。第二鏡時，句子淡出。畫面溶入另一個圈，出現在大圈之內。這個 B 圈內的句子是：這是一部電影。句子又再淡出。第三鏡是 C 圈溶入，出現在兩個大圈之最中間，裏邊有兩個字：終場。三個圈和兩個字一起淡出。

　　史坦希活連續設計了六部這樣的三分鐘短片。如果我們想知道甚麼叫做實驗電影，這一類的便是其中之一。實驗電影就是有些人在那裏嘗試拍一些別人沒試過的方法來處理電影，而現在，實驗電影多半都朝形式方面發展。史域希活上述的兩部電影不外是說：一，沒有嬰孩是抽雪茄的人。森是一個嬰孩，森不是抽雪茄的人〔。〕二，所有的電影都會終場。這是一部電影，終場。史坦希活認為，一般的書本太枯燥，但如果把一些邏輯，數理加以卡通化，搬上電影，觀眾會更易接受，於是他就設計了他的六部別具風格的短片。大家可以稱它們為「概念電影」。我們知道，電影可以是娛樂性的，也可以是教育性的，像史坦希活這類短片，如果拿到學校去給學生看，就比一天到晚面對黑板活潑得多了。

米蘭（一九六八年十月二十六日）

251

從獨立走向綜合

起初，大家認為電影是綜合的藝術。大家以為，電影是音樂，美術，建築，文學，戲劇等等的藝術綜合起來的一個大拼盤。但後來，大家知道，電影不是拼拼湊湊的，而是一件全新的東西。它和其他獨立的藝術一般，也是獨立的。因此，電影便成為「第七藝術」。（全世界各地都稱電影為第七藝術，只有我們這個地方偏稱它為第八，真是件怪事。）

這就是電影和電視不同的地方。電視是綜合的，七拼八湊的電影是獨立的，整體的，電影獨立了好多年，大家上電影院去，就是去看電影，一心一意地去買票，入場，面對大銀幕。可是，漸漸的，電影又將和別的藝術攜手了，這次，才真的是綜合。譬如說到舞台劇，往昔的舞台劇是真在台上演，佈景是搭的或繪的，現在呢？有人努力在把電影帶入劇場，舞台上將會有一個大大的銀幕，光與影將會放映在幕上，於是，演員像平常一般出來表演。在這種情況之下，電影就和戲劇綜合起來了。我們到劇場去，就不光是看電影，還在看舞台劇。

一些流行的「的是夠格」，本來是找一隊樂隊，或者是放一些唱片，好讓大家去坐坐，跳跳舞。現在呢，電影又進入「的是夠格」去了。台上將有一個大銀幕，活動的影像投射在幕上，樂隊照常唱他們的歌。來賓不是來看電影的，但是電影就在他們的眼前。人們不一定去看電影，但電影存在，電影出現，大家可以看可以不看，那時候，情形已經和上電影院不同了。

電影院放映的是一部電影，但「境遇電影」是幾個幕，或者滿屋子都是銀幕，一個人可以在室內團團轉地看，甚至躺在地上，天花板上也在放映電影。像這樣子，都是電影的擴張。

「電影舞台」是時下最勃興的一種藝術形式，觀眾實在很難說那到底是電影還是舞台劇。有時候，一項演出以背景的電影為主，演員則站在銀幕前作副表演；有時候，背景的電影卻是一種陪襯，台上人的表演才是主力所在。電影和舞台劇的綜合，實在使電影和舞台劇同時多姿多采，豐富起來。

最近，外國的一些百貨公司，還把電影帶到窗櫥去，從此，窗櫥設計的學科大概要關門大吉了。一些大公司，乾脆就在窗櫥內放電影，來介紹店內的商品，而那些拍得非常精彩的廣告片（如汽水廣告那類）着實比呆的窗櫥設計更動人。將來，百貨公司大概要把窗櫥，改建成一個小小的露天電影場，而電影，就進軍到商店去了。

米蘭（一九六八年十月二十七日）

當代的最佳導演

　　如果像選十大明星一般，選一選世界上的十大導演，哪些人會當選呢？這實在是很難的。事實上，不少影片的發行都受到阻礙，好的作品不能深入群眾，好的導演又常常不被認知。因此，選十大最佳導演就不是一件容易的事了。但是，一些電影期刊卻有時會來一次投票，像一本《電影季刊》，則在一九六二年選出了以下的一群導演，認為是當代最佳的。現在依次序排列如下：愛森斯坦（俄國），英瑪褒曼（瑞典），雷諾亞（法國），黑澤明（日本），安東尼奧尼（意大利），尊福（美國），奧遜威爾斯（美國），卓別靈（美國），希治閣（英國），克萊爾（法國），阿倫雷奈（法國），伊力卡山（美國），第昔加（意大利），布紐爾（法國），維斯康堤（意大利），葛里非斯（美國），維達（波蘭），費里尼（意大利），法列茲朗格（德國），比利懷德（美國），法萊哈提（美國），杜魯福（法國），烈特（英國），布烈遜（法國），卡納（法國），尚維果（法國），及聖泰也折雷（印度）。在一九六二年，大家〔認〕為這群人〔是〕最佳導演。現在事隔多年了，這一個名單當然會有所轉變。譬如說，高達，現在可是一個重要的名字了。阿瑟佩恩，也是地位相當的。在今日，許多導演已經失去了昔日的光彩，像伊力卡山，比利懷德，第昔加，他們大概只好緬懷一下光榮的過去，因為，他們並沒有再拿出出色的電影來。在這一列名單中，安東尼奧尼是越來越傑出的。以前，大家把他列為〔可與〕維斯康堤和費里尼〔看〕齊，並稱為意大利前三傑，事實上，安東尼奧尼

比其他兩個更出色。維斯康堤一個人在承擔傳統的大擔子，他的《異鄉人》（改編自加〔繆〕的小說）在去年的威尼斯影展中名落孫山。而費里尼，自《八部半》之後，《神遊的茱麗葉》是一個彩色的遊戲。他和路易馬盧，羅渣華丁分別導演的三部曲不久將會抵港，到時且看看他的「顏色」。法國的無論雷諾亞，布紐爾，布烈遜〔，〕都是不倒翁，布紐爾的《日妓》是去年的威尼斯影展金獅大獎影片，而布列遜則仍是冷冷的埋頭苦幹，幾部新片都是四星傑作。英瑪褒曼一連串的《沉默》，《面具》都保持水準，現在拍《夜狼》。比起來，卓別靈的《香港女伯爵》，比利懷德的《扭計師爺》，第昔加的《大盜九尾狐》，就着實叫人失望了。

　　至於愛森斯坦等的若干人，他們已經死去，當然不能拿出新作品來比較了，只好步入古典名導演的行列。若照作者論影評的看法，一個導演好些年內拍不出好作品，就要降級，那麼，在上述的名單中，沒落的偶像倒是不少的。

　　　　　　　　　米蘭（一九六八年十月二十九日）

「第一影室」電影協會

　　世界上有很多好電影，但因為這些電影不能賺錢，一般的電影院是不會放映的。像高達啦，布列遜啦，布紐爾啦，費里尼啦，很多很多好導演的好作品，市面上是見不到的，因此，喜歡電影的朋友們，實在要加入「第一影室」。「第一影室」是香港的一個電影協會，目的就是找一些好的電影來給喜歡好電影的人看。

　　每年三月，「第一影室」會收新的會員，不過，一年四季，任何人，過了十八歲，就可以入，入會的方法是在該會放映電影的日子，到大會堂劇院門口，取一張申請入會的表格填好，交入會費二十元，年費十元，就是入了會，或者寫信到香港郵箱一五一六九號去，請他們寄申請表來。入了會之後，他們就會寄給你一張會員證，以後，每個月有甚麼電影上映，他們會寄一份精美的節目表來。這份節目表所以精美，是由於印刷和設計美觀悅目，而內容也很豐富。凡是上映的電影，節目表上會有詳細的專文介紹，包括故事內容，導演風格，電影的重要性〔等〕，此外，對於每一部片，節目表上會列出重要工作人員名單，並註明放映時間，黑白或彩色，年份，得獎項目等。對於一個喜歡電影的會員〔來〕說，這份節目表不但是一份好資料，而且有留存的價值，即使當作設計書收藏也無不可。

　　會員看電影時仍要付錢，每場四元，有時可以帶來賓，來賓是五元入場。由於片租場租等等十分昂貴，所以，「第一影室」的收費比市面的電影入場券稍貴，但比起來，好片難得一看，而大會堂劇院仍是全港最佳電影設備

的場所，也就值回票價了。今年，英瑪褒曼的《面具》，勒使河〔原〕宏的《沙丘女》，〔娃達〕的《幸福》，布列遜的《驢子》，高達的《狂人彼埃洛》，愛森斯坦的《阿力山大尼索夫斯基》都是很好的電影，印度聖泰也哲雷的《大都市》在十月廿三，廿四，廿五才放映過，果然是大師作品。「第一影室」每個月約有兩次電影放映，有時會舉行一個電影節，今年十一月上半月將舉行一個日本電影節，共放映電影四部，其中《流芳頌》和《叛逆》實在是不容錯過的。今年十一月下半月的節目是實驗電影，世界各地的實驗電影如何了？這次選映的是有關政治和抗議的專題。至於十二月，則是由該會執委會特別選映，包括有《新潮小姐》、《偷情聖手》、《如此運動生涯》〔，而〕《男歡女愛》是一個很美麗的電影，看這類抒情電影，大會堂劇院大概是最適合的了。「第一影室」因為是外國人建立的，所以，節目表和電影對白及字幕，多半是英文，對中國觀眾來說，是有點美中不足了。

米蘭（一九六八年十月三十日）

地下電影五大特色

　　新潮電影是法國的，地下電影是美國的。美國這一兩年來，有兩大特產，一是嬉皮士，一是地下電影。（英國則特產時裝和歌手。）

　　拍一部電影，本來要很大的規模。從製片，導演，演員，編劇到臨記，人多得很，而且，要花很多錢。世界上有很多人喜歡拍電影，但因為錢不夠，只好拍很小型的。這就像幾層樓的百貨公司是商店，街邊擺在地上的小攤子也是在做生意一般。電影有大規模的，自自然然的也就有小規模的了。

　　有的人用攝影機來作實驗，就拍出了實驗電影來。有的人並不在乎實驗，卻自由自在地隨自己意思拍拍，就拍出了各式各樣的電影，其中有一種，在美國出現了很多，大家就叫它們為「地下電影」。本來，這些電影，不能登大雅之堂，地下是見不得光的，可是，地下電影的作者所以要拍自由自在地表現的電影，目的是希望藉這種新的藝術媒介來表達。有人寫小說，有人繪畫，有人作曲，所以，也應該有人拍電影。

　　地下電影是怎樣的呢？一般上，它們有五大特色。（一）地下電影極少描述。因為地下電影不愛講故事，所以，它們有時像一個人在照鏡子，照一照，就完了，沒有照鏡前照鏡後等等的描述。一般人最反對地下電影的理由也就是因為它〔缺乏〕故事性，以至覺得沉悶。（二）地下電影多半是不依規則拍的，從來不理會甚麼電影文法，你說銀幕上的人物不能走錯位置，或者 A 要站銀幕的甲方，

B 要在銀幕的乙方等等，地下電影全不理會，常常犯這些技法上的錯誤。因此，地下電影很像一些家庭式拍來玩玩的電影，拍得又生硬又粗糙。很多地下電影的製作者，常常故意把電影拍出錯誤，使它們變得有點像外行人拍電影的樣子。（《觚舨》也故意拍錯，大概是受了地下電影的影響。）（三）有的地下電影全片沒有一點「運動」，就是，人不動，影機不動，觀眾就像在美術館面對一幅畫。但有些地下電影，則除了「運動」外甚麼都沒有。（四）地下電影的時間長度差異很大，有的很短，短到只有十四分鐘；有的則很長，足足有四個鐘頭。如果碰上四個鏡頭都沒有「運動」，則觀眾中睡大覺的會佔大半數。（五）地下電影中最多裸體鏡頭（這就是它所以如此著名的緣故），不過，地下電影雖然赤裸鏡頭多，有關性的鏡頭卻極少，只暴露而不牽涉性。我們看《巴巴麗娜》就會明白，該片有好幾場並不赤裸軀體，但卻牽涉到性。

目前，地下電影已經被承認是一種藝術，並非是甚麼笑料了。

米蘭（一九六八年十月三十一日）

十一月及倫敦影展

　　每年的冬季，是影展的豐收季。到了十一月，熱鬧的影展又紛紛舉行了。世運剛終場的墨西哥，接着正好為阿加普哥影展鳴號，遊客們也許會留在聖地耶哥，看看一年來的獲獎佳作，因為阿加普哥的展出就是搜羅十二個月〔以〕來得獎的名片二十多部〔，〕給美洲人有一睹的機會。這時候，〔芝〕加哥也全面地舉行它的影展了，除了放映競選的電影外，還作研討等等的活動。東德的萊比錫也不例外，它的影展是紀錄片及短片的角逐場，該影展的格言是，世界之電影謀世界之和平。

　　十一月，最值得人注意的便是倫敦影展，尤其是在香港，因為，倫敦影展放映過的佳作，多半有機會很快地到香港來，像瑞典的《擁抱和接吻》，波蘭的《障限》，日本的《他人之顏》（《借面試妻》），比利時的《削髮男人》，蘇聯的《祖先之子》等，都曾在「第一影室」上映過，接着要來的還有丹麥的《艾微拉‧麥迪根》，比利時的《分離》，日本的《叛逆》等，全是倫敦影展展出過的好電影。

　　倫敦影展和很多別的電影節不相同，它是不競選的，它所以要設在十一月，是好等別的影展都已〔經〕終場，像康城、威尼斯、柏林等等，都選出了優秀的影片，於是，倫敦影展就來一個集大成，選了其他影展中映過的佳作放映。像去年，《按掣客》這部南斯拉夫的喜劇，〔在〕該年康城影展評選週中，及滿地可影展中展出過的。高達的《遠離越南》也選自滿地可影展。《分離》選自柏林影展，曾得金熊獎。布紐爾的《沙漠之西蒙》，參加過威尼

斯、滿地可及阿加普〔哥〕三個影展，獲得威尼斯（六五年）評選團特獎。艾力盧馬（新潮導演，被稱為「時代之證人」的紀錄式高手）的《搜集者》（和《蝴蝶春夢》類似，但搜集者是一個女子）則選自柏林影展，曾得評選團特獎，柏林市獎（餘不類舉）。

除了把一年來的佳片囊括在影展展出外，倫敦影展還有本身的特別選擇，通常，該會很留意一些寂寂無名的佳作和一些新導演的處女作，使它們不至於被埋了。譬如說比利時史高林莫斯基的早期作品根本是不受注意的，直到前年，倫敦影展放映他的《障限》，有位影評人不禁叫起來：這個人以前一直躲在哪裏呢？為甚麼我們從來沒聽見過他的名字。當史氏的《分離》得了柏林去年的金熊獎，大家就更覺得幸好及時發掘了他。於是，倫敦影展現在更努力發掘好的導演，並且把他們的處女作和舊作找來。這個今年第十二屆的倫敦影展將在本月底舉行，今年，由於別的影展一團糟，它是更吃重了。

米蘭（一九六八年十一月一日）

潮外的路易馬盧

我們常常說，自從一九五九年以來，法國電影是新潮的天下。其實，新潮不過漲了一陣就潮退了，而且，有幾位導演，一直不跟別人潮來潮去，也不參加甚麼《電影筆記》行列，其中，最獨來獨往的，有三個人，阿斯特列、羅渣華丁和路易馬盧是也。

路易馬盧有一部新片在港，叫做《巴黎一賊》，由貝蒙多主演，大概最近會上映，主題是「欲罷不能」。說的是一個賊，很偶然地當上了竊匪，結果，卻無法收手，雖然他後來富有了，但他覺得，生命毫沒意義，偷竊是件興奮的事。對於路易馬盧，大家絕不會覺得陌生，他有時拍的電影很嚴肅，有時卻拍一些十分風趣活潑的電影，像《小女孩沙茜》，《瑪莉亞萬歲》，就是又古怪又有趣的。這位導演於一九三二年十月三十日誕生於法國一個富有的家庭，當他在一九五七〔開始拍攝〕第一部劇情片時，[1] 才不過二十五歲〔。〕二十五歲，他已經跟過很多名導演工作過，他跟着葛斯杜〔托〕三年了，還合導一部水底的紀錄片，叫做《靜寂的世界》〔，〕又跟過布列遜當助手。直到現在為止，路易馬盧的作品全部才不過七部至八部，卻已經算得是一值得注意的導演前輩了。

不錯，路易馬盧和羅渣華丁一般，是職業導演，對於電影的技術，掌握得異常純熟，他的作品總是十分流暢

---

1 路易馬盧的第一部劇情片 *Elevator to the Gallows* 於一九五七年開拍，一九五八年完成並公映。故此處將原文的「拍了」稍加修改為「開始拍攝」。

的。要多俏皮就可以多俏皮，要多嚴肅又可以多嚴肅。他和羅渣華丁所不同的是：羅渣華丁的作品彼此十分相似，不外是說「愛」。《滿堂春色》是母親兒子的，《巴巴麗娜》是天使的，《活色生香》是輪迴的，等等，而且，羅渣華丁在圍着唯美團團轉，從每一個角〔度〕來發揚它。路易馬盧則不同，他總是嘗試拍全然不一樣的電影，每一部都要不一樣。《小女孩沙茜》和《瑪莉亞萬歲》風格上相似，但卻完全不同，至於《巴黎一賊》，又是另一形式了。他說：「我嘗試把正在拍的一部拍得和上一部不同，或者是從題材着手，或者是從形式着手。」因此，他着實有點像是結合寶藏，不知道〔下〕一次給我們的礦產是甚麼。不過，雖然如此，路易馬盧的作品還是有脈絡可以追尋。孤寂，夜晚，巴黎，是他電影中最多的，他喜歡選擇怪異的人物，這些人物在世界上畢竟是少數，像《巴黎一賊》，就像一個瘋狂於時裝的女孩，拼命搜購衣服，卻不是為了要穿在身上。而這種人，豈不是屬於少數派。路易馬盧運鏡時喜歡沉實穩重，用很準確的打光，嚴謹的鏡頭結構。他不喜歡即〔興〕。在一九六一年時，他說，十年二十年後，我大概可以是一個好導演了吧，事實上，兩年後，他憑《灰燼》一片就奠定了他所期待的聲譽。

米蘭（一九六八年十一月三日）

英瑪褒曼的三條誡命

瑞典的英褒曼對於一個導演該怎麼做，有他自己的信條。他遵從自己的三條誡命來拍電影。

一、你要隨時娛賓。英瑪褒曼認為，群眾來看他的電影，要付錢，他們供給他食糧，使他有牛油麵包足以維生，觀眾是有權利希望得到一些娛樂的。一部恐怖片，一部娛樂的電影，或是一些興奮的經驗，觀眾有權去要求。而英瑪褒曼覺得，他要負責供給觀眾這些經驗，書本是寫來給人讀的，畫是繪來給人看的，歌曲是作來給人聽的，這些都有「娛愉他人」的用意。但是，怎樣娛愉別人呢？英瑪褒曼用第二條誡命來約束第一。

二、你當隨時服從藝術的良心。如果為了娛賓，而把自己的才能像娼妓一般廉價售出，那是英瑪褒曼不為的。一個人既要娛愉他人，又得遵從自己的藝術良心，就等於一個在走鋼索的人要如何去使自己保持平衡。

三、你每當製一部片，就當認為這是你最後的一部。英瑪褒曼在一九五一年起，就一直把這條誡命放在腦中，事實上，在瑞典，和任何別的國家一般，拍「服從藝術良心」電影的人都不容易挨下去，他們得面對一項殘酷的現實，隨時隨地都會被趕到街上，身上不文一名。不過，正因為腦子裏明白，這部片之後，再沒機會拍了，沒有錢了，沒有人要你拍了，沒有人看了，所以，一個導演更應該全力以赴。目前，英瑪褒曼雖然不至於沒電影好拍，但他總是認為「這是最後一部了」，這樣，每一部都很有分量。事實上，我們知道，英瑪褒曼每年才集中精力拍一部

片，而且，他一直朝自己的理想走，沒有被別的製片家收買掉。當一個人正在拍片時，只要他認為：這是最後的一部了，那麼，他何必心急，何必匆匆忙忙去草率地趕着拍呢？劇本可以慢慢編寫，鏡頭可以細心策劃。很多導演不這樣，他們忙得不得了，一部片還沒成形，就着手第二部，把精力都分散了。英瑪褒曼說：中古時代的聰明人，有思想的人，常常會躺在棺材中過夜，靜靜地思想，他認為，這是值得的，因此，他每拍一部片時，就先決定，這是我最後的一部了。

除了三條誡命外，英瑪褒曼對藝術工作者的看法是，正如一些智者所言，一個人該在四十歲前累集經驗。此外，藝術家能夠在一生中寂寂無名對他來說是更有益，他可以不受外界的影響，不被物質所誘，不必把自己的才能拿去娼換。他可以為自己的理想工作，讓神作為他的裁判。如果一個藝術家成了名，他就會不容易靜靜地工作，更不易逃避外界的纏繞。

米蘭（一九六八年十一月四日）

再說康城電影節

　　第二十一屆的康城電影節在五月已經過去，而且受到法國大罷工的影響，中途宣告停止。這方面的影響其實不大，因為康城影展沒有開成，只不過沒有選出最佳影片獎及男女主角獎，而一些想出風頭的女孩子也沒有機會在海灘上展覽自己的姿色。事實上，凡是參展的影片，一樣可以在別的場地放映，並且可以藉此自標身價。由於康城沒有作出評選，則任何官式參展的影片都可能得大獎，而影展的作用，本來就是櫥窗式的，是把影片拿出來展出，好賣出去，要是能夠一登龍門，自然就名利兼收。

　　康城影展是有兩週的，其中一週放映邀請組作品，另一週則是放映參加角逐的影片，被命為「評選人週」，由於有人評選，大會便組織一個評選團，今年，這個評選團一共有四個人。其中三位是導演，一位是明星。導演的人選不算差，路易馬盧，泰倫斯楊，加上一個波蘭斯基。這三個人的電影，這裏都上映過，例如《瑪琍亞萬歲》，「鐵金剛」集，《天師捉妖》。當法國大罷工時，波蘭斯基站在學生的立場，同情罷工者，所以，他退出評選人之席。他認為，既然法國全國大罷工，康城也不該例外，他這項行動，並非對康城有所不滿。

　　在評選團中，唯一的明星是蒙妮卡維蒂。（近作《雌雄拆白黨》。一部糟透了的影片，就是由於這種四不像的壞電影使「新潮」的名字蒙污。不過，蒙妮維卡蒂卻是一個好演員，碰上安東尼奧尼就更加出色。）早兩年，威尼斯影展請了蘇菲亞羅蘭擔任評選人之一，很多人已經認為這算

甚麼，一個明星怎麼有資格擔任這麼一件重要的工作，大家認為，大明星風頭可以去出出，做評選人是不適合的。

在最佳男女主角方面，競選的演員着實不少，女的有碧姬芭鐸，珍芳達，她倆都在一部由三個導演分別導演的一個三片段組成的電影中演一個角色。（此片已抵港）導演為費里尼，羅渣華丁及路易馬盧。茱莉姬絲蒂則以《新潮小姐》一片競選，另外三位是安妮芝拉鐸，達狄安娜森莫洛娃（蘇聯），及丹妮爾達里奧。男演員參加最佳男明星競選的有阿倫狄龍，阿爾拔芬尼，大衛漢明斯，利勞殊（《男歡女愛》的導演，像波蘭斯基一樣，能自編自導自演），還有湯瑪士米里安（意大利）及克勞岱里殊（法國）。這六男六女，他們所主演的競選電影我們相信都會看到，除了森莫洛娃和克勞岱里殊。因為前者是蘇聯《安娜卡列尼娜》一片主角，後者則在新潮高手阿倫雷奈的作品中出現。（未完——上）

267

米蘭（一九六八年十一月五日）

康城六八與英國

（續昨）今年出席康城電影節的英國影片一共有五部。它們是：一、《長日死亡》。二、《查理百布斯》。三、《桑樹下團團轉》。四、《電單車女郎》。五、《鍾娜》。這五部片共分為兩類，一類是官式代表英國參加競選，另一類則是不競賽，只被邀請展出。《長日死亡》及《桑樹下團團轉》是屬於競賽組，其他三部都是邀請組。

《長日死亡》是一部戰事片，描述四名軍人一日的生活，其中三個是英國人，一個是德國人。主題是：戰爭是殘酷的。這部片是彩色的，演員以大衛漢明斯為主角，導演是英國新秀彼得葛連遜。（值得注意彼得葛連遜這個人，他以《誤把寒飛作玉郎》一片成名，該片很快就會上映。）

《桑樹下團團轉》已經到港，譯名是《新潮放蕩男女》。是一部出色的作品，而且它真正很能表現出英國的新一代的面貌。這部片和《新潮小姐》、《偷情聖手》等風格相似，是表演力豐富，電影影像繁華的電影，也代表了目前一般電影的趨勢（在此特別推薦）。該片的演員全是新血，一個茱地姬遜大家比較熟悉，她在《桃李滿門》中出現過。導演是克里夫杜納。一群史賓沙戴維斯的樂隊一共表演了八首最新的流行曲。英國選了這部片去參展是有理由的，因為要代表一個國家，不拿特產出去拿甚麼呢？英國的青年是活潑的，所以連電影也活潑起來了，甚至，也比以前年輕了。

邀請組的《電單車女郎》是積卡迪夫導演的，男女主角由阿倫狄龍及瑪莉安菲芙分擔，瑪莉是一個年青的女

郎，坐了電單車會晤愛人去。這部片以一場床上戲極為暴露出名。《查理百布斯》是阿爾拔芬尼自導自演的一個喜劇，他飾演的是一名年青作家，覺得自己逐漸出名，小說流行，而感到虛名不足惜。該片由女編劇家史拉亞狄蘭妮撰寫，她就是《甜甜蜜蜜》的原作者。此外還值得注意的仍是《鍾娜》（片已在港，公映時也勿錯過），是米高沙尼導演的一部彩色電影。米高沙尼今年才二十八歲，是英國電影界的年青奇才。在風格上〔，〕《鍾娜》也以短鏡及割接繁頻為主，同樣是一部典型的英國「今日電影」。銀幕上的「招貼畫」特別多，時裝又如展覽會，可惜的是，比起《新潮放蕩男女》，就差勁些了。

　　康城受罷工影響時，導演們紛紛退出，據紀錄所載，只有蘇聯的《安娜卡列尼娜》和英國的《鍾娜》兩片例外，英國這次參展共五部片，留在康城的影評人等，當大會宣告停頓後仍找機會看到了三部，因此，《鍾娜》，《查里百布斯》及《新潮放蕩男女》也算在康城展出過了。（完——下）

米蘭（一九六八年十一月六日）

紀錄片之父弗拉哈迪

　　有人稱羅拔弗拉哈迪是電影的詩人。事實上，在電影史上，他的稱號是「紀錄片之父」。電影的確比其他的藝術媒介較易於把現實的世界帶到我們面前來。很遠的城市，很偏僻的國家，我們不輕易去，但電影可以把它們帶到我們的眼前。沙漠上原來有很多動物，和路迪士尼就拍過不少給我們看。騎兵學校怎樣操練學生，盧米埃在一八九七年已經用攝影機拍過六百公尺了，那是歷史上最早的一部紀錄片。紀錄片的範圍很廣，國王加冕的大場面用菲林紀錄下來，是紀錄片。刺殺總統的新聞片，也是紀錄片。舞台上表演的芭蕾舞，忠忠實實地被拍攝下來，就是舞台紀錄片了。別以為凡是紀錄片就是一種極為生硬的寫實，除了反映觀眾別無其他，事實上，紀錄片也和繪畫，寫一篇小說一般，可以有個人的表現，像弗拉哈迪，他的紀錄片絕不是像一些汽水製造過程，或生物圖解那麼枯燥冷冰冰，而是充滿了人情味的。

　　弗拉哈迪原籍愛爾蘭，在一八八四年誕生於美國。父親擁有一個鐵礦場，在學校中，他的成績很差，直到二十六歲時還是一事無成，不是到處旅行，就是隨便找些散工做，不過，這樣，他卻和印第安人交上了朋友。一九一〇年時，他隨着一位加拿大探險家去探險，終日和愛斯基摩人相處，由於得到愛斯基摩人的幫助，弗拉哈迪成為一個很好的探險員，並且，他還以愛斯基摩為題材，拍了一部紀錄片，即是《北部的納努克》。弗拉哈迪一共有四部最著名的紀錄片，除《北部的納努克》外，另外三部

是《蒙娜》，《阿蘭之男》及《路易安那故事》。蒙娜是太平洋上一個小島，寫的是毛利族人的生活。阿蘭則是愛爾蘭西岸地方漁民集居之地，該片以漁民為對象。《路易安那故事》則在美國拍，是為了一間電油公司而製的。該片拍成後三年，即一九五一年，這位以拍紀錄片著名的人物便逝世了。

對於拍片，弗拉哈迪要用很多的菲林。通常，他拍一部八十分鐘的電影，卻要耗費三十萬呎菲林，如果全部放映了來看，要整整的六天才看得完。這個比率是四十三比一。弗拉哈迪的紀錄片在香港是有機會可以看到的，只要大家注意一下一些免費電影，如美國文化館的電影節目。去年，《路易安那故事》和另一部《土地》（弗氏另一作品）就曾放映過。它們都是黑白片，拿時下一些趣味性極濃的商業片來和它比較，這些古老的紀錄片很緩慢且不夠緊張刺激。可是，像愛斯基摩人，除了弗拉哈迪，還有誰把他們的本來面目忠實地帶到我們的眼前來呢？（取材自NK）

米蘭（一九六八年十一月七日）

康城六八與法國

法國今年參加康城影展的電影一共有五部，英國一樣，也是五部。其中有兩部片是不競賽的。一部是利勞殊和葉治巴〔哈〕導的《法國十三日》，說的是冬季奧運選手的故事。另一部則是現在名氣很響的《奇異的故事》。這部片的原名為《愛倫坡的三個奇異的故事》（此片已到港，到時別錯過）。導演是路易馬盧，費里尼和羅渣華丁。這三個導演每人導一個片段，都是選自愛倫坡的一個恐怖故事，不是幽靈作祟，就是精神分裂。路易馬盧導的一段是〈威康威爾遜〉，由阿倫狄龍分兩個相貌相同的角色（如《黑俠恩仇》），女主角是碧姬芭鐸，羅渣華丁導的一段叫「Metzengerstein」，由珍芳達演一名女伯爵，說她如何因那人拒絕了她的愛而一怒燒掉人家的馬廄，鄰人愛馬，但救馬時給活活燒死，後來出現了一匹幽靈馬回來復仇。費里尼的一段，本來是找奧遜威爾斯自導自演的，稍後改了費里尼導，演員則是泰倫斯史丹，費里尼拍該段中夢幻的宴會，瘋狂的飛車，和《八部半》一般出色。這部電影〔的〕導演全是獨當一面的，演員陣容也極強，不過，影評人則認為有點雷聲大雨點小。

官式參展的一部片是安妮芝拉鐸（《洛可兄弟》女主角）主演的 *Les Gauloises Bleues*，由米修葛諾執導，一般人認為，本屆的最佳康城女主角獎如果不屬於她，則屬於蘇聯的森莫洛娃。邀請組的其他兩部片是《一個婦人廿四小時的生活》，《我愛你，我愛你》。前者為一個古典的浪漫故事，丹妮爾達里奧以此片競選最佳女主角，導演是狄

洛殊。至於後者，則是本屆康城最受人注意的一部片，因為導演《我愛你，我愛你》一片的導演是新潮高手阿倫雷奈。很多人都看過他的《廣島之戀》，阿倫雷奈的時空交錯是最著名的。在這裏看過《去年在馬倫巴》的人不多，該片的構圖更為令人歎為觀止。《我愛你，我愛你》一片在本屆競選中呼聲最高，可能得大獎，男主角克勞岱里殊也有奪最佳男演員榮銜的機會，因為阿倫狄龍，阿爾拔芬尼，大衛漢明斯，湯瑪士米里安等都不是他的敵手。

由於康城也大罷工，法國的這幾部影片都退出了，阿倫雷奈退得最早，因此，這些影片可能會上倫敦影展去。在康城的電影圈人唯一能看到的一部則是《奇異的故事》，當然是屬於「外圍」的。

我們知道，高達在法國是最紅的導演，不過，有趣的是：直到現在為止，康城影展就從來沒邀請過高達的影片參展，而高達，也沒得過甚麼大獎小獎。

米蘭（一九六八年十一月八日）

康城六八與意大利

這次的康城影展，以五部片參展的國家只有三個：英國，法國和意大利。其他的國家如丹麥，西班牙，南斯拉夫，蘇聯等都只以一片參加，美國則有三部。

意大利官式參展的一部是加洛里沙尼導演的《米蘭大盜》，是一部彩色片，這部片風格上有點像《雌雄大盜》，屬於暴力電影的一類，四個人，四間銀行，四十分鐘，乃拍成一部電影。由於法國大罷工的影響，這部片當然是沒有機會展出了，同時也沒有展出的還有兩部，一部是馬車路方達陶執導的 *Protagoniste*，另一部是佐里尼的 *L'ora del vento*。

不過，意大利也總算有兩部片在康城展出，一部是《謝謝姑母》。這部片有點類似《畢業生》，導演是才二十四歲的意大利新秀沙維多森彼里。據看過該電影的影評人評論，森彼里這部電影很受安東尼奧尼，彼杜洛奇的影響，尤其是「獨行俠」的風格。另一部展出的影片是佐里尼的《坐在神的右邊》，講非洲剛果黑人首領的故事。一般人都知道，意大利總把最好的電影留在威尼斯影展，而且，意大利不斷的提拔新人，所以參加別的影展多半會選拔新一輩的導演的作品去〔參〕展，即使得不到甚麼獎也不在乎。照意大利的參加影展辦法是這樣，他們不計較個別影展的得失，不是說某片在某一影展得了獎就是成功的表現；而是把整年的成績合起來計算。在一年中，他們會選拔電影，平均分配到各影展去，然後，算算這年中這些電影夠不夠豐富，自己計算成不成功。

意大利能夠提拔新導演是好的，事實上，他們也沒有理由老是叫安東尼奧尼，維斯康堤，費里尼他們一天到晚為影展忙，這些人已經夠水準了，可以出去闖闖世界了，因此，安東尼奧尼去拍《春光乍洩》；現在則在美國拍有關喜僻士和黑人暴動的新片，費里尼則導起《奇異的故事》來，像這樣子，意大利新一輩的導演才有機會出頭，我們也喜見意大利新導演人才輩出。

這次，參加角逐康城最佳男主角的意大利演員，主演《米蘭大盜》的湯瑪士米里安，在片中，他飾演的是一位警長。

順便一提的是，這次康城影展籌辦的兩項特別節目是開幕時放映的《亂世佳人》，及展出「杜萊葉回顧展」來紀念這位老前輩，當然，結果是這些節目煙消雲散了。《亂世佳人》是電影復興潮流中又被人懷念起來的一部，現在印了全新的七十米釐拷貝，是代表美國參加該影展的三部影片之一。展出而不競選。（四）

米蘭（一九六八年十一月九日）

康城六八與美國、蘇聯

　　美國本年參加康城電影節的電影一共有三部。是《亂世佳人》，《新潮小姐》及《三部曲》。《亂世佳人》是不競選的，影展當局把它選來作電影節的序幕，事實上，這部片近來是風頭出盡了。那是受了復古潮流的影響。由於《亂世佳人》是一部舊作，所以，代表美國參加影展的也就只剩下兩部電影。而且似乎是很「冷門」的兩部。

　　《新潮小姐》是官式代表美國影展一部電影，導演是才華橫溢的李察黎斯特。以前，黎斯特的作品老像在那裏玩弄技巧，等於是一位現代的格里非斯，因此，汽水廣告等等的動畫都學他的手法，可是，在《新潮小姐》中，黎斯特已經不再是一個〔徒〕具形式上的繁華的導演了，他的電影有了靈魂，而且，《新潮小姐》比《色情男女》更有話要說。這部片香港已經放映過，賣座並不十分好，很多觀眾也許是因為它是一部「新潮」電影而不去看，或者有的觀眾對它比較陌生，不過，這部片下個月將在「第一影室」再上映，到時就不宜錯過了。否則，只好等二輪時看。

　　從《新潮小姐》代表美國出席康城影展來看，我們大約可以看得出電影國際化的局面，英國的黎斯特，英國的茱莉姬絲蒂，拍出來的電影，居然是美國的。事實上，現在很多的電影都這樣，像《春光乍洩》，導演，編劇，製片人員全是意大利的，演員是英國的，原作〔者〕是阿根庭一位小說家，經費由美國出資，這是一個國際大合作，但《春光乍洩》卻是一部英國片。得康城大獎時，就是代表英國出席的。所以，純粹看演員，導演，是不易決斷電影是

哪一國的出品。也所以，電影就不像一部小說一幅畫般易於辨認國籍。

美國的《三部曲》是法蘭彼里執導的一部電影。法蘭彼里是美國新一輩的導演，代表紐約派，屬於地下的一份子（相對的是地面的荷里活派）。法蘭彼里現在也不寂寞無名的，他的《大衛與麗莎》，就以獨立製片成名，也在康城得過一個獎，那是一九六二年了。

蘇聯今年派了一部七十米糎大銀幕的彩色片參加康城電影節，是改編自托爾斯泰的《安娜卡列妮娜》。近年來，蘇聯喜歡拍大規〔模〕的鉅片，像早一陣的《戰爭與和平》和正在籌備中的《滑鐵盧》。《安娜卡列妮娜》的女主角是達天娜森莫洛娃，是今屆影展競選最佳女主角呼聲極高的一個。該片導演為阿力山大薩基。比起《戰爭與和平》來，《安娜卡列妮娜》不算是一部長片，雖然它已經是兩小時零十七分鐘，而《戰爭與和平》，卻足足有八個鐘頭之長。在康城電影節的罷映聲中，《安娜卡列妮娜》是沒提出退出影展的電影之一，另一部是英國的《鍾娜》。

米蘭（一九六八年十一月十日）

康城六八與捷克

一般上，以電影作品著名的國家離不了意大利、英、美、法、日等國，加上瑞典及早期的德國和蘇聯。不過，近年來，歐洲不少國家拍出了很夠水準的電影，像波蘭和捷克，就是最好的例子。捷克的電影在近五年中進展得更快，像《大街上的小店》，《金髮女郎之戀》，《雛菊》，都是不錯的電影。因此，一些著名的導演也漸漸在國外受到普遍的注重。法國的新潮（準確的說法應該是新浪，因為大家都承認新浪已成舊潮）目前是老友了，但是，它帶給捷克年輕導演很大的影響，如今，捷克每年大約出產三十八部左右的劇情片，其中不乏佳作。

捷克在參加康城影展時〔的〕情況比威尼斯影展的開幕展要好得多，因為到了威尼斯電影節時，適逢蘇軍入侵布拉格，捷克便退出了威尼斯影展。但是，康城的宣佈中途停止，也使捷克的電影和其他的很多電影一般，不得不和影展一起取消了展出機會，因此，這次在康城，所能展出的也只有兩部電影而已，據看過的人表示，它們都是好電影。在《女皇》週刊上寫影評的伊恩金馬朗也認為影展中的《好像一座房子着火了》是最佳的一部電影。

《好像一座房子着火了》是一部喜劇，導演米洛士科曼很能把握小人物的眾生相，故事本來是說一群消防員在開盛大的舞會，順便頒獎給消防員等等，結果，舞會開到一半，竟真的發生了火災，一群人竟都不知該怎麼辦，有一個有趣的插鏡是，一伙人救了一名還穿着睡衣的老頭子，大家建議叫他坐近着火的家旁，免得着了涼。

另外一部捷克參展的影片是《宴會與來賓》，說一群人前來赴宴，卻把好好的宴會破壞了。這部片的導演如今也是相當著名的，叫做真紐瑪，年紀很輕，是一九三六年的人，現年才三十多歲。去年一月，紐瑪參加阿姆斯特丹的「學生電影節」，得到一間荷蘭史可比亞電影公司及西德電影公司的資助，拍了一部十分鐘的短片《母與兒》，他拍這部短片，在三十六小時內就完成了。紐瑪以《夜之鑽石》一片成名，《宴會與來賓》是他一九六六的作品，同時，他還導演了一部《愛之殉道者》。現在，提到科曼和紐瑪，電影圈中就無人不知了。

　　本來，像捷克或波蘭等國的電影是不易為國外所知的，這些電影能夠得到重視，全靠一些電影節及一些電影會，像近年來，挪威、瑞典、日本、亞爾及利亞、紐西蘭等幾個地方都分別舉行過「捷克電影週」，作連串的放映及有系統的介紹。像這樣，實在是非常有意義的。香港的一些電影會也沒有例外，「第一影室」本月中旬就舉行一個「日本電影週」，把好的日本電影介紹給大家。

米蘭（一九六八年十一月十一日）

「巴黎─武士」梅維爾

梅維爾喜歡拍警匪片。最近，他導了一部，採用日本武士的《武士》作片名，演員是阿倫狄龍夫婦倆。說起來，梅維爾這個人本來就有點像他電影中的人物，譬如說，在他電影中的賊匪，常常那麼地穿一件乾濕褸，戴一頂偵探帽（就像龍剛一扮起偵探戴的那種帽子），梅維爾〔自己〕就常常那麼打扮，所以，他很像他電影中的「英雄」。再說，梅維爾是世界上唯一自己擁有一間片場的導演，因此，他自己倒實在有點像一名電影上的「武士」。

今年的梅維爾，五十歲了，自從一九四七年來，他只拍過十部電影，〔他〕自己〔製〕自己的片，自己導自己的片，在法國電影圈中，他獨獨立立，很瀟灑的樣子。他說。自導自製很好，因為一切錯誤都由自己負責。梅維爾是個真真正正喜歡電影的人，他把電影當作自己的朋友，他不但拍片，還喜歡看，是一個標準的影迷。許多別的導演不大看電影，有的是用不着看糟影片了（像費里尼）有的是抽不出時間（像雷諾亞），但梅維爾有大把時間，平均每兩年才拍一部片，其餘的時間正好多看電影。有的朋友去找他，清晨五點鐘的時候，發現他正在家中看警匪片，至於〔三〕更半夜時，看電視午夜電影節目，則更是梅維爾的家常便飯。在眾多的電影中，最吸引〔他〕的就是警匪片，他看那些，也拍那些。他說，他才十二，三歲時，一天到晚就迷美國的盜賊小說，所以，他現在拍盜賊人物，就是從那些書本中得來了靈感。不過，梅維爾不拍美國電影，他的電影是法國式的。

和李察布祿士的《惡向膽邊生》就不同了，《惡》片是真實的故事，但梅維爾不來這一套。人家反映現實，他不幹。他喜歡幻想白日造夢似地構想一些情節。他不愛寫實，他說，我又不是拍紀錄片，寫甚麼撈什子的實；電影本來就是夢嘛；要命的是大家都偏去抄現實，要把真實的情況再造一次。（那和繪畫的一些理論相同，不是拍照一般的寫實。）因此，梅維爾的電影看來好逼真，但只要看清楚一下，全是想像出來的，像《武士》一片就是了，阿倫狄龍穿了件乾濕褸，戴一頂帽，這種打扮，大街上哪裏有呢？梅維爾就是這樣地不喜歡做時代尖端的鏡子，他最討厭的電影就是那種老愛告訴你「某年某年，我在某地幹了甚麼甚麼的」一大套自白。所以，《武士》裏的主角也就是不知哪裏來，不知上哪兒去的神秘人物，為甚麼殺人，為甚麼這麼做，他是誰，等等，梅維爾都不說的。而這，就是他的一種風格了。

米蘭（一九六八年十一月十三日）

聖西伯斯廷電影節

　　西班牙的聖西伯斯廷影展是在七月，今年，也是為期兩週，由七月六日至十六日，參展的影片約廿部，來自很多個國家。法國參展的電影也是參加康城的兩部，一部是阿倫雷奈的《我愛你，我愛你》（這部片在康城影展中幾乎鬧雙包，因為瑞典的史狄布祖曼也有一部電影展出，片名卻是《我愛，你愛》，因此一提到這兩部片，就要特別提一提，以免混亂）〔，〕另一部是《一個婦人廿四小時的生活》。

　　英國參展的電影一共是三部，其中最為人熟悉的便是《羅米歐與茱麗葉》，這部片就是《馴悍記》導演意大利的齊法拉里的新作，片中的演員男的才十七歲，女的十五歲，全是新人。此片是英國本年御前放映的電影之一。羅拔阿德烈治的《莉拉・克萊亞的傳說》也代表英國出席聖西伯斯廷影展，演員方面有金露華、彼得芬治、喧尼斯鮑等。還有一部參展的是《衰亡》。由約翰基里殊導演。

　　美國參加康城的影片是三部，參加「西」展的也是三部，其中最受人注意的是約瑟盧西的 *Boom*，改編自田納西威廉斯的劇本。這部片的主角是伊莉莎白泰萊及李察波頓。約瑟盧西的電影水準很高，像《意馬心猿》，是有目共睹的，雖然他的電影不一定賣座。據外國某些評論，認為這部片普普通通（約瑟盧西的風格，以場面調度見長，節奏奇慢〔，〕不適合大眾胃口是必然事）〔，〕但田納西威廉斯則認為是傑作，還說他所有被改編上銀幕的劇本中，這是最好的一部。除了這部片外，美國參展的另外兩部是佳格連執導的《魔術師》，由安東尼昆、米高堅、甘蒂絲貝勤

主演，以及丹尼爾曼執導的《為愛艾薇》，由薛尼波特主演，涉及種族問題。

此外，西班牙本國以一片參展，意大利兩部，西德一部，阿根廷一部，捷克一部，蘇聯一部，都是比較冷僻的影片，不再特別介紹（事實上，關於聖西伯斯廷影展及康城影展的消息都取材自法國的電影週刊，至於一些原文是西班牙文，意大利文等等的文字，很難譯〔，〕就無法向各位報道了，如果把一連串各國電影片名列出來，相信也沒有甚麼意思）。

由於《羅米歐與茱麗葉》是不競選的，所以稍後，彼得葛連遜的《長日死亡》也出席「西」展。此次，西城影展的評選員有〔上〕屆諾貝爾文學得獎人阿斯杜里亞斯，匈牙利導演希斯可，西班牙導演基爾，意大利《時代》雜誌評論家朗狄及兩名記者維蘇埃斯與費拉羅。近年來，聖西伯斯廷影展的地位已逐漸〔提〕高。今年的影展是第十六屆。

米蘭（一九六八年十一月十四日）

日本映畫祭

「第一影室」已於本月十三至十五日舉行一個日本電影節，一共放映四部日本片，時間與節目如下：

星期三，十三日，下午七時正，《裸之大將》。

下午九時半，《奪命劍》。（一九五七）。

星期四，十四日，下午七時正，《奪命劍》，下午九時半，《他人之顏》。（一九六六）。

星期五，十五日，下午七時正。《他人之顏》。下午九時半，《流芳頌》。（一九五二）。

在這四部片中，我個人特別推薦的是《流芳頌》，這是我看過的黑澤明作品〔中〕最口的一部，比起來，它比《天國與地獄》、《赤鬍子》等還要有力。黑澤明的電影多半能發人深省，像《流芳頌》，說的是一個患了絕症的老人，在短短的日子裏終於完成了一件有意義的工作才死去。終場時他獨自坐在鞦韆上唱歌，那歌聲是以叫為「愛的世界」而流淚的人哭上三天。此片「青影會」和「第一影室」以前映過。

《他人之顏》本港已經放映過，譯名是《借面試妻》，但在市面上公映時已遭刪剪，「第一影室」週六試〔映〕此片時，我去看過，一百廿五分鐘完整無缺，除了仲代達矢這一主線外，還有副線是一個一邊臉損傷了的女孩，因為面貌醜陋，被世人遺棄，結果，她竟和哥哥發生亂倫關係，翌日，清晨獨自脫下鞋，走到海中自殺了。

《奪命劍》也是黑澤明的作品，三船敏郎式的武士片，香港已放映過了。這是一部日本莎士比亞式的「麥伯夫」

題材，此片拷貝本來在麥西哥城，現特地飛運香港來，由日本文化中心免費借出。

《裸之大將》，是真人真事搬上銀幕，寫一位畫家的故事，由小林桂樹主演，這部片很多人都沒看過，應該是值得看的。因為像這一類電影，市面上不放映，機會一過就不知「何日君再來」了。在四部映畫祭的電影中，《裸之大將》，是最短的一部，九十三分鐘，也是唯一的彩色片。可惜的是，它們都是日語對白，英文字幕。

想看這四部片的朋友或是想入「第一影室」的可以在放映前半小時到大會堂劇院購票或申請入會。這一次，六場電影都可以攜同來賓入場，會員四元，來賓五元。平常，有很多場電影是只限會員的。

今年是一九六八年，日本的明治天皇是一八六八年即位，現在剛好是一百年，所以，「第一影室」的日本電影節倒是適逢其會。明年，「第一影室」將舉行一個丹麥電影節，這又是值得大家拭目以待的了。要一提大家的是《流芳頌》片長一百四十三分鐘，九時半開映，近十二時才完場。

推薦：《藝海生涯原是夢》、《新潮放蕩男女》

米蘭（一九六八年十一月十六日）

幕後的李察麥當納

　　李察麥當納站在銀幕的背後，但他不是導演。他要幫導演好多的忙，因為他是美術指導。很多的「銀幕建築家」都是讀建築出身的，像設計《金手指》、「鐵金剛」系列和《密碼一一四》的堅尼夫阿當，設計《金屋藏嬌》和《痴戀》的愛德華馬雪兒，[1] 都是讀建築的。但李察麥當納是個畫家，舉行〔過〕多次個人畫展。因此，我們看《女金剛勇破鑽石黨》時，別以為那些光合的奧普畫是隨便找人亂塗的東西，實實在在的，它們實在是李察麥當納的一次銀幕上的畫展。

　　做一個美術指導，工作範圍很廣，像李察麥當納，他要做的工作大概可以分為三方面。第一類是替整部電影設計佈景，甚麼樣的屋子，甚麼樣的形狀，甚麼樣的牆，樓梯，室內裝置等等。像這一種工作，通常可以由一個人負責，那個人就不必做別的事情了。李察麥當納則要擔任另外一種工作，那就是須設計電影畫面的分鏡頭草圖。電影畫面裏邊的人物怎麼走動，怎麼坐立，工作的人不知道是怎樣的，李察麥當納就要畫出來，這樣，導演就不必費神解釋，工作人員一看草圖就知道該怎樣做。

　　分鏡頭的草圖是很詳細的，那就像把一個文字的故事變成了卡通的連環圖，不過，人物不必畫得很逼真，火柴

1　西西原文提及的是《金屋淚》（*Room at the Top*, 1959），乃英國新浪潮電影代表作，惟該片美術設計並非愛德華馬雪兒。這裏應指延續《金屋淚》故事、人物的《金屋藏嬌》（*Life at the Top*, 1965），此處逕改。本書其他提及《金屋淚》的文章，倘亦有幕後人員資料上的疏漏，一律逕改，不另作説明。

頭的線條已經很足夠。這些草圖要註明影機怎麼拍，從甚
麼角度，往哪裏擺，等等，一些重要的場面還要畫得詳細
一點。

　　李察麥當納喜歡電影，但他在皇家藝術學院畢業後，
卻在甘柏藝術學校教了八年美術。適巧約瑟羅西要找一個
人設計分鏡草圖，就找到了李察麥當納，到現在，他們一
共合作了十六年，我們看約瑟羅西的電影時，覺得整個空
間非常出色，那就是李察麥當納也有功勞的（《意馬心猿》
卻不是李察麥當納的設計）。着手籌備要拍一部新片時，約
瑟羅西和李察麥當納就兩個人一起把劇本從頭討論到尾，
一起商量該怎麼拍，於是，李察麥當納就把一切畫出來。
至於傢俱也得自己設計〔，找〕人去指定，像《僕人》中
的主角，祖上全是將軍，南征北討，於是家中的飾物，傢
俱不少都是海外的遠方物品，表示軍人到過很多地方，像
這種佈置，並不是找些「萬能傢俱」就可以充塞算數的。
在工作上，李察麥當納還要和打光師合作，因為佈景是否
立體，光線的影響極大。此外，李察麥當納也要和攝影師
研究辦法，有時整個電影陰陰暗暗，但回憶片段要白，則
用高調拍攝法。

　　我們知道，喜用場面調度拍攝法的導演，如約瑟羅
西，不愛把畫面切碎，因此，設計畫面連續的藍圖的確是
一件重要的工作。

米蘭（一九六八年十一月十七日）

夢與回憶的構成

拍電影，最能夠在技巧上賣弄的就是拍夢想，回憶，幻象等等的演員主觀鏡頭。因為現實的狀態是人人可以目擊的，夢境則可以多古怪就多古怪。一個人可以夢見進入了伊甸，伊甸怎麼樣呢，大家都不知道；一個人也可以夢見入了地獄，而地獄，又可以由個人假想出來。電影上有很多回憶和夢幻的鏡頭，導演們各有各的方法去表現。

最初的時候，夢與回憶的鏡頭是用字幕說明的，像，她在回憶起童年快樂的時光，於是下一個鏡頭就是描寫小女孩在林中嬉戲甚麼的情景。稍後，電影中出現了「夢氣球」，同一畫面上女主角在幻想時，畫面的一個角落圓圓的出現了一些動畫，就是表示是女主角幻想着的景象。比較近代的電影捨棄了「夢與思想的氣球」，喜歡用溶，用劃，畫面上拍一些流水，拍一些浮雲，就把現實帶到過往去了。這些拍攝法是極古老的，而且有點「畫公仔畫出腸」，漸漸的，很多人就覺得實在生硬。不少的導演不想在轉位時太過誇張，但又要告訴觀眾這是過往，就只好把幻境或回憶拍得和正常的畫面不同，整場的不同，這樣就不像是說明書了。

一些黑白片，約瑟〔羅〕西的，就把整個片子全用低調子，很陰暗的畫面，但一到回憶時，就把那一場的光調轉變，成為高調的白色。這樣大家就能把時間分得很清楚。李察黎斯特的《色情男女》也一樣，一群女孩子排滿了梯級，也是用了高調子的白來表示演員的幻象。薛尼盧密的《血印》則用慢鏡頭來表現。至於彩色電影，方法就

更多了，「獨行俠」片集中曾經用全紅的畫面來強調一個錶的回憶。而最近的《起死回生》及《新潮放蕩男女》中，幻象和回憶更多。《起死回生》中的阿爾及利亞，是用的彩色浮雕畫面，夜總會聽電話一場則把整個場所傾斜了來拍。《新潮放蕩男女》中的幻象，是用了局部彩色誇張的拍法，或是一片橙黃，或是一片咖啡紅等；其外，又不惜用慢動作，默片式漫像趣味及復古的背景。《新潮放蕩男女》如果沒有了那好多場的回憶與幻象，自然就會失色很多。

一般來說，導演是打算把過去、現在、未來，現實與超現實分明地拍出來的，觀眾只要小心一點看，多半能看懂，比較難一點的是費里尼的《八部半》，阿倫雷奈的《廣島之戀》及《去年在馬倫堡》，這些電影的時空交錯並不明顯，當然，連《新潮放蕩男女》的幻象現實也分不清的，就沒法分清《八部半》的時間次序了。而我們因此也知道，像《新潮放蕩男女》，一來是為了賣弄花招，二來也在討好觀眾，和《畢業生》一般，這是上乘的商品，《廣島之戀》者則剛好相反。

米蘭（一九六八年十一月十八日）

暴露的語言

　　近來的電影對「暴露」而言，不再是注重軀體的暴露，而是發展到語言的暴露上。事實上，大家也在奇怪，銀幕上〔的〕軀體，已經暴露盡了。在這方面〔，〕電影和時裝一般，衣服越穿越少。早幾十年，女明星是穿上一件比堅尼游泳衣，觀眾已經為之嘩然。而現在，女明星穿游泳衣，早已起不了宣傳作用。銀幕上的女人，不穿衣服已經是家常便飯，鏡頭上的攝取，也不限於一個背影或半個身子，最近在「第一影室」放映的瑞典喜劇《擁抱與接吻》一片，其中女主角背着觀眾，但面對鏡子脫光了衣服，整個人不穿衣服，像這樣子，是脫無可脫了。即使是《春光乍洩》，其中兩個女孩也扯光了裙子。本來，在銀幕上脫光衣服的多半是女人，男人呢，最多是浸在浴盆中，或者露出一個全背面，可是，瑞典的《我好奇》把赤裸男人在銀幕上轉了一百八十度角後，從此，電影中人物軀體的暴露已到了極限。代之而起的，是暴露的語言。

　　聲片的初期，電檢處十分注重典雅的對白，有聲電影如果出現了「天殺的」，「媽的」等等的對白，都要給剪掉，稍後，尺度又漸漸放寬，很多「狗娘養的」對白都被通過了。我們看《靈慾春宵》時，就碰上一大堆粗俚俗語，但是大家還不覺得怎麼〔樣〕，因為該片格調古怪，有些人根本沒聽，也沒追蹤字幕的翻譯，但是，大家要是看看《新潮放蕩男女》，大概準會「嘩」的叫起來。英國的電影目前似乎有三大特色，一是鏡頭奇短，顯然極受新潮作品的影響；二是題材喜歡搜索時下青年的典型〔；〕三是在語

言上的寫實，而我們看到《新》片中語言之大膽露骨，正是英國電影目前的特色之一。

《慾海紅蓮》寫的是貧民區，那些人講的自然不是文縐縐的學府話，因此《慾》片是把市井對白搬上銀幕的；同樣的，《錯認飛哥作玉郎》也不例外，彼得葛連臣還特別提倡對白的口語化，寫實化（這和粵語片之對白比官腔的國語影片更為流暢活潑相同）。《新》片描寫的是一批青年人，青年人既然早已不是二、三十年前的那種樣子，談吐不一樣，對性的看法不一樣，電影也〔就〕無須把它們的形象歪曲。事實上，《新》片可算是英國新寫實的電影之一，而且是寫實得十分透徹。問題是要了解這樣的一部電影，得先了解電影本身的時代背景。

好多學校好像在注重性教育，那麼，大家實在該重視一下，《新潮放蕩男女》這類電影，因為這部電影描寫的正是現代的青年。而且，和《雌雄大盜》一樣，它也是一部「問題電影」。

米蘭（一九六八年十一月十九日）

「新藝術」與電影

美術設計在電影中是一項很重要的工作，不過，通常，這些設計是不受人注意的。《巴巴麗娜》的設計很特別，所以，大家一看就看得出來，有一類電影是強調美術設計的，像《夢斷城西》，那種彩色的玻璃，《春光乍洩》那種紗幕，《滿堂春色》那種白的牆，《女金剛勇破鑽石黨》那種光合的奧普畫。另一類的電影是不強調美術的設計的，但是，大家注意一下的話，就知道在設計上花的功夫一點也沒有少。像維斯康堤，他的《氣蓋山河》，設計得非常精〔美〕，觀眾是看不出來的，因為那些古老的屋子，古典的傢俱都沒有特別吸引我們的眼睛，而是很被動式的站在銀幕裏。鏡頭一轉，我們全不記得了。維斯康堤是意大利的貴族，導演的維斯康堤本人很有錢，但為了拍電影，他虧了很多本，而且幾乎拍得傾家蕩產，原因之一就是他不惜花錢去搜購一些真的飾物，例如一座古老的花瓶等等，把室內設計得和真的一樣。

早一陣，畫壇上流行的是奧普和普普，電影中也出現了很多。片頭設計上炫目的變幻圖案，就會把光合帶到了銀幕上。去年，畫風上流行的是復古的「新藝術」。三藩市的喜僻士特別喜歡採用「新藝術」的畫風來設計招貼畫，甚麼歌星開一個音樂會，甚麼古怪的招貼畫，都是「新藝術」的面貌。（這些招貼畫，香港現在也有，太子行樓下一間買鈕扣蝴蝶和孩子玩意兒的店中到了一批，每張十六元左右。）這些潮流上的畫，很快也就上了銀幕，《新潮放蕩男女》的片頭設計，就是用的「新藝術」。

「新藝術」是一種復古的畫風，本來是十九世紀的產物，它的特色是彎彎曲曲的圖案，肥肥的體積，顏色上是彩色繽紛。最近那些甚麼利惠聲戰的海報，也用的是「新藝術」的畫風，看上去，那些字又肥又胖地擠在一堆，要很仔細也可以把字母分別出來，此外，那些字都像植物的葉莖，捲來捲去。不過，這種畫風此刻已經潮退了，幾乎是《雌雄大盜》的邦妮形象一出現，「新藝術」就歸了隱，現在是更古典的或者是太空世紀的設計在抬頭。我們要是翻看一些畫報，也將發覺「新藝術」的設計早就蕩然無存，去年呢，不管是《老爺雜誌》，《麥考婦女月刊》，《十七歲》，《花花公子》，全是「新藝術」的天下。從這方面看，《新蕩放蕩男女》也不外是潮流上的一件裝飾品，正像該電影中的一句對白：這些新的商品一出了店門就又落伍了。在香港，追不上時代也有一樣好處，我們的電影上既然不曾有過「新藝術」，「光合」，「普普」，也就無所謂落伍，但這也說明了一點：我們缺乏衝力。

米蘭（一九六八年十一月二十日）

電影和電影的比較

　　許多電影，乍看起來，都是同類。像最近一連串的賣倒霉的電影《新潮小姐》，《偷情聖手》，《慾海紅蓮》，《藝海生涯原是夢》等，都是類似的。加上《春光乍洩》，《新潮放蕩男女》（就是一般人稱之為「新潮」的電影，還有《畢業生》沒算在內）這麼多的電影，我們認為都是好電影，大家要去看。其實，即使是好，也有幾個層次。選擇起來，還可以有所取捨。

　　在上述的電影中，我把《畢業生》，《新潮放蕩男女》，《慾海紅蓮》列為好的一類。能夠達到好的水準，先決的條件是電影本身必須是電影，整個的構成即使沒甚麼創意，也必須平平穩穩。譬如，《破曉時分》，我說它是一個好的電影，就是把它放在《慾海紅蓮》這一個行列中。《畢業生》和《新潮放蕩男女》及《慾海紅蓮》，都在技巧上轉圈子，像這類的電影，以形式佔優，碰上韓愈、柳宗元之輩，就要來一次「文起八代之衰」那麼嚴重。當然，這幾部電影之所以好，也是因為它們本來要描述的只是很普通的現象，（而且寫得十分表面），不過想到了一個活潑的形式而依附着。同樣的，《錯認飛哥作玉郎》也是一部好的電影，它不外也是一部《慾海紅蓮》。

　　《起死回生》，漂漂亮亮的一部電影，我認為是不很好。做作得不得了別去說，連娛樂的誠意都不夠。至於《偷情聖手》，《新潮小姐》，《藝海生涯原是夢》，它們是很好的電影，不光是好，而且是很好。你決不會覺得這些影片的形式有喧賓奪主的現象，它們幾乎和內容融而為一

了，而且，比起來，這幾部電影所描述的，展示的角度，也遠比《畢業生》等要深入。《畢業生》等要寫的只是一個特殊的人物，某一個傻氣的畢業生，某一個忽然不想過有錢生活的小姐（卻沒有理想），某一個很倒運的女孩，某一個時代青年之一，本來，從這些人物的身上可以延伸出去，但是，電影要寫的只是集中那個個人，而和他們相好。相反，《偷》，《藝》，《新》要寫的比較寬大，我們會覺得《畢業生》是大特寫式的電影，特寫這個人，因此我們只看見他，而《藝》片的史提夫是遠景式的，牽涉一大群人，我們看見他的是整個社會，一個小小的世界。不過，這套電影所描述的還是這一代，這一剎，這一個時勢。人類怎樣，現在怎樣，將來怎樣，看這些電影時我們不會想，但有些電影關心這些，有些電影放眼整個世界，整個人類，所以，《春光乍洩》，《八部半》，《流芳頌》這類電影，就是好得很了。形式表現創新而不賣弄，內涵博大深遠又豈是易拍的呢。

米蘭（一九六八年十一月二十一日）

四天的《特權》

　　《藝海生涯原是夢》，很好看。散場的時候，有一個人說：噯，原來講的竟是耶穌。我就是無論怎麼想，也不會想到耶穌上面去，電影裏邊當然有十字架，有現代化的〈基督精兵歌〉，但這哪裏是講的耶穌。史提夫，他明明就是一個歌星，一個紅得發紫，別人要掛了橫布來歡迎的小伙子，一堆人硬生生把他捧了起來，他就成了一座很會賺錢的機器。做史提夫這樣的一個人是很慘的。私生活，沒有；愛一個女孩子，不行。他說，我們來喝咖啡，一群人竟全喝咖啡。做人做成這樣子，有甚麼快樂呢？幾點鐘，上甚麼電視台；幾點鐘，拍宣傳照；幾點鐘，開記者招待會。史提夫悶死了，他終於說：我恨你們。他唱的歌就是在喊：給我自由，釋放我。別人以為他在那裏惺惺作態，其實，他是真的。他用手銬磨傷手腕，在背上劃下血痕，別人就賺了很多錢。

　　這種電影不是空空洞洞的，一個傳教士說：到了一九九○年，就只有牧師一個人去做禮拜了。畫畫的女孩子說：他們喝咖啡，他們沒有說不，但你呢，你也沒有說不。這些對白，都可以讓我們想一想。大家見過一株美麗的樹麼，有時候，一些寄生的植物纏滿了樹，不久，美麗的樹就因此死了。《藝》片的史提夫就是那棵美麗的樹。大家最終還是要遺棄他的，即使他沒有站在台上說我恨你，一群人早就知道，史提夫的名聲和光芒已經到了飽和點，他們努力殺死一個形象建立起另一個來，因此，他們同樣可以把一筆投資轉移到別人的身上。終場的時候，史提夫

寂寂無名了，而這，才是他生命的再開始。這個電影和別
的電影並不相同，片中的史提夫不是英雄，而是一名可憐
蟲，當他得到一座銀像，當他說我恨你們，他的聲音竟是
低低的，完全是一個弱者的聲音，想想，要是換了個保羅
紐曼，他大概會大聲叫喊的吧。

珍絲林頓，不中用，她還是乖乖的回家去穿上漂亮衣
服的好，她本來就是卓姬以前最紅的模特兒，做演員不是
她的行業，做明星又高攀不上。

導演並不差，小小一個銀幕，給他填滿了很多東西，
黑白黑白的硬照，鮮明的紅配背景的黑，適當的仰角俯
角，很有秩序。彼得活健士實在算得上是英國的一名新
秀，他的一部四十七分鐘的紀錄片《戰爭把戲》在第四屆
紐約電影節上光芒四射，使他能夠進一步拍他的《特權》。
實實在在的，同樣是寫一個青年人，《藝》片就比《新潮放
蕩男女》深沉得多了。不過，很可惜，四天的壽命。

米蘭（一九六八年十一月二十三日）

外景、內景、虛景、實景

最長電影少不了的。[1] 但景有好多類型，不同的景可以確定一部電影的風格，不同的景又可以確定一部電影的身價。本來，電影是反映現實的，像人在街上走，鳥在林中飛。但是，電影可以把真的事件搬到假的環境中發生。

一般的景，有的在外，有的在內。外是戶外，內是室內。一伙人在街上逛，汽車在公路上跑，足球在操場上踢，這些都是戶外的，看電影時，我們常會見到這些景。至於室內，就是人在牆內，坐在茶廳中喝茶，在酒店看時裝表演，小偷偷東西，都是室內的景。不管戶內還是戶外，這些景都可以是真是假。

如果一伙人到街口去拍景物，像《窗》，謝賢甚麼的在尖沙咀馬路上走，大家一看，認得出那是尖沙咀，人很多，景物全是真的，像這樣的景，是真的。如果一伙人也是拍的街上的景，像《三燕迎春》那樣，李昆帶了玫瑰花上花店，那條街，誰也沒見過，而且大家一看就覺得不很真，原來那條街是片場搭的，即使是街，是外景，卻是虛的。以後，我們看電影時，小心一點的話，看看一些景也很有趣。用真實的鄉景，可以使電影中的環境迫真些，一些實驗電影，紀錄風格的寫實片，多數喜歡用真景，不過，這樣的拍法也有缺點，第一，街上人多，行人多半會看着演員，使真實的環境又變了劇場。第二，這類電影的畫面會比較粗糙，容易真也〔就〕不容易美。意大利的新

299

1　此句不完整，原文如此。

寫實，英國近年的「自由電影」，大都採用真景，優點是自然而粗陋。相反來說，用片場搭的景比較上是不夠像真，但優點卻在於可以盡量設計，燈光可以慢慢打，畫面就美得多了，碰上《窈窕淑女》這一類片，就非片場景不成。

搭佈景，不論戶內戶外（花園還是大廳），都得花錢，因此，地下電影和實驗電影，即使新潮的「筆記派」大師都不得不走到街頭去。越是想省錢的製作，越是減少佈景。所以，你《巴巴麗娜》，《埃及妖后》就花了許多佈景費。在香港，我們也許會奇怪，為甚麼好多很粗陋〔的〕製作，成本甚低的電影，依然要在片場中拍，不肯走到大街上來而省點錢呢？原來這是有特殊的原因的。首先，這裏的景，搭一場可以拍幾部電影，景盡其用，因此省了錢。其次，明星們可以空出時間來拍戲。譬如說，蕭芳芳下午三點在某片場拍戲，如果乙導演要找她去拍外景，她哪裏〔分得開身〕，老遠的到別的地方去，但要是乙導演也在同一片場中拍戲，那麼蕭芳芳一有空，就可以從一個攝影棚走到第二個棚去，省了很多往返的時間，所以，我們見到的好些本港電影就廠景多於外景了。

米蘭（一九六八年十一月二十四日）

弗立茲朗格七十七

　　大家比較熟悉的導演多半是希治閣，尊福這些，如果數到早期的，也最多知道有格列非斯，愛森斯坦等人，至於弗立茲朗格，認識他的人就甚少。但在電影史上，朗格是個重要的名字。

　　早期的電影，有過幾個黃金時代，格列非斯，卓別靈是黃金時代之一，俄國影片的黃金時代是愛森斯坦他們造成的，而德國，德國早期的電影黃金時代是他們的「表現主義期」。關於表現主義，我們已經提過，重要的代表作是《加里格里博士之密室》。但真能代〔表〕表現主義作品的導演，卻是謬諾和朗格。朗格正是弗立茲朗格。德國的表現主義距今約有半個世紀，但朗格還活着，他今年七十七歲，是現存的名導演中所剩無幾的一個。希特拉上場後，朗格背井離鄉到了美國，他和馬蓮德烈治一樣，也是到美國，過了大半生，他也是德國人所懷念的生長在萊茵河外的同胞。目前，朗格定居在比華利山上，和一小圈子的朋友來往，參加一下影展，過着寂靜的生活。經過了兩次戰亂，在他來說，二十世紀令他牢記於心的決不是愛森斯坦的名字，而是廣島。

　　朗格還是和以前一樣健談，他喜歡辯論，誰要是說：你的《大都會》是一部傑作。他就會把問題機關槍似地掃過來：為甚麼，為甚麼。而且他會用更適當的理由反辯。如果誰說：美國電影在顯生機了，美國將出現電影新紀元，但他卻冷冷的說：數一部二十年來最偉大的美國電影名字來吧。人們也許可以數出很多，但實際上，他每一部都能

否定，直到結果，大家承認實在是一部也沒有。不錯，這二三十年來，有哪些電影能和古典的《大都會》，《波特金號戰艦》等相比的呢？連歐洲也甚少，何況是美國。

法國的薩杜爾（出版過《世界電影史》）曾誤寫了朗格，但朗格不在乎，他認為史家錯〔誤地〕介紹他，是自己不好。朗格其次不在乎的是錢，他在美國的作品全不賣座，但直到現在，他仍然生活富裕。因此有人說，他在一九三三年離國時，帶了好多太太的珠寶。

在一九五七年，朗格回德國去了一次，他在那裏一共拍了三部片，然後又回美國。朗格頗關心年青一代的情況，當他知道德國也有一些青年導演稍有成績就很開心，不過，一般來說，年青的一代有點有勇無謀，很多人學新潮法國「〔筆記〕派」，到處叫人投資，結果後勁不繼。有一個青年拍了五個星期，花了一百萬馬克，卻說不搞了，「對不起」了一句就算數。而朗格所期望見到的是德國電影的第二黃金時代，就像當年第一次世界大戰後柏林藝術節時同樣的輝煌。

米蘭（一九六八年十一月二十五日）

表現主義與製片場

　　今日，電影和電視競爭得很利害。電影欲想和電視背道而馳，倒可以走表現主義的路。尤其是香港，表現主義實在有理由漸漸抬頭。

　　在這裏，電影不外是由幾間製片廠製造出來，獨立製片，實驗電影都沒有立足之地（哪裏有電影院來放映呢？），電影既然〔在〕片場中加工製造，自然而然就成了一種美工品。表現主義的電影正是這一類。表現主義的電影是在片場中搭佈景拍的，利用廠景正是本港電影的最大特色，因此，一部電影可以盡量搭場面宏偉的佈景，利用燈光，明暗黑白〔，〕把氣氛營造起來。電影以精細的畫面構圖出現，當然能對比電視的真實而粗糙的形象。

　　表現主義電影要求的是演技演員，任何一個受過訓練的人都可以演吸血殭屍，瘋狂酒鬼，而這，也正是本港電影明星做得到的。事實上，這裏的電影，來來去去都由那幾個明星演，沒有人想到該找更多新的面孔，或是更適當的人選，而是無論甚麼戲都指定這幾個人，表現主義呢，剛好也不像《春光乍洩》那般，要找遍了倫敦去找一個大衞〔漢〕明斯出來，而是演過戲的人都可以上銀幕去，在「明星制度」之下，表現主義實在十分適合在這個地方生根。

　　最近，電影一下子流行起偵探恐怖奇情的題材來，相信一些精神病者，吸血殭屍，恐怖殺人王也會跑到銀幕上去，這些人的出現，是導演最有辦法藉「主觀鏡頭」，「誇張背景」，「怪異攝影角度」，「幽暗燈色」，「濃厚化妝」來

營造氣氛的，而這些，正是表現主義電影的拿手好戲。最重要的還是，電視走的不是這個方向。

電影本來可以走在電視之前，電視是鏡子，反映的乃是當前的世界景象，但電視有時候雖然追得上時代，卻不夠尖銳和前衛，電影如果拍得出高達和安東尼奧尼那一類型，則大家可以捨電視而取電影，可是如果不呢，就不妨走向一個幻想的超現實世界去，因為電視的世界才是現實的世界。

新潮和新寫實本來比較接近當代的脈搏，可惜，這些電影不易在製片場中成長，有沒有一個人肯找一批全新的臉孔上銀幕呢？片商買片的第一個條件就是明星。新寫實與新潮從來不計較大明星，能夠在街上找一個乞丐上銀幕就遠比叫一個百萬明星扮演來得適合，當然，一個乞丐從來不叫座。問題是：拍表現主義也不是一件輕而易舉的事，不過，這倒是製片場值得投資的：找最好的美工師來。佈景的設計，銀幕的建築，就全靠他們了。

米蘭（一九六八年十一月二十六日）

紀念杜萊葉

　　杜萊葉，這位寂寞的丹麥人，經已逝世。正當全世界的人在等待他的《基督傳》，他已經無法開拍了。七十九歲，在哥本哈根。《電影與電影製作》在六月份的期刊上登着這一個消息，而二月的《電影與電影製作》上還登着一篇杜萊葉的訪問記。難怪康城影展今年舉行一個「杜萊葉紀念展」了，因為除了他，六八年之中值得紀念的還有誰呢？他的遺作《葛特露》兩年前受到威尼斯電影節評選委員會的大大稱許，但卻得到很少人的注意，直到現在〔，〕世界上看過該片的人就更少。過去二十年來，他一直籌錢要拍一部《基督傳》，去年，丹麥政府已經準備資助三百萬丹麥幣，可是，杜萊葉〔等〕不及了。年老的杜萊葉留了一頭輕軟的灰髮，眼睛有神而尖銳，在電影的史上，他是電影的〔蘇〕格拉底，是許多歐陸電影的後父。批評家稱英瑪褒曼是杜萊葉的電影上的承繼者，是他最嫡傳的電影兒子。在法國，高達的《賴活》簡直就展示出一種對杜萊葉有如父親的崇意。《葛特露》是杜萊葉的第十三部作品，一般人最記得他的卻是《聖女貞德》。我們看《廣島之戀》時看到里娃因為愛上了一個德國兵，而在愛人死後被囚在地室中，剪去了所有的頭髮，這一段實在是從《聖女貞德》取得靈感。杜萊葉拍過一個鏡頭異常出色，真的削髮，任何人都不會忘記。一九二六年的《聖女貞德》，如今已經是電影史上的經典作品了。杜萊葉是在丹麥誕生的，母親是瑞典人，但婦人在產後就死了，杜萊葉則由一個丹麥家庭領了來扶養。從小，杜萊葉過的就是很規則，很乖的生

活，他所學到的乃是容忍。有人曾經問過他，為甚麼喜歡拍一些宗教的題材（像《聖女貞德》和《基督傳》），他說因為他相信容忍，所以他要拍《基督傳》藉以呼籲容忍的可貴。杜萊葉長大後當過記者，這使他常有機會寫作，稍後，他開始編寫電影劇本，到了一九一二年，他投身電影圈，由一個編劇慢慢變為「電影剪片」，結果在一九一八年正式成為導演。他曾經到過很多地方從事電影工作，其中包括法國，德國，芬蘭，瑞典和挪威。

對於英瑪褒曼，杜萊葉從來沒看過他的作品，他說有人把他倆的電影相互比較，但他相信英瑪褒曼沒有受他的影響。杜萊葉則看過高達的《賴活》，其中，高達曾「借」了一段《聖女貞德》上銀幕。杜萊葉比較上喜歡早期的電影，雖然他承認高達電影的技巧是很吸引人的。

最近幾十年來，杜萊葉一直沒有和任何人妥協而拍片去賺錢，所以，他留下的十三部作品，都可以代表他自己而無愧。

米蘭（一九六八年十一月二十七日）

導演紛到世界各地拍片

　　安東尼奧尼乃在美國拍《薩布里斯奇據點》（地名），很多導演現在都到世界各地去拍片，安東尼奧尼當然也不例外。他上次的作品《春光乍洩》在英國〔拍〕，現在，選了加里福尼亞的洛杉磯。這部《薩》片的題材是從一段報紙上的新聞取得靈感，說的是一名青年人，為了把一架小型的私人飛機送還機場，結果卻失事身亡。這件事和安東尼奧尼本來的故事概念很謀合，於是寫了一些草稿，交給英國一位年青的劇作家森薛柏撰劇，片中大部分外景是在洛杉磯，然後移至阿列桑那鳳凰市的死亡谷，薩布里斯奇據點正是死亡谷一個地方的名字。

　　拍過一部全是屁股的短片的小野洋子，又完成了另一部短片，這次，她是真的拍一部全是微笑的短片了。由於上一部是《電影第四號》，這次的便是《電影第五號》。《電影第五號》片長九十分鐘，是彩色的，全片是約翰連儂微笑的特寫，連儂還為該短片的配樂親自作曲。據說，有人寧對着帝國大廈呆瞪八小時也不願一看九十分鐘的連儂的微笑。不過，這一片也使連儂成了名（另一個名），因為大家開始稱他為「蒙娜連儂」。當然，說到微笑，大家總是說蒙娜麗莎的微笑，現在，大家多了一個說法，就是：連儂的微笑。

　　意大利的安東尼奧尼上了美國去拍片，法國的高達，則去了英國。高達的新作是《一加一》，演員陣容中有「滾石樂隊」在內。英國現在很熱鬧，除了高達，還有很多別的導演在拍片，薛尼盧密在拍《海鷗》，演員是占士美臣，

茜蒙薛娜烈，雲妮莎烈格里美，部分外景則在瑞士拍。法國也很熱鬧，布紐爾拍的《銀河》是講教會二千年來的歷史，對白中竟然出現拉丁文，值得注意的是，布紐爾自稱，這將是他最後製的一部片。《男歡女愛》的導演利勞殊則在拍《生命，愛情和死亡》，說的是一個死囚犯在獄中的回憶和思想。

　　關於電影書，這幾年來有如雨後春筍，出了很多，不過，最近出版的一本《希治閣》卻來頭甚大，因為這本新的《希治閣》乃是由法國「筆記派」健將杜魯福執筆。我們知道，「筆記派」的新浪導演們一直很看得起希治閣，他們的作者論中把希治閣列入殿堂人物之一，因此，這部以杜魯福和希治閣對話為主的新書，將使我們可以深入去了解希治閣本人以及〔筆〕記群。這本新書討論的是希治閣的每一部電影，幾乎是按電影〔風〕格研究，如何構成，如何得靈感，如何克服困難等，不過，書很珍貴，價錢也甚昂貴，每本五鎊五先令。英國版稍便宜，但也要十大美元。（取材自 FF）

米蘭（一九六八年十一月二十九日）

場面調度之今昔

電影的結構手法，大致上有兩類，一是蒙太奇的割接拼湊成；一是以「場面調度」整片段整片段續成。不過，我們看過不論古典的作品或現在的電影，卻是以「蒙太奇割接」而成的居多，這是甚麼理由呢？在最初的時候，攝影機呆在三腳架上不能動，而且，重要的是，那時候的拍攝機不能夠變換焦距。我們知道，人的眼睛要比鏡頭強，稍遠一些〔的〕景物，眼睛可以看得清楚，但鏡頭就攝得模模糊糊了。拍「場面調度」的電影片段，人物忽走遠忽走近，這時，在畫面上他們一忽兒遠景一忽兒近景，要是影機不動，只有變換焦距才可以使遠近的景物同樣清晰，否則，近景清，遠景就模糊了。要是格列非斯〔、〕愛森斯坦有能夠變焦距的攝影機的話，相信他們一樣也會捨蒙太奇而致力於場面調度（何況愛森斯坦還是個優秀的舞台導演）。

聲片的時候，配音的方法是採取現場錄音的，即是說，演員們在演戲，他們的聲音被當場錄下來（這就是目前意大利安東尼奧〔尼〕等十多位導演聯名要求的錄音法）〔。〕為了要當場錄音，攝影場中就設了很多的「咪」，這些一枝枝的「咪」使「場面調度」的進行頗困難，因為既要現場錄音，「咪」就不能離得遠，要是「咪」近在導演身邊，導演就無法施展「場面調度」，一調起來，所有的「咪」都會跑進鏡頭去了。

現在呢，情形不同了，攝影機可以隨時變換焦距，而配音法也不是採取現場錄音，那麼，為甚麼電影中仍然不

見有適當的場面調度呢？尤其是處理一些內心的戲，兩個人之間的衝突，這些決不是幾個快速的割接（蒙太奇）可以算數的。因此，為甚麼大家不肯用「場面調度」呢？原因有幾個：一，有的導演根本還不知道甚麼叫「場面調度」，不知當然不會用。二，一般的導演多半不是舞台導演或演員出身，對於以調動演員的位置來營造效果和調動鏡頭不熟，因此寧願以割接為主。三，導演們想節省時間，因為「場面調度」要求演員們排練，這是要花時間的。四，導演們替製片家省錢，因為攝單獨的鏡頭〔，〕菲林可用的較多，〔若〕「場面調度」一場不行，要從頭開始，菲林耗得更長。五，導演們懶。因為「場面調度」要預早設計，臨時即興不是易事。

　　蒙太奇是有蒙太奇的長處的，但一部電影可以集「蒙太奇割接」與「場面調動」之長，既然已經可以用「場面調度」了，何必還愛森斯坦般「死」割一番呢。想看出色「場面調度」的話，最好看雷諾亞的《遊戲規則》。本港的電影中，楚原的近作《紫色風雨夜》和《冬戀》中也都有，蕭芳芳和南紅見面的一場就甚出色。至於有些導演，鏡頭胡亂擺來擺去，則離「場面調度」甚遠矣。

米蘭（一九六八年十二月一日）

留意三導演

　　這裏所說的「留意三導演」有兩個意思，其一是指有三個導演，都是留學意大利學電影歸來的，另一個意思是指這三個導演值得我們留意（注意的意思）。

　　從意大利回來的三個導演中，白景瑞的作品我們是見過的，他的《第六個夢》和《寂寞的十七歲》都在本港上映過。現在，白景瑞在台灣，對於他，大家反而一直不怎麼記掛，因為他已經有片可導，自然可以學以致用了。大家比較記掛的卻是劉芳剛和孫家雯，這兩位留意歸來的編導並沒有立刻導電影，尤其是孫家雯，起先忙於導歌劇，後來又忙於搞製片（很多人常常看不起製片，其實製片不易為。一部片成功了，又多半是導演和明星大出風頭）。不過，現在卻有好消息可以告訴各位，孫家雯將導一部新片了，相信在明年的稍後時間內，大家可以看到他的作品。以前見到孫家雯時，也常常問他：為甚麼不導一部片呢，孫家雯就說：過一兩年，等一切都準備妥當了再說，果然，並沒有食言。

　　劉芳剛最近才從意大利回台，早半年時，途經本港，許多喜歡電影的朋友曾到寓都拜訪他，和他談了一個早晨，他選了一個晚上放映他的畢業作品給大家看，是一部短短的《不曾見過一條河嗎？》。劉芳剛當時曾說，他回台後會投〔入〕電影界，現在，也是真的，劉芳剛要開拍一部新片了，而且，下一個月，他將到香港來工作，因為新片是在這裏拍攝。

　　這畢竟是值得興奮的一件事，白景瑞，孫家雯和劉芳

剛都站到攝影機旁邊來了，我們且不問收穫如何，對於中
國電影來說，能夠好好地出發，不斷地耕耘已經是可喜的
了。此外，唐書璇的《董夫人》也終於完成，且參加了三
藩市影展，國片的影壇着實很是熱鬧。

　　很多人在看過《第六個夢》和《寂寞的十七歲》後，
覺得意大利回來的，也不過如此，言下大有很失望的意
思，不錯，那兩個電影並不出色，不過，要明白的是，一
部電影不是導演一個人築成的，那些要命的一大堆糾纏在
背後的因素也要負很大的責任，譬如說：要說教的故事，
要牽就觀眾的口味，要畫公仔畫出腸的描述，等等，還
有，工作的人。因此，我們似乎不必對正起帆的船太過苛
求，試這樣想想好了，要是叫安東尼奧尼或高達或約瑟盧
西一個人到這裏來，給他同樣的限制條件，工作環境和合
作人員，他們會怎樣。

　　並不是說，留學回來就一定會變成好導演，這還得觀
其誠意和努力，汪榴照及楚原並沒有留過電影學，但他們
照樣是現存的好導演。

米蘭（一九六八年十二月三日）

片場電影和劇場

　　電影本來是想擺脫舞台劇，跑到現實的大自然大都市中來，因此，電影就可以瞬息萬變，一分鐘內連換幾十景。不過，我們明白，現在有許多電影被迫要捨棄外景，而回到片場中去拍廠景。譬如說，為了牽就大明星可以兩個片棚跑，為了免得多事的途人圍着外景隊，為了利用同一佈景（古裝的廟堂）來拍幾套片省回佈景費等，這些理由都可以把電影趕回攝影棚中去。對着很呆的佈景，怎麼辦呢？其實，這倒是不必太擔心的，電影可以扔棄舞台劇跑出來，一樣可以向舞台劇模傚跑回台上去。

　　要知道的一點是重要的：舞台劇並不曾受到佈景的限制，舞台劇的時空照樣十分廣闊。就舉例說說我們的一些舞台劇好了，在一個台上，即使沒有佈景，一樣可以演戲，有了佈景，也不見得就把一切時間空間給呆定了，我們常常見到一些演員騎了馬，但舞台上沒有馬；演員可以演出來，把馬綁在樹旁，大家一點也不覺得怪。還有，演員們可以把舞台當作室內室外，關上假想的門，舞台前可以變作街道；這些，都說明了舞台劇即使只有一台景，依然可以拍出很多空間來，而電影，可以向舞台劇學。誰要是拍一部古裝片，背景就是一片白幕，整個故事的地點和事件全靠演員演出來，那是銀幕上十分少見的，大概連高達也要嚇一跳，但古希臘的圓劇場每次豈不是上演同樣的沒佈景戲劇。

　　舞台劇有兩個出入口，這和電影沒甚麼分別，直到現在，電影上的人物總是朝東西兩邊走（除了電梯），這很

有用。舞台劇的人物是追追逐逐，不必跑許多路，只要一個門出，另一個門入，轉幾次，就夠了，同樣的，我們看牛仔片時也常見大俠這邊山腳轉進去，盜賊那邊山腳追出來，景物不必變，連拍攝機都不必移。

很少的佈景，在片場內也好，在實景的戶內也好，正是發揮「場面調度」的好機會，這也正是舞台劇最成功的地方。

觀眾最終還是會給劇力吸引着，就不重視背景是否繁華了。

劇場的佈景其實也不呆板的，近代的舞台利用燈熄燈明的交替，也可以瞬息變化很多佈景，尤其是有了旋轉舞台，一轉就是一景。還有，舞台上也已經用過活動背景，演員在台中心固定一點上奔跑，動的卻是背後的布幕（電影就曾向舞台劇偷來這方法）。說到要省佈景，這大概要研究一下瑪蒂斯的一些畫，他喜歡把背景弄成糊牆紙一般，把一切不必要的室內陳設都省掉了。現在很多電影利用大招貼畫，大幅的奧普構圖，也是一個好辦法。

米蘭（一九六八年十二月四日）

新潮竟會觸礁

　　如果有人說，五四時期的白話詩即是色情詩，這當然是大大的謬誤。白話詩所以出現，就是因為有些人不想寫古詩古詞，而用了新的形式。（去掉了平平仄仄，變換了豆腐詩體的面貌，易替了長長短短的必然公式。）徐志摩的詩中不乏女郎姑娘愛情等詞語，但這並非說，白話詩即是色情詩，真要說到香艷妖冶，古詩中卻是多得很。同樣的，要是有人說，新潮電影即是色情電影，那就和說白話詩即色情詩一般犯了認識不清的謬誤。其實，新潮電影之產生，也正如五四時期的白話詩一樣，也是想蛻換一種形式來表現，因為現存的詩和電影的面貌已經成了濫調，而且深受傳統形式的約束。必定要那麼的一群大明星，必定要那麼的大製片廠，必定要某些某些工作人員，必定要如此這般的題材，必要要很多很多的錢，必要要遵從已形成的法則規條等。不一定是新潮電影，即使任何藝術工作者都會反問：為甚麼一定要這樣。甚至做生意，大家也可以創新，像英國青年，現在竟然自己開時裝店，出版社，唱片公司，以前呢？這些都是成人的圈子，三四十歲人的天下，哪有人相信十多二十歲的年青小伙子，可以成為時裝界的首領，做了大富翁的呢？（如披頭四，卓姬，馬利鄺等等。）

　　但新潮電影到了這裏來就給人家大大的誤解了。因為新潮作品中有一些裸體的鏡頭。在港外，許多國家出產很多電影，裸體不算一回事，瑞典的電影尤其為最，大家看慣了，絕不會把凡是裸體的鏡頭全推在新潮的頭上；而且，

觀眾們也比較明事,知道電影有一個個不同的學派,有的是新寫實,有的是新電影,有的是新潮(影評人的力量不弱),偏偏新潮電影一到港,就犯了忌。我們看慣荷里活片,裸體得掩掩飾飾,一見到羅渣華丁的《滿堂春色》或《巴巴麗娜》就嘩然,而最糟的還是,不知怎的,到了現在,竟然變成了「新潮即色情」。《慾海紅蓮》,《春光乍洩》,《意馬心猿》,《新潮小姐》都變了新潮電影。把名字弄〔錯〕還沒甚麼,只要大家知道那是錯的,不去相信,加以糾正也就行了,可是,可笑的竟還有某些居高位的從事電影製片及出入口的先生們,也認為「新潮電影即是色情電影」,一碰上新潮兩個字,就以道德為本位來搖頭,港外的幾個國粵語市場正在發生一個如此荒謬的現象,見到「新潮」兩字就當作鴉片禁書般不准入口,而新潮到底是甚麼,是非不辨,黑白不分,真是電影界一大羞恥。寫電影宣傳稿的人不明白電影倒也算了,連某些影評專欄也胡說八道,騙錢事小,禍害心智就難以救藥了。

米蘭(一九六八年十二月五日)

楚原的演員方法

　　楚原在導演一部片之前，會召開一個工作會議，在這個會上，演員們都來參加，於是，楚原就向他們講故事。楚原想拍一部《冷暖青春冷暖情》，劇本編好了，但這是編劇和導演（或一個人編導）心目中的電影，演員們明白嗎？通常，大製片公司把劇本通過後，就印一批拷貝，只要是工作人員，人手一冊。演員當然會有一份，演員拿了這份劇本，像樣的話就從頭到尾詳細研究一下，否則，知道一下演甚麼角色，就到片場去演了。像這樣子，演員和編劇之間甚為脫節，因為一個文字的劇本終究是死物，而且演員有時很難知道導演希望他們怎麼演。當然，在正式拍片時，導演會指導演員怎麼走怎麼做，但這時才教，導演自己固然辛苦，演員也像棋子一般任人擺佈，由於電影是一場場一鏡鏡分期付款拍成的，演員們如果事先不曾熟知劇情和表現方法，導演臨時才找個副導演幫忙，大家都在分期付款式工作，缺乏一種整體的呼應。

　　有的導演比較好，他們也會事先找主要的演員開一次會，問問大家的意見，或者叫他們去看看某一部片，見識一下同類角色的演出。外國的雷諾亞則拼命叫演員三番四次讀劇本。我們明白，在本港拍電影，速率是佔第一位，為了要快，哪有時間慢慢開工作會議，所以，演員們多半一接到劇本，只好自己顧自己，到時上鏡頭。但楚原明白，一個劇本在着手編寫的時候，演員們多半不在場，因為那是編導的工作，因此有許多細節或導演所要求的效果，演員們並不清楚，於是，楚原就給演員講故事。

講故事有很多種方法，有的是把大綱一提，有的則每場說說，但楚原是整個電影描繪出來。一開場，有一間學校，然後，這邊駛來了一架勞斯萊斯，車中坐着甚麼人，人在吃肉，他把肉中肥的一塊扔出窗口，恰巧掉在某人身上，某人乘着單車，等等，由於說得很詳細，演員們還沒演，已經把整個電影各個畫面都〔想〕清楚了，到真正演的時候，當然知道自己是該怎麼做，甚至連站在甚麼地方，講甚麼話都知道。講這麼的一個故事，大概要花去一天半天，不過，到正式拍攝時，卻會省卻更多的時間。由於這樣的一個會〔，〕氣氛並不嚴肅（楚原是會講笑話的），因此大家都覺得很輕鬆，對於工作也有了信心。

拍電影前開講故事大會，這是一件值得實行的事，很多的導演都不曾用這個方法，他們倒是可以一試。據我所知，拍《冷暖青春冷暖情》的演員都對楚原這一個故事會十分滿意，因為這也是表示導演的認真，而我們，〔能〕夠有一個這樣的導演，也一樣高興的吧。

米蘭（一九六八年十二月六日）

普遍介入之弊

　　一個畫展上常常會遇上一些議論紛紛的人，說這些畫哪裏是畫，簡直不知所謂，或者有一種人則說，這些畫都是傑作。兩種人都可以有自己的說法，因為他們所說的〔是〕在表達出自己的意見，〔表〕示自己的看法。對於一幅畫，各人有各人的鑑賞法，對一個電影亦然。觀眾中有各式各樣的人，有的懂畫，有的不懂，所以，看法也就不一樣，因為有的憑直覺觀察，有的憑理性分析，有的連藝術也不曉得，有的可能是美術教授等等。在種種式式的人之中，最可怕的一種人是叫做「普遍介入」的一種，世界上有一種人，喜歡無論甚麼事都參加一份，插一把嘴，而對所討論談及的事物認識不深。譬如說，一個平日也寫寫文章的人，寫的都是有關文學方面的文字，筆下全是小說散文，紀德，羅曼羅蘭之輩，卻從來不研究電影，但這個人和普通人一樣也去看電影，結果，看完了，當然可以發表一些議論，由於這個人對電影認識不深，自己研究的卻是文學，因此，就把電影一扯扯到文學上去，再用文學的方法來批評電影，說不定這個人只喜歡紀德和羅曼羅蘭，不愛喬也斯，說不定這個人也看看劇本，（因為有的劇本是詩劇，莎士比亞的劇本可以算文學作品），喜歡的是契訶夫，而恨透了伊安納斯可，這一來，要是碰上一部《等待果多》，一定給罵得一錢不值。這就是為甚麼有人會認為《意馬心猿》，《色情男女》等不算好電影，完全因為這樣說的人不是站在批評電影的本位上。

　　文化人最易犯「普遍介入」的毛病，因為藝術有共通

之處，表面看來好像走進一扇大門就算走通所有的房間，豈知道，每個藝術小房間還有關閉的〔門〕扉，不去敲門，不去進入，還是永遠要站在外邊的。所以，「普遍介入」〔甚〕為不智，因為如果對一件事沒有作過一番努力去加以研究，會把對的說錯，錯的說對。不好的說成好，胡亂把成績差極的人捧紅，好的說成不好，把真正藝術的生命給扼殺了。並不是說一個只研究文學或音樂或繪畫的人不該談電影，他們至少比普通人更容易和電影結成朋友，而是最忌站在門外評論。譬如說，有人以為談電影就是說內容，不該牽涉導演手法的批評，或鏡位的表現，其實，即使是批評一首詩，一篇小說，也得討論其〔語句〕的結構，文筆是否流暢，同樣，批評畫難道不理會着色線條及構圖，批評音樂不理會節拍及和聲麼。

能夠「普遍介入」，先有「普遍」的基本知識，最好是再專門研究過，評論家中的安德烈沙里士或蘇珊桑蒂等人都是無所不許的，但他們所評的他們都懂。

米蘭（一九六八年十二月七日）

怎見得曲高和寡

　　很多電影不賣座，原因卻種種不同。要是《意馬心猿》，《色情男女》，《八部半》之類的電影不賣座，而有人說這些電影之所以不賣座，並非電影本身水準低，成績不好，而是因為曲高和寡，這個說法我絕對同意。因為像《八部半》等的電影，是電影作品中之佳選，如果不賣座，是不適合觀眾，是觀眾不喜歡。觀眾可以不喜歡《八部半》，最多說這種怪電影我不懂，我不欣賞，但這並非就等於《八部半》是差極的電影。

　　有一些電影之不賣座，並不是曲高或過於深奧或過於前衛，而是可能由於製作粗劣，可能由於普普通通，乏善可陳，如果把這些水準較差的電影之不賣座說成是曲高和寡，就太過於瞧得起它們。譬如說，最近上映的一部《銀海痴鸞不了情》，表面上很了不起的模樣，但節奏緩慢，氣氛沉悶，許多人見慣了一些「細意描述，營造內心感情」的電影，以為他們都屬同一類，豈知即使慢吞吞的電影也有好多類，上乘者如英瑪褒曼之《面具》，《沉默》，水皮者則如《銀海痴鸞不了情》，因此，我們可以說《沉默》，《面具》之類電影是曲高和寡，而《銀海痴鸞不了情》糟得很，其曲何曾高過，而且，該片生意還不錯，亦不算寡了。要是觀眾看完了搖搖頭倒是應該的。像這類影片，觀眾說不好看，觀眾完全對，誰要是說你們這些觀眾不夠欣賞力，這麼好的作品也不接受，真是水皮，那麼，說這話的人，就把觀眾帶領錯了。我們對觀眾說《銀》片是好的作品，那麼我們怎樣向他們解釋《八部半》呢？彼此之間

的距離那麼遠。

　　對於曲高和寡的電影而不賣座（真的曲高和寡）並不值得難過，難過的是一些大家都可以看得懂的電影，絕不深奧的電影，像《迷你時光》，為甚麼沒有人來看。很好的電影，也不曲高〔，〕就是沒有人看，《迷》片兩天就完了，這才叫人難過。我們常常說，這裏的電影太差，怎麼拍不出《八部半》，當然，我們這裏是拍不出《八部半》。很多的導演也想，層次不夠那麼高，拍些低一點的，但不能太低，拍一些像《迷你時光》的吧，拍一些像《赤鬍子》的吧，可是，這些電影又怎樣，還不是得不到觀眾的青睞。我忽然這麼想，製片先生們大概也看清楚了，電影原來也沒有中間路線可以走，要則拍最高的電影，盡所有的能力沒有人看，但娛樂自己；要則拍片去賺大錢，如果想又商業又藝術，好，且看看《迷你時光》的下場吧。觀眾常常把電影迫入窮巷，總有一天，電影會變成了迷幻藥。

　　　　　　　　　　米蘭（一九六八年十二月八日）

《雪堡雨傘》及其導演

　　最初的時候，有人稱它為《桑堡雨傘》，後來，大家又稱它為《卻堡雨傘》，《雪堡雨傘》，但那是一些電影會自己起的直譯名字，現在，一間電影院的早場正在試映它，名為《愛果情花》。

　　導演丹美，不是一個陌生的名字。他是法國人。正當法國的青年人都紛紛拍起電影的時候，丹美也出發了，算起來，他也是新潮的一份子，尤其是他的太太，法國著名的安絲娃達，她的《幸福》和《克里奧五至七時》都是拍得〔好〕的。提起丹美，大家自然就會聯想到音樂和美術，正如提起高達，大家就聯想起招貼畫和電視訪問。丹美的電影，尤其是最近的，實在是一種法國式的黃梅調，所謂黃梅調就是指那些走也唱坐也唱，講話也唱〔的〕形式，丹美就愛製這類電影，我們早些時候看過他的《柳媚花嬌》（佐治查格里斯，真基利有份演的那套）的話，就知道那種風格。故事是很簡單的，男女的戀愛，但這種戀愛很古典很感傷的樣子，一些你愛我，我愛你，你誤會我，我誤會你的情節，不過，丹美故意找這類單純的題材，而把它拍得如詩如畫。一切的佈景都是美的，七彩的雨傘在雨中搖過行人路，汽油站前的大雪天，橙得刺眼的露天茶座，或者一間糊滿花綠綠牆的女孩子房間，一個小小的茶廳。然後就是音樂，從頭到尾的音樂，所有的演員用歌唱來代替說話，這一切就是丹美的。如果要作一個比較的話，丹美的《雪堡雨傘》和《夢斷城西》就是表兄弟，不過，《夢斷城西》是那麼濃，一個盛妝的婦人似的，而《雪

堡雨傘》就淡淡的了。

丹美自己編他的電影故事，他總是靈感如泉，忽然想了起來就立刻動手，他編出故事，寫每一句對白，然後有三個重要的人幫他，一個佈景師布納愛溫，一個是作曲師米修李格蘭，一個是攝影師尚拉比亞。丹美雖然性子很急，但拍電影不是心急就可以拍得好的，他和李格蘭一起工作了一年，因為每一句對白要變成歌，每一個動作要變成舞姿。談起法國的導演，大家也記得阿倫雷奈，高達，杜魯福，丹美總是排在另一線上，同樣的，談起意大利的導演，大家也記得安東尼奧尼，維斯康堤，費里尼，而一個叫做齊非拉里的，就和丹美一般，是另一線上的了。

丹美在一九三一年六月誕生於法國，起初跟別人畫商業卡通，又拍了兩部短片，他以《羅拉》一片成名，《雪堡雨傘》是第三部作品（一九六四年），然後就是一九六六的《柳媚花嬌》。《雪堡雨傘》曾得六四年康城大獎，及六三年美國影藝學院杜勒獎。

米蘭（一九六八年十二月九日）

意識流電影謎語

　　《迷離世界》這個電影是個意識流的電影謎語。即是說，這個電影中的米高堅，就和觀眾一般，不知道安東尼昆這群人在搞甚麼鬼，直到最後他仍在猜謎，而安東尼昆一句：「甚麼是真呢？」就關上門跑掉了。不過，米高堅和觀眾不同，米高堅最後對着黃花的鎮紙和青銅的像竟也微笑起來了，而觀眾則笑不出來，搖搖腦袋，不明白艾略特的「探索到最終不過是回到開始的地方」的意思。

　　故事是個謎。因為沒有人知道米高堅這個角色是否真的遇上那麼一件怪誕的事，或者他的女朋友終竟有沒有死，重要的是這個拜崙學校的新教員是個愛幻想的知識份子，看的書又有一本叫做《曖昧之七種型》（威廉艾浦遜所作，是一本好書），可能整個事件都是他的一個夢，可能他就一如《春光乍洩》中的遇到那一群打網球者的湯瑪斯，而終於也拾起了一個假想的球。其實，像這樣的一種處境並沒有令人困惑的地方，這個教師不過老在那個「侯室」中等待而沒有得到答覆。他像時間，像流水，是動的。女朋友則渴望他是因靜止的玻璃中的花朵。[1]

　　《春光乍洩》在很多人的眼中也是一個謎，不過，安東尼奧尼用的是順的次序，大家感到奇怪的只是雲妮莎連格里芙的出現是那麼的飄忽〔，〕但《迷離世界》令觀眾困惑的（或者是不易捕捉的）卻是因為除了故事本身一如謎一般外，還加上米高堅這個角色的意識活動。他幾乎無時無刻不在那裏自由聯想，即使第一場在船上，他雙眼遠望海

325

1　此句不通，原文如此。

天深處，所聯想的已經是安娜卡連娜。以後，這類鏡頭就頻頻出現，至於德軍的幾場，有的是回述，有的是夢境，有的則可能是一次「事件」。Happening。

　　我並不推薦所有的人去看這個電影，除非有些人也愛讀艾略特的詩，也愛看《曖昧的七種型》，或喜歡〔莫〕迪格里安尼的「裸女」及「天使的弟弟」〔，〕法拉安薩里科的壁畫。事實上，即使是《迷離世界》可以叫我們聯想很多，這個電影仍不乏生硬的筆觸（開麥拉），那幾個轉位，接二連三地，手錶把課室帶到操場，足球把校園帶到野外，鎮紙過場到陽傘，就夠過分了，倒是利用一個塑像的兩隻手來指引方向還頗有電影感。

　　其實，這實在是一部倒映在水中的《古城春夢》，阿倫卑斯的角色由米高堅替代了，一個安東尼昆自動纏上門來，一個女人因此死去，而最後，有人微笑，有人則在沙灘上舞蹈，而這些，都發生在希臘。不過，《古城春夢》也是一個順序的故事，大家要看的是這麼的一件事，而《迷離世界》就是看這麼的一個人，辛苦的是，導演要大家去和米高堅一起〔意〕識流。

米蘭（一九六八年十二月十日）

電影三型

電影可以分為三類型：一、戲劇的。二、詩化的。三、歷史的。

所謂戲劇的電影，就是以描述，戲劇性為主，目的是想娛樂觀眾。（娛樂實在是很好的字眼，看書是娛樂，聽音樂是娛樂，並不是說討好別人就是娛樂。）電影中有很多導演走這條路，像最早的格里非斯，他就〔很〕娛樂大家的戲劇性〔，〕而現在的黑澤明，小林正樹，也是走這條路。

所謂詩化的電影，就是以表現為主，目的是〔很〕藝術作品，比較貼近這條路的導演很多，像杜萊葉、史登堡、布列遜、安東尼奧尼等都是。

所謂歷史的電影，就是以紀錄為主，目的就是想紀錄，這，代表的人物當然是弗拉哈迪。

在很多的導演中，我們很難說某一位導演是屬某一類型，我們可以說弗拉哈迪〔屬〕紀錄片，格里非斯〔屬〕娛樂片，但是不少的導演是兩者兼顧的。〔在〕上述的三類類型中，有些導演的作品介乎娛樂與藝術之間，有時偏重娛樂些，有時偏重藝術些，譬如說尊福，就偏重娛樂方面〔，注〕重戲劇性〔，〕但一樣有表現的地方〔。〕其他如雷諾亞、希治閣等，則偏重表現，但亦不離講故事及戲劇性的題材。

如果把電影三類型代之為 123，那麼，有些導演的作品是 12 混合，即娛樂藝術，有的則是 23，即藝術紀錄。德國的表現主義群，弗立茲朗格等的電影就是這一類，而現在的阿倫雷奈也是。他的《廣島之戀》是最典型的代表。

另一類導演的作品，則是又戲劇又時代又歷史的，像愛森斯坦、奧遜威爾斯、布列遜即是。現在的高達也是這樣。我們在未看一部電影時，只要知道一些導演的名字，其實已經知道將看的是哪一類電影。譬如說，希治閣，他的一九四〇年的作品《蝴蝶夢》，最近將在本港重映，我們知道，希治閣的作品是介乎戲劇的和詩化的兩者之間，而其中，還偏向於詩化的，當我們有了心理準備，去看這電影時就可以印證一下，希治閣主要的是講故事呢，還是着重於怎樣講好一個故事。還有，希治閣電影中的故事成分重不重，戲劇性濃不濃，還是他的表現手法極為瀟灑，使他的電影因此十分出色。

電影有三類型，各有各的長處，並不是說戲劇性濃的就比詩化的境界差，也不是說弗拉哈迪的紀錄片就不及阿倫雷奈，實在是彼此的出發點都不一樣。電影只有好和壞，哪一種類型都可以拍成好電影，相反來說，哪一種類型都出現過劣作。

米蘭（一九六八年十二月十一日）

詩與音樂的電影

　　希臘神話中有很多美麗淒涼的故事，可以拍成電影。在現代的戲劇和電影中，也有很多人把希臘神話加以時代化，搬上劇場和銀幕。以前的一部《朱門蕩母》，原名《菲特拉》，就是出自希臘神話的一篇。

　　「奧非爾斯與尤里狄絲」是希臘神話中極動人的一段。奧非爾斯是一位詩人，也是一位歌者，他的父親，就是阿波羅。阿波羅把心愛的琴給了奧非爾斯，並且教會了他美麗的音樂，於是，奧非爾斯的歌使每一個人聽了都醉心。據說，只要奧非爾斯撥動他的琴弦，野獸都馴服在他的腳下，樹木和岩石都移動前來，連流水〔也〕為了聽他的歌而改道。許多少女愛上奧非爾斯，但奧非爾斯只愛尤里狄絲，結果他們結婚了。可惜，年青的新娘在草原上散步時竟被一條毒蛇咬死，悲傷的奧非爾斯決定到地底下去〔，〕向冥王討回妻子。他的歌聲感動了冥王，冥王讓奧非爾斯把妻子帶回人間，但條件是在未抵達上界時決不能回頭看她一眼。於是奧非爾斯在前走，尤里狄絲跟着，她的步子是那麼的輕，以致奧非爾斯是那麼擔心她是不是就在後面，就在將到地面時，奧非爾斯忍不住了，他突然回頭一看，尤里狄絲就在他的背後，不過，她一直朝地底墮下去，接受了她第二次的死亡。

　　這一段神話被馬素加謬（不是文學的加謬）改編成一個現代的寓言，名為《黑人奧非爾斯》，也就是《人生長恨水長東》。這個電影，我特別推薦給大家。它一點不深奧，用的也不是新潮的手法，而是非常古典的。整個電影

就說兩個人的相愛，好像一切都是註定的。電影很美，幾間小小的木屋子，一個熱鬧的嘉年華會，冷冰冰的屍庫，奧非爾斯抱着一個屍體走過長街，拍得都很有力。奧非爾斯的琴還是弦琴，他彈的是結他，他穿的嘉年華會的服裝，正是金黃色的，一如阿波羅的光彩。使大家感到驚奇的是，這部電影中的主要演員都是黑人，但那個美麗的故事實在是太吸引我們了。可以這麼說，這是一部詩與音樂的電影，馬素加謬的場面調度又異常出色，錯過了是可惜的。只要是已經在讀中一，只要已經夠十五歲，看這個電影，她不會覺得深，奇怪的最多是其中一個穿骷髏服裝的角色，而他不過是一個象徵，他代表命運。

　　這個月十五日，星期天，《人生長恨水長東》會在倫敦放映，是十時正早場，由「大影會」主辦，由即日起，倫敦開始售該場入場券。我還特別希望一些致力於改編小說為劇本的電影工作者前去觀看，因為改編不是一件容易的事，而《黑人奧非爾斯》脫胎自希臘神話，卻改編得很成功。

米蘭（一九六八年十二月十二日）

拉扯下樓梯

下樓梯是電影中最常見的，不過，表現起來，方法倒是多極。而且有真有假，看劇情而定。

真的下樓梯就是一個人從樓梯上走下來。而這，又有詳細與簡略的分別。如果要描寫一個人從樓梯上一步一步走下來，那麼就要花菲林去慢慢拍，像《銀海痴鶯不了情》裏邊，金露華走了好多次樓梯，一步一步的，大家看得清清楚楚。因為劇中的主角要演戲，所以這麼走一大段樓梯是對的。像《人生長恨水長東》中，奧非爾斯也走了一段盤旋的樓梯，導演着意誇張這一場，就是要表示他一步一步走到冥府去。如果下樓梯並不須要太着重，那麼一般的拍法就可以用簡略的拍法，就是樓梯頂，樓梯中間，樓梯底的三鏡拍法，用三個鏡頭一接，就當是下了樓梯了。或者再偷懶一點，兩個鏡頭也行。只要導演來一個「割離」的方法，這邊說甲下樓梯，那邊說乙在追出來，下一個鏡是甲已經下了樓梯一大半。

假〔的〕下樓梯最多姿多采，因為演員根本不必下樓梯，而導演就要想辦法告訴觀眾，這個人下樓梯。布烈遜的《扒手》中的扒手常常要下樓梯，這樣子就會很重複，所以，有一次，導演就讓扒手碰的關上門，然後只用音響上的下樓梯聲暗示算數。觀眾雖然看不見真人下樓梯，但大家都明白人是下樓梯去了。最常用暗示下樓梯的方法就是《男歡女愛》中的那一類。男的按址去拜訪女的，但她不在家，他就從樓上下來，這時鏡頭對準窗口一呆，然後沿着牆直降下來，這時，樓下的門口走出一個人來。像這

樣子，又經濟又簡單，電影之可愛也就在於鏡頭可以這麼來表現。而且，明知這是技巧，卻是很好的技巧。

最近看過一部朋友的實驗電影，其中也有一場假的下樓梯，雖然不是創新，但也拍得不錯。畫面中並沒有人下樓梯，而是用鏡頭來表示。起先，鏡頭對着長廊的另一端推，其次，鏡頭對準一幅牆推，然後，鏡頭順次序對着一個樓梯轉彎處推，對着一個梯間的小窗推，最後，就是推向樓梯出口，外面是馬路。像這樣的拍法，就是把下樓梯的過程用演員的視覺觀點拍下來，觀眾就和演員一起下樓梯，當然看不見演員了。

樓梯和牆最貼近，因此，有時候，拍一個人下樓梯可以利用牆來表現。譬如說只拍一個人影從牆上下樓梯也是一個方法，恐怖片尤其適合。至於拍〔胡〕鬧片，利用自動樓梯逆行就可以製造不少笑料了，拍一個人要下樓梯，但自動樓梯卻是上行的，於是這個人走來走去還在樓梯中間，費了好大的勁，竟回到了樓上。

米蘭（一九六八年十二月十五日）

多用眼睛看

我們上電影院去做甚麼呢？去看電影。對了，我們是去看電影，不過，有很多人卻喜歡去想電影。電影其實是要大家盡量去看的，至於想，那麼看完電影，走在路上，回到家裏再想好了。

坐在電影院裏最重要的就是多用眼睛看。這情形，和進畫展看畫要多用眼睛一般。看電影和看小說不同，小說印在書本上，我們可以看看想想，想想看看，小說不會隨風而逝。但電影和時間一起走，不容任何人停下來。最重要的還是，小說是一件件景物提示出來的，我們順序的看，可以逐漸把畫面砌起來，但電影是一開始就是完整的畫面，景物要自己去搜索才看得見。譬如說，小說描寫室內的佈置，這邊是鋼琴，琴上放着一個花瓶，裏邊插着菊花。花的旁邊是一座雕像，像是蕭邦。窗前垂着深紅色的幃，牆上掛着一幅哥更，大溪地的色彩。精緻的桃木小几上立着一個銅壺，一隻長毛的黑耳朵的西班尼奧在豎起耳朵，兩隻腳踏進房來了。在小說裏邊，我們可以把每一件物品讀到，因為文字的介紹是一件一件的，書本並沒有把十多件東西用十多行印在一起同一剎那介紹出來。可是電影是。電影只一個畫面就把這一切全放在畫框裏，而且電影不告訴你雕像是蕭邦，畫是哥更，這要你自己去看或去認出來；而且，鏡頭如果不搖拍這些景物，或者不細意特寫這些桃木几和銅壺，大家就會把它們忽略了。（而小說卻會迫我們去看，不耐煩的讀者就會跳過。）大家一定會把集中力投射到豎耳朵的狗身上，然後注意一雙進房的腳。

而這樣的看法，是受了看小說的影響，觀眾頗像一盞探射
燈。看電影要求我們把眼光伸展，盡可能別把視力集中在
演員身上，而超越到演員的背後，要涉及整個畫面環境。
因為演員的出現，不過是畫面中的一份子，和一個銅壺，
一座桃木几沒甚麼分別，只不過演員們比靜物活潑些，而
移動的物體總是特別吸引別人的注意。

多用眼睛看，我們才知道景物遠近變幻的過程，畫面
中物體和物體的呼應，通常，一些所謂隔絕感，角色之間
的衝突（利用演員背對背談話，利用廣大的空間對比等）
都不必利用語言說出來，這些都要多用眼睛看。我們看
《男歡女愛》，就拼命用眼睛去看，好美麗的彩色，好出色
的畫面，我們是用眼睛看，所以捕捉了很多，覺得這個電
影實在美極了（像《雲堡雨傘》），回到家裏時，我們或者
會想：啊！原來是那麼一個俗不可耐的故事。要是我們不
多用眼睛看，而偏在電影院中想，那麼，結論也是一個俗
不可耐的故事，卻少了一句：「這是一個美麗的電影」。

米蘭（一九六八年十二月十六日）

高達《一加一》

　　李察勞德的名字是許多人都熟悉的，因為他寫過影評〔寫〕過書，主編過一本《電影季刊》，現在又是倫敦影展和紐約影展的主持人。（所以，大家稱倫敦影展和紐約影展是兄弟。）有一天，那是一年前了，有一位希臘女士搖了個電話給他，說，嗳，你是高達的一個朋友，想辦法讓我和他聯絡，因為我要找他拍一部電影。希臘女士又說，這將是她的第一部製片，一定要找一位最好的導演，而且，她已經有了題材：墮胎。李察勞德對這件事一點也不重視，認為大概是說說而已，再說，高達也不會答應跑到倫敦來拍片。於是，李察勞德隨手給了她高達秘書的電話號碼，並且還祝她好運，就把這件事忘得一乾二淨。〔怎〕想到，李察勞德完全看錯了，那位希臘女士伊倫妮科拉竟然找到高達，說服高達拍一部新片，還找到滾石樂隊上銀幕，而且，整部片在六月開始，在倫敦拍攝。可是，過了不久，消息傳來，高達放棄了那部片，由於不同的種種原因，不拍了。奇怪的是，也不知道這位希臘女士到底有多大的力量，到了七月的第三個星期，高達竟然乖乖的在倫敦開拍他的《一加一》。算起來，自安東尼奧尼（《春光乍洩》）和杜魯福（《烈火》）後，高達也上倫敦來拍片了，這個城市可實在威風得緊。

　　近年來，高達的電影在風格上已經有了改變，以前，他比較喜歡以片段式的場景砌成一個整體，但自《男性女性》，《我略知她一二》及《週末》以來，他已經慣於採用長度的鏡頭，這部《一加一》則還要鮮明。整片照高達

的說法，如果不是十場每場八分鐘長的鏡頭〔，〕就是八場每場十分鐘的鏡頭，換言之，這部片長達八十分鐘，但鏡頭長得要命，可以說是場面調度大展覽。高達所以要這麼拍，大概因為這是完成一部電影的最快方法，場景少，調度多，幾次就行的。實實在在的，高達並不喜歡倫敦，所以快點拍完了回法國去吧。以前，我們說高達的電影展〔覽〕「蒙太奇加場面調度加確立奇」，現在呢，他的電影變了一盞走馬燈，鏡頭這麼一直追下去，人物一層一層，像嘉年華會式來到鏡頭前。可惜，我們到現在還沒有機會看到他的《我略知她一二》以及《週末》以及《中華女兒》，以及《遠離越南》以及《一加一》，還有《美國製造》。

高達拍片很快，他的速度在外國等於這裏的粵語片，人家幾年一部兩部，他則一年四五部不算一回事，而且可以同時開兩部片，並且不用劇本。所以，高達的拍片速率和楚原一年拍十部片一般叫人大吃一驚。前年，《我略知她一二》和《美國製造》就是一起開拍的。在香港，我們也許見慣了粵語片，大概就不稀奇了，〔因〕為即使龍剛也辦得到嘛。

米蘭（一九六八年十二月二十一日）

演員和演員的學校

　　做一個演員，該學些甚麼呢？在紐約，多半人都上一間叫做 Actor's Studio 的地方去學，這間學校很著名，甚麼馬龍白蘭度，占士甸，保羅紐曼都從那裏出來。一間演員學校，人們跑進去有好多東西要學。最初，大家甚麼都不學，就光學在地上爬，每個學生都一個一個到一個戲台上去爬，這就是第一課。第二課則是學扮演動物。猴子，狗，貓，兔子老鼠甚麼都得扮，這樣做的作用是要演員忘卻自我，把自己當作別的東西。

　　模仿完動物之後，就開始做一些日常的動作。一個學生對老師說：我上台去扮一個人在喝酒。於是，他就得跑到台上去表演。當然台上沒有佈景沒有道具（酒杯酒瓶桌子椅子之類），而且學生不得說話，他只能演。演完後，老師就問全班同學中的一個：剛才演的是甚麼，如果答是唱歌，那就是演得不傳神差勁了。

　　別以為上演員學校去一開始就可以嘩啦嘩啦讀劇本講台詞，第一年裏邊，學生們一句說白也沒有，就光是演，一個一個演。老師講幾講，大家就演，沒有書讀，也沒有很多理論。誰要讀書可以自己在家裏讀，上課時就是表演，由同學一起批評。除了演表情動作外，比較難的就是演一些「情緒」，老師說：表演沸水。學生就上台去把沸水表演出來，並不是說學生要演沸的水，而是把沸水的情緒表演出來，學生可以表演一個生氣的情形，就像一壺水漸漸沸起來。這些是最難的，老師的題目可能是：火山，冷水，楊柳，刀子，劍，剃刀，碎玻璃，有時叫學生演地

氍，都是很難表演得傳神的。

　　稍後，一組的幾個同學就會在一間空的房間中表演，找一段短短的戲演出來。這時候，大家照樣不說台詞，就是演表情。所以，演員學校的第一，二年就光是啞劇的天下。一個演員先要學的是演啞劇，其次是向往事探取經驗，這方面〔，〕電影的情緒可以跟着劇情發展，但拍電影鏡頭和鏡頭分得很碎，立時要哭要笑都不易，這時就得借過往〔事〕。譬如說，演員要演一場痛的表情，那麼他立刻回憶起自己一生中遇到的痛心的事，把那時的感情帶到眼前來重新咀嚼，觀眾只見到演員很痛心的樣子，並不知道這些表情是由於另外一次經驗結果的。

　　演員學校中要求學生努力忘記自己，演活角色，學生自己要多練多演，但是他們不可以照鏡子。照鏡子是最要不得的，（許多演員喜歡照鏡子，豈知竟是錯誤的），因為一照鏡子，人就會作狀。所以演員學校的老師很早就提醒學生少照鏡子，事實上，鏡子照得越多的越不活潑，而且也越來越假。

米蘭（一九六八年十二月二十二日）

電影中的停鏡

　　大家還記不記得《巴巴麗娜》呢？起初的時候，珍芳達甚麼衣服也沒穿，後來她一走，走到一條柱後面，時間很短很短，她就穿得一身整整齊齊的衣服走出來。本來，穿衣服最少也要花一些時間，而且，那麼一條窄窄的柱，後面怎容得下一個人的衣服呢。拍這一類鏡頭，用的就是「停鏡」的方法。當珍芳達走到柱後面時，攝影機一直在拍，到柱把她遮住時，攝影機就停下來不再拍。這時，珍芳達可以從從容容地穿好她的衣服，甚至梳一個新髮型，化一陣妝，然後她跑到柱後面站着，她開始從柱後面走出來，攝影機再開動拍攝。我們看電影時，就只見到她一進去，馬上就換了一個模樣出來了。

　　電影為甚麼要用「停鏡」呢？這就是為了可以節省銀幕上的時間，也就是電影上的「時間的濃縮」的一種方法。電影不過是一個多小時的放映時間，但銀幕上的事件可能伸展幾十年，這樣，拍電影就得想辦法把不必要的細節刪剪縮短，這也就是為甚麼拍一個人上樓梯就只拍梯底，梯身，梯頂三鏡來表達整個過程的理由。在《巴巴麗娜》中的「停鏡」是停的非常明顯的，本來，羅渣華丁可以使用更簡單的割剪，當然，一個平平凡凡的割接就沒有「停鏡」那麼有趣，也不會產生這類喜劇技法的效果。

　　我們常常會在電影中發現「停鏡」的拍攝法，不過，如果不是明顯的停，一般人並不易發覺。就說拍一個人在幾十層樓高的樓上跑到底層為例好了，攝影機在樓上拍那個人在窗口揮揮手，那個人當然不是坐了攝影機下樓，

而是走樓梯或是乘電梯，但攝影機就在戶外沿着窗口拍下來，由於樓高的原因，在頂樓的人要花不少時間才到達樓下，由大門口走出來，但攝影機卻可以很快降到樓下，在這種情形之下，攝影機要在中途停一停鏡，就是中止拍攝，好讓演員到了樓下，從門口走出來，一切預備好了，攝影機再開動。由於這一停頓是頗輕微的，而且加以連接得好，觀眾不易發覺中間的轉變，以為拍攝機是在那裏一直降。當然，拍攝這一類「分兩次」降的鏡頭，攝影師的技巧要夠純熟，降的速度要均衡，才不至露出破綻。

直的拍攝升降可以停鏡，橫的搖拍也是一樣。用停鏡，〔使〕用在靜物上易於收效，如果在大街上拍流動的人物就麻煩了，因為目的物可能不動，旁景的人，車輛都已經變了位置，就麻煩了，所以，在街道上要用「時間的濃縮」的話，通常用溶的較多，或者就乾脆用割剪了。在喜劇中，能夠用「停鏡」是聰明的，因為它可以使觀眾產生驚訝的感覺，而且也使電影十分活潑。

米蘭（一九六八年十二月二十五日）

影子有與無

　　到了晚上，大家可以坐在房間裏朝四周望一望，牆上是不是有好多影子呢？花瓶的影子，桌椅的椅子，還有自己的影子。我們要是再細心一些看，就會發覺即使一幅沒有影子的牆上也有很多層次的明暗，有些地方光，有的地方暗，有些地方是由於反光。拍電影，就是這些光光暗暗和投影使大家感到頭痛。以照明來說，電影約略可以分為兩類，一類是不要甚麼影子的，一類是特別要利用影子的。

　　我們看銀幕上一個「倫敦臉譜」的化妝品廣告就明白，那個女孩子，臉上一點陰影也沒有，本來，一個人的臉有鼻子嘴巴眼睛，一定 —— 會產生明暗的分別，可是，那個臉所以會全部清清楚楚地亮成一個模樣，完全是燈光做成的。有一類電影，要求的就是這種效果，於是，演員的臉只有輪廓，沒有光暗，大家無法分〔辨〕光源從哪裏來，彷彿四面八方都是太陽。除了演員，牆也是一樣，牆上本來有明有暗，但拍電影是通常要把它們改變成一個色調。（我們看高達的電影，牆常是白成一片，天然的光哪裏照得那麼投契呢。）拍一部電影，常常是這樣的，劇本早編好了，演員也可以上鏡了，但就光是等燈光，有時候單是一個鏡頭，打燈要打三個鐘頭，一天能拍多少個鏡呢？一天實在沒有好多個三個鐘頭。由於打燈花時間，要是一般的攝影棚中燈又不怎麼夠的話，拍片的速度就會慢，同時，場面調度也不易展開。場面調度時〔，〕影機是活潑的，到處流動的，可是在打燈的限制下（只有一個角落打好燈，或者只夠照一個角落的明），場面調度要被迫給放棄。

一般的電影，尤其是一些喜劇，多半是採用「沒有影子」的拍攝法，除非遇到懸疑性的題材，恐怖片，影子就比較有用。而且，黑白片利用影子的機會也更大。要是看過希治閣一九四〇年的作品《蝴蝶夢》的話，就可以發現該片的照明相當出色，明暗的對比，人影重重，使該片的神秘氣氛分外鮮明。至於德國的表現主義更不用提了，那些立體的設計，誇張的扭曲變形佈景，全靠燈光來營造氣氛，如果沒了影子，就一點也不成功了。

從照明來看，我們通常可以辨認一部電影是職業電影還是業餘電影，我們有時候會說一些地下電影，實驗電影拍得很粗糙，原因之一就是因為那些電影的照明欠技巧，而且多半避重就輕，寧願提了手提拍攝機到街頭去，利用天然的照明。再說，一個沒有從事過燈光照明的人，是不會習慣看光的，眼睛和鏡頭的「看」法相差很大，比起來，人的眼睛比攝影機的鏡頭要銳利得多了。眼睛看得清楚的景物透過鏡頭有時候已經一片模糊。

米蘭（一九六八年十二月二十六日）

華旬、馬盧、費里尼

導演們多半有他們自己的風格。拿《三個奇異的故事》來說吧，三個導演同樣是描寫一個人的死亡，但表現的方式就完全不同。（這個電影暫時還沒有譯名，現在直譯。）

羅渣華旬是唯美的，他的電影總是拍得很美麗，室內的佈置或人物的造型，即使是醜惡，也醜得很美。像《滿堂春色》，珍芳達終場的時候獨自坐在房間裏，臉上的化妝全花成一片，頭髮亂得一團糟，那個情景本來很醜很難看，可是羅渣華旬把它拍得挺美麗。《縱橫四海》中海葬的場面，就是很羅渣華旬式的。再看《巴巴麗娜》吧，迷宮中的人本來都是一些活殭屍，可是那迷宮又拍得多美麗，美得一點恐怖的氣氛也沒有。《三個奇異的故事》中的第一段也一樣，珍芳達騎着馬衝入烈火中去了，羅渣華旬只拍她進入烈焰的中心，一直騎着馬，騎着馬，那種死亡死得非常美麗。

路易馬盧和羅渣華旬一樣，也很重視美麗的死亡，但出發點並不一致。羅渣華旬似乎藉美來叫我們忘掉恐怖的事件，替我們沖淡了醜惡的形象，路易馬盧則相反，他愛強調印象，他好像要我們去牢牢記着，所以他會把事件重複緩慢地呈現在我們眼前，只是，他也用美把醜惡掩蓋了。看過《野貓痴情》的朋友大概還會記得碧姬芭鐸在片中最後的兩個鏡頭，她從屋頂上失足跌落下來，然後銀幕上特寫的就是她的頭，飄逸的頭髮充滿了畫框的空間，她就那麼永無止休地一直降落着。這一個鏡頭很長，大家的印象很深刻，它也是拍得美得很的。在《三個奇異的故事》

中，路易馬盧用了同一的手法描寫阿倫狄龍的死亡，也是那麼地從高空降落，一而再，再而三，重複着。

看過《三個奇異的故事》的朋友都認為費里尼的〈別和魔鬼開玩笑〉那段沒有一點愛倫坡的恐怖味道，其實，費里尼的手法再貼近愛倫坡也沒有了，他描寫泰倫斯史丹駕車失事死亡那段，真是最傳愛倫坡的神，茫茫的霧，一輛車衝過橋去，墮下了橋，橋的綱線上染滿了血跡，這邊的橋面上，地上是一個人頭，怪里怪氣的魔鬼就滾下她的皮球，換取了首級。這不是愛倫坡的是甚麼。費里尼是個很喜歡把怪異臉譜搬上銀幕的人，他的《八部半》中的一大群女人，沒有一個是珍芳達，碧姬芭鐸式的，別的導演斤斤計較漂亮不漂亮，費里尼偏把漂亮打入十八層地獄，在他的電影中，那些女人都和小丑一般凄涼，而且只有性格並不漂亮，至於美得出奇的一個少女，在《露滴牡丹開》終場時一瞥的，珍芳達和碧姬芭鐸也遠比不上。因此拍攝死亡的鏡頭，費里尼也就自然和羅渣華甸跟路易馬盧不一樣了。

米蘭（一九六八年十二月二十八日）

344

電影劇本叢書

　　最近，歐美出版了很多電影書。有很多書比較專門，像甚麼電影美學，電影評論，電影製作這些，除非是真的喜歡電影入了迷，一般人是不必去理會的，可是，有一套新的電影劇本，大家可以買，因為它們可以當作文學書籍看，至於從事電影編劇的，就更加要買了來參考。以前，電影劇本很少，外國的只有《湯鍾士》（《風流劍俠走天涯》），《劫後昇平》（《紐倫堡的審判》），《廣島之戀》及《去年在馬倫堡》等等，現在是由一家叫做 Lorrimer 公司出版，到現在為止一共出了十本，每一本都有留存的價值，要是看了電影的話，再看劇本就更有意義了。

　　已經出版的十本電影劇本的頭三本都〔是〕高達的。第一本是《阿爾伐城》，第二本是《美國製造》，第三本是《槍兵》。高達是法國新潮的健將，大家常常說他拍電影和費里尼一般，並沒有劇本，因此，他哪來的劇本呢？原來高達並非沒有劇本，而是沒有完整的拍攝劇本，他有草稿有腹稿，而且電影拍完後，他根據電影再把劇本整理起來，一點也不含糊。第四本是雷諾亞的《幻滅》。法國的雷諾亞是電影導演的老前輩了，他的《幻滅》還是古典名作中的經典作品。第五本是愛森斯坦的《波特金號戰艦》，這部電影是早期電影的兩大名作之一（另一部則是《加里格里博士之密室》），我們看過劇本就可以知道該電影和原劇本完全一模一樣，可見這個劇本編寫得如何成功，事先的準備工作又多嚴格慎重。第六本是史登堡的《藍天使》，這部片就是瑪蓮德烈治的成名作。第七本是法立茲朗格的

M，朗格是德國表現主義的主將，M 和《大都會》都是他的最好作品。第八本是杜魯福的《祖與占》。早一陣，口袋裏出過一本小說的《祖與占》，但現在這本是劇本，非常珍貴。第九本是英瑪褒曼的《第七封印》。以前，英瑪褒曼也出版過一本《英瑪褒曼的四個電影劇本》，但那是只有對白的，並無人物調度動作，更沒有鏡頭的描寫。第十本則是馬素加奈的《天國兒女》，也是一部經典名作，此片現在已入電影圖書館，能有機會再見了。

很多人打算寫電影劇本，但不知該怎麼着手，他們應該找這批書看，（國片的編劇人才是那麼地缺乏，有志的人可以向這方面努力）。上述的十本電影劇本叢書除了本身很有價值外，深得人心的是價格便宜，每本十二先令六便士，要是在英國圖書公司購買，每本港幣十塊錢，相信是最低價的好書了。不過，這些書要訂購才有，而且有精裝平裝兩種，精裝本是三十先令，訂的時候要寫明。這批書全是英文的，書本本身且很美麗，還有其他的劇本又尚在出版中。

米蘭（一九六八年十二月二十九日）

盧西加田納西

　　有些電影，看了叫人打瞌睡，那就是說，有些電影，也許很好，也許很糟，並不合自己的胃口。有人看英瑪褒曼或維斯康堤的電影打瞌睡；同樣，也有人看《銀海痴鸞不了情》打瞌睡，像最近的《富貴浮雲》，就是最典型的例子。遇上這樣的片子怎麼辦呢？其實，最適當的辦法就是沒有〔看〕電影之前先知道多些關於這部電影的消息，一些報章上多半會有提及，如果不的話，臨時也可以看看海報上的編導名單。像《富貴浮雲》這部電影，我們先可以知道它是改編自田納西威廉斯的劇本，而田納西威廉斯的劇本改編為電影的，大家已經見過很多了，馬龍白蘭度演的《慾望號街車》是，保羅紐曼演的《愛君風流》是，絕不是描寫一些開開心心的事件，愉愉快快的人物，所以，對於《富貴浮雲》有了心理準備時〔，〕就不會覺得這電影如此和自己格格不相入。且不去說田納西威廉斯，《富貴浮雲》的導演也不是希治閣或者比利懷德（他們很會討好觀眾）而是非常我行我素的約瑟盧西。早一陣，盧西的《意馬心猿》才上映過，再早一陣，他給我們一部《女金剛勇破鑽石黨》，都不是很受歡迎或賣座的電影。知道了這些之後，大家就可以取捨該不該看《富貴浮雲》。不錯，《富貴浮雲》本是一部很優秀的電影作品，但要是早已不欣賞《意馬心猿》或不能接納田納西威廉斯，就不必叫自己去受罪了。

　　不過，並不是每一個人一開始就知道《富貴浮雲》是約瑟盧西加上田納西威廉斯，因為觀眾不常翻書本，要是

一旦碰上了，那怎麼辦呢？其實〔，〕像這樣的電影還是有很多可以給我們去欣賞的。我們可以看約瑟盧西的好多種手法（很淺很淺的），就是開場時的濤聲接來海水的畫面，他就那麼拍聳立的岩石，搖過去讓我們看見宏偉的華廈，為甚麼要這麼拍呢？因為仰拍可以顯示氣勢和權威。我們可以再看，為甚麼依莉莎白泰萊老要穿白的衣服，而李察波頓就一直是黑的。為甚麼室內的是佈置一直是白的，到了最後就一片金黃了呢，黃的垂幃，金色的雕塑，熊熊的爐火。為甚麼依莉莎白泰萊要戴一頂有那麼多刺的帽子，這是不是象徵神話中滿頭蛇的女巫呢。為甚麼這些人要穿東方的服飾，日本武士的袍劍，歌妓的刺繡和印度的衣冠，在約瑟盧西來說，這些都有意義的。李察麥唐納的名字又重現了，他就是替《女金剛勇破鑽石黨》設計過奧普藝術和一條金魚在酒杯中游泳的美術設計者，他的確把片子處理得異常蒼白，而約瑟盧西的場面調度，那麼的幾個人，是調動得再精確也沒有了。

米蘭（一九六八年十二月三十日）

星表上的電影

　　一般的電影刊物多半會刊一個電影表，對一些已經上映的電影給予評〔價〕，並且以星的多寡為標準。《電影與電影製作》，以三粒星為不可錯過之電影標誌，而《視與聽》則以四粒星為最高評價。

　　最近，獲得四顆星的電影是英瑪褒曼的《狼之時間》，這片是繼《面具》之後的又一褒曼新作品，但市面上不易看到英瑪褒曼的電影，相信要等一些電影協會找來才有機會。另一部四星片大概也只好寄〔望〕於電影協會，事實上那片已經相當舊了，是杜萊葉早幾年的作品《葛特露》，杜萊葉已於今年逝世，該片是他的最後遺作。其他的四星片有高達的《週末》，布紐爾的《午妓》，布烈遜的《莫芝特》都是藝術名作，〔難〕得一見了。不過有一部四星片卻是我們不久將可見到的，乃是史丹利寇比力的《二〇〇一，太空歷程》，這部片暫時還沒有譯名，到時可千萬別錯過。以前，我們看過的四星片也不算少，像《春光乍洩》，《雌雄大盜》，《意馬心猿》都是四顆星的來頭。

　　在香港正上映的電影中，《玉樓春曉》是兩星片，《電影與電影製作》則給它一顆星，奧斯卡華納的演技相當出色。導演是新人，攝影異常美麗。在《視與聽》來說，得兩顆星並不容易，《畢業生》，也不過是兩顆星，維斯康堤參加去年威尼斯影展的《異鄉人》，才不過得一顆星。有一部樂宮線的新片叫《彩虹仙子》，是部歌舞片，得三顆星。這部片實在值得大家留意，因為導演乃是導《艷女迷春》的克普拉，在這一年的電影中，照我的取捨，也只有

《艷女迷春》，《驚弓之鳥》，《偷情聖手》，加上羅西的《意馬心猿》及《富貴浮雲》算是最好的電影。而《意馬心猿》還少了個李察麥唐納。要是《彩虹仙子》上映也千萬別錯過。雖然《電影與電影製作》只肯給一顆星而給了三顆《異鄉人》。

《賭徒龍虎鬥》獲得《電影與電影製作》的一顆星，亨利夏打威的西部片，還是那個老樣子，一顆星相信已很足夠了。最奇怪的是一部狂人的卡通片《黃色潛水艇》這麼久還沒有消息，自從和路迪士尼逝世之後，卡通電影簡直是鳳毛麟角，早場的卡通，又老是很陳舊的貓捉老鼠，也難怪大家只好看《畢業生》和《新潮放蕩男女》了。《黃色潛水艇》是兩星上將，重要的倒不是它是卡通，而是因為其中的設計異於尋常，且等它甚麼時候到香港來吧。一九六八年的電影水準都普普通通，除了電影會上的才比較豐富。一九六九年相信會好一點，最低限度有部《二〇〇一》，事實上，大家也已經等了一年了。

米蘭（一九六九年一月二日）

電影佳作收割場：倫敦影展

　　倫敦電影節雖然是世界電影佳作的展覽廳，事實上也是一年來電影佳作之收割場。六八年之倫敦第十二屆電影節已始於十一月十九日並結束於十二月五日。當康城〔，〕威尼斯〔，〕比剎羅諸影展遭受到重重創傷，倫敦影展無疑已成為眾眼注目之焦點，且為一個電影貨船得以憩息的良港。

　　影展以米洛斯科曼之《消防員舞會》啟幕，該片在康城影展中給人印象良佳。高達則展出其唯一之英國片《一加一》及另一部法國〔電視〕片《快樂之救主》。杜魯福及查布洛亦不甘落後，在此新浪低潮之際，紛紛〔把〕最新的作品〔呈〕出。杜魯福的新片是 *Baisers Volés*，查布洛則以 *Les Biches* 出展。曾導過《如此運動生涯》之林賽安德遜，沉默已久，終於拍成了《假如》一片趕及。英瑪褒曼以《羞恥》，奧遜威爾斯以《不朽之故事》，貝杜魯齊以《夥伴》，葛里特以《雨果及約瑟芬》，杜里奧以《死亡目擊者》出席，使倫敦電影節得以佳作如林。

　　是屆倫敦電影節特別展出一系列德國新一代的電影作品，繼波蘭，捷克等國後，德國終於也逐漸長成，竟許一日，它將回復表現主義期的光采。影展中有若干電影作品乃選自一年來其他電影節所展出者，此乃倫敦電影節之一貫宗旨。要知道，倫敦電影節乃國際間少數展出而非競選的電影節之一，且打着把年來佳作多少作點總結算之旗號，是屆來自他展之電影作品有阿米科之《熱帶》，來自比剎羅影展；阿里之《未啟發之回憶》，來自加洛維影展，是

一部古巴影片；華達之《全部出售》，來自布加武影展，此三部片皆有其特色，並有奇氣。

此外，另有一批電影出席此次倫敦電影節，法國新導演西蒙是個有才能的新秀，拍了部《阿特蓮》。古梅爾拍了部《夏華頓先生》，描寫一名婦人扮了十五年男裝。阿素洛拍了《一名美國妻子之秘密生活》。孟素拍了《不測之夏》，當納拍了《白上黑》；潘尼柏加拍了《莫回顧》，密米加拍了《加耶》及畢亞洛之《赤裸兒童》，都上了影展榜。

在參展之電影作品行列中，喜見新秀輩出，但眼看去屆倫敦電影節除高達，艾力盧馬外，尚有布烈遜〔和〕布紐爾在，且有阿倫羅布葛里葉，真紐馬和史高林莫夫斯基，似乎，這年的倫敦電影節也不一定是豐收年了。（取材自 CFR）

近日上映過的影片中，有幾部來自不同的影展，特別再介紹一次，二輪時可作參考用。《四大天王》，原名《米蘭大盜》〔，〕是部意大利《雌雄大盜》，參加康城。《富貴浮雲》及《銀海痴鸞未了情》，聖西伯斯廷影展。《新潮小姐》，《新潮放蕩男女》，《三個奇異故事》〔，〕康城。

米蘭（一九六九年一月三日）

英瑪褒曼之《恥辱》

　　英瑪褒曼之最新作品《恥辱》曾出展倫敦電影節及去年九月的疏倫度國際電影週。前年，疏倫度國際電影週是一個英國電影週，去年則舉行一個瑞典電影週。瑞典為此次影展動用了值三萬英鎊之數的款項來籌備，並在影展上由一群瑞典導演及明星出席討論他們的作品。在瑞典週內曾一共展出十一部電影，其中有三部是世界首映。大會並舉行一個阿夫史莊保回顧展。在眾多的電影中，英瑪褒曼之《恥辱》備受注重，但其本人則因嚴重耳疾沒有出席。《恥辱》是一部描寫戰爭之影片，代表了英瑪褒曼個人對世界動態的觀感，也就是他本人對戰爭之反戰。正如《沉默》一片一樣，《恥辱》並沒有指明任何國家地點。它只描寫兩個人，真（由麥西馮雪度飾演）和伊娃（由李芙烏曼飾演）同是音樂家，他們住在一個小島上，但內戰爆發，使他們逐漸喪失一切，包括他們的家，財物，和本身的自由。他們的婚姻也因此癱瘓崩潰，真變成了精神病患者，而伊娃也變成歇斯底里的婦人。事實上〔，〕他們對生存之掙扎已宣告絕望。結局是異常悲哀的，兩個人都屈在一艘船中，在海上飄流，船上是一群遭遇同等命運的難民。由於英瑪褒曼本來是個愛夢者，所以影片的終場也以伊娃複述正在船上所做的一個夢為結束：噴射機在頭上掠過，街上長着玫瑰的牆着火燃燒。

　　英瑪褒曼曾經說過，這部新的電影乃是抨擊此次越南之處境。自《臉譜》（或譯《面具》，較早時則譯作《人》）及《狼之時間》以來，英瑪褒曼不斷以七十年代之現景為

對象作有力的針刺。一位意大利影評人詢問道：英瑪褒曼有何權力拍一部關於戰爭的影片，當他對戰爭一無所知？《恥辱》的女主角李芙烏曼則說，但戰爭觸及每一個人。《恥辱》一片和英瑪褒曼以前的電影有很大的差異，以前，英瑪褒曼的作品是一種「靜態」的電影，現在卻充滿了動力，噴射機掠過小島，槍焰點燃樹木；還有一些聳人動容的場面，當真被迫去槍殺朋友，他無法執行，以至要發射較多發子彈才完成。

疏倫度國際電影週上還展出過《雨果與約瑟芬》（此片亦在倫敦電影節展出），《我愛你愛》（出席康城，與阿倫雷奈的《我愛你我愛你》題目甚近），《羅米歐與朱麗葉》等，[1] 其他的則不值得注意，像《吾妹吾愛》，就差極。

英瑪褒曼自《恥辱》後，現在正在拍攝《熱情》，仍在拍《恥辱》的同一海島法洛上拍外景，男女主角和《恥辱》相同，李芙烏曼說這是一個愛情故事。值得注意的是，這將是英瑪褒曼的第二部彩色彩片。（取材自 CFR）

米蘭（一九六九年一月五日）

1　西西原文寫及《奧洛與茱莉》，查知當年疏倫度國際電影週上映的是 *Romeo e Giulietta*，Franco Zeffirelli 導演，引入香港時譯為《殉情記》，此處用回西西同年文章使用的中譯《羅米歐與朱麗葉》。

布紐爾新里程

　　也許，這是布紐爾最後的作品了。當他開始拍《午妓》的時候，大家這麼想。即使是布紐爾自己，也以為《午妓》是最後的一部。從一九二八年拍《安德魯狗》開始，布紐爾一共在電影陣線上工作了四十年，而且，也已經到達了六十八歲的高齡。去年，不，該是前年了，那是指六七，《午妓》在威尼斯影展中獲得了金獅大獎，但這決不是他最後的光榮豐收，現在，他又開始拍他的新作《銀河》。整個世界的眼光都幾乎投向他。

　　我們習慣上稱他為法國的布紐爾，事實上，布紐爾是西班牙人，和畢加索一樣。西班牙的布紐爾，旅行時用的是一張墨西哥的護照，定居在法國。他喜歡法國，因為他可以在那裏自由地工作，而且重要的是那種藝術的氛圍適合他。他也愛墨西哥，因為這個地方容納了很多來自西班牙的逃亡者。現在，他很少看電影，他認為蘇拉的 *La Caza* 是西班牙最好的電影之一；他喜歡費里尼的作品〔；〕認為巴西導演洛查值得他欽佩。電影中，他喜歡阿倫雷奈的《去年在馬倫堡》，事實上，該片的攝影指導沙查維尼正是《午妓》一片的好助手。

　　《銀河》一片由布紐爾自己編劇，合作的還有尚保加里葉，故事內容是描寫兩個人，在一九六八年，到西班牙聖地耶哥的聖詹士天主堂朝聖。這兩個人的旅程是異常奇妙的，他們在路上遇到各式各樣的人物，時間和空間都濃縮在一起，他們碰見革命份子，僧人，魔鬼，魔術師，女店主，還有耶穌。據加里葉自己的解釋，這部電影是邪說

史之活動紀錄。由於布紐爾要拍這部片，著名的演員都自願幫忙，即使是演一個小角色或露一露面。其中有尚疏里演耶穌，編劇的加里葉自己演主教，布紐爾自己也演一名工人首領，連從印度剛回國而留了一束鬍子的導演路易馬盧，也演起一名門徒來。在這部片中，有幾場是用拉丁文對白，配以法文字幕，其中有一場是決鬥。

作為一個導演，布紐爾的作品可以分為三個時期，初期是法國作品期，其次是墨西哥作品期，最後則是自《拿薩勒人》開始的一系列作品，也是這時開始，布紐爾的電影備受注重和談論〔。〕在眾多的導演中，布紐爾，尚維果及法蘭佐三個人是被列為「電影的異客」，甚至有些影評人至今仍認為布紐爾的作品不健康。和其他兩位導演一樣，布紐爾也是超現實主義的季候下長成的。布紐爾曾經說過：超現實主義使我認知生命中的德行之路是人們無法拒絕踏上的。透過超現實主義我首次發現人並不自由。我信賴人之絕對自由，而超現實主義展示我以一種秩序去追隨。（取材自 CFR）

米蘭（一九六九年一月六日）

遲來的《鍾安娜》

　　《鍾安娜》上映了。在這裏，它的譯名是《玉女春心》。這部電影很多人早就掛念它，因為廣告上的鍾安娜一點衣服也沒有穿，只打了一條美麗的大領帶。去年，《鍾安娜》已經到了本港，而且一早就試映過。怎麼電影也有謝幕的呢，看過的人都覺得新奇。舞台劇才習慣謝幕，《鍾安娜》就自己開了一個風氣，給人以一種新奇的感覺。

　　去年，是一九六八年，參加康城電影節的英國電影共有五部，其他的三部香港已經先後放映了。放映得最早的是黎斯特的《新潮小姐》，然後就輪到《新潮放蕩男女》。就是克里夫杜納執導的對白驚人的一部片子。第三部是上兩個星期才上映的《征戰幾人回》，導演是彼得哥連遜。第四部則是《鍾安娜》。另外還有一部是阿爾〔拔〕芬尼自導自演的《查理白布斯》，片已在港，只等甚麼時候推出吧了。（今年奧斯卡金像獎最佳男主角奇里夫羅拔遜所主演的一部名叫《查里》，並不是《查理白布斯》。有別。）

　　參加康城去年影展的五部片中，水準最高的當數《新潮小姐》，而且導演的資格也最老，其他的導演都是〔新秀〕，尤其是阿爾拔芬尼，《查里白布斯》還是他的處女作。英國把上述的幾部片拿到康城去，是給新導演以一顯身手的好機會，同時，那些電影也可說是今日新一代英國電影的典型。在五部電影中，《新潮小姐》，《新潮放蕩男女》，及《征戰幾人回》三部是官式代表參加競選的，《新潮小姐》實力較厚，黎斯特的《色情男女》得過康城大獎，所以希望再接再勵。《新潮放蕩男女》則以英國時代電影形

式出現，完全是投合康城的新奇口味。《征戰幾人回》則較嚴肅。《鍾安娜》和《查里白布斯》是展出影片，一是新人新作，一是歌舞的電影舞台。

　　《玉女春心》（《鍾安娜》）的導演，米高沙尼是年青的二十九歲英國導演，他起用了珍妮慧芙韋德，使她因本片而一舉成名。《玉女春心》可以說是很典型的今日英國式電影，描寫的是青年人，畫面割接，服裝設計，銀幕建築都是做到美輪美奐，問題是這些電影常常活潑有餘，深度不足，有如一盞漂亮的走馬燈飾，室內的繁華，靈魂十分空洞，但此刻風氣正是這樣，一切的花朵都美麗，英國的電影正在把一朵朵花從樹上採摘下來拋摘出去，到時候他們自然會發覺，該好好地栽培樹木了。

《玉女春心》仍是值得一看的電影，在同類的電影中，它似乎已經有點失去異彩，但對我們來說，畫面的濃妝，菲林格的流暢，我們的電影尚達不到這個程度。

　　　　　　　　　　　米蘭（一九六九年七月九日）

美寶達這部電影

羅倫蒂斯大家當然認識，因為他是有名的大製片家，同樣的，加路龐蒂，他之所以著名，並不是因為他是蘇菲亞羅蘭的丈夫，而是因為他製了很多片子，和羅倫蒂斯平分意大利名製片的天下。但是美寶達呢，她是誰。不錯，當提起美寶達的時候，我們用「她」來代表這個名字，因為她是一個女人。在法國，美寶達的名字是比 BB 還要響，BB 不過是明星，美寶達卻是法國數一數二的電影製片。

美寶達很好，由於她有獨到的眼光〔，〕能夠慧眼識英雄，使法國電影工作者得到了經濟和精神上的支持。因為有了美寶達，我們才有這些電影的：娃妲的《幸福》和《動物》。布列遜的《驢子》。丹美的《雪堡雨傘》和《柳媚花嬌》。高達的《我略知她一二》和《中華女兒》。阿倫黎里的《我愛你，我愛你》。這些電影都是無一不精的。其中，丹美的《雪堡雨傘》因為贏得了一個康城大獎，又贏得了四項美國影藝學院（即奧斯卡）的提名，使美寶達可以繼續她的理想。

《初試雲雨情》片名雖然邪，其實不過是一部法國式的《湯鍾士》。看這部電影，我們要注意的並不是「一個天真無邪的男童日記」，而是三個銀幕前後的女人。美寶達即是其一，一個能夠製《驢子》，《我略知她一二》等片的製片人，大家可以對她絕對信任。

嘉芙蓮丹露曾在《雪堡雨傘》和《柳媚花嬌》中出現過，在丹美的畫面中，她實在是一個很普通的女孩子，在《初》片裏情形也差不多，但趁這一些影片我們快去結識她，因為遲一些，我們要在波蘭斯基的《拒斥》中碰她

的面，波蘭斯基把她的最好的一面表現出來了。如果有機會，我們還可以看《日妓》中的她，那部片是前年威尼斯大獎的得獎片。

希治閣常在自己的電影中露一露面，哈洛品特也在電影中演一個角色，他們有的是導演，有的是編劇。在《初》片中，我們在一場花園的場景中可以見到一個撐着白傘的女孩子，別以為她是一名無關重要的臨記，原來她是該片的編劇。甘佩妮絲編過很多劇，《初試雲雨情》已經是她的第十個劇本，同時，這也是她和導演狄維爾一同合作的第十次。除了編劇之外，甘佩妮絲還當影片的剪接，是一個導演的好助手。有人稱甘佩妮絲和狄維〔爾〕是「電影上的馬爾勞」。因為他〔倆〕獲得粉飾演員的角色，而馬爾勞，這位法國文化部長，則粉飾巴黎的市容。

讓我們去看《初試雲雨情》，看看嘉芙蓮丹露和甘佩妮絲吧，讓我們知道有一個女製片家，名叫美寶達。

米蘭（一九六九年七月十日）

倫敦舊風景

現在〔的〕英國電影，喜歡描寫今日的倫敦。其實不僅僅是英國電影自己，不僅僅是英國導演自己，別的導演一樣到倫敦去拍攝今日的風景。譬如說，安東尼奧尼的《春光乍洩》，那些穿迷你裙紅絲襪子的女孩，是最典型的今日英國產品。譬如說，高達的《一加一》，滾石樂隊也不是別人的。當然，安東尼奧尼和高達要拍的並不光是風景，他們不過是喜歡背景的倫敦。

英國自己的導演描寫很多今日倫敦的風貌，遠如《新潮小姐》，《慾海紅蓮》，近如《玉女春心》。為甚麼不呢，倫敦是那〔麼〕熱鬧。以前，英國的電影就如英國的天氣。電影是很呆的劇情 A 加劇情 B，演員都在比賽背台詞。到了《金屋淚》，來了些〔傑克萊頓〕和林賽安德遜他們，電影不錯是改變多些，但走的也不外是意大利的新寫實路線。但這一兩年，情形變了很多很多，誰知道是不是由於高達的影響，誰知道是不是〔因〕為安東〔尼〕奧尼，總之，英國電影變了許多，帶頭的可能是黎斯特，（注意注意，黎斯特的《我如何打勝仗》，本月十五，十六，十七在「第一影室」上映，好電影），跟着來的卻是一大批人。

如果稱黎斯特是第二代，那麼電視派導演們就是英國電影的第三代繼承人。電視派的新導演多半是電視出身的，他們多半能拍攝又真正愛電影。他們拍起電影來，常常用實地採訪的紀錄，因此，大街小巷就是他的樂園。這也是為甚麼我們〔看〕「電視派」導演的電影時，覺得他們特別喜歡描寫今日的倫敦。真的，為甚麼不呢，英國本來

保守，本來服裝古老得差巴黎半個世紀，但現在完全一樣了。披頭四和瑪麗鄺他們改變了倫敦，這些風景倫敦以前不曾有過。電影是一種很愛反映自然的鏡子，一個嶄新的倫敦當然立刻就乘着電影的翅膀飛到各地去了。

新的導演們拍電影拍得沾沾自喜，但老一輩的導演呢，且不說第二代的，第一代的呢，譬如說，卡勞列。回顧一下卡勞列，一九四七年的時候，他拍的那些電影的《法網情絲》，很嚴謹，到了今天，他難道還走同樣的路？卡勞列當然不曾拍《玉女春心》，一部《玉女春心》，如果拍也該由奧利化列來執導。（奧利化列，《偷情聖手》中非常出色的他，就是卡勞列的兒子。）那麼，卡勞列拍甚麼呢？他聰明，他不描寫今日的倫敦，他給我們一片倫敦舊風景。

如果今日我們看《新苦海孤雛》覺得它並沒有失敗，是因為卡勞列能夠快樂地回顧，並且用他很傳統的電影技法站出來和同時代的新導演分庭抗禮。

米蘭（一九六九年七月十一日）

波里斯卡洛夫

倫敦將建一間新的電影院，專門放映恐怖片，這所電影院的名字叫做「卡洛夫」，是為了紀念波里斯卡洛夫這個人。誰是波里斯卡洛夫呢？現在的人都不知道他是誰，可是這個人，他的年紀卻和電影歷史一樣長久。

波里斯卡洛夫原名威廉亨利布拉特，是一八八七年誕生的，他是一個著名的演員，演的總是恐怖片中的可怕角色，殭屍，木乃伊，變形人，獸面怪客，殺人犯等等〔，〕都是他的拿手好戲，起初，卡洛夫一直在舞台上演出，因為那時候的電影，還不過是些影子戲。到了一九一九年，電影事業已經相當蓬勃，卡洛夫於是投身銀幕，從那年起，直到一九六九年，他一直沒有和電影分過手，據正確的統計，卡洛夫一共演過的電影有一百三十七部。

雖然卡洛夫是以演恐怖角色為主，但事實上他也是一個喜劇演員，有時候他還演演歌舞片和童話故事題材改編的電影，在影壇上，認識他的影迷很少，可是提起波里斯卡洛夫的名字來，我們的父親祖父曾祖父卻會說：啊，波里斯卡洛夫嗎？我們看過很多他的電影了。在他們來說，卡洛夫彷彿是一個的老朋友，能夠令他們回憶起很多昔日美好的時光。演了五十年的電影，波里斯卡洛夫從來沒有得過一個奧斯卡，也沒有其他甚麼獎品，他有的只是四代的觀眾。今年，他逝世了，他的名字，從此就和一些古老的電影一般，進入了電影博物館，他的相片，從此就留在電影歷史的書頁上。

為了紀念波里斯卡洛夫，美國的《電影季刊》用整整

的八頁大篇幅刊登了他的劇照，並且用他的相片作封面，很多卡洛夫的朋友都很懷念他，他們記得他是一個很仁慈和藹的人，時常幫助朋友，他常常會舉起滿滿的酒杯，喝一口，然後說：向鬼怪致敬。

人們很早就想到要建一間「卡洛夫」電影院，於是他們先去問問卡洛夫自己，卡洛夫當然答應人們採用他的名字，正當他的應許出口不久，幾個星期後，他竟然離開了人間。直到閉上眼睛的一天，卡洛夫不曾離棄電影，他最〔後〕的一部片，是派拉蒙的《靶子》，在片中他飾演的是一名老去的專門飾演恐怖〔片〕的明星，由於人們不再看這些恐怖片，正打算退休。這一個角色其實正是波里斯卡洛夫本人的寫照，卡洛夫並沒有完成這一部電影，也許他的死亡正說明了，他並沒退休的意思，而且，恐怖片也不會沒落。

要是我們今後，〔看〕到任何新的或舊的恐怖片，不妨看看演員表上有沒有卡洛夫的名字，因為這個演員如今已經成了相片。

米蘭（一九六九年七月十二日）

荒謬的悲劇

為了拍《我如何打勝仗》，李察黎斯特要借一些新聞戰事片加插在電影中。有關部門知道黎斯特拍片古怪，就事先聲明，認為這些片段非常嚴肅，不常拿去用在喜劇鬧劇中亂搞。結果，《我如何打勝仗》拍完，果然是一部喜劇，有人就指責黎斯特，說他不夠道義，但黎斯特極力否認，他說，一部片從表面來看，是很難分門別類的，別以為電影中嘻哈絕對就一定是喜劇，雖然，《我如何打勝仗》是以喜劇形式出現，卻絕不滑稽。史坦利寇比利克會不會說自己的《密碼一一四》是滑稽片呢？那部電影裏邊可笑的場面也一樣不在少數。黎斯特認為，喜劇的出現是有嚴肅的目的；像《我如何打勝仗》，他稱它是一部「用喜劇方式來表現的悲劇」，或者是一部「荒謬的悲劇」。

多數的戰事片都常是反戰的，導演在拍攝之前早就有了一己的表現方法，高達拍《槍兵》，要說的是一件野蠻的愚蠢事，而黎斯特則強調戰爭是可怕的事件。但《我如何打勝仗》出現，針對的卻不是戰爭本身，而是針對一切的戰爭片。因為同樣是戰事片，黎斯特的手法奇異而不落俗〔套〕，和一般的戰事片並不相同。或者也可以這樣說，普普藝術無孔不入，現在已經跑進戰事片中去了，也可以說是戰事片走進了普普藝術的世界。

高達自《槍兵》開始，已經嘗試捨棄《慾海驚魂》那種體裁的電影，而是把小說和現實合為一體，所以，電影的面目為之一新。近來上映的幾部片，都採用了這種表現手法，如《游擊怪傑》則是又現實又小說式的，觀眾明明

在看電影，但電影中的人物又直接對觀眾說話。《國際暗殺局》也是，電影明明是傑克倫敦的幻想故事，但片段中加了新聞式的現實。黎斯特的《我如何打勝仗》走的也是同一的路，電影中本來是漫畫也似的風趣戰爭，但鏡頭割接溶入的竟是真的紀錄片，自從高達以後，很多電影都在把真幻合在一起了。

黎斯特的導演手法是著名怪誕的，譬如《我》片中的幾場戰爭，死了很多人，但這些人變了鬼魂仍在電影中出現，電影中的戰役有鄧苟克（用綠色表現），阿拉米（用橙色），阿海姆（用藍色）等等，要是一個人在鄧苟克死了，他的鬼魂就是綠色，在阿拉米死的鬼魂，就是橙色，因此，電影中出現了一批彩虹也似的鬼魂。至於有一場是一個兵士在沙漠上行兵，黎斯特幽了大衛連一默，用的竟是《沙漠梟雄》的主題曲作背景音樂。

黎斯特說過：要是明天我給一輛巴士輾死了，在我的電影中，我願人們以《我如何打勝仗》來制裁我。

米蘭（一九六九年七月十四日）

史登堡談導演

　　史登堡曾在大學中講授導演方法。有的學生問他：當一個導演還沒正式開始工作的時候，他該有些甚麼資格才能勝任這一項職責呢。史登堡於是列了很多的條件。他說，導演必須懂得很多種語言和方言，要熟悉劇場由頭至尾的歷史，懂得心理分析，受過心理學訓練，了解每一種情緒等等。條件是相當苛求的，看來，一個導演的先決條件和萬能博士的條件不差上下。於是，學生們就問他：你自己有沒有這些本領呢？史登堡答，沒有。他接着說：我也從來沒有去問人家做導演得要有些甚麼先決條件。

　　不錯，作為一個導演，史登堡憑經驗和信心。他認為書本的理論是寫來給人看的，電影卻要自己實踐去拍出來。他曾經舉過一個例子，他說，愛森斯坦寫過一本蒙太奇理論的書，但這些理論，愛森斯坦在自己的電影中從不曾用過。

　　拍電影的時候，史登堡並不注重過分準確的細節小事，譬如說，電影中需要一隊兵士，史登堡所要求的就是這一群人扮演起來像一隊兵士就行了，並不在乎其他，但一個叫做史德洛海姆的導演就非常吹毛求疵，他要這些兵士從頭到尾軍服打扮，電影可能不過要兵士穿上大衣而已，但史德洛海姆竟要兵士連內衣也不得苟且，照穿兵士的內衣。這一類導演彷彿是在把人〔生〕真的搬上舞台。

　　史登堡認為，一個導演其實也不必有很專門的學識，譬如說，他拍過一部黑社會的片子，但自己並不是大盜，而且對大盜行徑一點也不熟，他又拍過一部《上海快車》，

但他對中國更一無所知。他注重的是真實的幻景，而不是真實的本身。史登堡拍《藍天使》時是在柏林實地拍攝，以前，他卻從沒到過德國；為了該片，有人叫他不妨去參觀一些學校，看看學校的制度等，但史登堡也不肯，自顧自拍完《藍天使》。那麼史登堡重視甚麼呢：他重視電影本身，拍完了再說。至於好不好，並不是一年二年內就知道的。對史登堡來說，最有趣的乃是德國政府在一九六三年頒給他一個金帶獎，因為他的《藍天使》有特別的成就。當時是《藍天使》一片拍後的第三十四年。史登堡說，所以，一部電影好不好，三年五年之內還不能確實哪。他還說，我在德國的時候，他們倒一直沒獎我甚麼。

對於指導演員，史登堡不用方法演技，他事先也很少對演員說明要求甚麼，只叫他們隨時做表情。一次，一個演員從早上九點演到下午六點都不對勁，終於哭了起來說，史登堡先生，我實在不行了。但史登堡卻說：你演得不壞，最後的一個鏡頭好極了，原來史登堡要的就是演員的淚臉。

米蘭（一九六九年七月十六日）

369

褒曼之《面具》

星期一，七月十四日，大會堂上映的一部電影是英瑪褒曼的《面具》。該片原名是採用一個拉丁字，意思就是演員所戴的面具。人本來都是一樣的。但因為每個人有每個人不同的面具，就成了另外一個人。關於《面具》這部電影，值得注意的有四點。

褒曼的電影和很多大師的作品一樣，不是〔為〕講故事而來的，誰要是斤斤計較開頭和結尾，該去看狄更斯的小說。但《面具》有它的內容，它描寫的是兩個女人，一個是成名的演員，但因為患了神經衰弱，不得不進醫院休養，另一個是照顧她的護士。整個電影描寫她們在海邊的別墅中療養，結果，彼此變了另外一個人。兩個人本來的面具都破裂了。

電影中最出色的一場是「兩重奏」的獨白，起初是護士講話演員聽，第二次聽眾卻變了護士自己，這時影像上的兩個女人的臉重疊成一個臉，一半是護士的，一半是演員的。這一場的表現手法，異常出眾。

《面具》沒有一個單獨的暴露鏡頭，但卻有一段暴露的語言。當兩個女人坐在一間房間內，護士講述一段與海灘男孩的遭遇，這一段話完全是記憶一次做愛的整個過程，但畫面上並沒有加插任何一個鏡頭，女人只笑着述說，但氣氛營造得成功。

從表面上看，《面具》似乎是一隻熱狗，因為除了電影的中心片段，開始與結局和電影好像並不連接，就如電影本身是香腸，而起始和終結就是麵包。其實褒曼是把這一

段面具的碎裂存放在時空之內。觀眾立刻可以感到的仍是這是一個電影，一件物體。

《面具》之前，褒曼的很多電影都在本港上映過，《沉默》和《面具》是較近的，遠的有《野草莓》和《第七封印》等，習慣褒曼的電影的人會發覺他並不如想像中的艱深隔絕，不習慣褒曼的話，開始的時候總覺得他在叫我們繞着神和人兜圈子，但褒曼的電影總有令我們驚訝的地方，而且每次的面貌都不一樣：《沉默》中窗外的坦克，《面具》中暗室裏的男孩，夠我們去思索了。

《面具》之後，英瑪褒曼拍了《恥辱》，今年，他完成了《熱情》。奇怪的是，他居然要和費里尼合導一個「愛之二重奏」，每個人各自來一個片段。費里尼現在正忙於拍他的羅馬古代酒池肉林《薩泰麗康》。

高達的電影之所以出色，是因為他拍的和別人拍的似乎是一類，但卻高過他們並且和他們不同，英瑪褒曼呢，他拍的電影則完全是他自己的，他不和任何人入類成型。

米蘭（一九六九年七月十七日）

路易馬盧這樣那樣

　　路易馬盧和別的電影導演所不同的是：他拍起電影來，每一部都和以前的不同。別的導演的作品可能是分為一個個階段，像高達，《槍兵》前是一個階段，《槍兵》後就變了很多。安東尼奧尼也是，《春光乍洩》是一個很清晰的分水線。至於費里尼，則一變不變，部部一個模型。因此，提起路易馬盧來，沒有人能夠把他當作畢加索，路易馬盧是沒有甚麼粉紅色時期或藍色時期的，他的前一部片是一個人活得毫沒生趣而自殺，下一部片卻說一個小女孩快快樂樂地過一個星期日的午晝。有人問過路易馬盧，為甚麼他會這樣子拍電影，他答得極其簡單：因為我並不喜歡自己的電影。既然不喜歡，當然要拍過一部完全不同的。在拍電影的時候，有的人是開頭很起勁，到了結尾就草草收場，路易馬盧不是這樣，在他，一部片剛開始，乃是他最糟的時刻，因為在場與場之間，這場拍拍，那場又拍拍，幾乎把一切都搞昏了頭。所以，路易馬盧喜歡順序拍電影，先後次序和電影放映的程序相差不遠，也正因為這樣，大家一看他的電影時，就會發覺路易馬盧不是那種一開頭就聲勢滔滔的導演，他的電影中最好的片段總是在結尾的一場。因為那時候，路易馬盧會說：那時候才是我最精神奕奕的時候。別的導演並不這樣，他們有時把電影的最末場先拍，最初的一場留在最後拍，到剪接時再依次序排好。

　　做一個導演，路易馬盧認為頗頭痛的是導演員，有的職業演員，譬如說馬思杜安尼，演戲經驗豐富，對電影是

甚麼東西，清楚不過，因此導演要把他的火焰壓低些，否則，這類演員自以為是，把自己當作大藝術家。另一類演員剛好相反，尤其是一些業餘的沒上過銀幕的演員，則要使他們充滿信心。路易馬盧選擇的演員是甚麼人都有的，電影演員，舞台演員而沒上過銀幕的，業餘的大街小巷人物，都行，只要適合劇情的需要。布列遜對演員的選擇是路易馬盧並不贊同的，布列遜從來不用舞台演員，因為他們太作狀，又要甚麼方法演技。

由於路易馬盧是攝影師出身，他對攝影方面的控制力較強，但他不認為在這方面他會比別的導演出色，任何導演，他說，拍過幾部片後，自然懂得燈光和鏡頭等等的技巧，學這些東西是很快的，因為它們實在很容易。路易馬盧對電檢的態度和別的導演也不同，因為他自己當過一年電檢員。這個法國電檢處也甚特別，對性和道德方面很開放，對政治問題卻不作決斷，把影片乾脆交給國家部長處理算數。所以，在法國，凡政治上有問題的電影禁與不禁，與電檢處並不相干。藝術是藝術，政治是政治。

米蘭（一九六九年七月十八日）

安地華荷上地面

去年九月十九日星期四，一部叫做《大衛荷茲曼的日記》的電影在紐約現代藝術博物館作美國初次主要首映，該片曾出席曼尼海恩，畢薩羅，威尼斯及康城四個影展，被譽為「美國有史以來最重要的喜劇」之一。有關該片的工作人員曾被同時邀請出席。當時，演員之一的基加爾遜宣稱美國地下電影經已死亡。最近，美國獨立製片非常蓬勃，而且新秀們拍的電影已經和地下電影分道揚鑣。新的電影如《我，一個男人》，《臉孔》，《法律以外》及《大衛荷茲曼的日記》等作品事實上並沒有殺死地下電影，但它們已經把地下電影拋在一邊，同樣的，它們也把荷里活的影片拋在一邊，當晚，在場的人一起命名目前的新電影製作人為「美國新寫實派」。

事實上，美國地下電影的確漸漸沉寂了。安地荷華〔他〕們正朝新的路線出發。困惑着他們的問題是：一旦上了銀幕，生活就是甚麼；把它仍當作生活呢，還是把它當作電影。大家對這一問題並沒有結論，稍後，也許是安地華荷認識得比較深切，一個電影工作者把一顆子彈送進了他的肚皮。這說明了一點：電影工作者是真的，他們的子彈是真的，並非道具。

安地華荷沒有死，而且從地下升上來了，因為他正在拍第一部荷里活電影。當然，即使安地華荷跑到荷里活拍片，他的電影卻不一定是「地面」的，說不定照樣要被電檢處發一個 X 記號下來。安地華荷的新片是《真實之遊戲》，改編自一名青年作家約翰夏洛維的小說，該小說目前

尚未出版，它將和電影一齊在本年九月面世。安地華荷拍這部片時只有一個簡單得很〔的〕大綱，因為原著手稿在去年十二月已經到了出版人手中，但夏洛維對安地華荷很有信心，因為安地華荷這個人拍起片來叫人不容置信，一部《寂寞的牛郎》，他不過用了一個週末就拍成了。《真實之遊戲》的製片人是羅富連（曾經製的片有《玉女春心》）。電影內容是描述一名外百老匯的女伶到荷里活去尋求真。[1]

　　安地華荷曾經拍過《睡》，長達六小時，這部片子就是被一般人指斥地下電影荒謬的鮮明靶子，因為《睡》就是睡，整個電影甚麼也沒有，六小時只拍一個人睡，有時翻翻身。電影，和別的藝術品一般，不時在變，我們不能因為「變」得異相一些就以為這些毒物將成為必定的正統主流。事實上，「地下電影」不過是一個過渡時期，「新潮」也一樣，一切都為了〔可〕以把電影移近更理想的目標。我們擔心甚麼呢，嬉皮士不是已經成為歷史了，而「地下電影」，正當很多人正在搖頭歎氣，甚至見也沒見一眼，它已經死亡且蛻變了。

米蘭（一九六九年七月二十日）

1　據作家 Gary Comenas 設立的安地華荷資料庫（warholstars.org）所載資料顯示，《真實之遊戲》最初定名為 *The Truth Game*，惟最終並未拍成。

電影體裁數型

今日的電影在體裁上和昔日的已經有很大的區別。有過一個時期，電影是作句，短短的幾分鐘，給觀眾看的只是活動圖畫。格列非斯雖然被稱為美國電影之父，但他的電影，嚴格的說，是作句時期的典型作品。近數十年來的劇情電影，可以分為兩大類型，史詩式的和短篇小說式的。《沙漠梟雄》，《齊瓦哥醫生》等片，可以算史詩式的代表作。導演同樣是寫一個人物，卻用記事的方式，從頭開始，順序直說，為了避免太過年代記，導演也會用一二次的回溯鏡頭。看一部《沙漠梟雄》，觀眾的感覺頗為場面氣勢所懾，而且覺得銀幕上的人物，蕩氣迴腸，果然是一段經驗艱險的人生歷程。看這些電影，〔和〕我們讀荷馬的《奧德塞》不分上下〔。〕短篇小說式的電影是我們所遇到的電影中常見的。那是導演剖切下來的一個橫切面。西部片幾乎沒有一部不採用這一形式。開頭是一位西部英雄來到鎮上，鋤強扶弱之後，單騎毅然而去。電影從不追溯英雄人物的出生或死亡，也不描寫來龍去脈，除非是導演的鏡頭瞄準在死亡的事件上。《龍城殲霸戰》是很典型的短篇小說體裁。

近十年八年來，電影的體裁又是一變，最鮮明的是意識流的表現法和真幻溶為一體。起初，觀眾看電影見到主角本來在書房，忽然卻到了花園，以為這不過是導演用「時間的濃縮」把戲，但漸漸發覺事情並不如此簡單，導演是把時間濃縮了，還把回溯幻想等交錯連在一起，更甚的是時空倒序，譬如說，《八部半》，要是依時序由基度童年

的「阿沙尼亞馬沙」那陣開始拍，很可能拍出一部《沙漠梟雄》式的史詩體裁電影，但費里尼用的是意識流手法表現。《八部半》是不值得很多人認為佳作，但在體裁蛻變的過渡時期中，尤其在電影史上，它實在是一枚升空火箭中重要的一節。「幫助太空艙升空，自己卻掉了下來」。

　　香港近來放映的電影使我們除了接觸到更多意識流的電影外，還帶來了真幻溶為一體的作品。以前的電影，電影就是電影，現在的呢，電影是小說也是事實，電影所以會這樣，當然是受到電視一部分的影響；《游擊怪傑》用的正是這一體裁，雖然，在表現方面，它還是很弱，導演本也可以把傑基華拉拍成另一部《沙漠梟雄》，但事實上，電影是應該向前衝的，沒有理由要抄〔襲〕歷史。《游擊怪傑》的真幻溶合用的是「顯」的例子，面目粗糙；安東尼奧尼的《春光乍洩》，其中的真幻溶合是「隱」的。我們所以說安東尼奧尼是很前衛的，這就是緣故了。我們所以說安東尼奧尼是精練的，這就是緣故了。

米蘭（一九六九年七月二十一日）

377

威廉韋勒話當年

　　每當威廉韋勒回想起以前拍過的電影，他就會搖搖頭說：和現在的電影比，是比不上了。威廉韋勒有時也看看自己的舊片，有的他覺得有趣，有的則覺得可怕。威廉韋勒最初的時候拍過很多短的默片，現在當然還可以看到，但他卻提不起勁。看那些電影時，威廉韋勒要特地跑到鬧市的小型電影院去，那裏的氣氛很差，人很雜亂，有人大聲講話，有人咳嗽吐口水。電影院放映的是「長壽電影」，通宵達旦地隨你高興看多久就多久，節目方面不外是兩部古老十八代的劇情長片、一些短片段，幾輯擲蛋糕鬧劇，然後是幾段兩卷長度的西部片。有時候，威廉韋勒為了要看自己的那些西部片，足足要等三個鐘頭。到片段放映時，觀眾多半瞌睡的瞌睡，聊天的聊天，罵陣的罵陣，威廉韋勒幾乎要叫：喂，放映西部片的作品呀。

　　最初，威廉韋勒為環球工作，當時的公司總裁加爾李梅爾，是威廉韋勒母親的遠房親戚。一九二〇年時，李氏到歐洲去，威廉韋勒在父親的公司做悶得很的事，就去見李梅爾。李梅爾說：怎不到美國來，我給你一份職業，以後你自己去打天下。你的旅費我也先付，以後，你每個星期還我五塊錢。李梅爾人很好，他見到朋友或親戚中有甚麼年青小伙子還算聰明的話，就會說：美國才是有得發展的地方。這樣，威廉韋勒就上了紐約。他當然是先做學徒，搬菲林，掃樓梯，跑東跑西，但卻是在片場裏了。在那個時候，進電影圈是太容易了，環球也好像一間學校一般，誰喜歡電影〔，〕只要有野心又懂一點最基本的方法

就可以有機會拍兩卷西部片，任何一個漂亮的女孩子也大有機會上銀幕。那時候，電影工作人員並沒有工會，製片公司隨時找人才，人人都有好機會一顯身手，拍一部兩卷長的短片是要二千塊錢，三天拍完。威廉韋勒拍了足足一年，每星期拍一部。工作情形很規律化，星期五，公司交下一個劇本，星期六，導演分派卡士，有時候連劇本都沒時，演員卻選齊了，然後星期一，二，三拍三天，星期四則剪接，到了星期五，新劇本又下來了。拍這些電影沒甚麼條件，總是要人物多動動；開始是動作，中間是動作，結尾更要動作，追追逐逐完場最理想。

在環球，誰的成績好，就可以拍五卷長的西部片，否則就只能拍兩卷，差些就被炒魷魚，很現實。威廉韋勒拍了一年兩卷片才拍五卷，最終於從西部片圈中掙扎出來，拍了一部《誰見到姬莉》。威廉韋勒說，在他，那部片是當時的新潮電影，因為拍的技巧和別人的都不同，用了很多電影怪手法，但現在他又漸漸把那些技法淘汰了。

米蘭（一九六九年七月二十二日）

希治閣之風格

　　電影在觀眾面前的樣子似乎不外是影像和聲音的結合，但在製作上，導演們有很多不同的方法。黑澤明拍一部電影注重剪輯，所以在得不到剪輯權時寧願退出《虎虎虎》的製作。和黑澤明同類的導演很多，另一類，則是希治閣的一類，他們在拍攝時幾乎已把割接配砌好，因此到剪輯時所花時間很少。希治閣的拍攝階段才是最重要的一環，他的電影攝影完畢，已經相當於割接妥善的片段，只要稍加組織，把個別的片段連起來，立刻可以放映。希治閣絕不會拍一大堆菲林，然後到剪接時才決定要哪些剪哪些，或者到最後才知道一部電影變成甚麼樣子。在這方面，很多導演並不這樣，黑澤明事先也有嚴密的計劃，但剪接一樣花多量的時間，安東尼奧尼，高達，事先不詳細策劃，但胸有成竹就可以進行，在他們，電影一開了頭就可以拍下去，結尾自自然然可以順利形成。事實上，安東尼奧尼和高達到英美去拍片時常靈機一觸增刪電影片段，但希治閣從不如此。所以，有人曾在希治閣拍完《後窗》後到剪接室去看他怎樣工作，只見他很快就剪輯完畢，多餘的菲林不過是二百呎而已。在希治閣的作品中，他本人認為最具電影感的就是《後窗》，因為片中的主角在一個固定點上一動也不動，一切的事件就在眼前發生。主角的眼又正是觀眾眼，兩者合而為一，整個電影就是觀眾同時在發展構成。

　　希治閣對於用音樂也有他的一套，他認為音樂如果和影像作同樣的「解釋」時〔，〕是沒有用的，正如對話也

一樣。如果影像上呈現一個人進了電影院，碰見一個朋友時，這朋友要是問：看電影嗎？就變了是一句廢話。觀眾眼睛能夠看到的，就不必再用對白述說，也不必再用音樂介紹，這是希治閣的宗旨。希治閣不喜歡用大明星，也是影迷早已熟悉的了，希治閣認為大明星是觀眾熟悉的，觀眾對他們事先有了親切感，觀眾太關心他們了，因此在電影中反而麻煩。除非在一部電影中，有一個角色開始，就需要觀〔看〕時的同情和焦急，希治閣才會用大明星。如《衝出鐵幕》就用了茱麗安德絲。可能的話，希治閣會自己〔物〕色演員，但多數的製片人會指〔派〕，大家總得有點妥協。照希治閣的看法，選擇演員的最佳人選不是製片和導演，而是原小說的作者，因為劇中人的外貌和內在性格，最清楚的就是他。

對於觀眾的心理，希治閣了解得很，他早已指出觀眾對入屋偷竊的賊在事敗逃走時，多半為賊着急而竟不為事主失去財物可惜，因此，希治閣常說：我認為我們有第十一條誡命，乃是：你們不可被人發覺。

381

米蘭（一九六九年七月二十四日）

意國一羅西

　　法蘭西斯高羅西，是意大利的羅西之一，因為叫做羅
西的還有法蘭哥羅西，他就是《女人百態》中導演了〈西
西里女人〉的導演。他們的名字是那麼地相似，而且大家
譯起來又總是羅西這個人又羅西那個人，真叫人分不出誰
是誰。除了意大利的兩個羅西之外，當然，另外一個叫做
羅西的導演是大家早已認識的了，那是約瑟羅西，他給過
我們《雲雨巫山數落紅》和《意馬心猿》。

　　一九二二年，法蘭西斯高羅西誕生於那不勒斯，
一九五七年才開始導第一部片子，這以前，他寫個劇本，
並且是維斯康堤三部片子的助導，其中，包括了《大地震
動》。由於法蘭西斯高羅西是編劇出身，所以他的電影都由
自己編劇。在拍一部電影的時候，以《城市上之手》為例，
羅西的編、攝、輯三方面工作時間分配為：編劇本二年，
拍攝九星期，剪接十日。很多導演在剪接上花大量的時
間，羅西比較少，因為他在拍攝時已經把一切構思定了。
在正式拍攝之前，羅西着重排演，一點也不即興，而且排
得非常仔細。羅西用演員雖然不偏重業餘的或職業的，但
他喜歡「真人」，因為這些人不用扮，一站出來就是他們自
己。羅西電影中的議員是真的議員，將軍也是真的退休將
領，沒有人能扮得比他們更像。羅西說：在我來看，第一
件事就是給觀眾一個活生生的印象，尤其是這些人原來的
樣子。（這一點，和楚原的《紫色風雨夜》同，影片的記者
是真記者不是演員扮。）

　　在意大利，羅西和當地的導演們不同的地方，也是他

個人的出色成就，乃是他在配音時依然找原來演出的人從事配音，這情形在意大利簡直不能令人置信，因為即使是職業演員，演完了戲劇算數，配的音也不知是誰的。早兩年，安東尼奧尼等十多名導演正為這件事嚴肅地考慮過，他們不但希望原演員配原音，還希望意大利的片場能夠裝置特別的設備，使拍攝工作和錄音能同時進行〔，〕以廢除事後配音的多餘製片階段。

羅西的電影風格，也屬「冷」的一型，他拍片，絕不採用美國式，他盡量削弱劇情的浪漫色情，所以《城市上之手》竟連一個女人也沒有。該片曾得過威尼斯金獅獎，那是一九六三年的作品。整個電影除了兩個演員外，其他都是業餘的演出者，兩名演員中，其中之一是洛史德加。起初羅西的電影還着重故事架構，來一兩則愛情故事，但稍後漸漸走上「真實電影」的路，而且越來越紀錄片式。這位導演並不多產，他的地位，只憑《挑戰》，《小販》，《沙維多梧里安諾》，《真實時刻》幾部而已。

米蘭（一九六九年七月二十五日）

383

靜觀加曼仙尼

加曼仙尼拍過《麵包，愛情與夢想》，那時候，意大利的新寫實漸露曙光，該片的出現，特別予人好感。事實上，新寫實的意大利電影所描寫的風土人情，手法清新樸素，即使現在來看，仍值得初起步的電影製作加以借鏡。自從《麵》片之後，加曼仙尼沉緬於喜劇的題材，疊拍一些鬧劇，但電影內容十分乾澀。稍後，他拍了一部比較嚴肅的《比保之戀人》，改編自加洛卡素拉之小說。由於太過忠於原著，這個電影出落得負苛奇重，竟被困在文學框內。其實，加曼仙尼並非一個電影語言生硬的導演，他處理戰後荒涼市鎮的場景異常出色，而且，在任何一個單獨的鏡頭裏，他都沒有捨棄準確地安置他的拍攝機的機會。我們可以看得出，個別的鏡頭構圖是適量地嚴謹，畫面的景次又總是層次分明，主角們恆常有機會被誇張地放到前景來。不錯，在這方面，加曼仙尼很小心翼翼，他企圖用畫面的蒼白淒涼隔絕形態來營造氣氛，目的是把《比保之戀人》拍成一部純情電影，但是，非常可惜，很能夠被塑造成型的佐治查格里斯竟是那麼地被擠迫成呆滯的怯生生樣子，而因為原著的緣故，整個電影終於給濃得透的感傷意味淹沒了。

拍電影可以表達感情，就是別那麼拼命注射感傷濃度，加曼仙尼在這點上是中了邪，且看他的《愛的世界》，很多人從電影院出來，紅着眼，卻為了「本來不應該哭，卻毫沒理由〔地〕哭了起來」的理由。這是我最排斥加曼仙尼的地方。當然，拿加曼仙尼和安東尼奧尼來比，是太

提拔加氏了些，但他們同〔是〕意大利的導演，而且是同一個年代的，安東尼奧尼於一九一二年誕生，不過比加曼仙尼早四年，一個近年給我們《春光乍洩》，一個竟是《愛的世界》，就不能不承認，導演這一行，無從學習。是神創造了導演。

路易馬盧說得好：我並不認為入電影學校是件好事。電影學校的優點是一個人可以在那裏二三年好時光，學學不很多的東西，但可以多看電影多作研討，而且碰上的都是醉心電影的一群人，但要是離開了電影學校去拍電影，所知着實有限，學校太理論。教青年人拍電影根本是不可能的，電影到目前為止尚不是一種已定型的語言〔，〕它還停留在形成的階段。電影學校教美學藝術原理嗎？太可怕了，如是教電影之法，電影其實並無文法。電影之所以那麼吸引人，就因為它還沒有成型。加曼仙尼是個夠經驗的導演，證諸路易馬盧的一番話，他甚像一個才從電影學校出來的優等生。

米蘭（一九六九年七月二十七日）

在競技場上等等

　　當威廉韋勒在環球拍着一些兩卷長度的西部片時，公司正在拍一部《賓虛》，導演是里夫斯伊遜。其中有一場是著名的戰車競技。由於場面過於偉大，導演一個人難於控制，公司就召集所有的助導來幫助，除了助導外，還叫一大批臨記助手。威廉韋勒因為也算是拍過兩卷長度西部片的所謂導演，就也被找了來當臨時助手，威廉韋勒被指派的工作是指導一隊群眾坐在圓場裏。公司派給他一件羅馬袍披着，另外是一群人，叫他和這些人一起坐好。當電影開拍時，自然有人打訊號示意。（因為那時並沒有擴音器），威廉韋勒就照訊號行事，或是叫自己帶領的一隊人站起來歡呼，或者坐下來鼓掌。拍這部原來的《賓虛》，競技場上除了導演和助導外〔，〕一共有三十多名像威廉韋勒那樣的臨時助手，單是這一場，拍了三天。果然，這一個片段是整個電影中最精彩的。不過，功勞可不屬於里夫斯伊遜一個人，因為背後還有佛烈尼布羅作策劃。

　　後來，威廉韋勒自己也拍了一部《賓虛》，其中的一場戰車競技就是依照舊片的拍法，這時，威廉韋勒也沒有正式導，只在紙上把草圖繪好，真正拍攝時，交給安德魯馬〔頓〕和耶基瑪康納執〔行〕。

　　在荷里活的時候，威廉韋勒做了一件領導性的宣傳工作，就是發電影內幕消息。威廉韋勒從歐洲上紐約時，和朋友保羅高納一起入環球，因為他們懂得多種語言如英語〔，〕法語〔，〕德語。於是兩個人決定搞出版事〔業〕。保羅高納的父親在捷克辦了一份報紙，在那個時候，一切

有關電影的新聞都是向巴黎或倫敦總部購買得來（像現在一些「美聯社」，「路透社」新聞），但威廉韋勒身在美國，就把當地的第一手資料遙寄捷克，由於消息新鮮且來自片場，報紙的文章有價，讀者紛紛捧場。可是這一來，其他的片場也學他們去發電影消息，到現在，電影公司有自己的宣傳部門，有人正式從事電影採訪，溯源起來，還是威廉韋勒帶頭幹起來。

　　威廉韋勒對新潮電影的看法，認為是不錯的，他覺得青年人想拍電影而這樣開始並沒有甚麼不好，當然其中有的很有才氣，有的則在胡搞，威廉韋勒贊成人們經濟支持他們，但認為把他們當作是大藝術家則太過些。他們在搜索，那是好的。他們過了一段荒謬的時間後，作品自然會穩健些。威廉韋勒說，現在，要學電影的方法似乎不多，因為電影公司不易入，新潮的方法是其一。威廉韋勒又贊成青年人如果喜歡從事電影工作，還可以從電視入手。但說到好的磨練，他認為還是他當年在環球片場時得益最多。

米蘭（一九六九年七月二十八日）

米高詠納的奧運會

不知道現在若要威廉韋勒重拍《賓虛》他會怎麼樣。那些戰車，那些競技場，又會怎麼樣。米高詠納，《偷情聖手》的導演，他在羅馬拍他的《運動會》，題材是描述奧林匹克的運動員。米高詠納在羅馬街頭噴泉旁邊實地拍攝馬拉松賽，又進入原來的奧運場導演運動事件。

一個很大的奧運場，四面坐滿觀眾，這情形和《賓虛》的戰車競賽一樣壯觀。當威廉韋勒拍《賓虛》時，他用了很多的臨記，又用了很多的助導，當然也用了很多的錢。米高詠納計算過，奧運場應該是滿滿的，總共應該坐五萬個人。到哪裏去找五萬個臨記呢？而且五萬個人，每人每天即使一塊錢，就已經去掉了五萬塊。這是一筆龐大的開支。於是，米高詠納和他的助手們想出了方法，他們終於把奧運場擠滿了觀眾，而且花了很少錢，原來整個奧運場的來賓都是塑膠的假人，男男女女，穿上彩色繽紛的服飾，在攝影機的巧妙處理下，果然場面偉大。電影其實是幻象，照史登堡的說法，要給觀眾看的只是「像真」，不一定是真的本身，既然米高詠納是在拍「寫實」，而不是在拍「紀錄」，他這樣做是異常聰明的。

米高詠納的《運動會》是把焦點集中在運動員的身上且個別刻劃他們本身。一名英國代表不過是個送牛奶的小工，但背後有個狂想的訓練師在支持他，過氣的運動員，訓練師念念不忘重現他自己的夢想。一名美國運動員則來自耶〔魯〕大學，在他，年青英俊而又生活美好，以為失敗是可能的。一名老去的捷克代表的出席是政治背景的因

素。還有一名代表來自澳洲，大概是因為追逐袋鼠的結果，使他無時不和車輛競賽，於是一名出版商把他推到奧運場去希望他名成利就〔，〕好藉以賺錢。米高詠納喜歡描寫個人的掙扎，這，在《偷情聖手》中，我們已經見到奧利化列是怎樣背着利斧回辦公室把桌椅搗爛了。米高詠納說：《運動會》的中心思想是要表現馬拉松競賽是一段特異而又寂寞的事情。有一部電影是《長途競走者之寂寞》，米高詠納把那個人的寂寞擴張了。

為了拍《運動會》，米高詠納很着意訓練演員。本來導演不過在即場指導，可是一個運動員不是一副運動打扮就像的，所以事先每一個演員都得和演歌舞片一般苦練競走的本領；其中，演捷克代表的四十四歲查里阿素納伏最淒涼，因為他年紀最長，平日又不喜歡運動。

《運動會》的外景除了羅馬外，還有倫敦，維也納，雪梨和東京。自從《偷情聖手》之後，大家都在期待米高詠納的新作，《運動會》和另一部喜劇《漢尼巴布祿士》是我們終將相遇的果子。

米蘭（一九六九年七月二十九日）

黃金默片在今日

　　我們要是回顧一下數十年前的默片，自然會覺得它們相當幼稚，不過，在電影發展史上，它們卻是一筆珍貴的寶藏。人們願意把大批近來上映過的電影付之一炬，但默片卻被藏在電影博物院〔和〕電影菲林館中。最近，有一批默片被電視購得放映權，於是，默片將紛紛上電視去了。今年五月十四日，英國 BBC 電視購得一批一百五十部以上的默片的世界電視放映權，在這些默片中，不少是差利卓別靈，羅萊，哈地，基頓和非爾斯的早年作品。今年秋天，BBC 一台將推出一個叫做「黃金默片」的節目，一共分二十六次，每次半小時，就是特別介紹這一批默片的。默片能夠上電視當然可以讓觀眾不必為了看三兩分鐘一段的短片而專程到電影院中去找，事實上也很難找得到，但這次電視把這批默片推出還有更重大的意義，電視台特別邀請米高貝坦主持這個節目，並由他每次作評論，講述默片時代的喜劇藝術，因此，電視台雖然播映默片，其實是為電影作了一件有意義的評介工作。

　　在默片的時代，默片雖被稱為默片，其實放映時是有音樂伴奏的，所謂默片，不過是沒有對白沒有音響效果而已，一般的電影院，有時有人在幕下作旁白，也有人彈琴。這次在電視上出現的默片，則由電視台特別請了樂隊加以伴奏。

　　默片的電視放映權是高價購來的，在時間上花了兩年才交易成功，所付的價值是七萬八千英鎊。結果，電視方面還認為相當便宜，因為默片本是無價之寶。在這一

批老古董中，最古老的一部是差利卓別靈的《盟約》，是一九一八年攝製的，自該年後，它從不曾在世界任何角落放映過。另一部哈里萊頓演的《海之呼嘯》則是一九二五年的作品，大家都以為這部片早已遺失，結果在去年忽然於荷蘭被發現。一套《屠夫男孩》年代是一九一七，是基頓的第一部片，一九一五年的《鯊魚》則是非爾斯的處女作。[1]有一些〔片〕段是羅萊，哈地兩個人還沒有合作以前的單獨演出。喜劇明星神經六，從來拒絕人們把他演過的默片在電視上映，但這一次，卻答應把自己的一些片段加插在「黃金默片」節目中。

默片有一個特色，它們都很短，而且多半是喜劇，在電視上放映非常適合。不過，放映默片並不能用通常的每秒鐘二十四格放映機，不然的話，片中的人物就全部快動作跳來跳去了。英國BBC電視台在放映時是否改用十六格機放映不得而知，事實上，很少人見過默片正常速度時的樣子，必須有人讓大家見見才是。

米蘭（一九六九年七月三十日）

---

1 《鯊魚》為編劇非爾斯（W. C. Fields）的第一部作品，但他並非此作的導演。

八部半・七金剛

《八部半》這個電影，其實應該人人要看，為甚麼呢，因為它很怪。譬如說，太空人降落月球，在月球上漫步，這是世界上有史以來的大怪事，怎麼能夠不看呢。凡是有一些事物，出類拔萃，與別不同，那麼大家是應該去看的，大開眼界有甚麼不好。

平常我們看電影，一個故事來了，我們從頭看到尾。其中要是有人做了一個夢，就有人一早提醒說：喂喂，現在這個人要做夢啦，我們心理就有了準備。但是《八部半》不同一些，這個電影是說一個導演，拍片拍得困惑死了，有一部片又剛開了頭，卻拍不下去，正在煩。因為煩，腦子裏金星亂轉，一會兒想起自己的童年，一會兒又想起自己的妻子，妻子的感情和自己不怎麼好，童年時候讀的是一間嚴得要命的教會學校，為了看一個被人歧視的女人跳舞，竟給罰了一頓，就這麼樣，劇中人胡思亂想了很多，但製片家又煩他，電影拍得怎樣了，記者也煩他，你這部電影是表現甚麼呀，《八部半》就是這麼的一個故事，它叫人看得不怎麼習慣的原因是因為一些惡夢和一些回憶竟和故事本來的劇情忽然排錯了次序，而且也沒有事先聲明哪一段是夢，哪一段是真。但這樣子有甚麼不好呢？人們愛走走八陣圖的，而且，很多電影又是看厭了。

「七金剛」就是那種「好吧，你們這些聰明人去做發財夢吧，但錢是得辛辛苦苦地賺，才會屬於你的哩」的一種電影。這種電影有甚麼好處呢，它原來居然還會教訓人。看，你們以為發財了嗎？世界上沒有不勞而獲這種事，所

以，看了這個電影，大家都不妨對良心說：努力工作才是最上策。

電影倒是挺有趣的，因為賊們甚聰明，他們還預先計劃準確的時間（時間是多麼重要）〔，〕又會騙過監獄控制部的電視，至於那個金手指的監獄官他用的那套方法才真第一流：懷柔政策是也。給你吃最豐富美味的早餐〔，〕看精彩的足球傳真，難怪幾個大賊最後又回到裏邊去了。這部片總是在叫人「乖乖的，聽話吧」，它真是做到了這一點。大家還真很和平共存的樣子。

這種喜劇是有它自己的特色的，它的目的就是叫你開心一陣子，所以，片裏邊的人物沒有一個是大壞蛋，又所以，即使大打架，也沒有人流血，又所以，它絕不會半途忽然掉頭一變，變了一部黑色喜劇出來。（像《雌雄大盜》）這部電影，是完整的，它之所以不是很好很好，是因為像這樣的電影，我們已經見過很多，而且，它也沒有在任何方面有甚麼創新。

西西（一九六九年七月三十一日）

浪漫型喜劇

西部片、歌舞片、浪漫型喜劇,都是荷里活的特產。當然,荷里活的產品品類繁多,如戰事片、警匪片,也是典型的樣本電影,不過,算起來,戰事片、警匪片到了外國並不見得差勁,至於西部片、歌舞片、浪漫型喜劇,別的國家一拍起來,就不免相形見拙。即使別的國家偶而也製得出一兩部可圈可點的招牌戲,但這一點點的螢火哪裏比得上荷里活的霓虹,它彷彿是個大礦藏,而且水準之下的製作也還總存留着一些骨幹。意大利的「獨行俠」煊赫一時,但沒有人能把大峽谷搬到〔礦〕泉旁邊去;法國的高達和丹美,相繼拍了一系列的歌舞片,對比起荷里活的大製片,也頗有破落之感。浪漫型喜劇,本是大都會旅遊風景活動畫片,凡大城市都可以自己影印,可是,別的城市就是印不像樣,一如會褪色的錢幣。

浪漫型喜劇並無歷史,起源不過是四或五年前的事,自從桃麗絲黛不再唱歌而和洛克遜、加利格蘭諸君子演些打情罵俏電影後,這類「甜品」乃告誕生。稍後,李麗薇、莎莉麥蓮、妮妲梨活、珍芳達(她還沒碰上羅渣華甸)都演過不少。拍這一類電影就和製造一杯士多俾利雪糕梳打一般,以粉紅色和甜軟軟為原則。題材必定是男和女,愛情和金錢。男的多半是好好先生,但得頗有地位頗有錢,如果不挺英俊就挺有錢,沒錢就一定得英俊。女的是獨身的職業女性,開服裝店,或做美術設計。兩個人都住豪華公寓。故事發展是你追我逐你吵我鬧,一些誤會一些冰釋完場。佈景方面不用說,荷里活拍這些片和歌舞片一般,

在展覽豪華繽紛場上佔盡優勢：室內的佈置美輪美奐，背景不是紐約則是巴黎，主角服飾奢華美麗，等如時裝表演，於是浪漫型喜劇成型。

影評人對於浪漫型喜劇多半不屑理會，〔因〕為這些電影嚴格來說不是電影 Film 而是影畫 Movie。但觀眾的反應不壞，像《珠光寶氣》，《夜半無人私語時》均頗受歡迎。目前，浪漫型喜劇已經陷於低潮，代之而起的是性愛型喜劇，相信過一陣，人們厭倦於銀幕上過分的暴露，自然會懷念起羅曼蒂克的故事，浪漫型喜劇又可抬頭了。國粵語片浪漫型喜劇的路是可以發展的，《新娘與我》是一個晚近的近似例子。這一類喜劇也有它的優點，電影中的男女主角多半是好人，看着兩個好人有情人終成眷屬，可以令人覺得世界也甚可愛。愛情故事是十多歲青少年到幾十歲的老頭子老太婆都適合看的，少年人可以去做做甜夢，老年人則去追憶青春，因為所謂浪漫型喜劇其實就是童話之外，最美麗的夢了。

米蘭（一九六九年八月二日）

小鎮・客棧

　　《小鎮春回》可算是在走國語片的新寫實的路。這是可喜的。我們常常說，電影是一面鏡子，它最能夠反映現實。但實際呢？我們現在是這樣地在生活着，電影卻自顧把我們亂寫一通：如果是一些幻想劇，浪漫喜劇，歌舞片，那不要緊，但寫實片居然毫不寫實，就難免叫人失望。《小鎮春回》很好，它是寫實的，我們一看就覺得，嗳，我們是這樣子，母親就是慈愛得很，但又近乎頑固的，女孩子談起戀愛來也是吵吵鬧鬧的。

　　能夠把寫實的電影生活化起來真是再好也沒有了，明明是活生生的街道，如果變了片場的佈景，看起來着實不對勁；明明是鮮艷的菓子園，如果變了膠塑橙膠塑葉，看起來也就不舒服；電影應該是活的，我們要能夠覺得它是在那裏呼吸才對。《小鎮春回》在這方面做到了，溝渠真的在築，馬路真的在修，改建市鎮並不是謊言，也不是光說說，但看也沒看到完成了的一件幕後把戲。

　　有人說：《廣島之戀》這部電影，是一則和平廣告。因為它不惜反映廣島被摧殘後的淒涼情景而控訴戰爭。事實上，《小鎮春回》着意描寫那些建設新市鎮的圖片，也蘊藏着宣傳的意味，而此時比刻，電視上，街道上，廣告不是已經夠多了嗎？

　　我們常常說，電影就是給人看的，不是給人聽的，所以，如果一部電影從頭到尾里里拉拉全是對白，沒有了對白觀眾就看不懂，那麼這電影就好極有限。

　　《龍門客棧》，不錯，因為它做到了是一部「給人看」

的電影。如果誰看這部片時閉上眼睛，可能只能聽得一些
音響，不知道那些人怎樣了。但很多電影，大家閉上眼一
樣可以追蹤劇情，因為那些電影，名叫「廣播劇」。由於
《龍門客棧》是做到了「給人看」，我們就說這部片影像不
錯，而影像豐富與否，是很重要的。《神龍猛虎闖金關》，
差得很遠的電影，但它最末的一場全靠影像來表達，並沒
有嘩啦嘩啦說個不休。這也就是為甚麼默片一直被人譽為
是出色的電影的緣故，原因不外人人看得懂。默片純粹靠
影像（就是畫面囉）來傳達自己的意思，電影應該這樣的。

　　《龍門客棧》像甚麼呢？一篇短篇小說，一個大時代抽
出來的一個橫切面，也就是說像一棵大樹給橫的鋸下一環

來;拿電影來比較的話,它就是《龍城殲霸戰》。《龍門客棧》是武俠片,武是有的,俠也具備,電影裏邊有些角色就是路見不平,拔刀相助的英雄人物;願意犧牲一己,血灑客棧的人也〔沒〕有一個是為藏寶圖或是劍術秘訣而來。

西西(一九六九年八月三日)

畸人・孤雛・電影形狀

　　電影有一個老套，大概也是編導們最傷腦筋的地方。如果拍兩個人戀愛，起初是互相試探式，到了開始拍拖，電影就呆了。電影這時候沒有話說了，電影就笨手笨腳了。這時候，電影變了旅遊風景片，把兩個拍拖的人一放放進山水間，讓他們划划艇，別墅中站站，花園裏立立，千篇一律。《玉樓春曉》如此，《小鎮春回》如此，連《疑妻記》（哎呀，還是盧密的大作）也如此。《畸人查利》當然沒有例外。似乎現在的電影還有起承轉合，中間要給觀眾們一段抒情的時光。《畸人查利》本來好好的，一到兩個人拍拖，劇力就是一散散掉。而且後來雖然奇里夫羅拔遜一派超人的賣相，大家還是覺得，他做笨蟲的時候還瀟灑些。

　　《畸人查利》也是那種叫大家請投同情一票的電影，如《愛的世界》，如《天涯何處覓知心》；只是它能撥轉箭嘴一點，把目標指到亞智囊去。本來，這部片應該刻劃的是查利最後世界的那種悲情，但電影在起初浪費了菲林在拍拖和改造上，結局時只驟然收筆，三幾個鏡頭算數。這樣子是不對的，電影十分沉默。它應該有話要說，不能夠把似是而非〔的〕結局扔給觀眾去想，因為這部片可不是《喋血街道》。《喋》片是一部片，《二〇〇一年太空漫遊》是一部，而《畸人查利》才不過是一半。

　　就不能說《新苦海孤雛》不算是個好電影，要知道，現在已經很少人拍長篇卡通，又很少人理會那些十多歲的小觀眾。如果沒有《新苦海孤雛》，所有的人都逼得去看不

穿衣服和流很多血的電影，變得整個世界好像不是打架就是做愛。所以，應該有人拍多些《新苦海孤雛》，至於卡勞列這個導演沒有甚麼出色招數耍出來是意〔料〕中事，第一，卡勞列不是耍電影把戲的專家，其次，這部片，本來就是製片家的電影嘛。製片家喜歡了題材和歌舞，才叫卡勞列去煮飯，菜都買齊了，還有甚麼好變。

自然的，大家會把大衛連的那套《苦海孤雛》拿出來對照，其實兩部片根本是兩回事，一部是 Melodrama 一部是 Musical〔，〕一首歌和一幅畫怎麼比，真是怪事，所以《新苦海孤雛》的奧利華竟然那麼甜臉那麼貴族派，而且，一群小賊大賊也活得那麼開心，如果意大利新寫實把單車竊賊也寫成這樣，第昔加的名字要變為第九流。

幾場大歌舞，都是很活潑的，市場上的魚呀肉，街道上的小販呀馬車，這兩場我們真的覺得是在看走馬燈，一切的倫敦舊風景都自動走到我們的面前來。電影如果有形狀的話，這個電影則是圓的，很多人全在我們眼前轉圈子：車輪呀，旋梯呀，水池呀，追呀逐呀，圓就是這個電影的標記。

西西（一九六九年八月五日）

紀念和路迪士尼

卡通事業是和路迪士尼一手創辦的。在電影這一行，影畫的傑出人物多得很，而且不易指出誰更偉大些，但動畫，執數十年牛耳的還數和路迪士尼。是和路迪士尼使卡通風行起來的，也是和路迪士尼使卡通的製片技巧日益精良。第一部有聲卡通，《汽船威利》，是和路迪士尼的出品。第一部彩色卡通，《花朵與樹木》，是和路迪士尼的出品。第一部劇情卡通長片《白雪公主和七矮人》，也是和路迪士尼的出品。在卡通的製作上，和路迪士尼還有兩大貢獻，他採用多畫面的拍攝法，又用「斯樂式」描繪法，使工作人員可以減少重複繪畫太多的畫面，且使畫面的線條更為流暢，我們拿《小姐與流氓》及《一〇一隻花斑狗》和早期的《雪姑七友》來比，就可以看到〔畫〕像顯著的進步。

在觀眾的心目中，和路迪士尼是一個專拍「好好電影」的人，他的電影總是乾淨、良善、樸實、風趣。雖然和路迪士尼已死，但和氏一齊合作的老同伴仍有不少會承繼他的遺志和事業，有人相信，和路迪士尼的卡通仍可維持十數年，但《森林奇遇記》這般的劇情長卡通，則可能是絕唱了。

和路迪士尼的卡通片，並非如一般人想像中的由一人設計和繪製，卡通這種電影遠比拍一部真人飾演的電影為複雜，拍普通的電影，拍攝機一開就全是有影像的菲林，但卡通若不畫好的話，則可能空白，否則就是凝定的呆照。我們一般所指的和路迪士尼的卡通，通常另外有導

演，有繪畫的美術人才。在和路迪士尼的旗下，著名的導演不少，一位叫積堅尼的，一直很少人認識他，是專門導演「高非」的卡通。積堅尼本人導演，但「高非」的片集有三位「編劇」是他的助手，因此，拍一部卡通片殊不簡單。另外兩位迪士尼旗下的導演也很少人知悉，一位是查爾斯尼高斯，他專門〔導〕「拍圖」的片集，這些片集除了內容異常可愛動人外，最成功的是「拍圖」的表情十足。另一位積漢納，就是把唐老鴨導得最出色的，他把唐老鴨拍得比米奇老鼠還要紅。另一位積京，也拍過九部唐老鴨，他常常不用音樂來陪襯動作〔，〕成為一種特色。當然和路迪士尼的長篇卡通才是他的精華所在，有人視《小飛象》中的象舞是所有卡通中最出色的，而《幻想曲》中的霧中仙女舞蹈節奏控制最佳。

在今日，人們用一隻米奇老鼠來代表和路迪士尼，難怪當和路迪士尼逝世，法國的一本著名週刊用一隻流淚的米奇老鼠作封面，標題是：「和路迪士尼，再見了」。

米蘭（一九六九年八月六日）

402

來自 CSC 的第四個

　　繼孫家雯，白景瑞，劉芳剛之後，又有一個人從意大利的「電影實驗中心」回來了，他就是很多年青的喜歡電影的朋友都認識的朱家欣。朱家欣以前喜歡拍照，一天到晚背了照相機滿街跑，有時又替明星照了相刊登在電影畫報上。他說：我到意大利去讀書去。這麼說後，真的去了，他去學攝影。白景瑞，劉芳剛他們學導演，但他學攝影。眼睛那麼一眨，兩年過去了，畢業了的朱家欣又回到香港來了。回來了當然是希望有機會拍電影，朱家欣說，但目前，啊，休息一陣子再說。

　　在意大利當然很快活，他說，不過住久了就懷念爸爸媽媽。意大利的天氣很好，冷和熱都很乾燥，一年四季都可以穿皮外套，當然，夏則是指晚上。「電影實驗中心」在羅馬郊外，設備極好，圖書館裏書又多，英文的並不少。看電影的話，有的電影院很貴，收十五元港幣那麼貴，普通的也要三塊錢。電影院設備差的，坐木板櫈。地下電影很少，安東尼奧尼在美國怎樣了，消息不清楚，他說。

　　「電影實驗中心」嘛，現在是羅沙里尼當校長，也是他想出來的主意，以後每二年才收一次學生。本來是學生們第一年就選科的，但從今年起，第一年修全科，第二年才准選做導演或別的。每年，學校只收二十七個人。不錯，偌大一間學校，只有二十七個學生，教師是比學生多。教師教學是基本的知識，然後學生自己去實驗，重要的還是靠自己。「電影實驗中心」收學生是九個人，裏邊五個是意大利人，其他四個是外國人，包括中、日、英、美、法、

德、荷等等在內，還有，過了二十八歲，就不收了。他說。

　　高達來演講過幾次，現在，他和太太一起在羅馬拍片。高達會講意大利話，但，講時用法語，由別人翻譯。費里尼常常來，不是演講，是拍電影，那次，泰倫士史丹也到學校裏來，因為費里尼就在學校裏拍《攝魄勾魂》的第三段〈別和魔鬼開玩笑〉。電影裏邊的大場面就是在學校的片場拍的，那個場地比這裏的棚高兩倍。他說。朱家欣還說，當他回港時，費里尼還在學校裏，因為他正在拍《薩泰里康》。他說，見多了，也沒甚麼。

　　羅馬的生活程度很高，比紐約高，在學校讀書的時候，有時有人來請自己去工作，但是向學校請假，理由竟是做事，學校不批准。所以，一個子錢也賺不到。不過，如果像費里尼來拍片，找學校中的同學去幫忙，校方批准的，這樣就賺到點外快。他說。

　　意大利的罷工事件時，實驗中心的同學也不上課，沒鬧出甚麼事，過幾天又照常上課了。他說。

米蘭（一九六九年八月七日）

倍體銀幕與分裂畫面

自從西雅圖博覽會展示過一系列的擴張電影之後，倍體銀幕面的電影因此風行一時。不過，事實上，並沒有電影院企圖改變目前的原來狀態。沒有建築一座圓形電影院，也沒有把銀幕體倍為幾倍。電影還〔在〕靜觀其變的階段，因為即使十年八年之內，相信還不會碰上一些電影是要放映在多個銀幕上的。直到現在為止，商業電影也不曾有一套要求兩個片段同時放映。把擴張電影帶入各地的電影去正如把群眾帶到月球去一樣，此刻尚沒有可能。但是，西雅圖的倍體銀幕着實給電影工作者帶〔來〕了靈感。而我們，雖然還看不到那〔類〕長影，卻曾目擊類似的效果。

倍體銀幕的形式隨時變化的，基本上它是多於一個的銀幕面，表面的方式也相異。有的是三個銀幕面，但三位一體，不過把原來的畫面拉闊了，因此，它比新藝綜合體更能強調一字長蛇陣的行軍。有的是三個銀幕面各自獨立，甲乙丙內的影像和整個電影相關，但在同一時間內分別進行。也許甲是一個小孩在街上浪蕩，乙告〔訴〕他的母親在室內尋找，丙是花園內池中有一隻小紙船。平時，拍這三組鏡頭只能用交替剪接的方法來表現，但擴張電影使它們如今可以同時同空間出現。另一種是技術的，在視覺效果上也最強烈，乃是同一景物的三個不同角度的描述（這，將來在電影上將大有發展）。譬如三個畫面同樣是描寫一間教堂的內部，甲畫面可以映示祭壇，乙畫面映示天頂，丙畫面映示會眾：這一來，觀眾一眼就可以把教堂內部一覽無遺，剩下的就是兩邊的牆而已。

《波士頓殺人王》,《龍鳳鬥智》,《畸人查利》這三部電影都把西雅圖的電影面貌帶給了我們,倍體銀幕面的外貌有一個特色;就是當一眼看去的時候,體積〔雖〕巨大,但卻是一個分裂的組成,就像人們玩的砌圖遊戲,如果分裂得細碎些,簡直就如同拜占庭的〔鑲嵌〕壁畫。分裂畫面的靈感觸發了一些導演,所以,在一些電影中就顯現了出來。《畸人查利》中的第一組用得成功,因為查利對着一幅圖畫講述誰是父親誰是母親時,兩個畫面呈現的是兩個角度,觀眾可以同時見到圖畫內容,又可以看到查利的正面,而這兩個個體卻是相對的。至於稍後的〔那〕幾組分裂畫面,就一點作用也沒有了。電單車風馳電掣的一場,〔還〕大大地破壞了整個電影的純度,反而《龍鳳鬥智》的多角度描述法能表現出倍體銀幕的精神。

　　分裂畫面不過是技巧,我已經指出過,如果我們在室〔內〕購置多部電視鑲在牆內,同時放映明珠台翡翠台,加上麗的一台二台,就有四個銀幕面了,但這並不就等於是一部好電影。

米蘭(一九六九年八月八日)

《長跑手之寂寞》

將有一部片由「大影會」上映，名為《長跑手之寂寞》。這是一部黑白片，一九六二年的作品，四方小銀幕，而且，可能不會有中文字幕。如果誰真正喜歡電影，不可把它放過。因為它是東尼李察遜的作品，而東尼李察遜是英國電影史上一個重要的名字，是他和林賽安德遜，積克萊頓，約翰史來辛傑及卡里黎茲等一群人，把暮氣沉沉的英國電影重新賦予生機。而《長跑手之寂寞》正是這轉變期中的代表之一。

我們稱東尼李察遜為首的一群英國青年導演為「自由電影群」，這一群人從起步到如今已有十年的歷史，而且他們也和法國的新潮一般，潮早已退去，各人偏行己路。東尼李察遜最新的作品是《英烈傳》和《漢姆雷特》，卡里黎茲的是《一代舞后》，這些電影已經和他們出發時的步伐大不相同，只有林賽安德遜，他的《假如》還充滿了反叛的精神。自由電影群已經把他們的棒子交給更新的來者，當我們看彼得哥連臣和大衛格連的作品時，或可追溯得一些影子。

《長跑手之寂寞》是寫一個人。那是阿倫薛里托的小說。通過一個人的自白，電影也用了很多主觀鏡頭來描寫他的內存困境。一開始的時候，他就說：「當我抵達感化院，他們訓練我為一名長跑手。他們一定認為我夠瘦夠高。而我也不在乎，我是跑慣的了，尤其是為了避開警察。我是很好的跑手，可惜，無論我跑得多快，結果總被警方捉着。」不錯，這個電影描寫的就是一個不停在跑

的人，他跑離家庭，因為那裏根本沒有愛，母親在父親還沒有逝世之前，已經有了另外一個男人。在外面，他又跑離警方，因為他不時偷竊，警察一如影子般追隨着他。然後，他們為了一己的名譽，把他訓練為一名長跑手。於是，運動日來了，他們要他出去競賽，但勝利和光榮都不是他的。他總是清早起來，沒有早餐，當寒冷的鄉村還在夢境裏，長跑手就起程在田間山邊奔跑了，這是為了甚麼呢？他想，我並不是一匹出賽的馬，結果，他不再做那匹馬。

　　東尼李察遜把這個故事拍得不錯，來自劇場的他懂得如何處理一個小說，他用很多插鏡來記述長跑手的回憶，又用適量的大遠景描寫寂寞的長跑手在孤寂的田野中奔跑的淒涼情景。那些場面的確是詩一般的。但整個電影是一池寫實的水。像一場柔夢突然驚醒，它充滿了力和悲憤的眼色。自由電影群的作品的特色是利用演員的精湛演技，劇本強有力的對白，加上把拍攝機帶到戶外去。《長跑手之寂寞》正充滿了這些特徵。

米蘭（一九六九年八月九日）

法蘭明倒霉的原著

「賊阿爸」朗慕迪和小徒弟「妙手空空」積懷德是《新苦海孤雛》最搶鏡頭的演員。

《飛天萬能車》拍成這樣，實在叫人失望。伊恩法蘭明的原著美麗而且清新，現在竟變了個俗不可耐的胡鬧愛情歌唱片。我看，《切鐵切鐵砰砰》原著的精神一點也沒剩，編劇的要負最大責任。

先說車子吧。「切鐵切鐵砰砰」是異常聰穎的，它就像《二〇〇一年太空漫遊》裏的電腦一般智慧，它會飛，會浮游，會不用人駕駛自己追逐盜賊，車子的身上有很多按鈕，它們自己會亮紅紅綠綠的燈號，按鈕會說：「按我」或「把我朝上推」或「旋轉我」，因此，車子就走得很順利。現在呢，車子一點靈性也沒有，像個大飯桶。電影裏邊那頭肥毛狗比它還討人喜歡。電影為甚麼不利用那些有趣的按鈕呢？它們的影像感既鮮明，而且又充滿了戲劇性。

伊恩法蘭明原著的優點很多，「切鐵切鐵砰砰」是現代的，是都市的。它在車輛擠逼的都市中行駛，（就像《八部半》開頭差不多），於是飛上天去，馬路上的車子都有頭伸出來朝天上望（想想，這場面拍起電影來多漂亮）。飛天車並沒有到甚麼邪國去，它不過渡過了英法海峽，到了法國的海灘。然後接着就是一段近乎金銀島與占士邦式的探險。一個山洞中充滿了軍火，波特們把軍火引爆了。三名劇匪跟蹤他們，擄去了小孩，一伙人就去救他們。很現實的故事，但現在呢：電影裏邊出現了一個邪國，金銀島的故事一變〔，〕寫了白雪公主，當電影將近結局時，一群人

原來還在海灘上，連小孩子也歎起氣來。

在法蘭明的原著中，整個故事寫得最好的乃是刻劃父母子女的家庭溫暖和愛心，波特一家人有爸爸媽媽，雙生子的一子一女，活得很快樂，他們都是善良的人，但現在，電影硬把母親的角色刪去，加插一個糖果廠的老闆女兒，故意讓她在花園歌唱一大次，駕車進泥澤三次，搞得亂糟糟。要是這個故事放在和路迪士尼的手中該多好，要是這個電影讓辛康納利來演又多有趣。可惜一切都變了樣，碰上堅曉士這群人，法蘭明實在倒霉。

很好的故事要是阿瑟潘拍，他可以把喜劇忽然變為黑的，要是希治閣拍，一場山洞中的氣勢，就夠瞧了，那些數千的蝙蝠，山洞深處的電網，都是上選的材料。所以，就要承認，《新苦海孤雛》並沒有改得差，狄更斯要表達的世界並沒有消失，賊老頭子賊小孩子仍然繼續他們的老行業，可憐的善心的女人還是照樣橫死了。

誰要是對《飛天萬能車》感到失望的話，還要〔買〕本伊恩法蘭明的原著看，那本書，文字很可愛，故事講得很好，又從不說教。沒想到，伊恩法蘭明還是現代的安德生。

米蘭（一九六九年八月十一日）

《星島晚報》「特稿」

玫瑰芍藥・神龍猛虎

黃堯，除了楚原和龍剛之外，是值得我們重視的一個導演。看他的《玫瑰芍藥海棠紅》，對電視台，製片家，大明星，無知少女的刻劃和冷嘲熱諷，不能不說他是我們這裏的一位好導演。而那幾場的殯儀館，私家別墅出口外景，配音室，拍得活潑流暢，在國粵語片中均屬少見，但是，這部片很古怪，它給人的感覺彷彿另外還有一個導演在，卻拍了一大堆垃圾菲林，硬生生輯在本片內，片中連場的歌舞，是由幼稚園舞蹈加上只有彩色而毫無美感可言的服裝設計加上死硬呆滯的佈景組成，成績奇劣。若要說它們也是黃堯導的，那怎麼會這麼糟，照黃堯的功力，只有蕭芳芳獨自跳舞的一場才像是他的作品，其他的簡直不知怎麼拍出來的。本片最大的毛病是服裝，每個人各自各胡亂穿一件衣服就開麥拉了，呂奇仍是一副花花公子打扮，居然〔還〕是純樸青年。但他這次不再談情說愛，倒是本片一大特色。

黃堯這次是給歌舞場面困住，假若本片不是為了要歌舞，就不會編出夜總會，沒有了夜總會，這部電影當會新鮮得多。黃堯如果以後仍要拍歌舞畫面，千萬要找三個人幫忙，舞蹈指導，佈景設計師，服裝指導，其實，黃堯的路線不在這方面，龍剛專長拍暴力電影，楚原專長拍純情片，而黃堯，他可以走第昔加的路。

一百三十分鐘的《神龍猛虎闖金關》實在拖得太長，這個電影，九十分鐘就夠了：因為事實上它並沒有甚麼要說，好多段落又很多餘。加路科曼這次的劇本編得實在

差，好好的熱鬧緊湊故事他不去動腦筋，卻一抓把三角戀愛民族氣概黃金大夢正義英雄〔煮〕在一起，但枝葉多花朵少，中間那個安東尼奎路這群人跑出來幹甚麼，一點作用也沒有；這部片又不是《英烈傳》，根本無須兩軍對陣，人多了反而亂糟糟。這部片，乾脆描寫三幾個大頭目，劇本集中一點，〔高潮〕拉口一點，效果自然不同。對加路科曼的要求苛刻些是必然的，因為他編過一等一的《龍城殲霸戰》，又得了〔今〕年《作者》月刊的六九年最佳電影創作人獎，法國還為了紀念他進入電影圈二十五週年特〔地〕在巴黎舉行一個「加路科曼」作品回顧展。所以，他編了個《神》片出來，當然惹人生氣。

李湯遜這次也是差勁，《六壯士》實在拍得不壞，層次分明，高潮疊起，而且在氣氛營造上功力畢現，這一次，卻好像拉了一批觀眾來陪他玩「煮飯仔」，真是一塌糊塗，那些地震山崩，彩虹顏色，汽水廣告香煙廣告比它們還要好看。那麼，這部片教育了我們些甚麼呢？有的，它告訴我們：男女平等。你看，奧馬沙里夫不是也要表演清溪裸浴麼。

413

西西（一九六九年八月十二日）

山河血・英烈傳

　　我們根本不需要一部像《一寸山河一寸血》這樣的電影，尤其是在此時此地此際此刻，《一寸山河一寸血》是製片人應該感到十分慚愧的電影。在我的面前，觸目可以俯拾的電影題材是那麼多，越戰對東南亞的影響，青少年對性之爆炸所持之態度，知識份子處於動蕩的局面中之感受，白領階級生活之尖銳寫照，這些都是逼切而又熾熱的現代生活面貌，但電影不向這方面深入探索，反而拍一部占士邦內容，宮幃大力士外型的電影，而且不惜「把一顆心放在袖管上」作政治廣告，而且不惜「不要褲子要原子」般地砌造一件展覽品。

　　作為一個導演，李翰祥的功力是有目共睹的，他在處理「醉月樓」的整個段落中，鏡頭調度得異常瀟灑；樓內鳥聲吱吱以至池塘畔的蟲聲唧唧，更是音響上的一大成就。但為甚麼要把這些精力和才幹浪費在這樣的一個電影裏。李翰祥策劃的《破曉時分》，直至目前為止仍是晚近國粵語片中最佳的作品，成就也遠勝《龍門客棧》，但《一寸山河一寸血》一開始就錯了方向，論價值，《小鎮春回》麻雀雖小，卻是一部健康而又完整的電影。

　　這不是一個渲染英雄事跡的時代，我們也不宜太過眷戀過去，況且，仇恨並不是人類最大的敵人。

　　想當年，英國電影一蹶不振的時候，法國的新潮正在生氣勃勃地行軍。有人就在觀看；英國也會有一個新潮嗎？事實上並不是沒有，因為東尼李察遜，約翰舒萊新哲等人也在默默地工作。他們要把電影從片場中帶到街道上來，

要把新的血液灌輸進暮氣沉沉的電影中去。英國的「自由電影群」是達到初步目標，東尼李察遜還是他們的主要旗手。但以後又怎樣呢？〔給過我們《甜甜蜜蜜》〕和《長跑手之寂寞》的東尼李察遜又怎樣呢？今天他拿出來的電影卻是一部《英烈傳》。東尼李察遜當〔初〕滿腔熱血，一腦子抱負，難道竟是為了今日好拍一部《英烈傳》？而且，他的下一部作品居然又是《漢姆雷特》。看來，站得最穩的還數林賽安德遜，自從《如此運動生涯》以後，他沉默了七年，才拍了一部《假如》，康城今年的大獎就被他贏去了。反觀《英烈傳》，東尼李察遜要描述的是甚麼呢？一群荒淫無道固執己見的將領而已，但善於刻劃人物個性的東尼李察遜在此片中念念不忘把我們疊印在一個婦人的身上，叫她急不及待地把望遠鏡對準戰場，然後，東尼李察遜也變為一個展覽主義者了。電影中加插了不少的動畫，這不過是導演對《風流劍俠走天涯》所得來的掌聲的追憶，因為他眷戀那些拼雜的電影技巧，但又不好意思再重複使用。

西西（一九六九年八月十三日）

415

莉莉安娜卡凡妮

莉莉安娜卡凡妮可不是明星，她是導演，而且是意大利唯一的女導演。真的，意大利有安東尼奧尼，維斯康堤，費里尼他們，怎麼會沒有女導演呢。所以，現在，除了法國的娃達，日本的田中絹代，瑞典的梅齊德琳，美國的愛達露彼諾，嘉芙蓮協賓她們等等之外，又多了一個莉莉安娜卡凡妮了。

現在，莉莉安娜卡凡妮正在羅馬拍她的電影，名字叫做《食人獸》。照字面解釋，很容易令人以為這是一部殘暴的流血電影，事實並不，這部電影改編自希臘悲劇中的「安蒂貢」，也就是奧德非斯王的女兒。奧德非斯是希臘神話中的悲劇人物，弒父娶母，當母親懸樑自盡後他自己也挖掉了眼睛。最近，有兩位導演分別各自拍了一部「奧德非斯王」，一個是非力沙維爾，另一個則是柏索里尼。安蒂貢也是一個悲劇角色，她的兄長在一次戰役中死去，但克里恩王下令禁止把屍身埋葬，安蒂貢不顧一切去埋葬兄長，於是被活葬在岩穴中。克里王的兒子海蒙和安蒂貢是對戀人，由於安蒂貢已死，海蒙在墓邊自縊了，王后也以刀自刺身亡。

《食人獸》則把古代的希臘悲劇搬到未來去，滿街都是屍體，安蒂貢就去埋葬其中的一個，於是一幕追逐和躲藏的戲就展開了。安蒂貢躲進男人的蒸汽浴室中，稍後又躲進教堂中扮神父。整個電影中並沒有任何暴力事件發生，至於暴露鏡頭，那就多得很，因為蒸汽浴室，就已經叫女主角有足夠的理由去不穿衣服了。電影中有一場頗費人思

量，所謂蒸汽浴室，原來是一批政府退休官員的俱樂部，
這群人活在一個沒有性生活的社會裏，他們在蒸汽浴室內
做的，就是聽候一個十五歲男童的命令，伏在地上一起
爬，一群人活像一條大蛇。

莉莉安娜卡凡妮的成績，當然要到作品拿出來時才能
評定，是否比娃達強，現在也言之過早。在《食人獸》中，
她起用了彼亞加曼堤作男主角，女主角則是彼得斯拉的前
任妻子碧列艾倫。為了招搖一番，碧列艾倫今年特地上康
城影展去出出風頭，對記者們故作玄虛地說她主演的一部
戲是在蒸汽浴中聽一個十五歲男童的命令，和一群人一起
蛇一般在地上爬。

說到康城，不妨一提的是，加路科文本來是代表英國
出席的評選員之一，但因為大會把他的《神龍猛虎闖金關》
中的清溪裸浴鏡頭剪掉，竟一怒辭職，至於小森美戴維斯
也杯葛大會，因為《蠟炬成灰淚始乾》遭到了同樣的命運。
最快樂的當然是林賽安德遜，他的《假如》得了大獎。

米蘭（一九六九年八月十四日）

黃色潛艇音樂和愛

洞洞海，是黑和白的，看得大家頭昏眼花，那其實是奧普畫，打開門，一輛火車迎面衝來，那其實是超現實的畫。一切的人都肥，花朵也肥，那其實就是新藝術。還有些木板也似的人，霓虹燈的顏色，精神病專家的腦袋剖析表，迷幻的光彩，哪一樣不是畫書裏滿滿的。所以說：《披頭四黃色潛艇》〔像〕是一部卡通，其實它是一個畫展，是美術設計的一個集大成。

卡通之所以為卡通，是因為它有自己的一套童話趣味。在《披頭四黃色潛艇》裏，藍蠻夷的眼會放光，那豈不就是現在的探射燈或照明彈。一個個蘋果，雖然很肥很綠，但樣子豈不就是炸彈。一隻會飛的手套，還用說，根本就是代表手槍。至於藍蠻夷的首領那麼矮，口能說他不會是拿破崙或者是希特勒。

《披頭四黃色潛艇》其實不是小孩子看的電影，小孩子看這個電影，只能看看外表的一個故事：壞人侵略好人，俠士把壞人趕走了。或者，看看電影後，以後上圖畫課時交一條長着兩隻手臂游泳的魚的圖畫給老師。電影裏邊有很多的「內容」，小孩子是不會看得懂的。譬如說，門口掛着「碼頭」招牌的大屋子，裏邊有很多房間。靈高找佐治時曾經問道，今天是甚麼日子（星期幾的意思）答的人則說是悉他日（和星期六的音相近似）。於是大家認為佐治在室內。門開的時候，傳出來的是悉他音樂。一具好像電視也似的東西映着幾頭牛在耕田，這些牛指的乃是印度。悉他是印度音樂，佐治又學悉他〔，〕學得最起勁，像這

些，小孩子就不易明白了。類此的「內容」是極多的。一隻吸塵怪物，吸盡了海獸的同類，最後把自己也吸得無影無蹤，就寓有很深的音樂；[1] 一個虛無人，好像百科全書一般，但不知道自己到底是為了甚麼活着，豈不很赤裸地諷刺我們這個世界。至於一個洞，本來是抽象的空間，但現在居然變了實物一般，可以摺起來放進口袋，後來又被貼

1　此句不通，原文如此。

在玻璃球上，靈高竟變了現代的司馬光。這份想像力，多豐富。《披頭四黃色潛艇》實在不是一部簡單的電影，表面上它似乎是寫披頭四提倡以愛和歌向寂寞與罪惡作戰，其實則是現代青年情感的總結。電影在完場時用各國的文字呼籲：現在我們一齊唱，但是多少人把愛和歌輻射出去呢？很多人至今仍認為披頭四不過是一群瘋狂的青年而已。

　　作為一部卡通片，《披頭四黃色潛艇》是一部動畫上的《八部半》，因為它已經捨棄了傳統卡通片的表現方法。當我們看着和路迪士尼的卡通人物雜誌〔，〕那麼生動活潑時，可曾想想，卡通片也已經抵達一塊新的處女地。

西西（一九六九年八月十五日）

反邏輯的攝影角度

　　如果我們仔細地看電影的話，就會發現「把攝影機放在哪裏」，可以反映出一個導演的風格。而通常，導演可以被分兩類，依攝影機〔擺〕放的位置而言，有一類導演喜歡用合邏輯的攝影角度，另一類則喜歡用反邏輯的攝影角度。

　　甚麼是反邏輯的攝影角度呢？我們先得弄清楚甚麼是合乎邏輯的攝影角度再說。攝影機一般來說，是代表我們人類的肉眼，譬如說，我們在一間房間內看東西，如果房間不很大，則我們可以看見的物體只限於房間內的。眼睛的視線是直的，因此我們不可能叫視線轉彎，看到彎角以外的物體，同時，視線也不是 X 光，不能透視人體或牆壁，所以，我們不可能看得見隔鄰的房間，也不可能看見別人的內臟。

　　我們倘若站在街上，朝一幢樓宇仰望，則我們看見的只是一個個窗戶，除非有人站到窗前來，〔否則〕我們不可能看見戶內的人和傢俱等等物體。攝影機如果拍攝時和我們的眼睛一樣看東西，我們就說：這是合邏輯的。假如一幢樓宇遭空襲之後，牆壁都破裂傾塌，我們就也許一眼看見戶內的情況，一些床，一些桌椅等，在這種情況之下，攝影機的眼睛也是合邏輯的。

　　不過，有些電影並不這樣。有些攝影機喜歡叫我們站在街上朝樓宇仰望，但樓宇竟然好像沒有牆壁的，因此我們看見有樓宇的一格格房間，好像被解剖了一般。舉個例來說，《魂離奈何天》，即《安妮法蘭克的日記》，一群人

躲在閣樓上，但鏡頭不時從下一層升上去，描寫樓上樓下的動態，這種情形其實是反邏輯的，因為這層樓宇好像只有三面是牆，另一邊完全裸露，彷彿是公園裏的木偶戲，或一個舞台，反觀希治閣的《後窗》，占士史超域一眼看過去，只見窗口密密麻麻，不知道裏邊怎樣。希治閣是最邏輯的。反邏輯或合邏輯，沒有優劣之別，只表現出導演的風格，並不是說合就好就對，反就不對不好。

很多時，我們看見導演把攝影機安置在雪櫃裏邊拍出來，事實上，照常理一個人根本沒可能擠進雪櫃去。又有時，一個人坐在貼牆的一個死角，後面並沒有空間，但攝影機常常會在這個人的背後距離很遠的地方安置攝影機，從那個方向拍過來，這也是反邏輯的。因為事實上那個地方根本不可能再站人進去，而且距離也不可能那麼遠。《新娘與我》內也有反邏輯的攝影角度，大家仔細看，不難找到。反邏輯的攝影角度是誇張的用法，譬如說，叫人的視線從電視裏看出來合不合邏輯呢？大家不妨想一想。

米蘭（一九六九年八月十六日）

紅綠燈・迷魂陣

青年導演若今後有志拍好一部電影，最好先把「我是在拍國語片」或「我是在拍粵語片」的觀念拋開。事實上，導演要針對的乃是「我要拍一部好電影」的問題，而不是為粵語片爭光，為國語片爭光等等的枝外事。羅馬的《紅燈綠燈》的失敗，並非在導演的誠意和努力上，而是可能因為他一開始就把國語粵語的分野太過執重。

粵語片其實並沒有公式，也不等於香港景色的畫面化，但奇怪的是國語竟成了木屋區，碌架床和大牌檔的代名詞。任何人一拍粵語片，似乎就必須把它們法寶般祭起。《紅燈綠燈》裏的反叛青年，何以不從徙置區出來〔，〕偏又是木屋區，還不外是「粵語片」幾隻字在作怪。

《紅燈綠燈》的題材是非常陳舊的。並不是說舊的題材就沒有再拍的價值，而是它們在處理上更需要才能。若無新的表現方法，則難免淪為一頁複印。以《新苦海孤雛》而言，若不是改為歌舞劇，則卡勞列功力再高也不值得和大衛連抗衡。新的題材從沒有此類顧忌，題材新可以掩飾導演技法上的粗陋，而此刻，羅馬在導演的方法上也顯得十分生疏。譬如說，演員繞着演員兩邊走，是想表現一些甚麼呢？而牆上的一張 JIMI HENDRIX 的招貼畫，和整個電影的調子又長何等的不協調。

在今日，困惑我們的問題不外是，如果神是存在的，他為甚麼沉默。大家不得不懷疑宇宙間並沒有神，而加謬則說：人類必須自救才能生存。《迷魂陣》中的廚師，起初一片至誠向神禱告，但惹來的卻是路西弗。不過當他最後

重獲靈魂之後，便不再接受魔鬼的誘惑，而且，也不必再祈求神。他似乎已經明白，在魔鬼的面前，別出賣靈魂，在神的面前，必須自尋出路。如果有神，神給了人選擇的自由，如果沒有神，人類更得依靠自己。

《迷魂陣》是站在魔鬼的立場說話的，整個電影通過喜劇的手法和幻想的形式述說一則「魔鬼是上帝最親密的戰友」的故事，魔鬼數了上帝很多是非，但總不免是在自說自話，也很明顯地是「一廂情願」。事實上，神到底有沒有，我們不知道，誰敢肯定我們這個太陽系會不會是上帝的一隻手錶。

兩個主要的演員，原來一個還負責編劇，一個負責音樂，他們倒是多才多藝的一對。比起來，史丹利杜能的功力頗相形見絀，因為本片之精練處，全靠機智的對白和那一

連串令人啼笑皆非的七大願望。我們這個世界有很多〔人〕從不翻閱聖經，但大聲疾呼打倒上帝，好像非這樣子不夠反叛精神，《迷魂陣》表面上可以滿足他們一陣子。

西西（一九六九年八月十七日）

姑娘一朵七彩花

很淺很淺的電影手法，觀眾還是看不懂，真難為了黃堯了，譬如說，在《七彩姑娘十八一朵花》裏邊，曾江駕了車去找陳寶珠，曾江在這邊連打手號，忽然，鏡頭一接〔，〕陳寶珠眼珠子一轉，又一個鏡頭，陳寶珠已經來到曾江身邊了。觀眾竟然哇哇叫：嘩！咁快嘅。所以，就明白為甚麼很多導演要拍很淺很淺的電影，當觀眾是嬰孩了。

看黃堯的電影，覺得他有時頗像楚原，好像拍片時一點也不費力，十分瀟灑，又常常會來一場即興。《七》片裏邊有一場火車自殺，其實和整個電影風馬牛不相及，大概是黃堯忽然靈感如滿瀉的水塘，就加插了這麼的一段。由於整個都是橫的一筆，斜的一插，竟也自成一種風格了。黃堯的電影有一種優點，它們都漸漸向橫的方面發展，不再直的注意故事環扣。「事件加事件加事件」就拍完了。能夠把一部電影的情節打散，切開它們，隨便一砌聚，是值得多嘗試的，黃堯現在正是這樣。譬如說，《玉女春心》，即《鍾安娜》，這個電影也有一點故事，但主要的不是那個故事，而是把一點一滴的一些生活細節加起來，現在的電影很注意這類面貌，而我們的電影，多半還力求「詳細」。

我說黃堯的電影趨向橫的發展，可以舉兩場片段來證明。第一片段是老鼠大鬧小姐陣。這邊是一群人手忙腳亂了一陣，那邊呢，陳寶珠森森石修卻在花間跳舞。照傳統的電影拍法，陳寶珠這群人跳完舞可能潛入屋內，於是混進老鼠陣，或者屋內人跑出來，滿身老鼠。但這兩〔堆〕人鬧完老鼠，跳完舞，一會合，上兩場的刺激活潑情形都

已驟然收筆。大家談也不談老鼠，好像根本沒有發生這麼的一件事。其次，最末一場，曾江等人追蹤陳寶珠，這邊是一群人在雨中泥漿裏打滑，那邊是陳寶珠救了自殺的人，兩個片段各自獨立，誰也不糾纏誰。能夠把電影片段做到互不糾纏〔，〕各自獨立，是粵語片的一大改進，黃堯已經掙脫了傳統的囹圄。

常聽人說，這裏的電影是女明星的天下，但看《七》片，風向逆轉，演得好的竟是曾江，張清和石修，張清的角色最鮮明，在這部片，他實在是位「獨行俠」。《七》片的人物和電影風格很協調，那些人全好像一副毫不在乎的樣子，這也是以往的電影中少見的。

《新娘與我》那部電影表面上很輕鬆，但構□之□，使人覺得不外是一部機器。但《七彩姑娘十八一朵花》卻是一堆堆撒得一地的花朵，〔隨便〕□在一個角落，形成它自己的異於尋常的趣味。

西西（一九六九年八月十八日）

鬼狐・森林

《人鬼狐》不是講人，不是講鬼，也不是講狐，講的是床。如果講人，則是講一個毫沒大家風範的小姐；如果講鬼，則是講一隻飯桶鬼；如果講狐，則是講一頭笨狐。我們中國人的鬼和狐，是著名的美麗靈慧東西，不但聰明，而且知書講禮，很少鬼狐是鄉愚派。但《人鬼狐》裏邊的鬼和狐，則又笨又蠢又沒腦。

且說那個書生，其實是個大色狼，表面上正正經經，連妓院也不愛逛，但在寒窗下則色心大動，夜夜春宵，病得連命也沒有了還不醒悟。偏巧來一隻鬼是隻飯桶鬼，鬼本來去無蹤，怎會一拖就被人拉進羅帳去，至於那隻狐更差，既然深明大義，卻不叫書生好好讀書，也擁在一起狐（胡）混，還要上天下地去偷靈藥，這樣子叫人投同情的一票，我才不投。幸好，那個書生後來也沒中甚麼狀元，不然的話，所有的讀書人都去做色狼，書中自有顏如玉，不但可以享齊人之福，還有神仙保佑。

說到電影影像上的表現力，一場無主孤魂飄飄蕩蕩去借屍還魂拍得甚有氣氛，借屍還魂一般的電影中很少見，其實可以發展為一個獨立的題材〔，〕拍成一部寓意深遠的電影，在這部片中，它是有點〔氣氛〕的，可惜整個電影境界不高，也就襯托不出甚麼來。對於一部歌頌「色狼萬歲」的電影，技法再精也無補於事。

學校裏的教師其實有多種，常見的是游擊派，就是今年教教三年級，明年教教五年級，年年變。有一類教師則是直升機，和學生一起由一年升上六年，循環不息。還

有一類則是大恆星，年年教定一級，數十年不變。和路迪士尼這個人，他就是一顆大恆星。費里尼起初拍新寫實電影，後來居然變了超現實；英瑪褒曼也是，起初拍政壇電影，後來是一片黑色。但是和路迪士尼呢？他不變，而且他一直〔和〕某一個年齡的兒童傾談。每個人都做過兒童，所以每個人都碰過和路迪士尼。人是一直在長大的，起初，和路迪士尼和我們的大哥大姐聊天，後來就和我們最談得來，過一陣，他又把我們的弟弟妹妹迷〔住。〕如果我們覺得和路迪士尼的電影不再那麼好看的話，那是沒辦法的，因為我們接近墳墓又近了些。《森林奇遇記》其實還是老樣子，和和路迪士尼以前的卡通一個型，不過，動作更生動了些。吉百齡的小說，改編成動畫，那些蛇和熊是出盡風頭了。作為一部卡通，這部片的剪接，配樂和對白都夠出色的，但故事則不免有點淒涼感。人住在森林裏有甚麼不好，為了一隻老虎而要〔逃避〕現實，也不是辦法。莫格利是回到小村去了；忽然的，一個夢就醒了。

　　卡通片都很短，最好是一次放映兩部，如果《森林奇遇記》加上《寶貝歷險記》，就再好也沒有了。

西西（一九六九年八月十九日）

很多很多眼睛

我們每個人有兩隻眼睛，但這兩隻眼睛等於一隻。因為我們的眼睛看起東西來是一樣的。右邊一隻眼睛看見朋友的臉的話，左邊的一隻眼也只能看見朋友的臉，絕不會看見朋友的後腦。所以，人雖然有兩隻眼，只好當作一隻，而且只看見前面的東西。

電影覺得這樣子不大好。電影說：人有兩隻眼睛，電影可以有十隻。本來，電影一直照「眼睛的看法」來看東西，就像上帝依照「神的模樣」來創造亞當。但電影現在不打算一直追隨人的眼睛到底。電影認為，人的眼睛，有很很多多的缺點。

人的眼睛，只能看前面的東西，這是缺點之一。要是人們的眼睛一隻長在額前，一隻長在腦後，那麼，人們就可以看多很多東西。那麼一位西部英雄，可以看見前面的大盜持槍相向，又看得見背後有個賊在暗箭傷人。可惜，人的眼睛不是那樣子。

人的眼睛看起東西來，視線不會轉彎，這也是缺點之一，櫥窗裏的模特兒穿了一件衣服很漂亮，但我們只看得見這件衣服正面有兩個口袋，領子圓圓的，至於衣服背面有沒有蝴蝶，縫合的地方是上拉鍊還是釘扣子，就不清楚，得跑到店裏邊去朝櫥窗再望。如果人的眼睛看東西時會轉彎，則拍起西部片來，大盜即使躲在大橋後面也逃不掉。當然，視線可以轉彎，天下也許會大亂了。

電影覺得，人的眼睛不夠多，看東西角度不夠廣，因此，就把很多很多眼睛送給我們，叫我們同時可以看見很

多東西。

　　我們要是上美術館去看「米羅納斯」雕像的話，或者就上大會堂低座看看「三個站立的人」，我們一眼看過去，怎麼看得盡，因為這些雕刻品有前後左右，我們要圍着它們團團轉，轉一個圈子才看得完。以前，電影在把雕刻品拍給我們看時，也只好「搖」了又「搖」，但時間上是慢了許多了。現在呢，電影說：要爭取時間，同時給我們雕刻品的許多個面，這邊看那邊看，前看後看左看右看。於是，我們睜開眼睛，雕刻品的每一個面部都齊備了，我們用腦子來一個很快的「砌圖遊戲」，把碎面拼成一個立體。

　　電影是用的甚麼方法呢？它給我們很多的眼睛。易言之，就是把一個畫面分割開來。所以，在看《畸人查里》時，我們本來有兩隻眼睛，從甲朝乙看過去，但電影同時送了我們兩隻，叫我們從乙朝甲看過來。這當然很好，擴張電影使我們有了擴張眼睛。

431

　　　　　　　　　　　　　　米蘭（一九六九年八月二十日）

嘉嘉·嘉嘉·嘉嘉

《嘉嘉》這個電影很好，無論從哪一方面看，它是一部認真製作的電影。忽然覺得國片真的很有希望，一個電影能夠拍得好，絕不是任何個人的功勞，而是群體合作的一件成果，有時候我們會說，黃堯的導法不差，但主演人的服裝真是太亂了，或者我們說，龍剛的導法甚夠勁，對白也出色，可惜劇情常常婆婆媽媽，這不外是拍，電影界的人才也不是沒有，而是合起來總是像張三腳凳。《嘉嘉》呢？並不如此。《嘉嘉》的優點是它是整體的，各方面都很均衡。《七彩姑娘十八一朵花》在我的眼中是一堆煤灰，但發掘一下會找出幾顆鑽石來，而《嘉嘉》，整個的是一串珍珠。

真的，單缺了任何一環的話，這個電影就會失色了。國片中一向最差的是佈景和生〔活〕反映之不夠寫實，常常給人一種「假」的印象，《嘉嘉》沒有，外景的山嶺綠茵真的充滿了野外氣息，羊隻活生生的，並不是片場製出來的道具，大富人家的景取得更好，彩色的玻璃門本身已經夠美麗了，加上中西合璧的傢俱，和劇情的時代異常吻合，大廳中地上鋪的是中國地氈，但擺的卻是西式的沙發，一座漂亮的時鐘，安妮的輪椅，家庭教師的眼鏡，駱大夫的大衣，郭家的汽車，都表現出西風東漸的社會面貌，對比起姑小姐的水煙壺，小徑上的獨輪車，街上的〔猴子戲〕，把一個小城的風光刻劃得很仔細。服飾方面也顯見下了功夫，單是姑小姐那幾襲衣服，配上一隻熱水袋，就夠人去設計了。當然，這些是很好的葉子，而花

朵，就在導法和劇情上。起初，大家以為這個電影大概是一部瓊瑤小說，因為一開始的時候，各人的眼光都放在虎大爺身上，可是故事不在他。即使老奶奶搖着〔紗輪〕時，大家以為回憶鏡頭馬上要出現時，竟然猜輸了。結果，發展的重心集中在三個小孩身上，可算是奇峰突起。至於電影的調子，《嘉嘉》是抒情的，導演在這方面處理得很好，放羊的幾場，尤其美麗，導演從不用快速的推拉，也不胡亂「□」，總是慢慢的搖，不然就割。在書齋中教英文一場，小孩在窗前想家，導演以下雪開始的一連五個溶鏡，出落得瀟灑異常，而在別的電影中，這種手法常常會淪為庸俗。我特別佩服高立的是，他處理這類「眼淚電影」一點眼淚味道也沒有過分誇張，他絕不要我們哭，幾場爺孫相擁的鏡頭，都能點到即止。整個電影的分場我也喜歡，絕不拖泥帶水。至於演員們，小孩子雖活潑，一點也沒有搶去成人的鏡頭，王萊，馬劍棠，王琛，都演得精，孟莉的戲不算很多，但她真的很會演戲，竟一直被低估了。

西西（一九六九年八月二十一日）

433

第十個半夢

費里尼又拍片了。大家給《八部半》以最多的喝采，但對《茱麗葉神遊記》只好搖搖頭。有人甚至說：嗳，費里尼，走火入魔，完蛋啦。不過，費里尼繼續在造夢，而且在拍古羅馬的一段史實，叫做《薩泰麗康》。

「歷史」不外告訴我們，在很久很久的以前，曾經有過如此這般的事。費里尼認為，「歷史」只證明有一個古羅馬，但這個古羅馬和現在隔得那麼久遠，它簡直就不像是真的。費里尼說：它就像濃霧裏的山巒景色，隱隱約約，看不清楚，既神秘又陌生。於是，費里尼乾脆把「歷史」這些拋開，他不再理會古羅馬是不是一段歷史中的「存在」時空，他決定把那些凱撒，那些文藝復興當作夢一般製造起來。這樣，費里尼又做夢了。因此，大家看電影時不會覺得是看甚麼歷史片，如《賓虛》之類，而是一個夢想的世界。一切都是創造出來的。臉譜啦，姿態啦，境況啦，等等。費里尼認為，二十世紀的人，根本沒有人知道古羅馬是甚麼樣子，一般的電影又多半描寫外表，像圓形廣場內一個午後有七十五對鬥士相互殘殺，而費里尼則要描寫精神的世界，描寫一個自己夢想出來的世界。

現在的電影，有很多是紀錄片，費里尼說他的《薩泰麗康》將是一部夢的紀錄片，那是指，夢雖然是夢，但卻又是寫實的。整個電影沒有完整的故事脈絡，而是一些片段和另一些片段的聚合，真的和做夢一般，互不相連。由於古羅馬和今日的我們已經完全隔絕，所以，費里尼讓劇中人講一種我們不再使用的語言——拉丁語。在今日，只

有一些學校教拉丁語，也只有教會才用。費里尼說，拉丁語是死語言，古羅馬的那些人是死去的人，死人用死語，最適合。而且拉丁語又硬又沒表情，意大利語則又甜又美，像音樂一般。為了配拉丁語，費里尼特地請了約三十名德國演員來配音，因為今日德國人講拉丁話最具石頭一般的特質，硬且單調。

在佈景服飾和臉譜方面，費里尼這次又大顯身手了。他要一切都暗沉沉的，充滿了黑夜和陰影，燈光也晦暗得很。佈景中會有很多長廊，院落，樓梯，彎角和狹窄的通道。衣服的顏色也是沉悶的，全是泥土，石塊，黑和黃的顏色，而且還要蒙上一層灰塵般的效果。費里尼且要把龐貝和迷幻混在一起，又把拜占庭藝術和普普藝術合起來，形成一種新風格。

拍《薩泰麗康》時，莫拉維亞去訪問過費里尼，他們談了很多關於《薩泰麗康》，兩個人的對話被刊在七月份的 *Vogue* 上，那是一本時裝雜誌。可以找來一看。

米蘭（一九六九年八月二十二日）

流寇的世界

　　起初，上帝創造天地。而荷里活，起初，荷里活創造西部片。《流寇誌》的出現，是森畢京柏對阿瑟潘《雌雄大盜》的挑戰，也是荷里活對意大利「獨行俠」的炮轟，暴力電影之新姿態，無疑是能夠贏得猛烈的掌聲的。

　　作為一個電影，《流寇誌》是一件精品，當《渾身是膽》的車輛在大街上追奔逐北以至烈焰焚燒時，連影評人也大吃一驚，因為電影才一半，劇力竟已發揮至最高峰，那麼，接連下去的另一半將如何收場。不過，彼得葉芝不叫任何人失望。同樣的，《流寇誌》的開始，正是無數電影的結局，森畢京柏一樣有能力控制觀眾的情緒，直至銀幕框上只留下一個逐漸隱去的長方格，幻成最後的終場。

　　《流寇誌》並沒有英雄，描寫的也只是流寇遲暮。再作一次買賣，就四處去找一塊田安頓下來，但總是這最後的一次買賣使最多的人一語成讖。在很多個場合中，尤其當柏克攀不上一匹馬，導演用一個鏡頭把他推出框外，使銀幕內的背景是一片天色，沒有山和泥土，人們就騎在馬上，但這可不是逍遙自在的天馬行空，而是腳下沒有一片可以置足的土地。流寇們奔來跑去，但得到了些甚麼呢？一條賤命，和牆上的懸賞花紅，但如果安份守己則又怎樣，安童的家鄉還不是一片廢墟。

　　蠍子乃是流寇，馬巴克乃是螞蟻，在他們的背後，是索頓和正規軍，他們則是火。蠍子與螞蟻之死纏，同歸於盡是必然的了。而我們，則一若兒童，袖手旁觀一場大戰。畢京柏這次是冷冷的，且並不投入的把傳奇的西部

神跡演變為一場越南烽火，在慢鏡的凝聚下，逼我們去細察眾人的血臉。真的，一剎間，《雌雄大盜》竟成了一段童話。

畢京柏的技法，喜歡運用三連式的危機摺疊，迥異於一般導演的雙雄對峙，所以，吟唱的市民要夾雜在警匪之間，原來是乒乓的槍戰，現在竟是一場大屠殺。劫軍火後的退走，亦把追兵四起纏在一起，使索頓不得回顧。橋底的一條引線，一隻車輛的失陷，對岸的亡命之徒，重重危機是接二連三地衝來。但在這些之後，畢京柏很能引緩觀眾的情緒，僅以一片爽朗的笑聲把僵局化解。第一次是分錢，第二次是一句未婚妻，第三次則是一瓶酒。

索頓終於帶着柏克的槍枝走了，他們始終不當面對講，索頓很清楚，那管槍，本來可以換去自己的頭顱。但既然要從兩者之中選擇，則除去一個充滿敵意的朋友遠勝傷害友善的敵人，這是柏克走的路。

西西（一九六九年八月二十三日）

羅曼‧拒斥‧波蘭斯基

「滿足」是一種最不愉快的感覺。波蘭斯基這麼說。所以，波蘭斯基的電影（一共是五部，劇情的長片），都不給觀眾以「真正」的結果。銀幕上每次都亮着「完場」的字樣，但劇中的主要人物怎樣了，我們不知道。在《水中刀》裏，妻子和青年小伙子偷情的丈夫，把汽車停在三叉路口。他有兩條路可以走，但走哪一條呢？波蘭斯基的鏡頭收了光。《拒斥》的結尾是卡蘿被抱着離去，一幅家庭照相中的她眼睛露着異樣的神情，她將怎樣？眼睛只逐漸放大，電影又完場了。《窮巷》的丈夫呼叫着髮妻的名字，駛去的一輛汽車載走的是他的第二任妻子，也許有一天會回來。《天師捉妖》是老教授駕着雪車，徒弟卻被美麗的殭屍咬碎了咽喉。《魔鬼怪嬰》裏露絲瑪利推動着搖籃，孩子和母親的命運，誰也不知道。波蘭斯基就這樣拍他的電影，因為在他，「滿足」是一種最不愉快的感覺。

「第一影室」曾放映過波蘭斯基的《水中刀》，《拒斥》和《窮巷》加上市面上公映過的《天師捉妖》和《魔鬼怪嬰》，這位波蘭籍的三十五歲青年導演的作品，都在本港上映過了。在這五部片中，《天師捉妖》和《魔鬼怪嬰》因沙朗蒂之死，曾頻頻重映，但是，值得注意的卻是《拒斥》。譯名可能會是《冷血驚魂》。

卡蘿是一個帶病的女孩，她的病是精神上的，心理上的。可是，沒有人知道，也沒有人注意。要是一早有人發現的話，如果是她的母親或者父親，悲劇可能就不會產生了。卡蘿拒斥的是異性，她憎恨男人，終日幻想有人對她

施以強暴。一個想像中的男人會在櫥後的門裏出現，長廊的牆上又會伸出手來。她厭惡男人用過的剃刀和牙刷，又對一件男人的背心作嘔。她的病況日益嚴重，拒斥的態度也越來越強烈，起初她朝自己的身上搬去無形的手，後來就採用利器。每一次拒斥成功，她竟安詳且勝利地哼起小調來。

　　波蘭斯基在處理這個題材時，用了很多超現實的手法來配合女郎的幻想。黑白的攝影和音響的效果都運用得非常出色，因此，很多人不得不把它拿來和希治閣的《觸目驚心》互相比較。《拒斥》是波氏一九六五年的作品，成績遠勝《天師捉妖》。在波蘭斯基來說，《天師捉妖》不過是一部和路迪士尼的卡通。《拒斥》則是拍給成人觀看的純悚慄片。這兩部片的票房紀錄一直很好，波蘭斯基的《窮巷》和得六二年威尼斯影展影評人獎的《水中刀》則沒有很多觀眾。《拒斥》在藝術傑作的榜上雖然掛不上閃爍的名字，但作為一部娛情電影，它稱得上是一流的商品。

米蘭（一九六九年八月二十四日）

一匹烙上火印的軍馬

《虎膽》是一匹烙上了火印的軍馬，它的身上掛着「製片家電影」的標誌。那就是說，它是一個由塑膠模型塑造出來的類似樣品，因此我們看起來，早就心裏有數。故事是數學公式的演算，就像「任何兩數相加的三方，等於其中一數的三方，加上該數平方與另一數乘積的三倍，再加上該數與另一數平方乘積的三倍，再加上另一數的三方」。因為，經過製片部，宣傳部，編劇部那些電腦，它一定是那種樣子。

製片家的電影是有它的獨特的優點的，因為製片家多半會照顧觀眾的口味，而導演則常常不得不「奉旨」行事。但這並不是說導演就是傀儡，他們一樣可以導出風格來，作為一個導演，羅維拍的《虎膽》顯示出他不外是一個「職業導演」在執行他的職業，把故事從頭到尾順利拍完就算了。這，和《新苦海孤雛》的卡勞列並沒有分別。所不同的是：卡勞列的功力不弱，而且，他曾經放進了他的心，他是投入的。舉一個例子來說，張徹也是一名「職業導演」，他的電影不很完整也是事實，就和楚原一樣，常常有幾場拍得精彩非常，但忽然又有些片段比小伙子試拍「實驗電影」還要差。可是，看張徹的電影，諸如《大刺客》或《獨臂刀》等，總覺得他能投入，彷彿拍起電影來甚麼都不記得，自己也迷在裏邊。《虎膽》沒有這種情形，因為從頭開始，就沒有一場使人感到導演曾和電影溶在一起，既然如此，導演就無法把他的感情傳達給觀眾，叫我們也和電影溶在一起。看張徹的電影時，我們有時忽然會自

忖，我們就是銀幕上那個人，我們有那種感情。但《虎膽》沒有，那一群人和我們毫不相干。且說下棋，棋子本來是死物，但下棋的人漸漸會和棋局中每一棋子發生感情，旁觀的人也常出現磨拳擦掌的現象。一局棋尚且如此，何況是一部電影。

製片家的電影捨得佈置「壯觀」的場面，如《賓虛》。因此一場賽車竟形成喧賓奪主。《虎膽》中拍得最夠氣勢的是白龍會的一場，服飾上的一片白，配上火頭處處，獨立製片和地下電影自然要退避三舍。可惜的也就由於只有這麼的一場。「好花不常開，好景不常在」。

李昆在這部片中演得出色，但最好的還數田豐。田豐演武俠片別有一種格調，遍數王羽，岳華，羅烈，陳鴻烈，沒有一個是他的對手。但田豐一直只當配角，大好人才，實在委曲了些。當然，這又是製片家電影的特色，配角永遠是配角，主角則寧願去發掘「一舊飯咁」的新人。

西西（一九六九年八月二十六日）

441

相思之曲・游泳之池

看過《相思草》的話，就不必去看《相思曲》了。因為它們都是一模一樣，故事一樣，唱的歌也一樣。而且要命的是，《相思草》又拍得比《相思曲》好。

大家去看《相思曲》，就會覺得，我們的國片比它拍得好的多的是。那個電影真是不知怎麼搞的，攝影方面，別說拍出情調來，就連最起碼的顏色也控制不了。那些人物的臉，一時三刻內變好幾種顏色，一會兒紅，一會兒白，做一個攝影師，在這方面失敗了，還有甚麼資格拍商業電影。當然，《相思曲》這部電影很古老了，因為女人穿的還是肥的密褶裙，又在膝頭下面七、八吋，化妝還是《郎心如鐵》那個時代的，不過，電影好不好，不在時代的新舊上。差利的默片還不是古董，《摩登時代》就一點也沒有陳舊的感覺。

有人看《愛的世界》會哭，那麼，這片也會叫他們流一下眼淚，但這是沒有用的，鱷魚也會哭，可不是真的傷心。《相思曲》有一個小孩子演得很活潑，如果為了這一點而以為小孩子會喜歡這個電影，那就糟了。小孩子看這電影，可能會在電影院中睡大覺。

如果說《相思曲》這樣的東西也算是電影的話，香港起碼有幾萬個人立刻有資格做導演。

看完《怒海沉屍》的話，也可以不必看《滿池春色》了，它們也是差不多的。而《怒海沉屍》又比《滿池春色》高了好多層次。當然，《滿池春色》是一個小小的「夏季時裝沙龍」，展覽了不少漂亮的新裝，從最流行的「看得穿」

襯衫（父女一人一件）到三點式的泳衣（兩個女人又一人幾件），不外是叫大家注意一下表面的豪華。阿倫狄龍又變了《花落斷腸時》那般笨手笨腳，梅禮士朗納的氣質也大打折扣，令人好不傷心。看來只好盼望《獨行殺手》快點來。《滿池春色》的成績相當於《七擒七縱七金剛》，導演沒甚麼大缺點，也還拍得漂漂亮亮，就是不是精品。這種片的特色是表面上總能做到賞心悅目的程度。

今年的巴西里奧熱內盧電影節上，《滿池春色》是參展的影片之一，該片放映的一晚，也許碰巧是週末，人多得不得了，幾乎引起暴動。導演看到這情形，以為自己的電影非常出色，其實則是由於那些暴露鏡頭。《滿池春色》這部電影巧的是有兩位幸運之神眷顧它，所以，除了票房紀錄不差外，居然得了里奧影展的最佳導演「金海鷗獎」。由此可見，里奧影展的□□□□。事實上，一些一流的電影都上大影展去了，〔剩餘下〕來的，沒地方去，就到處碰運氣。積狄雷這個導演，運氣是比才氣好。

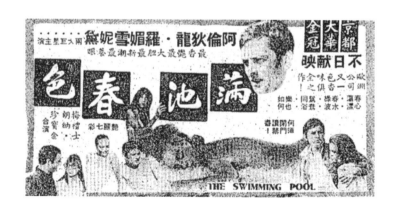

西西（一九六九年八月二十八日）

443

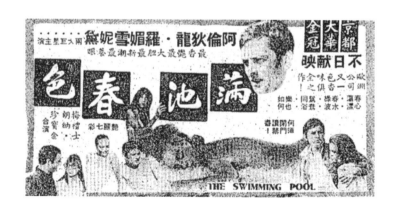

THE SWIMMING POOL

《星島晚報》「特稿」

三招四士說武俠

　　據說，國片要起飛了甚麼的，我看來看去，一點也沒有那種感覺。不過，在一些武俠片裏邊，倒真的有幾個演員「飛」了起來。《四武士》如此，《三招了》如此，《人鬼狐》也如此。唉，這樣飛法，真是亂搞。提起武俠片，其實也拍了好多了，越看越覺得還是胡金銓加張徹的老招。武士還是一劍揮去，一大把人嘩啦啦倒下來。《披頭四黃色潛艇》是個美術設計大成，但集得頭頭是道，《四武士》則夾雜了獨行俠，盲俠，大醉俠等等，仍是不像。《三招了》更差，活動畫一般，哪裏像電影。

　　看《三招了》和《四武士》等，很希望看到這些電影，不論導演或編劇，亮幾手出色招數來，可惜又失望了，勉強數來的話，兩個電影各有「一招」奇招而已。《三招了》的上官家，人物奇異，算是招牌菜；《四武士》則有一招「劍花口起」，是張沖第一次拔劍在手的殺手鐧，大家心裏一凜，以為這位武士果然「名家一出手，就知有沒有」，但是往後看下去，也不過是斬瓜切菜的板斧。

　　武俠片很怪，早一陣因為標榜武俠而竟「冇俠」，這一陣卻又紛紛搬出一批保家衛國的人物來，動輒以「為國為民」為大前提，好像非這樣子，就會主題不夠正確，算是怪事。

　　武俠片拍到現在真是糟透了。且想想，就像一個女孩子跑進時裝公司去找一件出色的衣服，卻發現每件衣服都一個樣子，全是制服，那有甚麼意思。武俠片實在應該變一變，如果不變，那麼乾脆不要拍，停一陣再說。其實，

把武俠片變一變也不是甚麼難事。譬如說，看武俠小說的時候，老是記得有一個楊過，這個楊過本領越來越高，甚麼寶劍都不用，竟佩一把木劍。電影裏邊怎麼就不見有這種人物。再說，描寫一個本領高強的人，不一定要把武器也連在一起，有些好漢並不喜歡殺人，常常只把敵人武功廢掉。這情形，電影裏也不怎麼見，點穴這門功夫，拍起電影來，影像上可會非常壯觀。如果是大場面的一陣混戰，來了一個大俠，風也似的打個轉，所有的人都被點了穴道，像當年邦貝城陸沉的人變成化石那樣，多麼神奇。這樣子一則表示來者本領高強，二則也不必強調流血鏡頭。至於如今特技高明，俠士們更不必老是飛簷走壁，可以施展涉水登洋，草上飛等輕功，還可以翻山越嶺，根本用不着騎馬。國片中的武俠片受影響最深的是西部片，所以，形式上總是短篇小說式，反觀武俠小說卻多半是史詩式。就看看甚麼時候有人來一部《沙漠梟雄》式的武俠片了。而那些甚麼《天龍八部》，怎麼沒有動靜。

西西（一九六九年八月二十九日）

《星島晚報》「特稿」

地下的《影子》

「地下電影」這個名字大家聽得多了，但電影呢？相信很多人沒有看過。現在，有一部將於九月一日在大會堂上映，是加薩維蒂斯執導的《影子》。加薩維蒂斯本來是演員，最近，他還在波蘭斯基的《魔鬼怪嬰》中演露絲瑪莉的丈夫。

《影子》是實驗性質的，那就是指，加薩維蒂斯嘗試用新的方法來拍電影。在今日，「用新的方法拍電影」已不是新聞，因為地下電影已被宣佈死亡，而新潮又已經潮退。但《影子》的製作年份是一九五八至五九之間，即是說，在十年之前，加薩維蒂斯已經開始拍地下電影，而且，他不屬於西岸的荷里活，〔而〕是東方的紐約。

提起「地下電影」，可以想像的是，《影子》絕不是大片場的產物，既沒有豪華佈景，也沒有大明星，代之而現的是大街小巷的實景。囗房門窗都是現存的景物。在拍的時候，〔還〕是十六米釐的拷貝。「第一影室」放映時則用三十五米釐。有很多「地下電影」，主演的人是全無經驗的，像安地華荷的《睡》，也用不着劇中的人演甚麼。《影子》則不同些，劇中人物是一批演員，而且是方法演技的忠實信徒。他們都藉《影子》來練習一下演技。

《影子》是有故事的，內容是描寫一個兩兄一妹的家庭。兄長之一是個一眼看去就被人認出來的典型黑人，其他的一兄一妹，則外表和白人一樣（像《春風秋雨》中蘇珊高納的角色）。兩兄妹結交了一批白人朋友，但結果，黑人的身分使他們不得不回來。拍這個電影的時候，加薩

維蒂斯並沒有劇本，而是注重演員的即興。主演者只知道劇情的大綱，一聲「開麥拉」之下就即興對話，當自己是劇中人，而不是在演戲。由於加薩維蒂斯沒有很多錢，所以，各方面都盡量節省。菲林是最花錢的，□□《影子》中的很多場，都是「一拍」之下的成果，就算不好，也不再重新拍過。

看《影子》，會覺得它有點像電視的即場實〔錄〕。鏡頭找人物時常常偏差，劇中人的對白又常常結結巴巴，或者不甚連接。這是必然的了，因為「地下電影」要求的是這些「真」。《影子》在拍攝時不像大製作一般編好分鏡，才仔細地拍（像希治閣，拍的時候已經決定好剪接工作）。而是一大段一大〔段攝〕下來，事後再剪。看電影的時候，大家是看得出來的。

加薩維蒂斯本來寂寂無名，但因為《影子》一片，已成為「地下」的健將和先驅，他的名字和〔安地華荷〕一般響亮了。

米蘭（一九六九年八月三十日）

西班牙的布紐爾

報紙上的《青樓紅杏》廣告，刊了一隻獅子出來，又用很大的字粒說是大導演布紐爾的作品，獅子究竟表示甚麼，布紐爾又是誰？

《青樓紅杏》曾經參加過威尼斯六七年的影展，得了一座金獅獎，報紙上的那隻，就是它的模樣。至於布紐爾，他則是西班牙的導演。提起西班牙，畫家就要數畢加索，電影導演就要數布紐爾。但是，並不止此，布紐爾還是電影上超現實主義的第一把交椅人物。（大家看《冷血驚魂》時，可以拿波蘭斯基的超現實場面跟《青樓紅杏》一比。一個是超現實就是超現實，很表面，牆壁裏伸出幾隻手來。而布紐爾的超現實，除了本身衝破現實環境外，還有象徵的意義。）

布紐爾很老的了，他是一九〇〇年二月二十二日在西班牙格蘭達的地方誕生的。他的父親，曾到美國去謀生，但沒有發財，就回到西班牙來。布紐爾的母親早死，後母是個賢淑而非常美麗的女人，童年的布紐爾是幸福的。布紐爾在中學時入的是教會學校，也許因為這樣，他和《八部半》中的小桂度一般，吃了很多宗教苦，於是長大了就不斷對教會冷嘲熱諷。羅馬教廷對他簡直是頭痛透了。

一九二〇年時，布紐爾入馬德里大學，在那裏，他結識了不少朋友，超現實的達里啦（後來，他們一起合作拍了《安德魯狗》等電影。《安德魯狗》是電影史上第一部超現實主義的作品，佛洛伊特當時大大讚賞），詩人的洛迦啦（洛迦還把名詩獻給布紐爾），等等，其中繪畫的朋友最

全綫五場 金冠 新聲 樂聲

原樂聲公司發行七彩影戰果鉅片

榮獲威尼斯影展金獅獎

連家兩屆金獅獎大導演

布紐爾 精心傑作

青樓紅杏

歐洲光物

嘉芙蓮丹露 主演

暮為良家婦 盡作墮溷花

不宜兒童觀看

BEAUTY OF THE DAY
Belle de Jour

多，有畢加索，米羅。詩人阿拉貢，布列頓，也是老朋友。

布紐爾拍片，從來不和觀眾打交道，大師們總是如此固執的。所以，布紐爾自顧自拍了不少片，遭禁的也不少。西班牙內戰爆發時，布紐爾去了美國，替華納影片配音。內戰後，他留在美國，在紐約現代博物館工作〔，〕做了一個時期。但因為達里重返天主教，和布紐爾思想上不合，布紐爾終於離去。他在墨西哥娶了妻子，建立家園，並且得到製片奧斯卡鄧斯傑的看重，開始再度拍片。有人認為，這是布紐爾的再生。布紐爾自己也曾說過：我的電

影上的文藝復興期是始自第二次大戰之後。

　　布紐爾的作品是越老越成熟，最近，「第一影室」放映過他的《沙漠上的西門》，短小精悍。布紐爾老是說：這是我最後的一部片了。但拍了《青樓紅杏》後，他並沒有停止，最近他正在拍《銀河》。在《青樓紅杏》中，馬車駛入露天茶座時，對正觀眾的一張桌上，坐着兩個人，右邊的一個，就是布紐爾了。

米蘭（一九六九年八月三十一日）

服飾乃是標誌

　　以前，看龍剛演戲就好笑了，因為他演起探長來，老愛戴一頂帽子。我們現在走到街上，如果陽光燦爛，很少見到有人戴帽子。尤其是男人，尤其是夏天，尤其是一頂四周圓圓的，中間高起來，可以按一個洞下去的那種帽子。戴帽子的人不是沒有，賣雪糕的還常戴印着雪糕招牌或汽水招牌的鴨舌帽，但別的人就不戴了。所以，碰見龍剛的時候老是問：為甚麼要戴一頂帽子。

　　演探長要一頂帽子，當然是受荷里活警匪片的影響，因為這已經成了一種習慣，就像普通的大學為甚麼要讀四年一樣。荷里活的電影對外界的影響很大，有些電影，叫演員們穿一種習慣性的制服，一上銀幕，憑衣服就讓觀眾明白他們是演甚麼。《英烈傳》的兵士，穿上軍服，大家知道他們是兵士。《流寇誌》的一群大盜，開場的時候也穿軍服，就是叫大家相信他們是兵士，後來才暴露出真面目來。在警匪片中，演探長的常是一件乾濕褸一頂帽子，因此，在一群警察中間，要是有這麼的一個人在，大家就知道他是探長。不過，奇怪的是，不但探長的打扮如此，連匪徒的扮相也不離帽子和晴雨外衣。

　　最近，梅維爾導演的一部片《獨行殺手》將在這裏上映，劇中人由阿倫狄龍主演，他的打扮就是以一頂帽子和一件乾濕褸為標誌。很多人都覺得怎麼會穿成這樣，一來認為導演好像把阿倫狄龍整個變了形，二來覺得這種匪徒現在畢竟是沒有的了。原來電影有兩種面目，有些導演喜歡創造，並且不時把最新最現實的社會樣貌呈現給我們

451

看，又盡量要跳出舊電影作品的束縛，好叫自己的作品和以往的不同；但有一類導演，則喜歡在舊電影作品中找靈感，偏把那些人物重複塑造起來，使他們看起來像一批生存在時空恆常不變的星球上的生物，不時朝我們招招手。梅維爾就是這樣。

梅維爾認為男人是軍人，必須穿一種制服。不錯，有英雄要一匹馬，一對靴，一隻馬鞍（如「獨行俠」，他甚至需要一條毛氈），有英雄要一輛車，一管槍，一套漂亮西裝（如「鐵金剛」），這樣子，他就有了一套「制服」。所以，梅維爾認為，既然軍人有軍服，西部英雄有西部服飾，那麼匪徒也一樣，該穿一些制服。最適合的就是一頂帽子和一件乾濕褸了。

如果我們看《獨行殺手》時，用不着奇怪為甚麼阿倫狄龍的打扮那麼古老，那麼不現代，甚至那麼不生活化，他其實是導演心目中的一個虛構英雄人物，不過卻生活在一個像真的社會裏。他是人物 X，他生活着的社會是 Y。

米蘭（一九六九年九月二日）

有些電影看不懂

很多電影，叫人看不懂。

像《二〇〇一年太空漫遊》〔，〕大家都不明白為甚麼最後忽然竟是一間房間，而一塊大黑石板又會不時出現一下。《雲雨巫山數落紅》也是，美雅花露到底是為了甚麼，羅拔米湛又竟那麼神秘。還有那些《迷離世界》，《魔鬼怪嬰》，都是叫大家想爛了腦袋的電影。大家都在嚷：唉，我看不懂。

看不懂電影，愁眉苦臉，或者認為自己不夠聰明，很不開心，那是活該。現在看電影，心理應該有個準備：不要逼自己去「看懂」一部電影，因為有的電影根本不是叫你去做一加一等於二的算術。電影常常是 X 加 Y。X 是甚麼，不知道，Y 是甚麼，又可能是甲，也可能是乙。於是，〔怎〕知道 X 加 Y 會是甚麼。

現在的有一些電影，叫人看不懂，有很多種原因。譬如說《八部半》，我們看不懂是因為電影的剪輯技巧很新，回憶與現實與夢想都混了在一起。對付這些電影不難，只要把主線抽出來，就容易追隨脈絡了。像《春光乍洩》，令人看不懂是因為它是超現實的，空的網球怎麼也可以打呢？但如果明白了這是超現實的表現方法，也就不覺得深奧。

《魔鬼怪嬰》叫人看不懂，是因為那些事件不知是真是假，又不知道最後嬰孩和母親將怎樣。導演拍這樣的電影正好訓練我們凡事要從多方面觀察，為甚麼我們自己不可以作主來決定呢？我們用「假設」的方法，一方面假設有

這件事,另一方面假設沒有這件事,就可以明白整個劇情可以由兩方面發展。既然兩者都有可能,為甚麼卻要「一個」固定的結局。

有些電影我們看不懂,是因為導演不和我們玩「約定俗成」的遊戲。舉一個例子來說,交通燈號是紅黃綠。報紙上並沒有特別告訴大家紅燈是停止,黃燈是準備,綠燈是通行。我們自自然然就知道,好像是約定了一般。因此,我們過馬路時,見到紅黃綠的燈號,就會照燈號的顏色行事。但要是忽然交通燈柱上出現了藍燈,大家一定不知該怎麼辦,因為我們不知道藍燈是代表甚麼。電影就是這樣,有些電影我們看不懂,就因為裏面出現了一種「藍燈」。像《二〇〇一年太空漫遊》的黑石板,它代表甚麼呢?如果我們不知道,就不懂了。碰上這樣的情形,就沒有辦法了,但我們實在用不着罵自己笨。導演既然不告訴我們那是指甚麼,是導演在「自說自話」。或者是導演故意要我們猜謎,我們既然不是智囊,猜不對很合理。

米蘭(一九六九年九月三日)

被牆所困的卡蘿

《冷血驚魂》是方形的。那就是囗，電影裏邊誇張方的形狀，只有圓的碟子和圓的警眼才圓，而那是不得已的。嘉芙蓮丹妮被困在牆和牆之間。房間是方的，窗和門，櫥和沙發，鏡子和浴缸，教堂和草地，街道和車輛，電梯和走廊，雪櫃和鑲着相片的鏡框，都是方的。方的形狀帶來一種直線的感覺，冷的感覺，靜寂的感覺，卡蘿就生活在裏邊，沒有出路。

波蘭斯基的電影，主角總是被困在圍牆裏，而且，外界的壓力巨大，使他們本身無法控制，也不能逃避。波蘭斯基常常強調牆是沒有安全感的，人們築了很多牆，以為可以把災難摒棄在外，事實上剛好相反，牆帶來的恐怖比空洞還要強烈。卡蘿和教堂只隔着一座牆，僅是一座牆，距離就相差了很遠。但即使卡蘿身在教堂的草地上，也不見得有用，因為她的病況不是靈魂上的寂寞。

波蘭斯基常常描寫自衛是人的本能，《魔鬼怪嬰》的露絲瑪莉和《冷血驚魂》的卡蘿所面對的災難其實是相同的，但她們同樣是孤獨無助，個人的力量有限，但求生的意志不絕。波蘭斯基和別的導演不同的地方是，他把希望放在牆外，如果跑到外面去，就可以逃脫了，一般的導演卻把危機佈置在戶外，叫人逃回屋子裏。

《冷血驚魂》誇張的是感覺。正如《流寇誌》誇張兒童的角色。電影裏邊的一桌一椅，本來都是佈景，但看完電影後，我們發覺它們都具實質。門是被闖開後釘起來的，沙發被翻倒掩飾屍體，浴缸被藏屍，洗臉池被用來洗腳，

一幀相片被拿來仔細看，一隻碟子盛着兔子，一具電話被扯斷線，一隻鞋從櫥底被找出來，一件衣服被扔進垃圾桶，又被取出來小心燙平，一塊餅乾被拿來吃，一座燭台和一把剃刀被用來謀殺，卡蘿梳她的頭髮，塗她的唇膏，穿她的衣服，縫一件睡袍，在美容院修甲，無一不是觸物的描寫。至於牆的破裂，更形誇張。牆會伸出手來（抄襲高克多的作品），男人會出現在床上，則更不用說了。

　　街頭的歌者的出現，是有對比的作用。他們都是畸形的人，但由於他們具體格（外形）上的缺憾，他們仍能以歌唱謀生，藉以活下去，但卡蘿，雖然外貌正常，但心理（內形）上有病，就沒有人注意到，比較起來，她比街頭的

歌者還要不幸。

　　《冷血驚魂》是不折不扣的商業電影，但黑白攝影和導演手法同樣出色。由於波蘭斯基是波蘭人，所以，片中的英文被外國影評人大加申斥，在《魔鬼怪嬰》中已經改善。《冷血驚魂》雖然拍得不錯，但波蘭斯基若要和希治閣比，功力還差很遠。

西西（一九六九年九月四日）

路易・妓女・布紐爾

布紐爾的《青樓紅杏》講的是愛。

一個教授，跑到妓館裏去，要別人鞭打，踩踏他，他才開心。美麗的醫生的妻子也一樣。她需要的也不是一種輕輕柔柔的愛，她總是做夢，夢中被人扔泥巴，被人一槍打破額頭，她竟微笑起來。她上妓院去找尋那種愛，但她愛自己的丈夫的。因為愛有很多種類型。

表面上，《青樓紅杏》是這個樣子。但我看，布紐爾又在那裏冷嘲熱諷宗教才真。那個醫生，他是救人的。宗教呢，也是救人的。年青的醫生是那麼溫柔良善，他彷彿就是耶穌。他愛妻子，彼此是那麼地神靈式，一種精神的愛。可是，美麗的妻子是一個活生生的女人。她去和魔鬼打交道。魔鬼們令她很快樂。

醫院的門口，擺着一張輪椅。醫生很靈感地被它吸引着，[1] 這張輪椅，果然就成為他的十字架。美麗的妻子成為一個妓女，當他乘着馬車到一間古堡裏去，她已經是在為丈夫舉行死亡儀式了。每一次，牧鈴響起，好像聖經裏的「耶和華是我的牧者」，伴着醫生一起出現，直至最後的一場，醫生從輪椅中沉寂良久，忽然微笑起立。不錯，耶穌死後，第三日復活。

布紐爾彷彿在說，啊，宗教，你們的愛是那麼地不完整，是那麼地片面，是那麼地柔順，就像那個醫生。神為甚麼不嚴厲一點呢。況且，人們並不都是修女。

1　此句不通，原文如此。

看布紐爾的電影，是一大享受。在這部片中，彩色的運用和觸覺的感染是處理得非常成功的。全片呈現一片溫暖的秋色，金黃色的落葉和室內的傢俱及女人的衣服，用的都是黃色的系統。最後一場，嘉芙蓮丹妮芙在大廳中用手觸及雲石，窗幃，沙發的絲絨，和電影的調子極其協調。

布紐爾的電影是這樣的，要整體來看。人們不能把他的電影一菲林格一菲林格地分割開來，然後說，這個〔畫〕面真美。（對於波蘭斯基，我們可以這樣，像《冷血驚魂》的眼的特寫，可以被孤立起來。）布紐爾的電影是整體的，而且，從他，我們找不到標奇立異的電影奇技。布紐爾愛用沉穩的導法，緩緩的「搖」，甚至用一些溶，叫我們不覺得技法的存在。《青樓紅杏》就是那樣。

布紐爾的電影有它的特色。布紐爾喜歡特寫腳，喜歡用鈴聲，喜歡出現動物。在《青樓紅杏》中，它們都重現了，動物則是一些牛。

很好的電影，而且很美麗。名導演的作品水準都不會很差，就看各人的喜愛。佩服是一定的了，喜歡與否只好看各人自己。

西西（一九六九年九月五日）

梅維爾‧獨行的人

大家說，梅維爾是個美國導演，因為他拍的警匪片，就和美國警匪片一種味道。其實，梅維爾是法國的，他自己則說，他覺得他的日本味道比美國還濃，像《獨行殺手》，梅維爾稱它為一部「日本片」，連片名也用了日本的「武士」。

別人拍警匪片盡量拍到像真，梅維爾剛好相反。我又不是拍紀錄片，他說。他喜歡幻想，最討厭寫實。抄襲自然在梅維爾來說是最沒意思的了，所以《獨行殺手》裏面的人，雖然是一九六八年的時代，男人竟戴帽，女人竟不穿迷你裙。梅維爾的劇中人物從不老去，這是他的特色。梅維爾說，我常常覺得自己不過十八歲，雖然，我已經五十一了。外表是老了，但我的內在一直覺得我是十八歲，我的劇中人物也如此。看梅維爾的作品是很有趣的，他的英雄人物愛穿雨衣愛戴帽，愛把一隻手錶戴在右腕上，錶面則向內，愛舉起兩隻手指按在帽邊作致敬。這些，《獨行殺手》裏邊又重現一次。

梅維爾電影中的主角老是身世不詳，不知道從哪裏來到哪裏去，同時的，男女主角之間的關係也不明顯，梅維爾從不告訴大家他們是否愛人，或者朋友。說不定，他們竟會是兄妹。因此，看梅維爾的電影的話，不要以為男女主角一定是戀人。梅維爾的電影中有警長，他代表的是命運，不可逃避的命運，他可能不必親手對匪徒行刑，但他的力量足令匪徒走投無路。由於「武士」本來是日本名字，梅維爾說《獨行殺手》中最後的一場即是「切腹」。

在法國電影圈中，梅維爾被稱為「孤獨的狐狸」，他一切獨斷獨行，獨往獨來，自己還有一間片場，雖然已被燒掉，但他正在重建。除了拍電影外，梅維爾還醉心寫作，他寫過小說，又寫了一些關於電影的文章，但寫寫停停，現在還在繼續。梅維爾總是動手寫自己的電影劇本，他心中先有了大綱，想好了甚麼人演，就寫劇本了。在着手編《獨行殺手》時，他心目中選定了阿倫狄龍，因此，電影就由阿倫狄龍演。他說，如果換了貝蒙多，一點也不適合，梅維爾以前的電影，則由貝蒙多演過兩部。

如果小心看《獨行殺手》的話，大家可以發現梅維爾喜歡用灰色。他喜歡把彩色片拍成黑白片的樣子。開場時的一些鈔票，真的是黑白而非彩色，原來那是鈔票的照片，至於一些酒瓶和香煙包的招貼紙，也呈現一片黑和灰。這些，都是梅維爾的風格。

梅維爾很欣賞阿瑟潘的《雌雄大盜》，但不喜歡中間的場面變來變去，又快又慢的，不夠統一。梅維爾看很多電影，是個標準的影迷。

米蘭（一九六九年九月七日）

《星島晚報》「特稿」

別人眼中的《拒斥》

伊恩布特勒曾出版過一部書，名為《恐怖電影》。其中，他對《冷血驚魂》頗有獨到的看法。[1] 現在節錄一些，大家看了電影的話，可以印證一下。

序幕後，是由一隻眼拉開了。卡蘿穿着白的衣服，她握着一名婦人的手，婦人則躺着。這一場很容易令人以為是醫院，後來大家才發覺是美容院。伊恩布特勒指出美容院被拍成醫院模樣是頗有見地的，因為卡蘿要進入的應該是醫院，但她卻像正常人一般在美容院中工作。

電影開場不久，鏡頭就對整座寓所冷冷地全面地緩慢地拍攝了一番，如廚房，走廊浴室。一般的電影並不會這樣。原來導演的作用是叫我們把這地方認熟，因為事後觀眾就像自己也居住過在屋內一樣。

通過整個電影，波蘭斯基邀請觀眾去分擔和了解卡蘿的拒斥，所以，卡蘿心理症的逐漸形成，觀眾都是目擊者。她在街上閒蕩，對於水泥地的裂痕呆了半天，後來廚房的牆的裂痕形狀就和水泥地的裂痕一模一樣，但攝影的角度並不相同（布氏自認這是看了幾次該片後才看出來的）。

片中有兩場轉位用得異常瀟灑，都是由寓所割接美容院的。一次是由海倫的皺床單接下卡蘿的平滑的白衣。另一次是由一隻皺紋很多的馬鈴薯（代表年老和時間）接美容院女店主的臉，它們都是一般地粗糙。

---

1 《冷血驚魂》即標題的《拒斥》（*Repulsion*, 1965），後者應為西西當年的直譯，前者則為本港上映時採用的譯名。

卡蘿其實不是在那裏殺人，她不過是在毀滅一些恐嚇和騷擾的物體，就如人們對一隻討厭的昆蟲猛烈踩踏一般。街上的閒蕩使卡蘿心理症更趨惡化，尤其是一次車禍。片中的音響極佳，卡蘿本人則有一個主題調子伴着她。自然音響如水喉滴水，鋼琴聲，電梯聲更出色。尤其是教堂的鐘聲，海倫曾說，在床上聽到它時最不舒服，而床和男性對卡蘿來說，是可惡的，因此，卡蘿謀殺業主時，教堂的鐘聲最末一響特別響亮，接着就上演第二宗兇案。

有一場是卡蘿經過一晚的惡夢，清晨竟睡在地上，身上居然全裸，這實在是太過誇張，算是缺點，因為波蘭斯基的這一鏡，完全是為了票房而加插的。照相中的小卡蘿，她的眼睛望着一個男人 —— 她的父親。眼神中充滿了恐懼，憎恨，咒詛，完全是渴望溫情，但得不到而轉變了的神色。

片中可怕的場面很多，有人認為鏡中出現男人，櫥被移開很可怕，其實，最懾人的一場卻是很平靜的。卡蘿獨自坐在美容院的休息室內，聽完了女朋友埋怨的男朋友。她茫然地看着前面，忽然，一線陽光從小窗投入，照在她身旁的椅上，她看了一陣，竟慢慢用手撥開它。光明被逐，黑暗降臨。

463

米蘭（一九六九年九月八日）

以動制靜的電影

　　羅臻這次的《裸血》拍得着實不□，這才像個電影哪。而且，羅臻好像學會了很多東西，看了很多書本，又咪了一陣別人的電影，就變了一點兒，且變好了一點兒。於是，叫人很開心。

　　羅臻的電影，可以用「以動制靜」四個字來總括。這位導演喜歡把鏡頭在一百多分鐘內不停地動，活像鐘擺，搖籃，木馬，轆鞦和風車。因此，羅臻以前的有些電影，看得氣壞人，轉得大家頭昏眼花，又轉得那麼莫名其妙。這次的《裸血》，羅臻還在那裏轉，不過，轉得好多了，無緣無故地轉，也僅得王俠和李香君第一次回家時那個三百六十度的全圓搖是在那裏故弄玄虛而已。

　　好幾場的割接相當清脆。一次是王俠接威脅性電話後，椅子一搖，背對觀眾，下一鏡是王俠的背出現在兵頭花園。另一場是凌波接電話後前去石屋，上一鏡是正面走出銀幕，下一鏡是紅色汽車尾巴，再一接又回到凌波正面開車。我個人最喜歡的一鏡則是高遠打架的一場，鏡頭居然攝得高遠膠鞋鞋底的花紋，且想想，電影裏邊，幾曾多見類此的奇景。至於高遠身手那麼敏捷，和角色性格並不相稱。《裸血》的場與場，出落得頗乾淨俐落，不再婆婆媽媽。似乎，現在的國片也懂得運用「蜻蜓點水」的拍攝法，橫的一段段伸展開去，且盡量做到簡潔緊湊。《裸血》這樣的電影，是希治閣式的悚慄。希治閣的電影喜歡寫良善的無辜的人忽然被捲入漩渦，而這，對觀眾來說，比《冷血驚魂》的卡蘿還叫人擔心。因為觀眾多半是正常人，而電

影中的危機，對他們有同樣的騷擾性。《裸血》中的凌波和
高遠這樣的夫婦，香港多得是，兩口子好好的，生活得舒
舒服服，忽然災難就來了，豈不可怕。希治閣又喜歡把兇
案放進屋內（和波蘭斯基的圍牆困獸不同），他認為沒有甚
麼比大庭廣眾中或家內大廳裏發生的恐怖事更能惹人觸目
驚心。《裸血》就這樣辦了，所以，凌波有兩場要在大廳內
嚇得花容失色。

　　國片目前面對一個頗頭痛的問題，就是一些彩色片，
顏色竟發揮不出效果來，《裸血》又是如此，值得好好地認
真研究。凌波演《裸血》〔的〕角色適合她，高遠則果然

是小生上佳人選。但這部電影很怪，幾朵難看不堪的雞毛花居然搶去不少鏡頭，又頻頻出現，捨不得離開。

《衝出鐵幕》中保羅紐曼和茱麗安德絲「無聲勝有聲」的一席談，重現在《裸血》中兵〔頭〕花園的一場，效果依然很好。照《裸血》的成績來看，羅臻值得朝這方面發展。我個人則希望他肯花一百一十五個先令買本《杜魯福訪希治閣》來看看。那本書很適合他。

西西（一九六九年九月九日）

卡里萊茲和朋友

　　法國的新潮導演是來自四面八方的，有的來自紀錄片，有的來自影評人。因此，新潮的名稱雖然是一個，派別卻分兩派，又有左岸和右岸的區別。英國的「自由電影」導演，也是來自四面八方的，東尼李察遜來自劇場，約翰舒萊辛傑來自電視，卡里萊茲，則來自紀錄片。

　　英國的「自由電影」導演們，我們是頗不陌生的，像東尼李察遜，最近這裏上映過他的《英烈傳》。林賽安德遜，熟悉他的人也很多，他的《假如》是今年康城大獎的獲獎作品，這裏才上映過他的《如此運動生涯》和《長跑手之寂寞》。約翰舒萊辛傑也不陌生，他的《一夕風流恨事多》也許不甚受人注意，但《冷暖情天》也是去年才上映過的片子。在這些人中間，卡里萊茲的名字算是最不響亮。而現在，卡里萊茲的電影也來了，來的是《一代舞后》。

　　在一九四七年的時候，《繼起》在創辦中，由林賽安德遜當助理編輯之一，後來，卡里萊茲也投入這一行列。因此卡里萊茲和林賽安德遜志趣最近，他們兩個人都是影評人出身，又經常一起拍紀錄片，實在是「自由電影」的中堅份子。一九五六年，「自由電影」第一次展出，作品有林賽安德遜的《夢境》，卡里萊茲和東尼李察遜合製的《媽媽不准》，以及羅倫素馬薩蒂的《一起》。拍這幾部片時，有兩部得到英國電影學院的實驗製作基金支持，後來，「自由電影」的《除了聖誕節》和《我們是林拔芙的少年》則得到福特汽車公司的贊助。而當時，卡里萊茲有機會以拍紀

錄片來打好拍電影的基礎,完全因為他為福特汽車公司拍宣傳片而起。如果我們看《一代舞后》,可以注意一下導演是否有些手法像在那裏拍一部汽車廣告片。那即是說,他也許會把雲妮莎列格里芙(她得了今年康城最佳女主角獎)當作一輛漂亮的新汽車來展覽。

卡里萊茲今年四十三歲,數起來,算是英國電影中間的一代。上承大衛連,加勞列他們,下接新一輩的電視派導演。卡里萊茲最著名的作品是《星期六晚上和星期日早晨》,和《如此運動生涯》等同期的電影一樣,也是描寫當時工人階段的生活和感情。因此,大家對於「自由電影」的評價,認為他們雖然朝氣勃勃,但太執迷於類此的題材,只將自己困在「工人階級之寫實」的圈子。「自由電影」的導演們並非不知道自己的缺點,因此他們不久就轉變了目標,也所以,東尼李察遜會導《英烈傳》,約翰舒萊辛傑會導《冷暖晴天》。也許,這些作品還是失敗的,但能夠變,還是很有希望。卡里萊茲也衝出來了,《一代舞后》已經不再是《星期六晚上和星期日早晨》。

米蘭(一九六九年九月十日)

死神有很多種面目

　　電影裏邊常會出現死神。死神有很多種面目。電影碰到甚麼死神啦，鬼啦，星球人啦，就可以好好地發揮一下了，因為，這些東西，人們並沒有見過，只好看電影的想像力夠不夠豐富。

　　在電影裏邊，死神出現的機會很多，他們多半是人的形狀，但背負象徵的意義。英瑪褒曼的《第七封印》，裏邊就有死神。他的模樣像一名僧侶，身披黑袍，手持鐮刀。不過，這位死神居然肯和騎士在棋盤上討價還價。弗立茲朗格的《命運》中的死神，則是一位瘦老頭子，無可奈何地收集生命，向死亡局報到。高克多的《奧非》裏的死神，卻是一位又美麗又典雅的婦人，於是年青的詩人竟愛上了她。

　　如果一個人想得開，就知道死亡並不是一件恐怖的事，因此死神也沒有理由是一隻可怕的魔鬼。電影中雖然有時把死神描寫為髑骨（雷諾亞的《遊戲規則》就這樣，一場戲中戲的穿插，暗示悲劇的終場），但多半對死神描寫得很理智。死神常常是嚴肅的，冷靜的，智慧的，他還常常是人類的朋友，可愛的敵人。

　　《人生長恨水長東》中的死神，是很典型的，它代表權力，代表人類的命運，所以，人們無法逃避。通常電影中的死神穿黑的衣服。有時，死神沒有形狀，它們是一個陰影，一陣風。

　　《一代舞后》中也有死神，他身穿黑的衣服，駛着跑車。伊莎多拉第一眼看見他時就愛上他了，後來，死神的

車子飛過,幾乎叫伊莎多拉送了命。奇怪的是,伊莎多拉對他念念不忘,最後還坐到他的車上,讓頸際的圍巾纏緊了轉動的車輪。

《富貴浮雲》中的李察波頓角色,何嘗不是死神的化身。他也穿一身黑色的衣服,居然還配戴武士的劍。

死神多半沒有名字,像《一代舞后》中的神秘人物,伊莎多拉自己替他取了跑車的名字。死神又多年來無蹤去無跡,他們的出現像是偶然,卻又常是命定的。

許多時候,總是說,電影是一面鏡子,電影是我們的眼睛,因為它很能夠寫實,又能真正反映自然的樣貌。但電影之所以那麼叫人着迷,是因為它還能夠反映和表現其他。我們在街上走,怎麼會碰見如英瑪褒曼《第七封印》中僧侶的死神呢?我們明知「死神無處不在」,但看不見他。而電影,卻把他帶到我們面前來。

觀眾心目中的閻羅王大概就和古代唐太宗一個模樣，其實，若真要拍閻羅王的話，穿「蒙太居」，駕「愛快羅密歐」又有何不妥。

　　　　　　　　　　　　米蘭（一九六九年九月十一日）

雷奈回憶

　　阿倫雷奈最初的願望是想做一個演員，但是成績並不
理想。當時，法國電影學院剛好成立開課，阿倫雷奈立刻
報名入學，學習的科目是剪接。（他並沒有學導演，雖然，
現在的阿倫雷奈已經是名導演了。）我們看《廣島之戀》或
《去年在馬倫堡》時，對電影的時空交錯感到異常新奇和
驚訝，除了因為原著更貼〔近〕那個形式外，完全因為阿
倫雷奈是剪接出身的。把片段切碎然後連在一起是他的特
長。同樣的，我們看卡里萊茲的電影，如《一代舞后》，片
中的剪接也就夠我們仔細欣賞了，卡里萊茲也是剪接專長
著名的，他還著過一本書，叫《電影剪接技法》。

　　阿倫雷奈年青的時候，從來沒有夢想過要做一個導
演，但當他看了珍姐羅渣士和佛列雅士提的一些歌舞片
後，心中忽然就產生了強烈的拍片願望。珍姐羅渣士和佛
列雅士提的歌舞現在仍受到一般上的重視，我們看過《披
頭四黃色潛艇》的話，就知道電影裏邊有一大段迷幻舞蹈
的場面，完全是為了紀念他們兩個人。阿倫雷奈還想，將
來自己要是拍片，觀眾若感到一如看珍與佛的歌舞片一樣
被動作所吸引就好了。事實上，如今我們看阿倫雷奈的作
品，如《廣島之戀》，其中騎腳踏車的那些場面，就充滿了
歌舞片的動感和歡樂。

　　在巴黎拍片是件苦事，阿倫雷奈說。巴黎的街道上是
那麼擠迫，你根本沒法子找到空間。而且，在巴黎拍片，
工作人員可以晚上各自回家，第二天再回來，情緒總是不
大穩。離開巴黎到小鄉鎮去拍片最好了，一伙人全住在一

間旅店內，和家庭分隔一個時期，這樣，所有的人的精神都集中在電影上，工作速率也大大不同。他的《戰爭終結》是在巴黎拍的，所以拍得非常頭痛。以後，阿倫雷奈說，他不再在巴黎拍片了。

對於目前的法國電影，阿倫雷奈認為對音響上的注意還不夠，那就是指，影像勝過聲音。雷奈比較喜歡即場錄音，除非要配特別的音響，即場錄音的效果是最佳的。雷諾亞的《遊戲規則》，阿倫雷奈一共看過十五次，他甚至還把整片的音響用錄音帶錄起來，可見阿倫雷奈對於聲音方面比同輩的導演如高達，杜魯福他們還要敏感。這，我們看他的作品時也常常只迷惑於影像而會忽略了音響上的成就。很多人談《去年在馬倫堡》，只說那是時空交錯，意識流的影像呈現法，就是很少注意雷奈音響上的豐富性。

夏季號的《視與聽》上，有一篇阿倫雷奈的訪問記，由李察勞訪問和紀錄，看了那篇文章，使我們可以多了解一些這位新潮導演。原文長六頁，以上有幾段就是從訪問中選出來的。

米蘭（一九六九年九月十二日）

約翰法蘭根海瑪

法蘭根海瑪，有點像尊福和黑澤明，那是指，在選演員上有點像。尊福常常找尊榮演，黑澤明常常找三船敏郎演，而法蘭根海瑪，他則找畢蘭加士打。現在的《飛天英雄未了情》，又是法蘭根海瑪和畢蘭加士打合作。

在美國，電視派的導演也不少，法蘭根海瑪就是從電視出身開始當導演的。當時，和他一起在電視工作的人才可就多了，羅富尼爾遜啦（《畸人查里》的導演），薛尼盧密啦（《疑妻記》的導演），阿瑟潘啦（《雌雄大盜》的導演）都是法蘭根海瑪的同事，後來，全變了名導演。

法蘭根海瑪拍第一部劇情片時，受了很多氣。製片的要他二十五天完工，攝影師則說樣樣辦不到。法蘭根海瑪說：我要拍的這一鏡是深焦距的，攝影師則說沒辦法，打光又打大半天。結果，片子一塌糊塗，法蘭根海瑪一氣，又跑回電視去。那時，他發過誓，如果做導演沒有控制權，寧願不幹。現在，法蘭根海瑪當然不同，誰不照他的意思做，就要被炒魷魚。

一九六〇年，法蘭根海瑪得到朋友的幫忙，才開始重拍電影。主角就是畢蘭加士打。片名是《年青的野蠻人》。之後，法蘭根海瑪拍了《天牢長恨》。本來，他打算拍的是電視片，但監獄部門對電視說：如果你們這麼做，我們以後不和你們合作。於是，法蘭根海瑪把它拍成電影。拍鳥的是非常辛苦，因為鳥不是演員，並不聽話。

本來，法蘭根海瑪打算拍《珠光寶氣》，連劇本也編了一陣，但柯德莉夏萍不肯，她不要法蘭根海瑪執導，她說

她從沒有聽過法蘭根海瑪的名字，於是，導演就換了人。拍《脫胎換骨》，選演員很困難，原則上，演變了形的人的角色該由同一人來演，起初打算找羅蘭士奧里花演，可是羅蘭士奧里花的叫座力不夠強。馬龍白蘭度則拒演，最後，找到了洛克遜，洛克遜很坦白，他說，我怕演不好變形人，我的演技不夠好。法蘭根海瑪的最後決定是把前後兩個人分別由兩個人飾演，總算解決了。但小困難還是有的，洛克遜做甚麼都用左手，頭髮的分界也和約翰蘭道夫一樣。

　　法蘭根海瑪喜歡到歐洲去拍片，他認為那邊的工作人員較熱心。而且，他說：歐洲是一切的所在，高達，安東尼奧尼都在那邊（沒想到安東尼奧尼也會到美國拍一部片呢）。我希望可能的話，也湊一份數。這是很有趣的，美國自己的導演喜歡跑到歐洲去，歐洲的導演又紛紛跑到美國這邊，像波蘭斯基，他則說，美國很好，在美國拍片很順利。（取材自 SS）

米蘭（一九六九年九月十三日）

藝術家的破碎肖像

看「傳記」片，常有一種看舊相簿的感覺，而且是本殘缺不全的相簿，而且是些殘缺不全的相片。基傑華拉在我心目中是一個非常傳奇的人物，但一看電影之後，覺得這個奧馬沙里夫絕對不是基。同樣的，看完《一代舞后》後，也覺得雲妮莎列格里芙無論如何不是依莎杜拉鄧肯，原來的人物。這兩個演員外表酷肖，但給人的印象〔，〕明星終究是明星，一個沒有怪傑味道，一個又不像舞后。

以前看蕭邦的傳記片，有的也不外是誇張蕭邦和喬治桑的戀愛，至於蕭邦本人，他的藝術成就，稀薄得可憐。《一代舞后》又是這樣，好一幅卡里萊茲以光線砌成的藝術家〔的〕破碎肖像。

我想，把依莎杜拉搬上銀幕可好了，電影大概會讓她在希臘的群山間奔跑飛揚，也許會讓她接〔着逕〕自在圓形劇場中旋舞起來，即使沒有，那麼讓她做那些夢。卡里萊茲甚麼也沒有給我們，即使是那些美麗的夢。還有羅丹的雕刻，羅丹自己，在哪裏？

卡里萊茲以剪輯著名，這部電影，他剪接了很多細碎的場面，而且又不時插敍插敍插敍，尤其是一些舞蹈場面，動作接動作，舞蹈接舞蹈，是出色的，不過，除了導演自己，片商動了很多剪刀，就把卡里萊茲原來的破碎肖像剪得更碎裂了。

黑與紅，很強烈的對比色，出落得像恐怖片的調子，其實，橙色更適合依莎杜拉。並不是每一個人都知道誰是依莎杜拉，所以，當她焚燒父母的結婚證書時，真以為她

是神經兮兮的卡蘿。

人們用結婚來維繫愛情，這是何等虛假的一個騙局。依莎杜拉知道甚麼是愛。而且她明白，愛就是那麼的一剎那，像一個舞蹈的姿勢。當一剎那的愛火光般閃亮之後，愛就熄了，熄了的愛，用結婚是補不起來的。依莎杜拉永遠活在新鮮的愛裏，而且不像現在的很多人，既然敢於去愛，又不敢於去不愛。

依莎杜拉的母親，鋼琴彈得極好的一個婦人，但對於懷孕的女兒竟埋怨起來，藝術家和藝術家，也是水火不能相容的，難怪很多人看不慣黃吉霖現在的樣子。啊，年青人，他們有他們的天地。

電影裏的兩個小孩子，天使一般地可愛，他們老是重現在回憶的汽車小窗子裏，卡里萊茲對於處理小窗框是游刃有餘的，但掌舵這麼「壯觀」的一個傳記，他着實是不甚討好。重要的是，依莎杜拉值得被搬上銀幕的條件很豐富，如今被傳達過來的竟側重在些花絮逸聞。

西西（一九六九年九月十四日）

《星島晚報》「特稿」

笑裏藏色刀

《滿天神佛》是拍給誰看的呢。

絕不是為了拍給老太婆看。因為《滿天神佛》又不是「胡不歸」，既沒有家婆，也沒有媳婦。「胡不歸」式的悲喜劇，以前是最風行的了，婆婆們都是無上權威的人物，媳婦們都是一條條蟲，所以，見到白燕和南紅那種又乖又賢淑的樣子，做家婆的就威風八面得〔像〕西太后一般。但《滿天神佛》不是這種電影，而且，老太婆們又都坐在家裏看電視，討論一下，如果娶陳寶珠這樣的女孩子做媳婦大概很不錯之類的問題。

《滿天神佛》也不是拍給小孩子看的。因為《滿天神佛》又不是「黃飛鴻」。粵語片雖然拍不出外國片的占士邦，但如來神掌，無影腳同樣一派武林高手的姿態，小孩子看了，會長自己志氣不已。《滿天神佛》不過有一場唏哩嘩啦的滑稽式打鬥，對象不是小孩子。

《滿天神佛》當然也不是拍給女傭英姐看的。因為這部片又不是大鑼大鼓，而且沒有任劍輝。而且，小孩子都坐到電視機前面的了，女傭也都坐到電視機前面去了。

《滿天神佛》當然一定不是拍給工廠小女孩和書院小女學生看的，因為此片又不是唱歌跳舞，青春活潑，而且又沒有蕭芳芳或陳寶珠。

粵語片的導演在尋找觀眾上頗費心力，大家都在自忖，拍些甚麼片，給甚麼觀眾看。有的導演於是拍些電影給中學生看，《滿天神佛》又不是，因為中學生自然讀過一些小說，看過一下狄更斯或羅曼羅蘭，文藝氣息不怎麼稀

478

薄，《滿天神佛》在這方面完全是欠奉的。那麼，《滿天神佛》是拍給甚麼人看的呢？它原來是在搶一些「十七歲到七十歲的男人都喜歡」的觀眾。它尋求的觀眾就是一些喜歡女人肉體多過一切的男人，和一些腦子裏滿腔意淫念頭的鹹濕□□。《滿天神佛》居然想辦法找到□□觀眾，□□裏邊三番四次誇張女人的胴體，又着意啟示色情觀念，比《人鬼狐》還要不堪入目。

電影倒是拍得輕輕鬆鬆的，電單車會上樓梯，的是夠格又糊滿了招點畫，但一個電影，技巧算得了甚麼，如果主題殊不健康，影片的缺乏「商業道德」，失去「良知的心靈」，賺再多的錢也沒有光彩。比起來，羅馬的《紅燈綠燈》，雖然技不如人，但從各方面來看，導演的藝術良心和拍片誠意都是值得我們敬仰的。

不知道還有多少《滿天神佛》會來，這部片實在不好。嘻嘻哈哈的電影本來是不錯的，但《滿天神佛》笑裏藏的一把刀，不幸是長在色字頭上。

西西（一九六九年九月十六日）

法國一製片

　　彼亞布倫貝格之名字當然比不上阿倫雷奈，杜魯福他們的響亮，不過，他也和法國女製片美寶達一樣，是這些導演背後的有力支柱。小時候，布倫貝格是個影迷，到了大學畢業，他的醫生父親給他一筆錢，由他到外國去旅行三個月，三個月哪裏夠呢，布倫貝格一去竟去了英國十四個月，又上德國住了六個月，在美國又生活了兩年，當他打從美國回法國老家時，在歸途上碰到雷諾亞，他立刻就支持雷諾亞拍第一部劇情長片，以後，他還是雷諾亞四部片的製片人。

　　布倫貝格認為製片有兩大類型。其一是製片人的電影，他去找題材，幫助搞劇本，自己選導演和演員。其二是作者的電影，或是導演的電影。他不會給導演全部的自由，但在拍攝時，銀幕框內的表現方式絕不過問。譬如說，高達的《賴活》，是布倫貝格為製片人，他和高達一起通過題材，段落，預算之後，就由得高達去拍。本來高達預算拍五個星期，但實際上時間沒到已經完成，有時候高達整日不拍，卻在構思，布倫貝格一點也不擔心，因為高達靈感一到，兩個鐘頭可以拍完一段。事實上，該片的純利高達所佔的並不少，布倫貝格的製片完全自己掏錢出來，所以在他，經濟問題還是大前提。杜魯福在拍《四百擊》前就要拍別的片子，但成本太貴，布倫貝格付不起，事實上，就算杜魯福的岳父大人也付不起。高達的最初三部短片是布氏製片，但他拒絕製《小兵》，因為怕會遭禁，雖然他喜歡那故事。《一個女人就是一個女人》成本

約一百五十萬港幣，布倫貝格認為太貴，而且題材不合他的胃口。再說由於布倫貝格是自資製片，片沒製要先找發行人，發行人總是要甚麼大明星，大明星又要自己特選的攝影師，這些高達也不會接受。《賴活》的製片費不過折合四十多萬港幣，還得了威尼斯獎。布倫貝格和高達合作得很愉快，高達拍片快而且出色，這是任何製片人最感到欣慰的，高達拍外景時從來不再加工，而且高達自己要甚麼就拍甚麼，絕不理別人的評論。杜魯福剛好相反，杜魯福重視影評人的批評，因此好像是為了別人拍電影。新潮的一群人中，布倫貝格做過多部片的製片，他認為阿倫雷諾最花錢，他的電影刻意求工，一點不滿意就再拍，成績雖好，但成本昂貴。雷治巴哈則是靈感派，隨時改變自己的意思，有一次，他出席倫敦影展，某夜靈感一到，竟一聲不響跑回法國立刻開拍電影去了。他拍起電影來用很多菲林，然後剪得飛沙走石，剩下一點兒，但成績也總是很好，布倫貝格本來自己想做導演，但一試之下，知道不是材料，就乾脆做製片，竟幫了新潮導演很多忙。

米蘭（一九六九年九月十七日）

一輛怪誕的車子

　　起用黑人男女主角，在外國電影圈中，很少有這樣的情形。很多的電影中有黑人，但他們常常演女僕，奴隸，即使《金龜婿》，也是因黑人和白人的戀愛問題引起了糾紛。《俏傭與我》是一個例外。演主角的男和女竟然都是黑人。其實，既然有這麼好的機會，薛尼波達應該想一個好的題材來拍才是，可惜，整個電影想表現些甚麼也叫人看了莫名其妙。看《俏傭與我》，心裏面一直想着《人生長恨水長東》，那兩個人，也是黑皮膚的，但看到後來，沒有人會記得人類有各種顏色，只覺得銀幕上的一對戀人，愛得那麼真，那麼純，故事是那麼地淒涼。

　　拍電影應該是這樣的，像《人生長恨水長東》裏邊的兩個人物，他們並沒有計較自己是黑人，他們活得和任何人一樣，因為他們仍是人。觀眾因此也把他們當作人一般看待，不拿他們的黑白等的皮膚放在腦子裏。但《俏傭與我》不這樣，主角好像不停在提示觀眾：「我是黑人」。是黑人又怎樣？電影能不能夠找一個更好的故事來表現呢？電影只有好壞的分別，沒有白人或黑人的分別。

　　《俏傭與我》應該是一個純樸一些的故事，譬如說，單寫女傭和薛尼波達的一段戀愛，那多好，因為開始的時候電影是這樣起始的。香港人對女傭這問題感到最為關心，所以，序場中女傭要辭工所提起來的問題，很能夠發展成一部劇力不弱的電影。一個女傭要辭工了，主人是捨不得她走的，主人需要她，於是想盡辦法留她，但女傭呢？她是一個人，難道甘心做一生一世的女傭。像這樣的開始，

很好。（國語片值得拍一部這樣的電影，繼續發展下去。）可是，片子出了一個薛尼波達，就變歪了，一個很不錯的女傭竟然碰到了一個幹邪門生意的壞蛋。最後還要怪，這名壞蛋居然突然好心起來，又沒有受到法律的制裁。好像只要他是男主角，就是必然的正面英雄人物。

薛尼波達當影帝，很使人啼笑皆非，這個人哪裏會演戲，電影中兩個小伙子演得比他優秀十倍以上。薛尼波達常常把大動作小動作耍十八般武藝一般耍出來，反而演艾薇的阿比林肯演得生動且自然。

有些電影看了使人發悶。很多人看《一代舞后》叫悶，又有人看《冤獄酷刑》看得悶，那些電影倒真的會看得人不耐煩，但是《俏傭與我》這樣的電影才叫人悶得慌，它其實是部娛樂片，如果學《畢業生》那般，拍一段戀愛，乾乾淨淨的，豈不乾脆，現在則拖泥帶水。

《俏傭與我》應該是一部輕巧的汽車，但現在變了大貨車，要命的是，它還是個拖着一個大車卡的怪物。

西西（一九六九年九月十八日）

戶外的友誼

看《雙雄決鬥太平洋》時，覺得這個電影甚似《老人與海》。三船敏郎或李馬榮，其中任何一個可以是老人，又可以是魚。結果，魚是捉到了，但回到家時，魚又只剩下了一副骨骼。

當然，最後的另外一個島上，電影忽然變了調子，兩個人的鬍子居然剃得那麼乾淨，一本《生活》雜誌和一幅女人的肖像，加上一枚炮彈，加上甚麼信不信神，就把故事終結了。起初，整個電影拍得很好，就是這最後的一場，戲劇化了些，勉強了些，草草收場了些。不錯，約翰波爾曼本來的收場也不外是兩人分了手，各走各路，但那一段吵嘴，表現得着實不精彩。好像兩個人一直不知對方是「敵人」，而忽然就發現了似的，其實，兩個人不是一直在互相折磨，自求生路麼。

起初，整個電影拍得很好。那是指，木筏漂流之前。兩個人在一個小島上，有甚麼可以拍呢？就像一部《砂丘女》，被困在砂圍裏，也應該沒有甚麼可以拍。但《砂丘女》還有外界的接應，又有一段段的回憶。《雙雄決鬥太平洋》就甚麼也沒有了，既沒有回憶，也沒有夢想，有的都是最現實的短兵相接，有的就是導演心目中一次剎那的聯念。（兩個人第一次相遇時，特寫眼，打一場，又特寫眼，又打一場。）

因為描寫的只是兩個人，既沒有說他們懷念父母，妻子兒女等，又不回溯他們如何打仗，如何逃生，於是，影像就集中在境況上，一個荒島上的境況。在這方面，導演

的表現是出色的。求生的方法是結網求魚，聚葉取水。消遣的方法是耕闢田園，靜觀爬蟲。林中的雨景，樹葉的綠蔭，都拍得非常美麗，配上鳥語，蟲聲，海濤聲，把整〔個〕小島的面貌全刻劃出來了。

　　三船敏郎的名字排在李馬榮的前面，也許這不外是一次謙讓，算起來，三船敏郎的角色是一名海軍軍官，卻演得像一名小丑，如果他穩定得〔像〕山一般（就像英國死硬派軍官那樣），對比起活潑好動的李馬榮，就會生色了。李馬榮在觀眾的眼中還是不折不扣的李馬榮，但三船敏郎，似乎變了另外一個人。照這片來看，美國人又佔盡上風，《雙雄決鬥太平洋》不過才兩個人，但英雄人物的面譜，又長在李馬榮的臉上。這就是為甚麼很少人真正能夠拍一部瀟瀟漂亮公正堂皇的電影的緣故，因為在某些導演的心目中，人還是有很多種等級的。國家也還是有很多種等級的。這個電影的收場拍得不好，但意義卻不差，它指出了一點：友誼是在戶外的，一旦進入屋子，大家就被迫要面對面了。

西西（一九六九年九月十九日）

導演的電影

　　要是大家注意一下影評的話，就會發覺有一批「談電影」的朋友特別喜歡提到導演。譬如說，《青樓紅杏》上演，大家總要提起布紐爾；《冷血驚魂》上演，大家又提到波蘭斯基。以前，談電影的時候，最多不外是說故事好不好，有否人情味，主題正不正確，然後就說演員的演技出色不出色。但最近的幾年來，大家不約而同談及導演，而且總是指出以前的一些電影來比較。「談電影」的朋友所以會這樣，那是受了「作者論」的影響。

　　「作者論」當然有它的缺點，但也有它的優點。譬如說，一部電影上映，拍得好不好自然可以孤立了來看，但問題是這樣，如果每一個導演只拍一部電影，大家就只針對唯一的一部來談，事實上，一般的導演都拍不少影片，這時，我們不得不拿其中的一部來和其他的比較一下。導演總有他自己的一套拍電影的方法，表現自己思想〔的〕方法，和別人的並不相同，於是研究一個導演的其他作品來了解他的近作，是值得實行的。而且，這是「作者論」最可取的地方。

　　有時候，一個導演要表現的題材，可能在一部片中沒有發揮透徹，於是，在某一部作品中連續下去。有的導演的作品〔是〕連扣式的，用幾部電影來分別闡釋自己的意思，而且導演們多半有他們自己的「語言」，這，都是要長期的觀察，多看多想，才能領悟出來。「作者論」要求一個談電影的人在研究某一導演時，看盡他的作品，整個來評審，而不是把一部影片孤立起來。在香港，一個談電影的

人很少有機會對某一導演有甚麼特別的心得，一來，這裏所看的電影有限（既沒電影圖書館，也沒有完整的導演作品可以追索），因此，要是談高克多，能談多少呢？我們沒有把高克多全部的作品都看過。至於為甚麼談波蘭斯基那麼熱鬧，是因為波蘭斯基一共有五部劇情片，各人應該都看過了。其他的導演，大家只能靠咪書，這是最沒有辦法的辦法。

用「作者論」來談電影，介紹一些名導演是適當不過的。譬如說，《青樓紅杏》上演了，要不是看過布紐爾以前的作品，怎麼知道他在電影中愛用動物，鈴聲，及超現實的鏡頭？如果不是看了《青樓紅杏》的上一部影片《沙漠上的西門》，又知道下一部是《銀河》，怎麼會假設布紐爾又在那裏向宗教發炮。

目前，大家還找不到更適合的理論來支持電影的「談」，外國新興的是用記號學，但這也還待研究，說不定過幾年，大家就用記號學來談電影了，現在，則還是「作者論」的時刻。

米蘭（一九六九年九月二十日）

餐桌上的戰爭

電影裏邊反映戰爭的題材很多,《碧血長天》,《英烈傳》等等都是。很多導演在拍這些電影的時候,都會說:我這部片是反戰的。反戰於是成了標語。哪一個導演敢說自己的電影是煽動戰爭的呢。戰事片我們看過不少,照電影的製作人來說,他們要拍這些電影,是告訴大家:戰爭是可怕的,愚昧的,殘暴的,大家不要打仗了吧。可惜,當電影到了觀眾的面前,觀眾看到的是電影如何刻劃可怕〔,〕愚昧和殘暴,就不見有強調不要打仗的訊息。所以,看戰事片的時候不禁要想,這些電影真是非常差勁的和平廣告。別人一隻甚麼香煙,在電視上買了一陣廣告,銷路真的會好起來,但電影呢?戰事片自「表現主義」那個時期拍到現在,世界各地還不是照樣在打仗。情況不但沒有好,而且還越來越糟。

戰事片並非沒有指出戰爭之荒謬和分析其構成因素,有的戰事片指出戰爭是少數軍官在玩把戲,或者是政治家在比賽,但電影誇張的則是槍炮的巨響,兵士的列陣。

克里夫杜能,《新潮放蕩男女》的導演,拍了《阿爾佛列大帝》。他說:這是一部反戰片,反映出到底是甚麼形成戰爭。克里夫杜能特別強調的,並非甚麼政治家,經濟學家在那裏操縱戰爭,而是人們自己。因為暴力本來是人類的天性。因此,如果我們看《阿爾佛列大帝》的時候,能夠接獲到一些克里夫杜能的訊息是好的。他認為:人們應該了解,戰爭之形成,是因為暴力是人的天性。人們不應該把暴力帶到戰場上去,而該把它們轉移到畫布上或琴鍵

上，轉移到創作上去。

　　同樣的，電影裏邊描寫性時總是誇張慾而不是愛，「食色性也」，即是人類的天性，電影也應該啟示一面正確的路標。

　　《藝海生涯原是夢》的導演，成名的作品是一部紀錄片《戰爭遊戲》，有人覺得那是一輯《廣島之戀》新聞片的再造。在《戰爭遊戲》中，彼得華健士很寫實地暴露了戰爭留下的傷痕，但問題〔是〕，這不外指出戰爭是可怕的，至於暴力是人類的天性又該如何處理。彼得華健士並非沒有考慮到這一點，他最近導的《鬥士》已經對戰爭有了新的建議。在《鬥士》中，國家與國家不再大規模地展開戰爭，而是選一些人（頗像太空人），在必要時代表國家去比武。這部電影可以說在反戰上表現得十分前衛。事實上，到了將來，國與國之間實在無須打仗，要是政治家要比武，軍官們要玩把戲，他們很可以在餐桌上下一盤棋，到哥爾夫球場上去決個勝負。

　　　　　　　　　　米蘭（一九六九年九月二十二日）

波爾曼的《敵人》

約翰波爾曼導演過《急先鋒奪命槍》，使大家對他另眼相看。不久前，本港上映的波爾曼的另一部作品，名叫《雙雄決鬥太平洋》。該片的英文名是《太平洋中之地獄》，但原名則為《敵人》。

《敵人》這個片名和內容極為配合，因為整個電影描寫的也只有兩個人，一個是李馬榮，一個則是三船敏郎，電影就圍繞着這兩個人發展，刻劃彼此之間的仇恨。本來，這兩個人無恨無仇，彼此陌生，但戰爭把他們牽連在一起，成了「敵人」。

約翰波爾曼這個電影不但改了片名，連結局也變了樣，因此，同樣一部《雙雄決鬥太平洋》在美國放映的就和在英國放映的已經不同了。在美國上映的拷貝，結局是照導演原來意思，兩個人終於分手了，彼此雖互相尊敬，但他們認知到他們之間的友誼是無法成立的，因為戰爭逼使他們要成為「敵人」。在英國上演的拷貝，則當李馬榮和三船敏郎重燃敵意時，一枚炮彈就在他們身旁爆開了。

據約翰波爾曼自己的說法，他這《敵人》的主題是取自艾略特的〈空洞的人〉的。他認為世界終結時，將是嗚咽一片，而不是砰聲四起，而《敵人》的終結同樣是那一般。可是，要是一枚炸彈爆開的話，電影的結局則是砰聲四起，和他原來的意思並不相符。不錯，不論是哪一個終場，李馬榮和三船敏郎的交誼還是被外界的力量推開了，這和電影原意並不背道，只是，對導演表現的意境卻損害了不少。

《敵人》是約翰波爾曼的第三部劇情片，目前，波氏正在倫敦拍他的第四部，《末代里奧》。他把整條街道都塗上了黑色，活像五百方碼內被核彈焚焦了一般。電影用的是彩色攝影，但主要的色調是黑、白和灰。故事是描寫未來的一位末代皇族里奧王子，主角則是馬思杜安尼。值得注意的倒是原著人佐治塔保里，他就是《雲雨巫山數落紅》的同一作者。但同樣的，波爾曼和編劇在改編上是相當自由的，他們可以加減內容，隨意取捨角色，重要的還是着重原著精神的保留。

　　今日的英國電影，雖然沒有出現過像安東尼奧尼，高達般的導演，但來自電視的青年導演們都是朝氣蓬勃的，而且，這些青年電視派導演，很能把鏡頭對準時下的英國社會，且以一種紀錄片的手法來寫生。約翰波爾曼正是其中的一份子。他着意刻劃文化上的空洞，和約翰舒萊辛傑的風格最相近。（取材自 SS 及 FF）

米蘭（一九六九年九月二十三日）

491

《董夫人》這驛站

應該明白，《董夫人》並不是甚麼駭世的傑作。它之所以成功，是因為唐書璇實現了無數熱愛的工作者期望者的一個美麗理想。我們明知中國電影可以拍得好，而且知道這正是時候，我們在焦急地等待，而《董夫人》來了。要拍一部「新」電影，沒有人值得再去向大製片公司求乞。幾個有志趣的人，懂一點兒電影，籌一筆錢，找一些朋友，編一個好的劇本，照自己的意思，拍黑白的菲林，小小的銀幕，請好的攝影師，配好的音樂，選簡單的題材，描寫感情的層次而不是述說流水的故事，然後，記着黑澤明和聖泰也哲雷的教訓，表現我們中國。中國的心靈，中國的精神。許多人在嘗試和努力，《董夫人》也是其中之一。

我們知道自己力不從心。誰也沒有奢望泥土上忽然站幾位大師，山石裏爆幾部大作品出來。我們只是想，慢慢的開始吧，最重要的是：方向。因此，當我們看《董夫人》時我們會說：該這樣走，我們已經有了很好的開始。其實，《破曉時分》又何嘗不是這樣。照這樣看，中國電影的確是在起步了。所以，看《董夫人》，感到歡樂的絕不是那些照明如何燦爛，而是因為有人和我們同樣在想，而且在做，而且做了出來。《董夫人》給了正在衝刺的電影工作者以最大的鼓舞。

唐書璇知道，拍一部電影，攝影，音響，演技，氣氛，感情的傳遞，人物的移動位置，都不可以隨隨便便不用腦去思想。因此在這方面，《董夫人》是拍得非常用心

的。場與場之間的縫合是那麼柔和，鏡與鏡之間又轉接得很仔細。畫面的空間有它們自己的重量，但唐書璇不免是在那裏膽怯怯地重複別人的陳舊「電影語言」。而這，正是中國電影該努力□說的。事實上，複雜的疊印，□□的接□□在這麼經典的作品中終竟〔毫不〕怎麼相配。不錯，像這樣的□□寫景電影，影像的豐富是導演着意經營的，〔但冷〕冷的，嚴厲〔直截〕的〔鏡頭〕可以使它成為一種風格。

從《董夫人》，我們很難否認，目前的所謂拍「中國電影」，似乎是指「古董電影」，而且是在那裏斤斤計較於向外國展覽我們的文化，因此，凡是提到「中國電影」，聯想的不外是花轎，□□，〔鼓樂〕，人力車，禪，等等。而這些，我們又能展覽多久呢？商業電影在討好觀眾，「中國電影」在討好外方人。其實，「中國電影」該走的路宜寬闊些，難道我們把自己的天〔窗全部〕敞開，只為了換取些影展的喝彩聲。「中國電影」要是不關心我們自己，即使得到來自月球的鼓掌，也不外是空洞的榮譽。

西西（一九六九年九月二十四日）

燦爛的庭院景色

電影裏邊的花園，常常是在戶內的，本來，院落，天井，小圈子，這些場地總是露天的，雨水從天而降，晴天時則陽光燦爛。但是，拍電影的時候，為了便利工作起見，不少的院子，花園都搭在片場的攝影棚裏。於是，戶外的花園就被關在戶內了。戶外的花園和戶內的花園有很大的分別，並不是在〔花〕草樹木假得很，而是光線不像樣。拍電影的時候，如果拍到男女主角在花園內奔跑拍照，燈光最難的，試想想，在密封的攝影棚裏，所有的燈光都是人工的光線，但拍出來的景色，卻要像在戶外。晴朗的天色下陽光燦爛，這是很難拍得逼真的。

同樣是一個戶內的小院子，如果電影中分為日景與夜景，照明的燈色就要打出不同的光線層次來，一般上，夜晚的光較容易，因為片場內本來就陰陰暗暗的，但白晝就難多了，別說戶內的，即便在戶外，陽光也不一定很易控制。電影的照明是一項很大的學問，對一部電影的影響也很深。通常，我們說一部片拍得美麗，其中，光線控制得宜佔了很大的因素。最近，看《董夫人》時，覺得照明實在出色，電影中有些場是在院落中賞月，時間方面有夜晚，並有白晝，夜晚的調子灰濛濛的，但月色皎潔，燈籠白燦燦的，很有氣氛。隨着拍的則是院落中的日景，一群人圍着桌子坐，這時，光線異常奪目，給人一種陽光底下的感覺，觀眾會覺得，這景象就像真的是白天，太陽從演員的頭上照下來一般。事實上，這場戲是在攝影棚拍的，因此，光線之明艷，果然令人佩服。《董夫人》的攝影師之

一是著名的印度名家，他自己創造一種粗陋的照明工具：用一隻木箱，裏面釘滿了燈泡，於是一亮光的時候，光線就整排整箱地放射出來，光度□□，但又可以隨意增減。現在，看了電影，就知道的確不錯。

唐書璇《董夫人》裏邊的導技，頗多是受新潮的影響，看來令人覺得這部片多少有點《畢業生》那種把玩技法的心思。《畢業生》是電影技法一次輕鬆佻皮的表演，《董夫人》則着重在用新潮導演的手法描寫主角的心境。像特寫手捉蟋蟀，實在是《廣島之戀》，阿倫雷奈式的自由聯想〔插〕鏡，殺了雞奔跑了一段路後的凝鏡則是杜魯福最愛用的技法，《四百擊》的最後一鏡即是如此。至於董夫人在門邊無數次重複超現實地走〔離〕，則是娃達《幸福》中女主角死後的淒涼情景。不錯，唐書璇用這些技法是着意於表現主角的內在感受。在我們中國人眼中，唐書璇在模仿的階段中的確賦予中國電影以新意，但在國際上，她不過是在別人背後走，即使不模仿人家，水準也只達到十年前新潮勃興那個階段吧了。

米蘭（一九六九年九月二十五日）

里奧嘉賓

巴西的里奧熱內盧四年前舉行過一次影展，今年舉行的是第二屆。主辦的人決定以後每隔一年舉行一次。說起來，其實今年里奧也沒有人想到要辦甚麼電影節，忽然一下子就決定了，於是匆匆忙忙打電報去約嘉賓前來，又約電影參展，結果，有些電影還是趕不上。

法國拉了一個大隊來慶賀，隊員是晏利柯，利勞殊，積狄雷，尚路易杜利亭南兩夫妻等。美國來的則有史登堡（他是判選員之一），法列茲朗格，基亞杜里，尊非立羅，伊維明媚奧。波蘭斯基也以明星身份出席（他的太太那時還沒有遇害）。於是，一時倒也星光熠熠。

除了競選角逐的影片外，這次的里奧影展特別舉行一個科學幻想片回顧展，電影包括有《二○○一年太空漫遊》和法列茲朗格的名作《大都會》。另外還有非競選的作品展出，影展以《新苦海孤雛》開始，以《冬獅》結局，該兩片都是英國的展而不競的電影。

高達的《一加一》也是展品之一，這部片名字已改為《同情魔鬼》。在場的觀眾一面看一面分為兩派，一派擁一派反，情況甚為熱鬧。影展的最佳電影為阿根廷的《馬田菲阿羅》所得，最佳導演則是《滿池春色》的積狄雷。出盡風頭的人物是《玉女春色》女主角珍妮韋埃芙惠特（她在場），但是最佳女主角還是落在《魔鬼怪嬰》的米亞花露手上。里奧影展的觀眾對嚴肅的影片並無好感，他們對羅西的《雲雨巫山數落紅》和柏索里尼的《第奧里瑪》非常冷淡，但對《玉女春色》和《隔牆有眼》則看得津津有味。

由於所有參展的影片都配葡語字幕，可能由於這樣，使日本，波蘭和匈牙利都把片收回。捷克並沒有派片參加，一來可能是通知的時間太遲，二來則因為蘇聯有一部片參展，所以捷克便退出了。

意大利本來的好片如林，但參展的竟是水準不堪看的電影，一部是第昔加的《淚灑相思地》，另一部是《阿巫比》，由域多利奧加士曼主演。叫人很失望。至於南斯拉夫和波蘭參加的兩部都頗受歡迎。對於里奧影展感到最不滿的則是巴西的新潮青年導演，因為他們並沒有一部作品展出，大會則認為這些作品不夠資格登大雅之堂。不過，在影展期間，當嘉賓們在大酒店閒逸地喝下午茶時，法國的代表則去邀他〔們〕聊天，約他們把影片拿到法國去放映，一位法國導演則打算在巴西拍一部片，請他們幫一個忙。看來，新潮和新潮還是比較談得來。

利勞殊的近作《生命、愛情和死亡》所得的評價甚差，影評人認為他是被高估了的導演，不過只有三板斧而已。

（取材自 FF）

米蘭（一九六九年九月二十七日）

約翰西蒙的影評信條

約翰西蒙自己是一名影評人。他認為作為一個影評人，有三大條件及三大責任。

首先，一個良好的影評人應該是一名老師。他認為，我們的教育的漏洞是竟有終結的。一個人離開了學校，書本就全合上了，很多人不再求知不再學習，甚至把已學的也漸漸忘去。因此，影評人就是一名新的老師，熱心且誠懇地引導我們去思想，去寬闊視野。良好的評論帶領大家去思想，去感覺，去反應。

其次，良好的影評人該是一名藝術家。影評本身乃是藝術品。一個藝術家會接納評論人的友誼，是在他認知到評論人本身也是追隨藝術的一份子。他們不是敵人。王爾德稱評論是「創作中的創作」，是創作中的純品。

然後，良好的影評人應該是思想家。王爾德又曾說過，評論的最高層次是個人靈魂的紀錄。換言之，影評人必須有一己的世界觀，有他個人的道德立場。一件作品比另一件較佳或較差，當我們作評判時，已經是站在某一個立場上來看。而且美學即是藝術的道德。

良好影評人的第一個責任是要去認知，在喜劇與悲劇之間的分別是很淺的，但好作品與壞作品的分別則很深。一個影評人對一部電影的看法，不該認為娛樂即是最終的目的，這並不是指影評人該拒絕去看娛樂電影，事實上，真正的娛樂品不會沒有藝術性，同樣的，真正的藝術品也不會把人悶倒。在阿里士多德那個時代，值得一提的戲劇家其實不過半打，但阿氏一樣著述了精警的戲劇評論。

良好影評人的第二個責任是要認知電影形式中固有的困難。藝術有簡單與複雜之分。小說，基於文字，繪畫，基於影像，都是簡單的藝術，而芭蕾，歌劇，電影〔，〕則是複雜的藝術。但其間並沒有價值的區分，並不是說複雜就比簡單出色。對複雜的藝術品作評論是困難重重的，像電影，有視與聲兩方面，影評人必須明白它們是等量的。理想的影評人因此要懂電影，文學，演技，繪畫，雕刻，音樂，舞蹈，並且懂得外國語言方言〔，〕越多越好。但一個人有這資格嗎？艾略特對一個評論者的要求是「非常智慧」，那時，他還沒把影評人計算在內。如果他把影評人也算在一起的話，他可能會說，要「非常非常智慧」了。

　　良好影評人的第三個責任是要提高電影的水準。因此對於一些電影，愛那些好的，恨那些壞的。不溺愛不姑息。

　　總括來說，約翰西蒙對一個影評人的要求是：寫詩一般風格的文字，思想機智聰慧，加上要有個人的觀點。影評人該是有一己觀點的詩人和智者。

米蘭（一九六九年九月二十八日）

電影在書本上

有的電影是改編自小說的，像《苦海孤雛》，《異鄉人》。有的小說則改編自電影，像《安德魯狗》，《槍兵》。我們可以看了小說再去看電影，又可以看了電影再去看小說。

看了小說的時候去看電影，老是覺得電影裏邊少了很多情節，像《紅樓夢》或者《冷暖晴天》，甚至《一代舞后》，就覺得電影所講的太少。反過來說，看完電影看小說，就覺得書本果然詳細得多，對白也全出來了，只是，人物到底不夠銀幕上的生動，而且碰上史各得那種小說，描寫衣服傢俱的文字，就看得要睡大覺。

現在的電影，有的頗深奧，看一次看不盡，即使多看幾次，也覺得還漏了很多，這時候，找原來的書本來看是最適當的了。香港最近可以買得的幾種「口袋書」，不少是和電影有關的，可以找來看。

《二○○一年太空漫遊》就不錯，看電影的時候，覺得這部片有些片段很古怪，看看書，就了解了不少。這本書的好處是文字很淺，決不是甚麼科學名詞專書。電影裏邊那些對白要是記不清楚，書本裏都印齊了。當然，看這書本，就沒有看電影時那種驚訝神奇感覺，而且，書本並沒有音響效果可以身歷其境一番。（五先令）

《披頭四黃色潛艇》也出了一本小小的書，這本其實不是小說，而是一本圖畫書，而且是彩色印刷，非常美麗。因為電影本來就是動畫，這本小書也以圖畫為主，文字較少。看了這本書才知道，電影裏邊那個「虛無人」原來竟

失了蹤，書的後面還登了一段「尋人廣告」，叫大家見到了「虛無人」馬上通知黃色潛艇。（九角五分美元）

《戰爭遊戲》是彼得華健士的一部紀錄片，本來是電視片，為英國廣播公司所禁。但該片出席過紐約影展，獲得一致好評。《村聲》給它的評語是：有史以來最有力的反戰電影之一。觀眾中有人真的哭起來。這本書也是以圖片佔優的小冊子，但卻是黑白的。彼得華健士是英國電視派導演健將之一，因為《戰爭遊戲》一片成名，才有機會執導《藝海生涯原是夢》。（九角五分美元）

安東尼奧尼的《迷情》是值得購買的，該書內容異常豐富，它不但是電影的分鏡劇本，還刊登了導演的訪問，附錄名家的影評，看了之後，對該片的認識加深了，對導演拍片的情況了解得更清楚。電影中對原劇本的增刪也描述得很詳細，在認識一部電影來說，是頗重要的。這本書是四本書中最值得購買的了，其次則是《戰爭遊戲》。因為它們本身已經寄〔存〕於一部電影，而且也有保留的價值。（一元九角美元）

米蘭（一九六九年九月三十日）

501

寂寞武士生涯

梅維爾說：警察局長就是代表命運。所以，阿倫狄龍的謝夫逃不過命運的掌心。當他第一次從居所中出來，循例冷冷地穿上雨衣戴上氈帽，又用手指在帽沿滑過，街上已經有一名警察在那裏了。命運站在一邊守候，謝夫試一串鎖匙，開了車子走了。

謝夫在開場的時候，躺在床上。梅維爾說，一開場的時候「獨行殺手」已經「躺下了」。他其實已經被命定步向死亡。我們細細地看那一間房間吧，陰陰暗暗的，空空洞洞的〔，〕死氣沉沉的，而且它像一個圓形的巨罩，不斷壓下來，其實，那是一個墳墓。

房間裏邊，正中是桌子上的鳥籠，「獨行殺手」被困在一個籠裏，他是一頭困獸。起初鳥在跳來跳去，後來，鳥驚脫了大量羽毛，「獨行殺手」就負了傷回來。鳥的羽毛越落越多。「獨行殺手」離開那間屋子，最後的一眼，是投在鳥的身上。

梅維爾說：歌唱的黑人是死神。人家說，死是黑色的，所以她是黑人，而且，她總是微笑。「獨行殺手」最後來到死神的面前，他的槍是虛彈的。警員已經四處埋伏，謝夫知道時刻已經來到，他投入陷阱。梅維爾說：謝夫這一個行動，是「剖腹」。要知道，《獨行殺手》是一部法國式的日本武士故事，梅維爾的片名，就用了日本的名字：「武士」。

梅維爾喜歡「黑色電影」，他不斷預言死亡的逐漸來臨。售槍的人說：謝夫，這是最後一次了。大家也知道，

這真是最後一次。連躺在床上的女人也知道，她居然起來去開門，是一種奇異的感應促使她那樣做。謝夫果然就在門外。

兇手回到現場來，其實，一個職業的殺手根本沒有地方可以去。一枝蠟燭兩邊在焚燒。武士是寂寞的。梅維爾描寫的「獨行殺手」，是把一個〔人〕放在死寂的環境中，圍繞着他的，是一片淒涼的景色。寂靜的長街，落寞的長廊，雨瀟瀟地下着，玻璃窗上是細碎的雨滴，天氣和心緒同樣地陰暗，更陰暗的是一個武士的生涯。

錢是用來購買更多的槍枝，更多的手套或一些雀粟，一些藥水。或者是消遣一夜的桌上紙牌。「獨行殺手」老是看他的錶，時間像他的臉色。他把錶戴在右手，錶面向內。梅維爾的殺手是內向的，沉默寡言。對於世界，他還有甚麼好說。

非常美麗的攝影，近似黑白的彩色，加上明晰的影像，很少對白，梅維爾的風格如今是有目共睹的事。

西西（一九六九年十月二日）

503

指揮《阿爾佛烈大帝》的人

保羅喬也斯一篇論及克里夫杜納的文章中曾經說過：
英國並沒有布紐爾，羅沙里尼或雷奈；亦無米尼里，麥
卡里和薛克，比起歐美的一大群天才，英國拿不出甚麼
來可以和別人比，若真要數一下的話，也只有六個名字
可以被想到：麥堅德力克，萊茲，希治閣，賀特，希瑪
和杜納。其實，其中也只有三個人真具才氣，一個是希治
閣，但已跑到美國去了，另一個是希瑪，可惜早已死去，
幸運的是，還有第三個，就是克里夫杜納。保羅喬也斯在
一九六六年對克里夫杜納作了一次私人訪問，又撰文評論
《貓兒叫春》，他認為影評人多半未能深一層去認識該影
片的精髓，只不過浮面地掠看，當它是一部普通的輕喜劇
而已。

最近，克里夫杜納的《新潮放蕩男女》同樣被人忽略，
雖然該片曾出席康城影展，但在一般人心目中，它不過又
是一部反映「擺蕩倫敦」的時髦流行電影，所不同的是，
對白粗俗不堪而已。該片上映〔前〕，克里夫杜納接得的
劇本，〔竟然〕全是有關「性」方面的，大家幾乎把他當
作了羅渣華甸。也許正因為這樣，克里夫杜納特別要再變
他的電影內容和形式，他不但改拍古裝戲，而且是拍部場
面偉大，史詩般的帝王傳記：《奇兵定江山》。[1]

克里夫杜納在十六歲已經投了電影圈，起初想寫劇

---

1 《奇兵定江山》即標題的《阿爾佛烈大帝》（Alfred the Great, 1969），
後者應為西西當年的直譯，前者則為本港上映時採用的譯名。後文倘
有類似狀況，不另作説明。

本〔，〕但最後才知道心裏念念不忘的卻是做導演。當時，很多劇情長片的拍攝由一些第二小組協助進行的，這種工作常會落在剪接的身上，克里夫杜納一碰上這種機會就不放過。二十三歲的時候，克里夫杜納正式做剪接的工作，一共幹了五年，所以，看他的電影的時候要把他當作卡里華茲一般，特別注意電影的剪接。克里夫杜納承認，做一名剪接師比當副導演學到的要更多，因為副導演不過指揮一下工作，剪接師才真正接觸到「電影」，而且最了解一部電影的整套過程，剪接師第一天就可以看到拍下來的鏡頭，從毛片到正片，其中的工作程序，他都在場目擊，從剪接畫面到配音錄聲，剪接所學的等於自己是第二導演。

克里夫杜納剪接過不少片子，《紫色平原》中有不少場還是由他指揮拍攝的。該片的製片約翰白賴恩有一次請克里夫杜納去剪《西班牙園丁》，克里夫杜納則說，剪接？我不幹了。我要做導演了。雖然這樣，克里夫杜納除了拍片之外，拍過電視片，廣告片，還拍過有關印度的四輯紀錄片。他的作品不多，連《奇兵定江山》在內，也不過是十部，但沒有一部不自成風格。《奇》的攝影阿力士湯遜，就是《新潮放蕩男女》的同一人，值得注意。

米蘭（一九六九年十月三日）

穿了一件外衣

　　現在看西吉奧李安尼的電影，知道他喜歡拍些甚麼了。兩個人決鬥之前，是要大特寫一番的，至於眼睛，還要大大特寫。其中一個為甚麼要不追求名利，是因為有過一段血海深仇，而這方面的回憶是要來給編成插鏡的。西部英雄的嘴巴如果不是來喝酒，就是要來吻女人；不是要來說很多的話，就是要來一聲不響。但一聲不響談何容易，《萬里狂沙萬里仇》又不是《獨行殺手》。李安尼要他的電影主角咬雪茄，這一次，咬口琴。決鬥的場所，還是寬廣而呈圓形的，兩個人要那麼地繞一陣圈子。靜寂無聲是李安尼最喜歡的，而且被誇張得特別厲害。

　　李安尼有腦的，但把機智安放在一些細節上。獨行俠披的是氈，現在，西部好漢穿的是流行的 Maxi Coat。連「口琴」也穿長度的外衣。走起路來，〔就〕那麼晃呀晃。但幾個人殘殺一家四口子時，幾件長外衣果然倍增強盜氣勢。開場的幾場是拍得不錯的，尤其是當火車還沒有來，幾個人在那裏等。這邊是水點滴在頭上，那邊是一個個如何捕捉蒼蠅，槍管內的嗡嗡〔聲〕連着火車的鳴叫，就設計得很仔細。火車駛去之後，一陣槍聲，連接的是父子行獵，小女孩在家中鋪設婚宴。風沙那麼滾滾飛走，野禽那麼掠起，氣氛是出色的，但以後，電影就洩了氣，一個故事被迫要匆匆講完，一些情節被迫要作一解釋。

　　《萬里狂沙萬里仇》的結構，也用了時空交錯的表現法，尤其是最初的幾場，每一場都像一個故事的起段，於是彼此之間就顯得不連接了。其實李安尼這樣來砌配一個

506

電影並沒有甚麼不妥，只不過是他在那裏故意耍把戲。和
《流寇誌》來比，森畢京柏的導技顯然高一層次，《流寇誌》
的劇力從不鬆散，而且從頭到尾一氣呵成，反觀《萬里狂
沙萬里仇》，開始頗有氣派，結果是虎頭蛇尾。對於李安尼
這個導演，總覺得他「有霸氣而無霸才」。

　　這個電影叫人感到有點意外的，首先，亨利方達演的
竟是反派，主角反而是排名第四的查爾斯布朗臣。其次，
收場時也沒有強調英雄美人團圓大結局，正如西部片描寫
游俠的特色，一名西部英雄的良伴乃是他的槍枝和馬匹，
不是女人。

　　這個電影，描寫的不外是「從前西部有一次」發生過
的一件事，並沒有深入刻劃人物，也沒有可歌可泣的悲壯
史，有的也只是幾個人的恩恩怨怨，強調的也只是復仇的
觀念，順便碰巧了也鋤奸而已。

　　電影拖得太長了，這種片子，濃縮一些的好，歌迪亞
卡汀娜少照一陣鏡子，就可以九十分鐘完場。

西西（一九六九年十月四日）

電影不斷在變

　　以前，拍一些警匪片時，電影中的殺人犯，多半是不太正常的人物。所謂「殺人犯」，其實是「殺人狂」。像法立茲朗格的一部以一個英文字母為片名的 M，裏邊描寫的專殺小孩子的兇手，就是一個患了心理病的人，他根本不能控制自己，於是殺了很多人。現在呢，電影描寫的是兇手，不少是職業殺星，像《萬里狂沙萬里仇》中的亨利方達，像《獨行殺手》中的阿倫狄龍，他們都是正常的人，但他們不得不殺人。電影沒有理由把「罪行」推到病〔態〕上去，像《冷血驚魂》那樣的殺人案件到底是罪案中的少數。殺人的出發點是很多的，電影已經能夠捕捉到這點，且逐漸把它們展示出來。

　　以前，拍一些史詩一般的歷史宮闈巨片，多半是要堂而皇之的，而且擺出一副絲毫不可侵犯的模樣。現在呢？電影拼命把道貌岸然的面具扯下來。像《奇兵定江山》，阿爾佛烈大帝嘻嘻哈哈的，活像一名嬉皮士皇帝。那電影雖然表面上〔像〕《黃色潛艇》一般有趣，但態度非常嚴肅。以前，類此的帝王角色一定要找羅拔泰萊那種演員來演，但現在，則是大衛漢明斯。近兩年來，不知道是不是因為披頭四的影響，洛克遜，佐治畢柏，羅拔韋納那種類型的明星都漸漸被淘汰了，銀幕上的臉孔由泰倫斯史丹，德斯汀荷夫曼，波蘭斯基這些臉取代了，另一方面，李馬榮那種也紅了起來。

　　以前，電影彷彿一本小說的銀幕化。現在，電影〔漸漸〕畫面化。一部《男歡女愛》哪裏有甚麼小說的情節。

說不定，將來的小說，也會向電影看齊。一本小說本來白紙黑字，將來可能會七彩繽紛，這一段是回憶，全是藍色的字。或者，阿〔波〕里奈爾那種圖畫詩又再出現，一本小說裏，文字砌成□□圖畫。電影現在似乎正進入一個繪畫□「印象主義」階段，接着是立體主義，野獸〔主義〕一齊展開，如果我們看到一部電影竟是一幅抽象畫，那也用不着驚訝，這是相當可能的。

以前，幻想片就是幻想片，寫實的電影就是寫實。現在呢，彼此混在一起。《獨行殺手》表面看來是寫實的，那些警探，地下鐵道，描寫得很逼真。但謝夫的人物完全是虛構的，他像〔漫〕書裏的那種永遠不變的人物，一直在梅維爾的作品中頻頻出現。《奇兵定江山》也是，阿爾佛烈大帝那個時代是第九世紀，但克里夫杜納把阿爾佛烈描寫成一個現在的花童，因此，也就變成了一個幻想的人物。如果那部片由威廉韋勒來拍，情況就完全不同了。

米蘭（一九六九年十月五日）

看別人的電影

看別人的電影，可以學到很多東西。

看《獨行殺手》，就知道在一部電影裏對白實在用不着那麼多。謝夫有沒有說：我是孤獨的，我是寂寞的呢。但大家感得到他那份孤寂的感情。一個武士是貴族，謝夫有那種氣質。他一聲不響，說了不夠二十句對白，電影就完場了。這是一部給人看的電影。《獨行殺手》是視覺的藝術。電影本來就比較貼近繪畫，是給人看的。

又知道，彩色並不是七彩繽紛的代名詞。導演可以把一部電影拍成一片黑白的味道。即使是血，也是黑的。負了傷的謝夫回到家裏來，脫去他的外衣，白襯衫上的血，一點也不紅，它們是黑的。阿倫狄龍有很藍的眼睛，但在電影裏，它們也灰成一片。

又知道，所謂寫實，並不等於銀幕裏有一群活生生的人。所謂幻想，並不是《巴巴麗娜》或《二〇〇一》。《獨行殺手》就是一個虛構的故事。你看，謝夫從不吃喝，從不逛街，他活在一個奇異的世界裏。《獨行殺手》一點也不寫實，雖然，地下鐵道是那麼逼真，警探們又那麼栩栩如生。希治閣的電影要不同些。梅維爾則細心地營造一個寓言的世界。但他可會用時間來騷擾我們。手錶，日期，時間，死神的腳步聲也是沉默的哩。

看《奇兵定江山》就知道，即使是很古老的題材，一樣可以把人物變為現代的。阿爾佛烈大帝，他竟是時下倫敦的嬉皮少年。大家都在說，不要打仗了吧，作愛別作戰，他真的是那樣。他宣揚愛，愛果然征服了敵人。

〔要〕知道，拍古老的電影，可以找很多古老的資料作參考。《奇兵定江山》的很多個畫面，就和文藝復興以前的一些壁畫一種結構一種顏色。人們多半穿一種紅得□色的衣服，人們又愛列隊走路，從一座小山小丘上蜿蜒走來。古典的圖畫中有很多那種風景。

又知道，拍電影，該注重的還是一個好的題材，適量的精警對白和流暢的導技巧，古古怪怪的拍攝技巧並不重要。《奇兵定江山》整個電影的導演方法都是隱隱的，一場一場，就是簡單的割接，只有一些溶一些拉。比較起來，《新潮放蕩男女》竟是那麼花枝招展。

或者，從一些電影中我們就看出來了，波蘭斯基的《冷血驚魂》，從頭到尾都是導演的手在震蕩我們，但看《獨行殺手》或《奇兵定江山》，我們不再記得導演，我們是在散場之後才記起，原來導演躲藏得那麼隱秘。拍《冷血驚魂》這樣的電影是容易些的，但《獨行殺手》，那真難。至於《奇兵定江山》，它比較屬於腦，不屬於眼睛。

米蘭（一九六九年十月六日）

《阿爾佛烈大帝》

拿《英烈傳》和《奇兵定江山》來比，東尼李察遜差勁多了。克里夫當納，看《貓兒叫春》和《新潮放蕩男女》時還不覺得他怎樣，現在看看《奇兵定江山》，對於這位導演，不得不佩服。

且看西吉奧李安尼怎樣砌他的《萬里狂沙萬里仇》。那麼的一段一段，慢吞吞的特寫。再看東尼李察遜的《英烈傳》，顏色雖然和諧悅目，但編編砌砌，也是硬生生在那裏營造劇力。《奇兵定江山》就不同了，克里夫〔擔〕綱拍來非常瀟灑，整個電影，場與場之間短短的，絕不拖泥帶水，也沒有耍甚麼雜技，以大衛漢明斯的頭的幾次溶入溶出，清脆乾淨，明朗得很。

這部片一看上去就和《賓虛》甚麼的全不同了。它是那麼地接近我們。就像齊菲里尼的《殉情記》。我們的感覺是，這些人物不是我們陌生的，雖然他們穿了古代的服裝，又演的是歷史中的事情。但在衣服底下，那些人的思想，一言一笑，他們的感情，都和我們溶在一起了。

國王並不是身材魁梧的查爾斯頓，不是甚麼堂堂的一表人才，而是孩子臉，個子矮矮肥肥的大衛漢明斯。他是個會從寶座上跑下來的一個活生生的人，且是一個嬉皮士王帝。

愛就是愛鄰如己，連同愛你的仇敵。所以一場大戰之後，阿爾佛烈一把利斧劈下的竟是旗幟，不是敵人的軀體。愛就是寬恕七十個七次。所以王后又回來了。但是看看《賓虛》，它給我們看的還是「惡有惡報」。

克里夫當納在目前的導演中，頗值得我們注意，因為他不是一個形式主義者。比較一下他的《貓兒叫春》，或者《新潮放蕩男女》，就明白，那些嘻嘻哈哈的外貌下面，電影有它自己的意思。但那些《男歡女愛》，《冷血驚魂》，除了十分「好看」就甚麼也沒有了。克里夫當納的作品，內容和形式是均衡的，它的電影有話說出來，而且說得非常有力，又總說得非常適當。

以前，我們認為國片的技法一塌糊塗，因此電影淪為說教。近來，國片的技術進步了，但又內容空洞貧乏。似乎，把電影拍得美麗活潑已經成為一個目標，因此，所有的眼睛都投在《畢業生》，《男歡女愛》那種電影上，但真正值得我們模仿的，卻是《奇兵定江山》，它的內容和形式是配合得那麼好，它走的路，才是緊隨着《春光乍洩》的。

《奇兵定江山》中的第一次戰爭場面，頗有愛森斯坦《阿力山大尼也夫斯基》的味道，不同的是：克里夫當納動用直升機拍攝，愛森斯坦則全靠割接了。

西西（一九六九年十月七日）

搶眼的服裝

電影中的服裝，總是最搶眼的，最近上映的三部片，服裝又非常出色。

《獨行殺手》的服裝是梅維爾的特色。阿倫狄龍戴氈帽，穿雨衣，戴江詩丹頓的手錶，穿很古典的西裝，打典雅的領帶。完全是貴族的氣派。警長反而亮着光亮的頭髮，沒有穿雨衣，對比很強烈。

《萬里狂沙萬里仇》的服裝也搶眼，大家結結巴巴去看電影中有沒有人披一張氈。果然，氈是和獨行俠連在一起的，不是獨行俠的人物，氈就不見了。片中的強盜穿長度外衣，看上去，又很有趣。李安尼對服裝是重視的，小男孩去接母親時，父親說，她穿黑色的衣服，戴一頂草帽。果然，CC下火車時就那樣，那頂草帽小得很，但漂亮地擠在頭髮裏邊。

《奇兵定江山》的皇后也戴一頂草帽，扁扁的，草帽上就插着花，那時候，皇后的一條裙子還是「看得穿」的，就和《萬里狂沙萬里仇》的長外衣一樣流行。阿爾佛烈大帝的衣服也怪，完全是嬉皮士打扮，威薩斯的一伙人，全部花花綠綠，沒有制服，打仗的時候，強調的是一個烏合之眾，打勝仗則靠眾志成城。一〔群〕威京的服裝，就〔整〕齊多了。他們穿的是征服，在這方面，可以知道導演克里夫杜納是最愛在別的電影中找靈感的人。以前，在《貓兒叫春》中，彼得斯拉的打扮，學足了羅蘭士奧里花的《李察第三》。烏蘇拉安德絲，則從天而降，掉在彼得奧圖的車中，這其實就是《鐵金剛勇破神秘島》的場面。有一場夢

境，彼得奧圖在夢中鞭打女人，模仿的是費里尼的《八部半》。克里夫杜納的電影中充滿這些懷念。在《奇兵定江山》中，阿爾佛烈碰到的流寇，其實就是羅賓漢的投影，至於威京們的服裝，尤其是帽盔，完全是取自《阿力山大尼也夫斯基》的靈感。而《阿》片的導演愛森斯坦，又取靈感自法立茲朗格的《大都會》。在《大都會》中，法立茲朗格把德軍描寫成一組鋼鐵軍隊，那種氣勢，非常駭人，如今，克里夫杜納把威京的軍隊也用同一方式處理，電影一方面是在描述阿爾佛烈大帝的史跡，一方面也暗喻德軍在第二次世界大戰之行，因此，鐵甲軍就成了暴力的徵口。阿爾佛烈在電影中顯得異常近代，於是，《奇兵定江山》簡直就是二十世紀的故事。而且，看深一點，就發現這個電影根本沒有強調時代。

　　服裝設計得好，使一部電影更為出色。因為電影是視覺的藝術，畫面影像本身即是一種語言，它們雖然不聲不響，但已經盡了表情達意的功能。

515

　　　　　　　　　　　　　　米蘭（一九六九年十月九日）

演員的劇本

《獨行殺手》，阿倫狄龍會那麼出色，完全因為這部電影有一個「演員的劇本」。那就是說，梅維爾在編劇本的時候，早就想定了是阿倫狄龍演，所以，一切一切的細節都從阿倫狄龍出發。

明星制度也是這樣形成的。起初，有些劇本給編了出來，於是到處去找人演。演的人可能演得不錯，就紅了。紅了的時候，就成了明星。大衛漢明斯，泰倫斯史丹都是這樣成為明星的。成了明星有甚麼好處呢？除了演各式各樣的角色外，也許能碰上一個最適合自己演的劇本，因為要維持一顆明星□續發亮，或者明星的型正適合一個角色，一些特別的劇本就給編出來了。

做明星還是有一個好處，就是讓一些導演或製片或編劇知道有這麼的一個人適合演這麼的一類角色。梅維爾心中也許有一個很好的警匪故事，他可能找貝蒙多來演，也可能找馬斯杜安尼。如果演員沒有先看定，那麼編劇時只能依照一個理想去編，到拍攝時，盡量要演員去適應，去配合那個角色，如果一個演員受到相當的訓練，像馬龍白蘭度，或李察哈里斯，就可以發揮他們的方法演技了。

但有一類演員不是「方法演技」的那種，他們是「性格演員」，演別的角色是不行的，只適合演牛仔（像尊榮）或其他，幾乎成了一種專業。阿倫狄龍的戲路也不算廣，他演過不少匪徒，因此倒也有點賊味。梅維爾以前選用貝蒙多演警匪片，這一次例外選阿倫狄龍，也就因為阿倫狄龍演過這類角色。阿倫狄龍是幸運的。因為他不必去特別

適應《獨行殺手》，梅維爾在編劇時已經把一切道路為他鋪平。梅維爾在編劇本時，已經把阿倫狄龍的形象放進畫面，而且，還從阿倫狄龍的氣質上取得靈感。譬如說，阿倫狄龍面色可以陰沉，心情可以沉鬱，眼睛可以直瞪，嘴巴可以閉上。如果這個角色換上了貝蒙多就不行了。貝蒙多常常是一副倒霉的樣子，而且給人一種可憐的樣子。所以，梅維爾自己也說，如果當初我編劇時，想到的是貝蒙多，那麼阿倫狄龍是不能演的，現在呢，貝蒙多也不能演阿倫狄龍這角色。

對於一個演員來說，碰上一個好導演是最幸運的。演員在不同的導演手中就會有不同的樣子。且說馬斯杜安尼吧，在費里尼的手中，他是多麼地出色，但最近的一連串胡鬧片，即使《淚灑相思地》，還是由第昔加執導，他原有的一些知識份子的氣質，竟蕩然無存了。阿倫狄龍在《花落斷腸時》中也是一塌糊塗，《怒海沉屍》因為有克里曼。現在，梅維爾又使他光芒燦爛起來。

米蘭（一九六九年十月十日）

運動不是暴動

早些日子，我們說，國片怎麼死氣沉沉的，所有的人物排排坐，鏡頭一動也不動。如果兩個人說話，則一人佔一邊銀幕說個夠，攝影機死也不肯變換一下位置。近來，國片活潑起來了，好像只要把攝影機操兵一般移來移去，電影就會姿態新鮮，導演的技法就算高明。誰知道，電影拍得好不好，和動得厲害與否無關，電影中的「運動」，是要看內容和氣氛來定的。

國片所以忽然注重起「運動」來，原因可能有兩個。第一，時下的一些影片，全是速度快，節奏輕盈的，尤其是打鬥片，幾乎特別誇張人物的移動，於是，國片就也跟着團團轉。第二，那是受了甚麼「場面調度」的影響。許多人都談起「場面調度」來，「場面調度」的範圍極廣，包括一切人物調度，顏色調度，燈光調度，鏡頭調度在內。一般來說，指的多半是人物調度，即是演員在畫面中走來走去的意思。在談電影的時候，我們似乎比較贊同，甚至欣賞雷諾亞的風格，因為其中人物調度處理得非常瀟灑，一個鏡頭長長的，流水行雲一般，用不着用很多拼拼湊湊的畫面來砌配。當激賞雷諾亞的作品時，我們針對的又總是愛森斯坦，我們說，愛森斯坦那種電影，是蒙太奇剪接上的功夫，不是出色的導演方法。因為愛森斯坦那種電影，可以拍了很多菲林，然後在事後慢慢整理，但雷諾亞式的拍攝，則現場的功夫花得最多，也最考導演的本領。

國片的導演能夠給電影多些「運動」是對的，因為誰不想做另外一個雷諾亞，誰不願意自己也是一個很有調度

本領的導演，國片導演能夠取他人之長，實在是可喜的一件事。可是，電影中的「運動」，不適宜亂動，若非必要的話，一動不如一靜，否則，運動就成暴動了。

李行的《路》就是一個最顯明的例子。《路》中的「運動」謬誤非常多，原因就是那些「運動」並無意義，譬如說，為甚麼每一場開路就必須要用「搖」來展示主體呢。對比起來，西吉奧李安尼就過分誇張他的「靜」，《萬里狂沙萬里仇》中，那麼的割接割接，特寫特寫，真是亂搞。

忽然的，電影技巧竟然成為電影的目的了。這是非常可惜的。羅臻的《裸血》和白景瑞的《今天不回家》，兩位導演同樣喜歡誇張前景，總是利用一朵花或甚麼的擺在銀幕最前面，然後人物在遠方出現。這樣拍並不是不好，但用這樣的一個畫面，究竟有甚麼意思。那朵花是不是和劇情有特殊的關連呢。事實上沒有。國片導演大概是中了薛尼富利的毒了。

米蘭（一九六九年十月十一日）

519

打網球與眼睛

拍電影，最好還是多注重一下內在的素材，不要光着眼在外表的拍攝技巧上。

默片所以受人歡迎，原是因為默片本身，尤其是差利卓別靈的，注重的是素材上的編配，而不是着重攝影機如何表演。譬如說，卓別靈的一身奇怪打扮，這是內容上的，並不是用攝影機拍出來的。樓上的雪糕滴在樓下貴婦的漂亮脖子上，或者一桶油漆照頭淋在將軍的身上，這些都是電影的劇本素材，不是電影的拍攝技巧。在這種情況之下，喜鬧劇的氣氛自己已經隱藏在畫面裏，根本用不着攝影機強調甚麼搖，甚麼推拉。乾脆的一些割接，最基本簡單的拍攝，就可以把效果表達了出來。

素材上的劇力，多半強過鏡頭上的表演。許多出色的電影都是這樣。《春光乍洩》的一場打空網球，給人的印象是打網球這一件事，拍攝上並沒有甚麼花巧，畫面的顏色不曾一會兒紅一會兒藍，鏡頭也沒有忽然推近忽然拉遠。這證明了一點，只要素材好，拍攝花巧是用不着的。

波蘭斯基就不同了。像《冷血驚魂》，開場和終場的眼睛，全靠影機的運動。本來，畫面上不過是一隻眼，甚麼也沒有，一隻孤零零的眼，毫無意義，但經過放大再放大，眼睛就變得蘊藏着許多內容。波蘭斯基這樣表現，借重的不外是拍攝技巧。現在的一些電影，以為像波蘭斯基這樣做才是正確的，於是拼命研究鏡頭的位置，又把顏色局部誇張起來，擴張起來。作為習作，這是對的，但若說到要拍好一部電影，怎樣拍好一隻悅目的眼睛，不如怎樣

編好一場打網球的素材。這也就是為甚麼比起布紐爾來，波蘭斯基的超現實就顯得分外空洞。像《冷血驚魂》的最後一場，鈴聲響起，尚疏利取下眼鏡微笑起立，這完全是素材上的，絕不靠拍攝上的技倆，反而《冷血驚魂》的謀殺，不斷用剃刀刺過去，全是攝影的逼力。不過，波蘭斯基的《天師捉妖》，則素材還是取勝的，咬殭屍的耳朵，拖書本塞在殭屍的嘴巴裏，就不是靠鏡頭來製造笑料了。

　　《男歡女愛》雖然美麗，但攝影上的取巧〔佔〕了百分之八十。《畢業生》也一樣，因此，這些作品算來最多也是二流電影，拍一部那麼出色的二流電影並不容易，它們至少在各方面是那麼完整，總算做到了是一棵美麗的聖誕樹。國片目前在拍攝技巧上進步了很多，但因此不禁令人擔心，因為拼命追求畫面外表的富麗悅目，將導致國片誤墮「形式主義」的大陷阱裏。

521

米蘭（一九六九年十月十二日）

第二部分

「電影筆記」
專欄及其他

放映機的昨日和今日

最初的時候，電影放映機是老爺機〔，〕而且還引起過這一次大悲劇。一八九七年那年，巴黎舉行一次慈善賣物會，結果發生大火災，死了一百八十名巴黎上流社會名人，大火的起因，就因為放映機出了毛病，走了電。自從這次之後，電影在歐洲大受打擊，人們一談看電影，立刻變色。

現在呢，電影進步了，英國電影協會製成了一套由電子控制的放映系統機械，據稱可以代替一切由人力把持的工作。以後，放映電影的工作再也不必用人工處理了。目前的電影院或試映室，放映電影還是由人操縱的。但電腦放映機本領十分強，能夠自動放映，停頓，〔更〕換放映機，適應銀幕型體，變換光線，幾乎無一不能。總之，照創製人的說法，或描述人的說法，它除了不會售賣雪糕和熱狗外，甚麼都在行。

好了，如果這部機器普及起來的話，我們看電影的也和入銀行一般，進入了電腦世紀了。不過，放映電影的技師，並不一定要立刻轉行，因為，即使電腦，有時也會擺烏龍的。

米蘭（「電影筆記」專欄）

像格里非斯

提起格里非斯，人們大都認為他是一等一了不起的電影大師，其實，格里非斯不過是「電影技巧之父」，此外，他並沒有多大的藝術成就。

正如愛迪生，不錯，是他發明了電影，但是，他可曾拍過一套出色的電影來呢？今日，不少的電影走上了形式主義的路，大家在那裏忙着搬演電影技巧，展覽〔銀〕幕的堆砌術，而這些人，他們不過是在那裏不折不扣的模仿格里非斯，而格里非斯，並不是一個第一流的藝術家。

一般的導演忽然犯上了一個毛病，以為自己的作品中招數奇絕，就和武林中的甚麼派甚麼幫一般，獨劍一門劍術武技出來，因此自己整個人竟像掌門人了，而事實上，現在的導演努力在技巧上〔下〕功夫是不智的，如虎添翼固然好，但一隻老虎，根本無須雙翼。

翻看一些電影史書，論集的話，大多數的作者，評論者都對愛迪生和格里非斯十分尊重，但尊重的是他們的科學頭腦或好運氣，絕不是其個人藝術上的獨特才具。

米蘭（「電影筆記」專欄）

歐洲和美國荷里活

　　歐洲電影和美國荷里活的電影是有不同的。譬如說：美女出浴。荷里活的電影，很喜歡拍美女出浴，拍起這類鏡頭時，美女循例是出泡泡浴，於是浴缸中肥皂泡多於一切，就和賣香皂廣告片一般。其實，一個人沐浴，並非一天到晚浸泡泡浴，生活並不是童話。

　　歐洲的一些電影，現在喜歡寫實。於是，泡泡浴在寫實的電影中就被淘汰了。最近，德國電影節中的一部《頂峰藝人》，裏邊的男女主角分別出浴一番，拍的都不是泡泡浴，而且鏡頭也沒有躲躲閃閃。人睡在浴缸中，一點也不造作。

　　以前，很多電影只有拍浴缸藏屍才想到把肥皂泡扔在一邊。這樣，就可以讓大家見到死屍被水浸着的可怕樣子。波蘭斯基的《冷血驚魂》也有浴缸藏屍的片段，不過，波蘭斯基不喜歡把恐怖的畫面故意提示出來。所以，《魔鬼怪嬰》中怪嬰到底變了甚麼樣子，就沒有拍出來給觀眾看了。

米蘭（「電影筆記」專欄）

不能光看愛絲德威廉絲游泳

李察昆現在是個導演。最初，他是當演員的。李察昆當了幾年演員，於是自己編了一個劇本跑去見當時是哥倫比亞的沙皇——夏里剛。夏里剛居然十分喜歡，但李察昆說這個劇本不出賣。夏里剛很奇怪，怎麼，看中了劇本，竟不肯出賣，以為李察昆要很多錢。李察昆並不是要錢，他說：讓我來拍，我來做導演。製片的瞪着眼，你會做導演，你怎麼會想到這念頭。但李察昆也不退縮，他說，你想學游泳，不能光看愛絲德威廉絲。結果，夏里剛擺擺手，李察昆只好走出來。

但是，幾分鐘之後，李察昆就被委任為導演了。他還說，夏里剛這次的賭博決定得倒甚快。很多演員，剪接師，都是這樣子當起導演來的，他們多半憑膽量和勇氣，敢到製片人面前去爭取自己喜歡做的工作。事實上，要是做導演真的要進過電影學校，專門修導演科，那麼，數起來，大概不夠一百個導演真有那樣的資格。保羅紐曼和尊榮〔他〕們所以自己也做做導演，不外是學李察昆他們吧了。

米蘭（「電影筆記」專欄）

527

且看明年的博覽會

明年的世界博覽會，將在日本的大阪舉行。對於電影來說，很多人正在等待一新耳目的機會。很多電影，〔創〕新的，嘗試的，都可以在博覽會展覽出來，像上次西雅圖的博覽會上，擴張電影十分奪目，而且對一般的電影也甚有影響。博覽會上放映的分割銀幕雖然不是新創作，但是最低限度在今日帶來了電影可走的道路之一。東尼寇蒂斯主演的《波士頓殺人王》，其中也用了分割銀幕，導演李察法里沙正是在博覽會回來後決定使用的。其他如《龍鳳鬥智》，《畸人查利》都同樣受到影響。

明年的博覽會上，電影又將帶給大家甚麼新的面目呢？目前誰也不清楚。博覽會並不是商業電影市場，所以可以讓奇怪的電影出現，而且場地，設備都可以自由佈置裝配，使電影的新發展獲得了一個小小的展覽櫥窗，這是好的。香港離大阪甚近，一些電影製片或導演，倒是值得去看看博覽會的新電影，勝過坐在家裏想爛了腦袋。至於其他喜歡電影的人，注意買幾本有關報道博覽會電影的雜誌〔，〕也可以知道電影的新面貌了。

米蘭（「電影筆記」專欄）

三個人組一間電影公司

在荷里活，做演員的賺了點錢，就想發展點事業，但多半的人愛做生意，只有少數的人才想到仍在電影上發展。現在，有三個明星，保羅紐曼、薛尼波特和巴巴拉史翠珊，聯在一起組一間叫做「一藝」的製片公司。他們這一個行動是學以前的「聯美」的。

「聯美」也是一群演員如差利卓別靈、瑪麗〔碧馥〕等組成的電影公司，主要是投資自己拍片，因此，在藝術創造上有極大的自由，同時，公司也發行自己的影片，使這些影片不受發行公司的約束。

「聯美」的原名意思是聯合的藝人，「一藝」的原名意思是第一藝人，看來是模仿聯美的，說不定將來「一藝」也會發展成「聯美」也不一定哩。他們雖然自稱「一藝」，第一的藝人，但真正數起來，有了「聯美」在先，「一藝」其實應該是第二。

「一藝」可能除了電影製片和發行外，還會兼顧到電視片及錄唱片，倒是在那裏大展鴻圖。

米蘭（「電影筆記」專欄）

拍西部片有如去渡假

尊福喜歡拍西部片。他說:拍西部片的最大好處就是可以不和這些城市人多打交道。你一大清早爬起床,一大隊人就跑到郊外去,於是整日整夜的忙一天,然後回到家來睡覺,這情形就和去渡假一般。而且,還是有人付錢由得你去旅行。

有人問尊福有沒有看過那些意大利和西班牙的牛仔片,尊福說,別笑話,我才不看。事實上,別的人拍西部片真的有點在尊福面前班門弄斧。

尊福拍西部片,還常常間接幫助別人。像有一次,他找外景,結果決定了「紀念谷」,因為當地的印地安人很窮,如果荷里活有人到那裏拍一部片,當地的人就可以做一點生意,幹一點活來糊口,尊福一來因為地點不差,二來也因為可以幫幫印地安人,就去了,結果,在那裏花了約二十萬美元,大家都得益不少。

尊福不喜歡闊銀幕,也不喜歡拍彩色,他要拍的片就是四方銀幕,黑白,牛仔片,獨沽一味。

米蘭(「電影筆記」專欄)

短片可以當劇情片上映

在「第一影室」看電影，有一個好處，就是除了看劇情長片外，常常可以看到一些非常出色的短片。像最近的德國電影節，劇情長片普普通通，但兩部動畫精彩得很。

市面上放映的電影，很少有短片看，有時候，故意去看一些「九點九」開映的一場。明知電影院會加映一些短片，把時間拖到十點才正式放映正片，但可惜的是填塞的短片十分古老，一些旅遊式的風景片，一些陳舊的卡通，然後還有些太陽神之類太空人宣傳片。其實，電影院可以加映一些比較新鮮和現代的短片，它們多半技巧新，內容風趣古怪。如果說國片要拍好電影，這些短片可以借鏡的片段實在不少。

國際間短片的影展似乎比劇情片的還要多，尤其是動畫，近年來的製作和產量非常蓬勃。因此，一些電影院可以不必老是兩個鐘頭一場來放劇情長片，而是放映十多部短片，逢星期六或星期日舉行一次類此的特別電影節目，相信一定有不少觀眾樂意欣賞的。

米蘭（「電影筆記」專欄）

531

杜魯福學希治閣

　　杜魯福，是個希治閣迷，甚麼都拿希治閣作榜樣。法國的新潮派對希治閣一直極為推崇，杜魯福是主要的媒介。杜魯福訪問過希治閣，又寫了一本詳細的訪問記，最近。杜魯福又學希治閣了。

　　希治閣凡是導一部片，必在自己的影片中出現一個鏡頭，因此成了這位導演的標誌鏡頭。很多人看希治閣的電影時，竟逐格菲林去找希治閣在哪裏。現在，杜魯福也學會了這一套，不過，杜魯福可不是出一個鏡頭算數，而是當起主角來。在新片《野蠻兒童》中，杜魯福飾演一名醫生，醫治一名十二歲的「狼童」，使他回復正常的人類生活。狼童是一個自小被父母離棄了而在森林中長大的小孩。

　　在導演中，足夠做英俊小生的，性格演員的人多得很，像波蘭斯基，如果不是導演，做演員也不遜色。杜魯福和高達他們，都是長得十分瀟灑的。尤其是杜魯福，有一副孟甘穆利奇里夫的氣質，不演這戲倒是可惜。

米蘭（「電影筆記」專欄）

成名紅星不再吃香

荷里活的導演馬克羅遜認為現在的電影觀眾多半是年輕人。因此，他們喜歡看和他們同年齡的演員。所以那些德斯汀荷夫曼，大衛漢明斯等人就抬頭了。

一些成了名的演員怎麼辦呢？他們絕不能扮小伙子，於是，聰明的演員就盡量去演一些表現性格的角色。像安東尼昆，他在《古城春夢》中扮的角色，同樣受到青年人的欣賞。跟着安東尼昆的路線的演員很多，像史提夫麥昆，他在《渾身是膽》中也不是演時代青年，但因為性格鮮明，使青年人大為看重。其他如李馬榮，查爾斯布朗臣等也是這樣。

反看一些女明星，如妮姐梨活，似乎再也無法適應時代，又沒有甚麼性格角色可以演，戲就少了。我們看依莉莎白泰萊演《富貴浮雲》的角色，可以知道她也是在找性格角色來和年青的女星競爭，說起來，她怎可以演米亞花露的戲呢。有一點是正確的，成名的明星不再是票房的寵兒，他們必須嚴肅地選擇角色，否則，她們必須年青。

米蘭（「電影筆記」專欄）

《新苦海孤雛》上莫斯科

看看世界上這些電影節就好笑了。雖然說，電影節本來是以藝術目的為終〔點，但〕標榜的居多，事實上，各種各類的因素在那裏搞鬼的也不少。

說英國好了，今年，英國派去參加康城影展的一套片是林賽安德遜的《假如》，該片得了康城大獎，內容是爆炸性的反叛題材。但送到莫斯科去的一套呢，卻是唱唱歌，跳跳舞的《新苦海孤雛》，不但英國如此，其他參加莫科斯的影展的國家，派出去的影片也多半是不得罪任何人，當然，也不討好任何人的電影。

到了今日，參加一個電影節的影片，根本和藝術成就多高無關，而是看看電影節到底本身如何，大家原來是在那裏搞公共關係。

其實，電影節最初創辦的時候，也不是競選比賽的，不過是把較好的電影貨品拿出來給發行人看，希望他們購入發行，這，就和香港時裝展覽沒有甚麼分別。反而奧斯卡金像獎，才是一直真的在那裏選十大的頒獎品。

米蘭（「電影筆記」專欄）

無題

　　每次碰到「鐵金剛」甚麼的電影，就會想起別人的廣告，甚麼廣告呢〔？〕襯衫。我覺得，電影中常常替襯衫做廣告，有時是若有其大事式的由一個僕人提看一件襯衫，穿過大廈長廊開了一扇門交給老爺。有時是一個人光着身子看報紙，然後站起來。到洗衣機去□出一件洗衣乾淨了的襯衫來穿，搞得一群友人紛紛圍着他看。這些廣告做得都成功。但是，一看到「鐵金剛」，就也想起襯衫廣告。如果電影完場時，銀幕上忽然亮了一行字，請穿某某牌襯衫，倒也十分有趣。那麼長的廣告，少見。

　　為甚麼要想起襯衫廣告呢。原來鐵金剛占士邦穿的衫一直又白又乾淨，雖然，在電影裏，占士邦每隔兩三分鐘就要和人打一場架，打得落花流水，有時水裏去，泥裏去，弄得滿身髒，但只要打完拼完，鐵金剛拍拍屁股，他的一件襯衫就像洗衣店裏剛洗淨回來的一樣，不但乾淨乾淨好乾淨，還要嬰孩的小臉蛋一般，一絲皺紋也沒有。而這，不是最佳襯衫廣告麼。如果有一種占士邦襯衫出售，一定暢銷。

米蘭（「電影筆記」專欄）

535

費里尼說費里尼

費里尼說：我是一個講故事的人，電影口好是我的媒介。有的人用聲音講，有的人用文字寫，費里尼則利用電影表達出來。費里尼說：我是一名導演，不是觀望者，也不是心理分析專家。所以，費里尼要說甚麼，就在電影中說了。他不分析。也不只是觀望。

他說：我很喜歡我的演員，因為他們都是我的傀儡，是我幻想出來的創造品。因此，我宣稱他們是世界上最偉大的演員。所以，費里尼的演員像棋，被他在電影中移來移去，又打扮得十分古怪。

他說，我從不再看我自己的電影。費里尼認為，對自己作品的一看再看，是那剎息斯的行為。那剎息斯就是希臘神話中的美少年，因為一天到晚顧影自憐，終於變了一株水仙花。

他說：成功對我是重要的，因為失敗使我有被逐的感覺。他又說，我很少出外看別人的電影，我自己拍片時一片熱情，全心投入，因此很難做觀眾。

米蘭（「電影筆記」專欄）

希治閣是大師

　　不少人喜歡看希治閣的電影，但卻不肯承認他是大師。理由甚簡單，因為一般人認為，希治閣的電影是娛賓的，不若英瑪褒曼或安東尼奧尼的嚴肅。於是，提到大師，名字似乎屬於維斯康堤，黑澤明等人，而希治閣，就變了耍把戲的一個導演。也因此，法國的「筆記派」導演對希治閣推崇備至，叫人看不過眼。

　　對於希治閣，批評他的字眼多半是「技巧不錯」，「娛樂性濃」，「緊張」，而這些，是不配登堂入室的，因為觀眾要求的往往是「偉大」，「意境高超」等等的字眼，希治閣恰好欠奉。

　　其實，希治閣做到的，是多半人忽略的。希治閣表面上拍一些曲折離奇的故事，其實他最能捕捉電影的精神，也最能把握電影語言。人和人說話，用眼睛嘴巴用姿態，這是人的語言，作者對讀者說話，用文字用漫畫用圖意，這是寫作的語言，至於電影，明白了電影也有它自己一套的語言的話，就明白希治閣的確是大師了。

米蘭（「電影筆記」專欄）

537

電影的 X 前後身

電影的 X，在現在是指兒童不宜觀看，這不宜觀看，和性大有關係。因此，只要有兒童不宜觀看幾個字出現，聯想到的當然是色情鏡頭。有些製片拍片，還千方百計希望得到一個 X 字母，好在〔廣〕告上聲明該片是成年人的電影，以作招徠。

其實，X 本身的意義並不是那樣，這個字母的前身是 H，它的意義是恐怖，所以，一些恐怖片常常有 H 這個字母標明，因此，的確是兒童不宜觀看的。電影在早數十年，可以說是恐怖片大行其道的時代，甚麼吸血殭屍，木乃伊，地室酷刑，都十分殘忍，像這些影片，並不適合兒童，故此，電檢處才決定用 H 來標明，後來，H 變了 X，漸漸的，X 的意義已不是指恐怖成分，反而變了色情因素。《保鏢》一片的兒童不宜觀看倒真的是由於打殺過於殘忍，反而和 X 的前身意義相符。

至於 X 的後身，有人說會用數目字代表，那麼將來它就會變成為 4 字了。

米蘭（「電影筆記」專欄）

538

台上與銀幕上

　　看電影和看舞台劇是不同的。看舞台劇，台上的演員受台下觀眾的影響很大。譬如說，台上的演員在演戲，台下的觀眾大叫大吵，或者跑得一個不剩，甚至拋番茄上台，這時，演員的情緒受影響，說不定不得不停演。但電影沒這種情形，因為電影的演員不是真的，而是幻象。在舞台上，如果有人扔一隻香蕉上台，演員不得不避，或者番茄在臉上扔個正着，演員的眼睛不得不閉一閉，但電影，一切都是依序放映下去的，即使把銀幕搞爛了，畫面絲毫不變，笑的臉依樣在笑。因此，看舞台劇時，台下觀眾個個打盹，台上的演員雖然仍要賣力演下去，心裏究竟有點不自在。而電影才不管，銀幕下的觀眾可以個個睡熟，銀幕上的戲一點也不會變色，就算沒人看，還一樣演得津津有味。因此，人和機器是有分別的。

　　同樣的，演舞台劇的時候，我們可以上台把一個人扯下來，但電影，我們是沒法子把銀幕上的明星拉下來的，因此，也沒有觀眾跑上銀幕去刺殺演員的新聞。

米蘭（「電影筆記」專欄）

539

電影受觀眾控制

我們看電影，沒法子和電影交談，因為電影只顧放映，我們只能看，不能叫裏邊的人停下來等等。如果有一天，我們做觀眾有權叫銀幕上的演員聽我們的話，要他跳就跳，要他跑就跑，那是十分有趣的一件事。但現在，這是一件太難的事了。不過，有人也有這樣的想法的，就把我們的夢想間接地實現了一陣。

看過了《智多星棋逢敵手》了嗎，電影裏邊有一個片段是放映卡通，這時候，大衛尼雲的一大群人就和我們觀眾一般，在那裏看電影。卡通一直在放映，其中一個人向前走，卻被大衛尼雲叫住了，站着一動也不動。這個畫面是出色的，因為電影根本不可能為任何一個觀眾停下來，其中的人物也不可能聽觀眾的指揮，但《智》片中的卡通人物，變了舞台上的真人。

這本來是很簡單的技巧，但說明了一點，電影的變化可以很多，而且超現實主義在電影中還有很多潛力。而我們，誰能說將來的電影，不會受幕下觀眾的控制。

米蘭（「電影筆記」專欄）

導演老去及電影差勁

看《香港女伯爵》時，覺得差利卓別靈老了。因此那部電影看得雖然不喜歡也不佩服，但卻自己對自己說，還要求些甚麼呢，卓別靈老了。意思是指，老了當然不行了。其實，一個導演，老了就不一定不行。布紐爾老不老，他的《青樓紅杏》一點也不差，而且拍得爐火純青。

最近看希治閣的《諜魄》，更覺得希治閣完全沒有老的感覺，比起差利卓別靈來，希治閣真是寶刀。希治閣厲害的，刺殺女郎的一場，又是光天白日下的面對面，又在戶內，又在人來人往的地方，而且鏡頭是移動得那麼瀟灑，難怪法國〔筆記〕派對他那麼醉心了。最後的一場也是，一群人進入大廳開會，但見一張長桌，人們三五成群，畫面並沒有變換，但如果注意銀幕框的邊的話，就見懸掛的燈盞冉冉下降，希治閣的鏡頭這次是冷冷的，功力也即在此。

看人物及鏡頭調度，最佩服約瑟羅西，但如今留意一下希治閣，才知他果然是最「電影」的導演，他的電影語言果然卓越不凡。

米蘭（「電影筆記」專欄）

541

「電影筆記」專欄及其他

掀起女人的裙子

以前看《慾海驚魂》，覺得貝蒙多演的那個角色真是頑皮，竟然跑到街上揪起陌生女人的裙子。最近看《槍兵》，窮巴巴的一個鄉下人也學軍人那樣，去掀起別人的裙子。本來，拍這樣的鏡頭，有些導演一定色情兮兮的，展覽女人屁股也來不及呢，但是，拍《槍兵》和《慾海驚魂》的導演沒有這樣做，觀眾看來，也沒有一種下流的感覺。風流和下流，就看導演的手法了。

瑪麗蓮夢露演過一部片子，裙子也被掀起，但那是因為她站的地方剛好是通風口，地面的一陣風吹起來，裙子就被掀起了，像這樣的畫面，純粹是表達城市的趣味面，觀眾看了，也嘻嘻哈哈，絕不會有甚麼邪念。

電影裏邊一些肯肯舞，一大群歌舞女郎，跳着跳着，也掀起裙子，有時候，一些西部片，尊榮甚麼的角色，生起氣來，捉住妻子或女朋友來打屁股，像這些鏡頭，一點也沒有甚麼不妥，出發點絕不在那裏賣弄色情。相反倒頗趣味盎然的哩。

米蘭（「電影筆記」專欄）

《電影與電影製作》的最佳

　　《電影與電影製作》選出去年度最佳的電影為 Z，最佳導演為捷克的真紐瑪。最佳男演員為《獨行殺手》之阿倫狄龍，最佳女演員為《蠟炬成灰淚未乾》的沙莉麥蓮。

　　最佳彩色攝影為《流寇誌》。最佳剪接為《渾身是膽》。最佳音樂片為「《蠟炬成灰淚未乾》。最佳動作畫片則沒有。

　　值得注意的是他們選出《情挑淑女心》為過譽的電影，《雲雨巫山數落紅》為過分不被注重的電影。

　　由於《畢業生》賣座，所以製片人紛紛抄襲《畢業生》，《情挑淑女心》自稱是《畢業生》的姊妹作，其實相差甚遠，《畢》片的趣味與導演巧妙的電影技巧都是《情》片無法與之抗衡的。至於《雲雨巫山數落紅》，卻是一部拍得異常精絕的作品，約瑟羅西對人物位置的調度和氣氛之營造，的確是第一流。

　　在英國本土，最賣座的電影是嬉春片。《電影與電影製作》認為英瑪褒曼的《恥辱》和布紐爾的《銀河》都值得一提，但對希治閣的《諜魄》感到失望。

米蘭（「電影筆記」專欄）

543

查里白朗卡通片

自從和路迪士尼的卡通以來，早些日子，大家期待的是一部《披頭四黃色潛艇》，現在呢，大家期待的是《一個叫做查里白朗的男孩》。

提起查里白朗，他倒是大名鼎鼎的，因為他是著名的漫畫人物，和他常在一起的，是小女孩露茜，和一隻叫史諾皮的狗，這隻狗，一天到晚睡在狗屋的頂上幻想，又和一頭鳥打仗。這一批漫畫人物，現在出盡了風頭。

終於，大家決定把「查里白朗」這些人物搬上銀幕，製片人找來了五十二名美術家，畫了三十萬單獨的畫幅，一群人花了九個月時間才完成了卡通。漫畫作者查爾斯蒙路蘇茲自己編劇，又畫了主要的畫面。

在卡通片中，最活潑的並非查里白朗，反而是史諾皮，看來，它決不會比米奇老鼠失色。如果我們逛書店，可以見到很多，「查里白朗」的漫畫，賀咭和信封上面，有很多也印了露茜和史諾皮，和路迪士尼的卡通人物反而給比了下去。

米蘭（「電影筆記」專欄）

對銀幕射一槍

　　有個人叫做馬里奧柏龍巴，二十歲，跑去看電影，那電影是有床上戲的，那個人就因為喜歡所以去看。當電影放映到暴露的第一場時，卻原來，那些鏡頭已被電檢處剪去了，這個叫做馬里奧柏龍巴的人，提起槍對銀幕就是一槍射去，並且要電影院退票。他說，我不喜歡電檢員把片段剪掉。結果，電影院的人紛紛逃走，他本人也被捉〔到〕警察局去。

　　看電影發生這樣的事，似乎和看舞台劇時有人跑上台把壞蛋角色一刀刺死一樣，是非常意外的，通常，看戲的人，即使激動，也十分冷靜，不至於動武。不過，比較起來，跑上舞台殺壞人，是被戲迷昏了頭腦，對銀幕放槍反而是越看越現實，行動則太偏激了。

　　事實上，看暴露鏡頭而在銀幕下大喝倒采的事實也不少，但大家最多一面看一面呼不值，或者在電影院中「超」聲四起，說到毀壞銀幕，倒沒這種事。倒霉的自然是電影院，電影片段又不是電影院剪掉的。

米蘭（「電影筆記」專欄）

導演和顏色

　　記者訪問珍摩露的時候，和她談起一些導演，她以顏色來區別導演的風格。珍摩露說，杜魯福是藍色和綠色，安東尼奧尼黃色，奧遜威爾斯紅色，布紐爾紫色，約瑟羅西比較怪，是黑色和白色。

　　於是，記者問珍摩露，你自己是甚麼顏色呢？珍摩露說，別忘了我是一名演員，我會變色的，我是變色龍。她說，我在黃色叢中時，就是黃色；在白色叢中時，就是白色。至於自己，則不大清楚。說到喜歡甚麼顏色，珍摩露說她選擇橙色，或者，有時，喜歡黑色。

　　用顏色來區別導演，其實可以運用在寫影評上，將來的人批評電影，也許除了採取「作者論」外，還會加上「記號學」，那麼，利用顏色倒是可能的。事實上，珍摩露把導演用顏色區別出來，也用得甚貼切，譬如說約瑟羅西，他給人的感覺的確是黑與白，看《富貴浮雲》時尤其鮮明。而布紐爾，也的確是紫色的，我們看《青樓紅杏》時，果然覺得布紐爾的爐火純青，是燒得非常紫。

米蘭（「電影筆記」專欄）

《諜魄》結局三部曲

希治閣的《諜魄》，一共有三個結局。希治閣本人拍了三個，放映時，在香港見到的是第三個。

第一個結局，是希治閣原來的意思，「黃玉」首腦格蘭維爾和狄華路展開一場決鬥。地點是在一座足球場上。但結果，決鬥變了樣，觀眾台上竟有人一槍把「黃玉」首腦暗殺了。這個拷貝，在外國也沒放映。

第二個結局，是指兩個人都沒死，在機場上相遇，一個朝東一個朝西，格蘭維爾還對觀眾微笑。這個拷貝，在英國十一月六日首映時，是出現過的。

第三個結局，就是一般電影院上映的，也就是香港觀眾所見的了。這個拷貝，也是英倫十一月四日招待記者放映時的版本。沒有決鬥，沒有微笑，只有格蘭維爾家的正門，一聲槍響，呆照。

如果要評《諜魄》，不知道這結局的三面貌，如何能夠知道希治閣心裏真正的意思呢。事實上，第一個結局才充滿了希治閣式的手法和他的一貫風格呢。

米蘭（「電影筆記」專欄）

四星片三星片等等

　　冬季號的《視與聽》，選出的四星片是阿瑟潘的《愛麗絲之餐室》，另外一部是布紐爾的《銀河》。希治閣的《諜魄》，只得二星，國際聲譽甚盛的 Z，也只得二星。至於李察波頓和歷士夏里遜合演的以同性戀為題材的《樓梯》，則一顆星也沒有，《查洛之瘋婦》及《新萬世師表》都是荷里活的鉅片，也是一顆星也沒有。

　　米亞花露和德斯汀荷夫曼合演的《若翰與瑪麗》是二顆星，導演就是《渾身是膽》的彼得葉芝。

　　《電影與電影製作》一月號並無三星片，二顆星的只得一部《第五名騎士是恐懼》，這是一部捷克片，最近，在「第一影室」上映過。至於《諜魄》，則一顆星也沒有。由此可見，英國對希治閣的評價不高。

　　值得我們等待的當然是阿瑟潘的《愛麗絲之餐室》及布紐爾的《銀河》。另外一部片叫《愛之島果杜》，則反應不一，《電》給它一顆星，但《視》則以四顆星，值得注意。

米蘭（「電影筆記」專欄）

魔鬼的面孔

明星是會隨時代而變的，那是指，明星的類型。本來，大紅大紫的男明星，應該是那些多情種子，溫文瀟灑的一類，所以，有一陣，羅拔泰萊般的明星大行其道。不過，過了一陣，占士甸，馬龍白蘭度式的銀幕英雄出現了，他們是叛變式的人物。觀眾覺得，這些人是良善的，但被環境所迫，所以十分可憐兮兮。

現在呢！歐洲紅透半邊天的可不是阿倫狄龍這種邪氣森森的盜賊型明星，竟是一個叫做比埃甘曼蒂的年青小伙子。這個人在《初試雲雨情》中演西方的賈寶玉倒還沒有甚麼，在《青樓紅杏》中給觀眾的感覺就是擁有一副「魔鬼的面孔」。一個這樣的人會紅起來真是奇怪，反派的人物帶來咄咄逼人的威勢，觀眾竟十分歡迎。

在布紐爾的新作《銀河》中，比埃甘曼蒂演的是劇中的魔鬼，照他在《青》片中的扮相和象徵，他實在是十足一名魔鬼，現在的電影是這樣：女明星要穿最少的衣服，男明星則要做最壞的事。

米蘭（「電影筆記」專欄）

導演分工合作

法國導演近來很喜歡拍一些電影片段。高達的電影是以片段插片段著名的。高達拍電影極快，他常常長長的拍七八個長片段，然後剪接起來就成為一部電影。

意大利也很喜歡拍片段，通常是三個導演，一人拍一段，像《誘惑》就是。第昔加還一個人拍三個片段〔，〕合成一部電影，像《昨日今日明日》。

導演們合作在一起〔，〕各人拍一段電影其實是不錯的，拍得好固然精彩，像《儡魄勾魂》，大家都是名導演，可以一展身手。拍得不好的新導演，就可以把作品擠在名導演的作品中一起推出，也算是有機會發揮，像《風流世界》。

現在，法國一共有八位導演，包括《男歡女愛》的利勞殊，《縱橫四海》的晏列柯，《滿池春色》的積狄雷在內，一起合拍一部新片，叫《十個女孩子》。[1] 他們分別描寫一些女秘書，小女明星，女模特兒在巴黎的生活。看來，法國的導演大概看到意大利的《女人百態》不錯，自己拍一套來長長志氣也不定。

米蘭（「電影筆記」專欄）

1　編者目前尚未查得此作，不過利勞殊曾為 *Visions of Eight*（1973）執導。該作同樣有八位導演，以一九七二年慕尼黑奧運會為題材。

齊法尼里被逐出會

意大利早一陣拍的電影全是牛仔片，最近則是裸風四起的性感電影掛帥。製過一部《薩泰麗康》的製片人比尼因為電影被禁，大為不滿，就出了一部小冊子，說據他的看法，有關性的電影乃是相當於今日的新寫實電影，因為它們反映的正是國內現實的一面。

比尼又對齊法尼里大發脾氣。近來，齊法尼里有如一名道德十字軍，大聲抨擊意大利片紛紛走性路線。齊法尼里又聲稱看了比尼的《薩泰麗康》後，感到身為意大利人而覺得羞恥。比尼在小冊子中對齊法尼里也絕不留情，指出《殉情記》的若干片段也以裸體充塞銀幕。

齊法尼里一個人反性電影，並沒有得到同道人的支持，意大利的「電影作者協會」還把他逐出會。齊法尼里卻毫不在乎，他認為既然沒有發表意見的自由，則被驅逐出會反而非常〔慶〕幸。

比尼本人當然也不好過，他並不是沒有製過藝術片，其中不少是柏索里尼導演的，全虧了本。現在走商業路線，又碰釘子〔，〕自然不開心了。

米蘭（「電影筆記」專欄）

551

製片家夏里蘇茲曼

夏里蘇茲曼，算得上是個不錯的製片家。廿年前，要不是他也有份創辦活科影片公司，就不可能有像《星期六晚及星期日晨》這樣的電影的出現。而這電影，卻〔和《金屋淚》一樣〕，是把英國電影扭轉過來的重要作品。

一回想起廿年前，夏里蘇茲曼說，那時候，我們正在實驗，嘗試用新的形式來拍電影。廿年後的今天，夏里蘇茲曼覺得，現在的青年人對拍電影還是非常熱心，但可惜他們老是不重視內容。他說，要知道，一部電影總得講些東西呀。還有，夏里蘇茲曼認為現在的青年人很看不起劇本，老是想即興拍，結果，有的死跟着安地華荷跑，安地華荷的電影其實是荒謬的。他說。

夏里蘇茲曼製過「鐵金剛」，他說占士是現代的泰山。拍那些電影是因為他要拍些真正的商業片。最近蘇氏製的大場面片子並不少，看來，他會變成英國的羅蘭蒂斯哩。蘇氏還支持布紐爾在西班牙拍一部喜劇，由嘉芙蓮丹妮主演。

米蘭（「電影筆記」專欄）

甚麼人能做導演

甚麼人可以做導演呢？那是一個有趣的問題。起初的時候，大概是一些攝影師，把畫面拍下來，剪接一下，就算是導演了。稍後，一些舞台的導演變了電影的導演，因為演戲和電影接近。

一般來說，幹過和電影有關的工作的人都可以做導演，因此，有的演員做起導演來了，像保羅紐曼，尊榮。有的剪接師做起導演來了，像卡里萊茲。有的影評人也做導演，像杜魯福，有的小說家做導演，像阿倫羅布格里葉。還有，攝影師也做導演了，像葛達。總之，做導演的人越來越多，而且來自四面八方。

舞蹈家也做導演了，像《新萬世師表》的夏白羅斯；他從沒做過導演，但因為懂得設計舞蹈，就執起了導演筒。照這樣看，我們國片將來拍武俠片，根本用不着特別找甚麼導演來指揮，乾脆找一位武術指導就可以替代了導演。目前，很多的武俠片，其中的武打場面，還不都是武術指導在那裏全面處理人物調度嗎？

米蘭（「電影筆記」專欄）

海鷗也會演戲

希治閣拍電影，常常動用動物，一會兒是貓，一會兒是狗，至於鳥，那是任何人都印象深刻的。

在《諜魄》中，有一場是兩個古巴人出外野餐，這時，湊巧有群海鷗飛過，把麵包帶走了，而這，才引起了兵士的注意，引發了以下的整場劇事。

海鷗根本是不會演戲的，首先，牠們不會聚在戲中野餐的地方，其次，牠們也不會抓走麵包。為了拍這一場戲，希治閣只好又找人來幫忙了。他找了誰呢，就是以前拍《鳥》時訓練鳥的專家。要不是有了專家，海鷗才不會那麼聽話演戲呢。不過。想想專家倒是很有本領，怎麼能夠訓練海鷗上鏡頭。

至於一般人拍電影，碰上動物就頭痛了。要牠們做活動佈景板倒沒甚麼，若要牠們演戲，真是談何容易。一個導演可以指揮演員，碰上了動物，自然束手無策，因為導演可不是馬戲班的馴獸師。希治閣呢，他偏不怕，比起《鳥》來，《諜魄》的海鷗真不算一回事。

米蘭（「電影筆記」專欄）

彼亞羅佐拉狄

　　彼亞羅佐拉狄並不是導演，他是著名的舞台和電影的美術設計家。對於這個名字，我們是陌生的，但要是提起費里尼的《八部半》，《露滴牡丹開》及《神遊的茱麗葉》，大家就會覺得，那些美術設計，自是了不起。如果說，費里尼拍得真好，其實，彼亞羅佐拉狄也有不少的功勞。他們兩個人合作，的確是牡丹綠葉，就像若瑟羅西和李察麥當諾一樣成功。

　　為了找外景，彼亞羅佐拉狄常常要花十個月時間，叫汽車夫駕車，自己帶了一名攝影師去看外景，但，替費里尼的電影看外景，有一件事頗令人頭痛，因為費里尼有個怪脾氣，拍電影，不肯離開羅馬。最多離開一天，即使叫他到羅馬外二十哩，也要皺眉頭。有一次，彼亞羅佐拉狄說，不如到那不勒斯去拍一段，但費里尼找了很多藉口，說了半天，就是不想去。在藝術上，彼亞得佐拉狄和費里尼卻很合得來，因為這兩個人同樣都喜歡一些不尋常的事物和景緻，難怪拍出來的電影奇氣盎然了。

米蘭（「電影筆記」專欄）

《電影筆記》會停刊嗎？

法國的《電影筆記》，編輯們和老板鬧意見，老板認為編輯們如此編書不好，編輯們又認為老板太獨裁，於是，雙方弄得很不開心，《筆記》可能要停刊了。

自從一九六五年，《電影筆記》由丹尼爾菲力柏支接手出版，但到了去年十月，老板方面對編輯們「罷工」，到了十月尾，《筆記》還出不了版，老板要保留雜誌名字，編輯們則打算另起爐灶，編一本新雜誌。結果，雙方妥協了一下，最近的一期照常出版，菲力柏支准編輯們把名字買回來。

說到買回來，《電影筆記》最初出版時，杜魯福和當尼爾維克洛茲出過二百萬法朗，後來菲力柏支接手，投資三百萬舊法朗。現在，如果編輯們能夠拿出三百萬舊法朗的話，他們是可以得回雜誌，名字也買回來的。

《電影筆記》停刊的話，那是可惜的，「電影雜誌」其實已經甚少，現在，法國的那群《筆記》編輯們正在籌款，看來，杜魯福，高達他們，大概不會袖手旁觀吧。

米蘭（「電影筆記」專欄）

保留原作

　　許多導演為大製片公司拍片，結果，因為製片方面有權重新剪接電影，所以，一部片在導演完成後，和正式放映時，〔有〕很大的分別。就以去年來說，幾部主要的電影，如卡里華茲的《一代舞后》，波爾曼的《雙雄決鬥太平洋》，森畢京柏的《流寇誌》及薛尼盧密的《疑妻記》都經過重新剪輯，到了放映出來，根本已經不是導演心目中的作品了。有時候，國內國外的拷貝完全不同。

　　薛尼盧密自己在一封信中就說，這已經是很古老的故事，而且是可歎的事。替大公司拍片就是這樣的，其實，這也不是第一次了。

　　於是有人呼籲，電影圖書館和博物館要盡量保存，並且努力搜集電影的原品，否則的話，它們不久也許就會失去，並且永遠失傳了。

　　對於研究電影的人來說，導演的原作是非常珍貴的，因為，導演有他們一己的風格，如果一經亂剪亂刪亂插畫面，叫研究電影的人從何研究某一導演的風格呢。

米蘭（「電影筆記」專欄）

美麗的畢業證書

意大利電影實驗中心的學生，在畢了業之後，就會得到一張畢業證書，這張畢業證書，雖然和普通大畫報一般大小，而且看來並不出色，卻設計得十分美麗。整張證書的兩旁，印了一些空白的小格子，就和電影菲林的齒孔邊一般，於是，遠看過去，整張畢業證書就是一格菲林格。既然是電影學校，印這樣的證書，當然是最適合了，至於證書上簽名的是羅沙里尼，那也是甚珍貴的。目前〔，〕羅沙里尼是意大利電影實驗中心的校長。

很多喜歡電影的人都希望入電影學校讀書，其中，意大利的電影實驗中心是大熱門，不過，因為競爭的人多，所以學位就少了，一般人只好望門興嘆，最近，這間學校準備開一個短讀期〔的〕訓練班，讓那些落選的外國學生就讀〔，〕到底是一線希望。

聽說，有關本港的大專學院將開設電影系，對於喜歡研究電影的人來說，也倒是一項值得高興的消息，香港是應該有這樣的一門學科讓大家去研究的。

米蘭（「電影筆記」專欄）

《氣蓋山河》及《艷女迷春》

　　第一影室這個星期三、四、五的節目〔，〕是選了些舊片出來上映，其中，星期五放映的第一場《艷女迷春》和第二場《氣蓋山河》，值得看。如果兩部片都沒看過的話，最好別錯過。

　　一般來說，大家認為《畢業生》拍得好，娛樂性濃，其實，青年人看了《艷女迷春》，就知道它比《畢業生》還可愛，電影裏邊的那個傻男孩，和《畢業生》的老實畢業生一樣，都是那麼有趣，導演哥普拉的手法，清新可喜，依莉沙白夏雯則美麗得叫人難以相信，這是部青年人的電影，以前上映時，並沒有受到普遍的注重。

　　至於《氣蓋山河》，〔遺〕憾的是，放映的時間仍是一百六十一分鐘，原作的時間是二百零五。剪掉的是最後舞蹈的一場。但即使如此，維斯康堤的風格仍在。

　　他對處理一個大貴族家庭的刻劃，以及鏡頭的移動，室內的陳設，都表現得異常出色。一九六二的片子，但今日看來，一點也不會陳舊。「古老」還是維斯康堤建築起來的電影感哩。

米蘭（「電影筆記」專欄）

且說電影十年前

　　一九七〇年已經開始，電影方面並沒有甚麼值得驚訝的好作品，反過來說，十年前，那真是影壇上的大熱鬧時刻。那時候，一切的電影都普普通通，一個模式，忽然，面目完全不同〔的〕電影出現了。五九年的康城，出現了杜魯福的《四百擊》，高達的《慾海驚魂》，阿倫雷奈的《廣島之戀》。到了一九六〇年，出現的有安東尼奧尼的《迷情》。這些電影帶給世人多大的驚訝呢。大家不禁吃驚起來，這樣的電影，以前沒有見過。

　　十年過去了，那些《影子》，《小兵》，《夜》，《去年在馬倫巴》，《巴黎屬於我們》，《殺死鋼琴師》，都過去了，到了今天，到了一九七〇年，我們就在等。有沒有叫大家大吃一驚的電影作品呢。沒有。非常失望，沒有。因為即使甚麼新潮，甚麼真實，甚麼實驗〔，〕在今日也已經成為普普通通平平凡凡了。而另一方面，荷里活在衰退。

　　國片倒是很蓬勃的，但可惜，大家還是在想：照顧一下觀眾吧。竟被觀眾把電影困死了。

米蘭（「電影筆記」專欄）

女孩子不會喜歡華倫天奴

華倫天奴在成名之前，是個窮光蛋。他是意大利人，卻老遠的〔懷〕了大志跑到美國去。他希望到美國去做甚麼呢？原來是建築風景。他希望把美國的花園設計得非常漂亮，〔就〕像他〔自己〕的意大利家園的花園一般美麗。但他沒有實現他的理想，為了維持生活，他以舞蹈謀生。

默片時代的紅星莉莉安姬絲的姊姊見到他舞蹈，認為他是一個不錯的人才，就把他帶去見格里非斯，希望格里非斯讓他做演員，在那個時候，格里非斯有一間拜奧格拉夫影片公司，莉莉安姬絲和她姊姊都是公司的演員。

格里非斯見了華倫天奴之後，怎麼說呢，他說，這個人的模樣太外國化了，女孩子不會喜歡他的，就這樣，格里非斯並沒有用華倫天奴。莉莉安姬絲的姊妹拍了一卷片，請過華倫天奴演出一〔幕〕，後來因為沒錢再拍，也就沒有再請他。

華倫天奴後來紅透半邊天。到了今日，莉莉安姬絲回想起來，忍不住說，這次，格里非斯看錯了。所以，製片家的眼光並不一定準確。

米蘭（「電影筆記」專欄）

電影有標點符號

在今日，當我們說，電影有標點符號，這說法已經陳舊，而且，實在也不值得注重。我們會說電影的淡入淡出，等於文章的句號，割接等於逗點，一組鏡頭等於一句句子，一場戲，等於一段文章。

把電影當作文章來看，並不是沒有根據的，因為有人認為，藝術是一種交通和語言的形式，而一個叫做 IA 李察士的人還說過，藝術是交通活動的最高形式。對於電影來說，不少人接納了這一觀點，因此，在他們來說，電影和寫作的語言非常近似。

阿斯德勒又創過「開麥拉鋼筆」一詞，所以，不少人把文章和電影當作兄弟。在他們來說，文章是用文字寫出來的，是人的語言，電影則是用聲和光表現出來的，也是人的語言。

到了今日，我們斤斤計較電影的標點符號當然是過分了些，也太把電影拉到文章上面去，但是它們十分相近，卻也是事實。

米蘭（「電影筆記」專欄）

艾力盧馬作話題

　　很可惜，並不是許多人都知道艾力盧馬。有人以為法國新潮的主健只有三個人，一個是杜魯福，一個是高達，一個是查布洛。我們比較認識那三個人，是因為他們的電影都曾在市面上上映過，但這並不等於說，新潮導演只有三個。新潮是有一大堆人的。譬如說，還有阿倫雷奈，還有娃達，還有艾力盧馬。一九六三年以前，艾力盧馬還是《電影筆記》的主編呢。他的影評也是相當著名的，一般人認為，〔安〕德列巴仙之後，最有力的承繼者就是他，甚至有人認為，他是巴仙的勁敵。

　　艾力盧馬自己拍過電影，他曾說過，我們並不是將要拍片的影評人，我們是拍片的人，不過碰巧也寫電影評論而已。在這裏，我們不曾上演過艾力盧馬的作品，新潮至今已經十一年了，十年來，我們所見過的電影，不外是高達〔，〕杜魯福和查布洛幾個新潮導演的作品。其實，娃達的《幸福》青年人會喜歡的，影片公司卻不曾把它帶到觀眾面前來。荷里活在衰退。歐陸電影應該在此抬頭了吧。

米蘭（「電影筆記」專欄）

563

電影的書本

　　喜歡電影的人，一是和喜歡文學或戲劇的人一般，希望能買些書回家看。在這裏，書店中有很多文學的書本，戲劇也不少，但電影卻很少，如果真的靠書店供應，只能找到三五本而已，事實上，整間大書店，可能數起來，連五十本有關電影的書都不夠。

　　找電影書的人該怎麼辦呢，最好是先翻電影雜誌，普通的《視與聲》和《電影與電影製作》都有介紹電影書本的專頁，而且還介紹書的內容，看了就有所取捨了。電影的書，有的很貴，五十元，八十元一本的很多，值得購買的卻是幾類叢書，專門介紹導演，或專題研討，有的還是電影劇本，價錢方面也較低廉，即使仍要每冊十元多一點，〔卻〕是最低的價格了。

　　一家叫羅里麥的出版公司，出的一套電影劇本就很好，如今出到第十六本，是高達的《狂人比埃洛》。看外國電影，對白不易全部吸收，看了電影後，翻劇本再看，對電影的了解就會深一層了。

米蘭（「電影筆記」專欄）

傳音之術拍電影

武俠小說裏邊有一種本領，叫做傳音之術，就是一個人可以把說話傳到另外一個人的耳朵中去，站在旁邊的一些其他的人，一點也聽不見。

這種傳音之術，拍起電影來，實在是「畫面和聲音」的好配搭，畫面上拍的一個甲，嘴巴動了動，但大家聽不見他說甚麼，那邊的一個乙，卻聽得清清楚楚。電影對於表現這種聲音和畫面的結合，是最強的。電影既可單靠畫面，默片一般，又可以對一幅畫面，自由配旁白。

拍一些飛天遁地的武技，電影可以靠特技來補足，但是傳音之術，卻用不着費神，只是配音時的功夫而已，不過，拍武俠片，並沒有人好好地利用一下傳音之術，它其實很可以豐富一下影像的。

一個人完全不會武功，但一位武林高手在遠遠用傳音之術指示他如何擊敗的邪門武士，這完全是一種遙遠控制的辦法，拍起電影來，如是破一些陣，倒是很有用處。傳音之術實在像現代的電話電報，因此拍武俠片也可十分現代化。

米蘭（「電影筆記」專欄）

漫畫書上的電影

　　一部電影拍出來，有人稱讚，有人貶斥。有一本叫做《癲》的漫畫雜誌，卻會畫了漫畫來諷刺一番。許多電影都被那本雜誌畫成漫畫，諷刺得很厲害，看得大家很舒服。以前，《雌雄大盜》等，也被畫成漫畫過。

　　畫《癲》的諷刺電影漫畫的特徵是，他們總拿一部電影作題材，其中的主角就是電影的主角，〔像〕《雌雄大盜》，漫畫的主角也是華倫比提和菲丹娜惠，漫畫把他們畫得維妙維肖，讀者一眼就認出他們是誰。當然，漫畫成功的地方是，他們的結局和電影是不同的，而且過程也不一定完全〔一樣〕。

　　今年四月號的《癲》，漫畫題材是選了《午夜牛郎》，就是德斯汀賀夫曼演的那部，漫畫裏的德斯汀賀夫曼，一頭長髮，一臉鬍子，真是神肖極了。看這些漫畫，當然是先看了電影的好，不然的話，就不知道它和電影之間的異同了。如果朋友有這份雜誌，借了看看以前那些諷刺電影的漫畫，就覺得，這些漫畫，其實也是一種影評哩。

米蘭（「電影筆記」專欄）

對白很有趣

電影可以不要有很多對白。相反來說，電影可以要很多對白。既然默片用不着對白，就可以把重點集中在動作或其他表現手法上，同樣的，既然聲片可以利用對白，就可以把重點集中在對白上。

像《偷戀隔牆花》，這樣的一個電影，如果沒有了那些精彩的對白，就不會那麼風趣了。本來，很多人都說，對白多多，悶死人，但誰敢說對白多是悶死人呢，像《偷》片，對白多的，卻笑壞人呢。所以，電影該不該用對白。就得看本身是否需要，並且要看對白用得好不好。

很多電影，對白很有力。有的對白很多，表現的是一種非常無聊的社會面貌，一群人，語言無味，言不及義。有時對白卻又可以利用來諷刺社會，一個人嘩啦啦，滔滔不絕，並不見得沒意思。至於《偷戀隔牆花》，對白那麼多，就是這個喜劇構成的一大因素，而這，也是該片「戲劇」味道最濃的地方，因為作為一個電影來說，《偷》片實在是非常「不」電影的。

米蘭（「電影筆記」專欄）

戲劇及電影

在我來說，《春蠶絲未盡》是一個電影，《偷戀隔牆花》是一個戲劇。前者，電影感濃，後者〔，〕電影感稀。《春》片雖然十分電影化，利羅殊這次顯然婆婆媽媽了些，反而《偷》片卻相當乾淨俐落。所以，不一定有電影感的電影就是好作品，也不一定電影感稀的作品就不值一看。

我們看的國片裏邊的那些早期的黃梅調甚麼的，拍得相當完整，但它就像《偷戀隔牆花》，缺少了電影味道，而我們說《破曉時分》好，《董夫人》不錯，是因為這些電影已經走向「電影」這邊來了。國片之所以比以前進步了許多，原因之一也就在：它們越來越接近電影，又明白了電影是有電影獨有的表現方法的，「我很快樂」在電影上表現起來，就有很多電影特有的方法。

戲劇和電影很接近，但它們終竟是兩件事，我們可以把《偷戀隔牆花》放在舞台上演，但我們卻無法把《春蠶絲未盡》搬上舞台哩。

米蘭（「電影筆記」專欄）

閉眼聽電影

西部片，如果閉上眼睛去聽，像放爆竹。這邊嘩喇喇，蓬，那邊，劈烈烈，拍。就算倒下來的，是玻璃片聲，鐵桶木盆聲，牛仔片是這樣。戰事片，則像別人新開張放長串的炮仗，響聲不絕於耳，差點把耳朵震聾。

日本的武俠片，閉上眼睛來聽，像打颶風，風聲呼呼，狂風掃落葉，或者，就像暴風雨前夕，一點聲息也沒有。忽的會有一兩聲吆喝，可以把熟睡的人吵醒。

國語片的武俠片，也有特色，越來越像開了打鐵店。一部電影，從頭到尾全是打鐵聲，釘釘鎚鎚，互相碰擊，而且亂成一片。

如果把電影中的說白對白抽掉，單剩下那些音響，相信一個人閉上眼睛也可以聽出是哪一類的電影。

除了武器聲，馬蹄聲也可以讓聽者找出電影是屬於甚麼國家的。西部片中馬蹄聲最多，奔跑最厲害，日本片中時有時無，國片的馬蹄聲最少，常常銀幕上有馬時馬卻在慢慢走，不奔跑，要聽馬蹄聲就聽不見了。

米蘭（「電影筆記」專欄）

《報仇》數點

　　這次，英雄死了。孤獨的。沒有人圍着他，也沒有女人把他抱在口中。以前，那些英雄總是掙扎着去見他思念的人，在哭泣聲中死去。這次，很靜的，鏡頭俯拍，花園中的一團花，正好是一個哀悼的花圈。這一影像異常出色，不知是偶然遇上，還是特別設計。

　　張徹用了對比的象徵手法。這在他的作品中是頗少見的，狄龍之死，慢鏡之後，一鏡幕除除下。電影手法生動可取。

　　這邊是舞台上武打的喧鬧，那邊是廁所內的搏擊，或是舞台樓上的追逐，配合得對，只是如果把音響配得準確一些，同時誕生，會更緊湊。割接也宜更迅速，即使用呆照也不妨。但導演可以用他自己的方法，務求音響聯接。

　　自從《保鏢》，張徹愛用慢鏡，一而再，再而三。玉樓和小樓之死，是慢鏡二重奏，重複了。玉樓之死可以用慢鏡，小樓之死不用，可免重複，或其他方法，效果說不定更強。片中有幾場轉位乾淨俐落，但「一品香」招牌太出風頭。

米蘭（「電影筆記」專欄）

平淡中顯出趣味

《難禁玉女心》是歐洲式的電影。很簡單的故事，但描寫的是細節。生活片段是一點滴一片面重疊起來的。不一定有甚麼驚天動地的大事。像這類的電影，從平淡中顯出趣味來，電影把它拍成現在的樣子，不是小說，不是史記，是散文詩。

除了查爾斯布朗臣不對勁之外，一切都是很好的。音樂，抒情歌動聽，鏡頭，割接頻繁，並沒有不妥，很配合活潑的劇情。寫女孩子，寫得深入的。現在的女孩，是說愛就愛，說不愛就不愛的人物，完全一片真心。查爾斯布朗臣從獄中出來，看門的人不信他是十六歲女孩的丈夫。但她一聽到電話就飛跑下來。她說，啊，這是我丈夫，他剛從獄中出來。一點羞恥自卑的感覺也沒有。愛就〔該〕那樣子的。但十六歲的女孩到底是女孩。除了愛，一切都不理會。他們為甚麼分手了呢。原來人們活着，除了愛，還有別的，女孩子不喜歡別的。

電影清新可喜，典型的現代作品。

米蘭（「電影筆記」專欄）

照顧觀眾的導演

有的導演拍起電影來是不理會觀眾的。他們照自己的意思去拍電影，朝自己的目標走，觀眾接受與否，一概不理。這樣拍電影有它的好處，導演可以不被觀眾拖死，藝術創造的自由大，可以盡情發揮一己的才華。但也有導演喜歡照顧觀眾，他們認為，電影是拍來給別人看，看的人很重要。照顧觀眾的導演腦中想及觀眾的存在，並不是遷就觀眾。所以，照顧觀眾的導演拍出來的電影並非就等於低級趣味。

法國的亨利喬治古魯佐，是老導演了，他就是喜歡照顧觀眾的。怎樣照顧觀眾呢？他的出發點是，好好地講一個故事，先把故事弄好再說，在故事裏當然可以加插個人要表達的思想。正因為這樣，古魯佐不怎麼同意現在〔的〕導演的作風，他認為新導演太不關心觀眾。

現在，一般上的導演也可以分為兩派，一派是不理觀眾，自己直向前衝，另一派則為觀眾着想，為觀眾着想是好的，梅維爾的《獨行殺手》何嘗不是為觀眾而拍的好片子。

米蘭（「電影筆記」專欄）

瑞典《移民》美國拍

瑞典的《移民》是一部四小時長的兩部曲電影，算得上是瑞典有史以來最大的製作。更令人驚訝的是，這部片有一半是在美國拍攝，瑞典片在美國拍外景，這也是破天荒的第一次。《移民》故事很簡單，是說一群人離開荒蕪的故鄉移居到第一塊沃土上去。因為拍這部片，著名的瑞典演員麥士馮西杜和麗芙烏曼都到美國去了。該片的導演是尊杜洛爾。他是攝影師出身，拍過電視紀錄片，拍起電影來，時常反映他的出身。譬如說，他從來不知該把拍攝機放在甚麼地方，看〔來〕看去，叫演員演一次，結果，卻用手提機拍下來。瑞典的另一位新導演夏道夫則和他相反，對影機的位置胸有成竹。這兩個人各有所長，是瑞典的新秀。尊杜洛爾是傳統派，他的電影節奏是慢的。工作的時候，一群人是用瑞典的傳統方法拍，很悠閑、不緊張，工作人員不多，很靜，因此，不必擔心會被一大群人圍着。尊杜洛爾喜歡法國的杜魯福，美國最喜歡尊福，瑞典則敬仰英瑪褒曼。

米蘭（「電影筆記」專欄）

史佐曼的《你騙人》

維果史佐曼的名字不該是陌生的。他導過一部片，叫做《我好奇》，有兩個版本，一個黃，一個藍。一般被人談得最多的，是黃色版，所以又叫做《我好奇 —— 黃色版》。現在，維果史佐曼的新片是《你騙人》，這是描述瑞典監獄的事實的電影。

在一九一〇年，瑞典最後執行了死刑，以後，瑞典的監獄辦理得出色，一直為世稱道。據稱，瑞典是世界上進步國之一，他們的監獄不是用來處罰人而是用來照顧人，使犯罪者在將來變成善民回歸社會。但維果史佐曼用他的新電影說：「你騙人」。導演史佐曼青年時曾在獄中服務，是暫時的守衛員，現在過了二十五年後，他把那時的情形描寫出來，他說，現在那地方還是一樣。

這是瑞典第一次在真的監獄中拍一部劇情片，並且把當地的事實情況忠實描寫出來。以前，史佐曼拍過一部叫《四九一》，描寫一群青年犯，編劇是拉斯果凌，此人在三年前逝世。史佐曼為了紀念他才拍《你騙人》，描述青年犯入獄後的生活。

米蘭（「電影筆記」專欄）

重回西班牙

　　每拍一部片時，布紐爾總是說：這是最後的一部了。但是，過了不久，他又開了新的戲。上一次，聽他說，這是最後一部了，他指的是《銀河》。現在，他在拍《杜麗絲姐娜》，也是說，這是最後一次了。當然，大家都希望那不是事實。

　　布紐爾是西班牙導演，但他一直在國外居住和拍片，他多半的時間是和法國太太一起住在墨西哥，他的一部《維里戴安娜》一片，直到現在，還被西班牙禁映。不過，布紐爾終於回國拍他的《杜》，連《杜》在內，這是他在國內拍的第三部片。

　　《杜》的男主角是法蘭哥尼羅及范南度雷，女主角是嘉芙蓮丹露。布紐爾對嘉不錯，以前，拍片的時候，布紐爾一直獨自用膳。但拍《杜》片時，他卻和嘉芙蓮丹露一起。當然，自從《青樓紅杏》之後，他們都熟了。《杜》裏的嘉是一個追求愛的女人的情事，但她失敗，回到她的監護人的懷中來。布紐爾說，這部電影裏面，象徵和暗喻不多，比以前的作品顯露。

米蘭（「電影筆記」專欄）

詩與電影

　　電影中抒情美的片段，常常得到人們的稱頌。人們說，這一段美得像詩。不過〔，在電影中〕，不少題材是由小說改編搬上銀幕，很少是由詩。其實，詩和電影應該很接近，尤其是一些長詩。如果把但丁的《神曲》或拜崙的《唐璜》或普希金的《尤金奧列根》等的長詩拍成電影，相信也可以拍得不錯，就看導演的功力而定。

　　現在，有一個叫尚克勞萊的人，拍了一部短片，就把法國詩人波特萊爾的五首詩拍成電影。用影像表現出來，他這樣做，很可以給喜歡拍實驗作品的喜愛電影青年作借鏡。譬如說瘂弦的一些詩，收在《苦苓林的一夜》裏的一些，就可以拍成短片了。有一首詩叫〈遠洋感覺〉，說大船在海上搖擺，一系列的影像是鐘擺，搖籃，木馬，鞦韆，都是擺蕩的，拍成短片，一樣可以拍出《神槍手與智多星》裏坐腳踏車的一場美麗畫面來。

　　不過，拍波特萊爾詩的導演主要的是找五個女人來拍她們的赤裸，借了波特萊爾為名吧了。

米蘭（「電影筆記」專欄）

雞尾歌與大怪片

《金剛嶺雙龍會》是部甚怪的電影，拍出來一派古老味道，鏡頭不時呆瞪一兩個地方，好像影機稍一移動，銀幕就會塌下來的樣子，奇連伊士活更怪，居然唱歌，但他唱抒情歌時，使人老覺得他是獨行俠，不像是那麼文縐縐的。但導演偏叫奇連伊士活唱歌，偏要鏡頭呆成一頭鵝。一看就知是故意如此。

珍絲寶的女主角，一個女人嫁兩個丈夫，這種題材，未之有也。把西部墾荒片，拍成聖經式的罪城末日，也是西部片中少見的。西部片的歌唱片，大家以為是《脂粉七雄》，但猜憶全部落空。銀幕上唱的歌多半整首播唱出來，但本片中婚禮進行時的一首卻是十分風趣的三幾句雞尾歌。別成一格。

電影能夠拍得與眾不同，是值得注意的。一般人覺得《金》片甚差，我倒覺得導演只有一手，集大怪於一爐，難能可貴。商業電影一向致力於媚眾，很少有像《金》片如此不討好觀眾口味的娛樂片也。

米蘭（「電影筆記」專欄）

約翰與瑪麗

《約翰與瑪麗》的中文譯名是《相逢何必曾相識》。叫人注意的當然是美雅花露與德斯汀荷夫曼。其實這兩個明星殊不美麗，也不討人喜歡，不過是，《畢業生》和《魔鬼怪嬰》是再適合他們也沒有了，他們本非演技演員，只是性格鮮明，所以，並非每一部片都值得喜歡。

其實，《相逢何必曾相識》，要注意的不是美雅花露，不是德斯汀荷夫曼，也不是那個很新奇的故事，卻是，因為導演是彼得葉芝。

彼得葉芝導過一部《渾身是膽》，給人極新的印象，三藩市的街道，史提夫麥昆的造型，車輛的追奔逐北，紀錄片的拍攝手法，都顯出了彼得葉芝的才氣。於是，大家不得不留意他的《約翰與瑪麗》。

拍《渾身是膽》的外景地點是三藩市，拍《約翰與瑪麗》的背景則是紐約，電影時間是描寫廿四小時內的事，對於時間的控制，彼得葉萊芝在《渾身是膽》中已經□見過，這次且看他的新招數。

米蘭（「電影筆記」專欄）

火裏去水裏去

拍電影，並不是輕易的事，做演員，也不輕鬆。一群人，都十分辛苦。早幾天，星期六，天氣暖和，在片場裏看拍戲，當日是李菁演女俠，岳華演男俠。佈景是冰天雪地，李菁穿了一身厚〔衣〕服，坐在濕硬不通風的膠上，岳華則一身絨布衣服，還在外面穿着一件皮〔革〕的外套，水銀燈強得很，場內的溫度足可以煮熟雞蛋，普通人在那裏一站，差點透不過氣來，演員則臉上汗水直淌，風扇猛烈的吹也沒有用。叫人熱得站不住，春天也如此，炎夏又如何。

那邊，狄龍和姜大衛則演一場打鬥，一群人全浸在水裏，滿身由頭濕到腳，如此的拍戲，整整五、六小時不停，衣服裹在身上，乾了又濕，濕了又乾，如果不拍出病來，身體真的是鐵打的了。以前不知道拍戲辛苦到甚麼樣子，真的見到了，才知一切那麼逼真，而且苦不堪言。現在不得不對自己說，做演員，其實有時和護士一般，同樣是辛苦事。百萬小生也好，影后也好，聽起來名頭瀟灑，但拍戲之苦則要自己一身承擔。

米蘭（「電影筆記」專欄）

《電影月刊》四月來星標

　　英國的《電影月刊》，薄薄的每月二十頁紙，專門報道英國每月上映過的電影。介紹一片時，列有詳細的演職員表，製片公司，片長，放映時間，電檢處編組等等，接着是影評。該刊每月請七位以上的影評人對影片作星標評價，讀者一看就知道那些電影較優。

　　該刊一月份得星最多的影片為艾力盧馬（法新潮導演）的《與馬的一夜》，其次是尊榮得金像獎的《獨眼龍雙槍殲四虎》，七位影評人每人都給它兩星，其中一人給三星。《新萬世師表》評價不佳，兩位影評人給黑圈。

　　包尾的影片是《父子淚》，全部吃圈，《魔術基督徒》是尾三，四圈一星。二月份的電影，《俏紅娘》排第二，《相逢何必曾相識》第四，薛尼盧密新作《海鷗》第五。三月份榜首是柏索里尼的《豬欄》，依次為《神槍手與黑珍珠》，《神槍手與智多星》，《三月情花開》。《金剛嶺雙龍會》排十一。四月份是《愛麗絲餐館》第一，《人海狂潮》第二。《龍樓鳳血》最尾，第十四。五圈兩星。

米蘭（「電影筆記」專欄）

動物拍電影

　　帶大象去拍片，滋味如何，《浴血大逃亡》的導演米高溫納有經驗，在《浴》片中，他找來了錫蘭到瑞士去拍片。大象的行李中，有風筒，好吹些熱風出來讓大象保持乾爽。拍片時雖然只需要一隻象，但拍片時卻要把牠的朋友叫做泰洛嘉也帶了去，好作伴，免得牠寂寞，大象每天愛洗澡，澡後，給牠吃牠喜歡的蘋果，稻草，無花果和糖。晚上，要特別為牠們亮一種燈，因為大象不喜歡在黑暗中睡覺。

　　拍《浴》片時，有一群牛經過小村落。米高溫納一見，靈機一觸，馬上叫道，帶牠們回來，於是牛們再經過一次，牠們都上了銀幕。

　　雖說，《浴》片是喜劇，但並非全部憑空〔捏〕造，該片的另一編劇湯賴，就是電影中的布祿士本人，他在諾曼地一役後被俘，派在慕尼黑動物園中工作，後來逃亡出去。湯賴本人當時並沒有帶大象一起走，大象的角色倒是編出來的。編劇是《通天大盜》的同一人，狄克星蒙。

米蘭（「電影筆記」專欄）

為了波里斯卡洛夫

如果去看《巫術驚魂》，不是為了看導演，也不是為了看恐怖奇情故事，而是為了看波里斯卡洛夫。

波里斯卡洛夫，不是英俊小生，也不是影帝，他從來沒有得過奧斯卡金像獎，但在電影上，他以扮演恐怖角色著名。他扮殭屍，木乃伊，變形人，獸面怪客，一共演過一百三十七部片，部部是演恐怖角色，因此提起波里斯卡洛夫的名字，就等於是恐怖片的標誌。

誕生於一八八七年的波里斯卡洛夫，去年逝世，倫敦為了紀念他，建了一間電影院，就叫「卡洛夫」，專為了放映他演的電影。我們現在能再看到他的電影，和他的死亡不無關係。

很少電影以演員名字標榜，希治閣電影掛名的是希治閣。但有時，好演員同樣負盛名，像法蘭西斯哥羅西的《城市上之手》，就以洛史德加的《城市上之手》為稱呼，而《巫術驚魂》，大家也稱它為波里斯卡洛夫的《巫術驚魂》。導演反而置諸腦後。

米蘭（「電影筆記」專欄）

米高溫納

　　《浴血大逃亡》的導演是米高溫納，所以，不要把片錯過。米高溫納的《偷情聖手》在本港上映過，奧利花列手持一把斧頭砍破了桌子，給人的印象極深。米高溫納又拍了一部《奧運會》，運動場上的觀眾都是塑膠人。

　　表面看來，《浴血大逃亡》是一部戰爭片，內容嚴肅且悲壯，事實上，它是一部充滿動作的喜劇，奧利化列演一名英國戰俘，被派在慕尼黑公園中看顧大象。結果，他帶了大象逃亡，越過瑞士的阿爾卑士山。《雌雄大盜》中的邪門小子米高普勒在片中演一名美國大兵，帶領了自己部下逃亡，兩組人自然是會合了在一起。

　　作曲的是誰呢，法蘭西斯黎，就是《男歡女愛》的名作曲家，《浴血大逃亡》中的曲，有些和他以前的主題較近，非常好，但有關露茜的一段卻不夠鮮明。露茜是片中的大名字。牠的原名叫艾達。

　　米高溫納不但是《浴》片的導演，且還自己製片。他的新片已經開拍，是《法律人》。

米蘭（「電影筆記」專欄）

何不每天一片

　　一些很好的電影，除非是熟悉外國電影消息的人，常常不被注意。□是，上映了一天兩天，就不見了。最近，這樣的例子屢見不鮮。

　　《人海狂潮》，不知有多少人知道它是好片子，片名《冷媒介》，指的是電視，出自麥魯恒的《瞭解媒介》。配音異常出色，內容扎實有力，表現手法也新。《三月情花開》，也是一上映就割下來。有的人根本不知道香港放映過那樣的電影。

　　院方大概自己看了影片，認為本港觀眾不會喜歡，所以對它沒信心，□且上映一兩天，其實，本港觀眾也不是不愛看好片子的，只是院方不〔肯〕多做點宣傳功夫，把電影看死了，就沒得救了。

　　將來，荷里活的大片子越來越少，像《人海狂潮》的影片越來越多，電影院方面大概對每一片都沒信心，只好部部上映一天算數了。倒不如開一間像以前景星那樣的電影院，每天一片，看不看由你。

米蘭（「電影筆記」專欄）

585

十四歲以下的觀眾

英國的青年十八歲已是成年人，於是，看電影的年齡該是多少歲合格，自又引起爭論。現在，由七〇年的七月一日起，英國電檢處又作新措施。

以前的 XAU 分級法，現在改為 X，AA，A，U 四級。X，十八歲以上的人可看。目前 X 是指十六歲以上可看。AA，是新的，十四歲以上可看。A，只是表示，適合十四歲以上的人看，十四歲以下的人看，並不趕走。目前，A 是指十六歲以下的人要由成年人陪伴入場才行。U 則和目前一般，一般人可看。

美國的制度本是 MARX 四級。M，成人。等於英國的 A。後來改為 GP，不論年齡，最好由家長決定。

一般來說，電影院不歡迎五歲以下的小童入場，這，法律並無規定。有關方面也認為這樣做並不合理，三歲四歲的小孩看電視看得懂，沒有理由不讓他們偶然去看看電影。在香港，電影等級只分兩類，成年人可看與未成年不宜觀看。怎麼算成年，自己決定。

米蘭（「電影筆記」專欄）

張徹之英雄

　　張徹拍電影，注重塑造英雄形象。他的英雄不是「獨行俠」，「鐵金剛」式的，也不是《虎俠》裏的馬龍白蘭度。「獨行俠」和「鐵金剛」是神話式的英雄，他們如有神助，威風八面，又如童話中的現代白馬王子。張徹的英雄，卻是悲劇性人物，一出場就決心朝墳墓走。這些英雄且注重情義恩愛，但總是被命運牽着走，置生死於度外，拋兒女私情於腦後。

　　張徹的英雄死得很慘，決不像《神槍手與智多星》，一出門身中亂槍，當場無聲無息。也不像《流寇誌》。他們是牽腸掛肚，死不瞑目的。仇總是報了，但愛卻斷去。張徹的英雄人物和《獨行殺手》的殺手頗接近，這些人都是去自殺的，不準備回來，尤其是《保鏢》，那麼模糊地微笑着上塔去送死。他們投入戰場，雖然武藝非凡，但雙拳難敵四手，他們的戰鬥，是注定的，一個武士最適當的歸宿不是死在戰場上麼。打從練武開始，這條路是選定了。反觀《流寇誌》、《神槍手與智多星》，他們戰鬥，是為了逃生。張徹的英雄是去送死。

米蘭（「電影筆記」專欄）

法國的古魯佐

　　古魯佐是法國電影導演的老將。他有一件事是首創的，那就是，他和雷諾亞一樣，是法國導演中最先拍警匪片的導演。在那時候，警匪片一向被認為第二流，自從他們之後，警匪片才在法國逐漸抬頭。

　　古魯佐拍電影喜歡講故事，為觀眾着想，但還是常常和製片□□□□□□下導演筒。他和高達，杜魯福是好朋友，但整個《電〔影筆記〕》□是攻擊他，站在反方面批評他。他說，我不看《電影筆記》，對此書不感興趣，這些辦書的人只喜歡拍一些給二萬個人欣賞的電影。古魯佐喜歡《廣島之戀》，認為《梅利爾》一錢不值。喜歡《戰爭終結》的開始，不喜歡那場床戲。他很喜歡高達，但認為高達電影總有悶場悶事，整個戲卻有十分鐘非常吸引。

　　有人覺得，古魯佐和希治閣的風格相似，古魯佐自己說，希治閣的電影，在緊張〔過後〕總想辦法把現象的激動舒緩下來，他自己並不，這是最大的分別。他不承認曾受雷諾亞影響，他說他受差利卓別靈影響最深。

米蘭（「電影筆記」專欄）

維斯康堤

　　維斯康堤，一九〇六年誕生於意大利米蘭。廿二歲的時候，在米蘭戲劇院做學徒。過了一陣，卻跑到法國去了，那時候，法國的雷諾亞在拍高爾基的劇《底層》及莫泊桑的短篇小說〈鄉村中一日〉，維斯康堤做雷諾亞的助手。因此，維斯康堤的作品受雷諾亞的影響很深，尤其是最初的一部。維斯康堤的作品不多，連《納粹狂魔》在內，不過是第十二部，其中有兩部還是片段。如《誘惑》中的〈職業〉及《女人百態》中的〈活焚女巫〉。作品雖然不多，但每一部都出色，尤其是《羅可兄弟》及《氣蓋山河》，早期的《大地震動》□看過的人較少。一九六七年，維斯康堤的《異鄉人》參加影展，落選，一般人都認為維斯康堤逐漸和伊力卡山般，成為沒落的偶像，但即使大師的作品，水準不平衡也是常有的事。

　　描寫一個大家庭的沒落和衰亡是維斯康堤的專長。在歐洲，習慣上稱維斯康堤的作品是新寫實主義的先鋒，羅沙里尼的《不設防的城市》遲了三年，第昔加的《單車竊賊》也比《大地震動》遲了一年。

米蘭（「電影筆記」專欄）

高達的電影

高達的《春情金絲貓》來了。看這個電影,可以先知道一些關於高達的習性。

高達不是一個喜歡講故事的人,所以,他不理會那些曲折的情節,也不把高潮堆砌得很宏偉,整個電影就是淡淡的,即使是很意外的事件發生了,高達也不過用很簡單的一兩個鏡頭介紹了就算。

高達喜歡把真實的事和小說情節砌配在一起,因為小說本來就是真事的再造,而真事又常常與小說一般巧合。在《春》片中,一切的角色都是演員們本來的角色,他們都演他們自己。劉芳剛在《家有賢妻》中把真幻合在一起,這種帶點紀錄片式的風格,是高達在《春》片中採用的,而高達,他是紀錄式電影的先鋒。

高達喜歡把電影當作砌圖遊戲,他的電影,時常會出現一些加插的畫面,顏色又會變紅變藍。不過,高達電影的意思不在表面技巧上。每個人講的話很重要,《春》片中一個女秘書,不斷在傳譯,就是特別講給觀眾聽的。很多電影以動作取勝,高達則回到語言媒介上去。

片中有一個景是一間試映室,銀幕下有一行字,是法文的,〔原〕文的意思是說:「電影是沒有前途的發明。」本是盧米埃的名句。高達電影中常有字,那些字很重要,它們表現的正是高達的意思。

未署名

導演是電影的一半

看《家有賢妻》之後，大家應該覺得，劉芳剛這個導演，肯用腦。他捨得在劇本上多花一點心思。作為一個導演，努力構思一個適當的題材是最重要的。因為，拍一部電影，怎樣拍得美麗，怎樣搬弄技巧，是一件很容易的事，主要的還是電影本身，表現些甚麼主題，導演的意思傳達得好不好等。

所以，去看《家有賢妻》的時候，決不注重銀幕上那些忽然呆着不動的「凝定」，也不欣賞那些利用攝影技巧拍出來的「快鏡」和「退鏡」，而專心去看，劉芳剛有沒有傳達自己意思的才能，和他到底有沒有話要說。

《家有賢妻》證明了劉芳剛的確有自己的思想，雖然，他還在那裏記着觀眾的口味，有時候，又太重視自己想出來的無關重要的小趣味。譬如說，花了很多的菲林，不外是描寫一條領帶是售貨員的。這樣來拍一點畫面，到底是浪費了些。

肯用腦是主要的問題，所以，劉芳剛可以拍電影，但他在色彩的控制上顯然還需要作更大的努力。從《家有賢妻》來看，我們當會想起：在目前的中國電影中，導演是有的，欠缺的可是一大批協助導演的人。譬如，《家有賢妻》有一個麥當諾那樣的美術設計家在，效果就完全不同了。

未署名

個人電影抬頭

　　《迷幻車手》在去年康城影展中得了兩項獎，甚至名導演安東尼奧尼也稱讚它是「近年來少見的最能表現美國即景的電影」，於是，《迷幻車手》在英國「古典電影院」上映時，慕名而來的觀眾多得不得了。

　　因為觀眾多，所以長龍排得長，電影院附近的建築物紛紛寫律師信投訴，說長龍阻塞在建築物前面，商店和餐室的生意因此受到嚴重的打擊。於是，電影院只好找人來在後院的牆上開了一個大洞，在十二小時內趕工建了一個候票場所，為了使排隊的觀眾不至太無聊，電影院特別播送《迷幻車手》的電影音樂給大家聽。電影院這一筆額外的建築費並不少，但他們相信可以賺回來，因為預料該片可以連續上映幾個月之久。

　　《迷幻車手》之所以哄動，是因為它是一部成本低的個人電影，由彼得方達自己製片，編劇並演出，故事很簡單，但在荷里活大製作陷於低潮的時刻，《迷幻車手》這種電影使電影有了新的出路。在美國，這樣的電影無疑是新電影潮流的前衛，很多人將會努力拍此類的電影了。美國的《時代週刊》曾把該片列為六十年代重要電影之一，和《雌雄大盜》，《畢業生》等片並列在「電影英雄榜」上。事實上〔，〕《迷幻車手》正是美國「新西部片」的代表作之一。

西西

歌舞化的《聖誕述異》

英國要拍一部新的歌舞片，題材是甚麼呢？狄更斯的《聖誕述異》。英國要拍這樣的一部片，不但聰明，而且製片的頗有頭腦。

英國有著名的作家，像莎士比亞，像狄更斯，他們的作品都是電影劇本的好寶庫。《羅麥歐與朱麗葉》，被搬上電影已經很多次了，《雙城記》，也是拍了又拍。最近，大家把古典名著重新搬上銀幕，但已經懂得在作品中賦以時代精神。看齊非里尼的《殉情記》，大家看到了今日嬉皮少年的面貌。而《新苦海孤雛》，竟變了一部歌舞片。

《英雄肝膽美人心》的製作證明了英國歌舞片絕不失色，《新苦海孤雛》證明了狄更斯的小說可以當作歌來唱。而最近美國《新萬世師表》（《再見，捷斯先生》）的成就，也使大家對歌舞片充滿了信心。於是，大家決定拍《聖誕述異》。拍一部大製作的歌舞片。

今年一月，倫敦將開拍狄更斯的這部名著，製片的李斯利布列克斯親自編劇，作曲及作詞，片中將有十二首新歌。導演的人選是朗諾尼，以前，他曾製過狄更斯的《苦海孤雛》和《孤星血淚》。值得注意的卻是演員方面有李察哈里斯，他在《英雄肝膽美人心》中演阿瑟王，給人的印象非常好，而他，和彼得奧圖一樣，正是英國一等一的好演員。

未署名

導演太多了

真的在擔心，將來的片場裏邊，導演比掃地的小工還要多。

這個世界現在是這樣，所有的人都去讀書，因為將來好做工程師，醫師，律師，大家全朝最高的地方走。誰聽見有人會說：將來長大了去做女傭和男僕。所以，現在，女傭越來越少，太太小姐不得不加緊學習下廚煮飯。

電影圈呢？情形也一樣，所有的人都希望做導演，理由就和沒有人願意去當女傭一般。於是，過得幾年，演員去了做導演，編劇去了做導演，場記也做導演，佈景師化粧師，服裝設計師全變了導演。那時候，片場裏大概甚有趣。

說不定，偌大的一座攝影棚，大導演，名演員，副導演甚麼的都齊了，但戲不能開拍，為甚麼呢？因為地上有一堆泥灰等着要清潔，但掃泥的小工去了吃宵夜，大家不得不等他回來。本來，泥灰人人可以掃，只是到了那時候，掃地小工已經是權威，導演也得怕他三分，物以罕為貴，誰敢移動泥灰半寸。

西西

沒落的偶像

伊力卡山自從拍了一部《偷渡金山》之後，一直沒有再拍甚麼片子。所以，使很多人對他懷念不已。前年，他靜靜的著了一本書，叫做《安排》，也許是由於大家十分懷念伊力卡山的緣故，《安排》成了一部極其暢銷的小說。當然，伊力卡山既然寫了小說，一定會把它拍成電影的，《安排》終於搬上了銀幕，演員陣容有卻德格拉斯，菲丹娜惠和狄波拉嘉。

《安排》早已完成，而且在外國上映過了。影評人對伊力卡山十分失望，因為一般的評論都認為卡山已經失去了昔日的光彩。對於荷里活來說，美國電影導演的中堅份子走下坡，實在是大大的損失，難怪荷里活的電影已在衰落中。

法國「筆記派」的「作者論」，把電影導演分列為好多等級，其中一項為「沒落的偶像」，即是說，一個本人很優秀的導演，如果多年內沒有好作品拿出來，即使他過往的作品多精彩多成熟，已經缺乏了銳氣和新的貢獻，於是，就成為沒落的偶像了。伊力卡山的《安排》再次令影評人失望，也許，偶像真的失落了。

茜茜

電影雜誌

現在的一些外國電影雜誌，尤其是那些評論新電影作品和介紹各國新電影的期刊，竟然非常暢銷。以前，類似的雜誌在書店裏，只有忍受白眼的份兒，理都沒人理，但現在，身價突然高起來。跑到書店去找一本《視與聽》，《歐陸電影概覽》〔，〕甚至文章不見特別精彩的《電影與電影製作》，也只能空手而回。

香港人對電影是不是比以前熱心了呢？大家也許因此要問，且想，香港一定〔是〕研究電影的人多了起來，所以，這類書就暢銷了。其實，喜歡研究電影的還是那麼一些人，多不了多少，不然的話，好的電影也不會三天割畫了。那麼電影雜誌怎麼暢銷起來了？原來，近日外國電影吹着一片裸風，影響所及，電影雜誌的圖片就變了人體攝影範本，尤其是《歐陸電影概覽》，簡直是裸照大本營。買這些雜誌，見到熟口熟面的大明星也天體出現，難怪它們比《花花公子》更受人歡迎了。

慘就慘在真正喜歡電影的人，每次去找這種書，就好像去買《北回歸線》一樣尷尬。

阿思思

電影裏的眼鏡

看電影時，常常覺得，電影對近視眼鏡看得很重要，好像它是一件觸目的道具。所以，很多電影裏沒有人隨隨便便戴上一副近視眼鏡，而戴的那一個人，又好像是個重要的焦點。許多電影，甚至誇張眼鏡的意義，特寫又特寫，因此，德國軍官的單邊眼鏡，貴婦的掛在鍊條上的眼鏡，都變成了人物身份的象徵。也因此，《齊雅哥醫生》和《戰艦波特金號》裏邊對眼鏡的特寫，給人的印象很深刻。

其實，在現實生活中，戴一副近視眼鏡，是很普通的一回事，既然滿街滿巷的人戴，那麼，反映社會即景的電影裏邊也應該有很多那樣的人。讓演員戴上近視眼鏡有甚麼不好呢？它們是那麼地普遍。所以，見到亞倫狄龍在《勾心鬥角黑吃黑》中戴了一副，就覺得很自然。而米高堅常常戴一副近視眼鏡，並沒有人覺得有損他的銀幕號召力。

當然，像《獨眼龍雙槍獵四虎》這樣的電影，戴上了眼鏡實在不像話。否則，電影裏有人戴近視眼鏡，反能產生親切感。

阿思思

598

應該取他人之長

　　大家說，國片抄了外國電影很多東西。一般上，大家指的是題材，而且，大家覺得，這樣不好，因為拍電影，創作的題材無論如何是上選。其實，國片在題材中向外國電影找靈感，不過是模仿的一部分，說到鏡頭的運用，構圖的變換，才是國片模仿得最深的，而且，這並沒有甚麼不好。

　　著名導演，各有各的風格，他們的優點值得國片吸收，像有些導演，喜歡畫面裏有很多景次，前面是些花瓶，花朵或帽子等等的點綴品，主角反而在這些花朵花瓶間顯現出來，然後，在主角的背後，又有一堆景物，不是人在跳舞，就是鏡中反映出人物，總之，一個畫面，前景主景背景，一看上去，一層一層，畫面甚豐富。像這樣，國片已經運用了很多，即使羅馬拍《紅燈綠燈》也利用一缸金魚作前景，使畫面變得一點也不單調。

　　在創作之前，藝術家多半會踏上模仿的路。國片在題材上抄襲外國是失策的，但在鏡頭調度和構圖設計上取他人之長，實在不算太過。

阿思思

建築和電影

　　名導演杜菜耶曾經和人爭辯，他認為和電影最接近的藝術是建築。很多人說文學和電影最近，有人則說繪畫和電影才是。杜菜耶獨具雙眼，把眼光放在建築上。

　　事實上，在電影裏邊，建築物的確帶來令人歎為觀止的印象。據說，愛森斯坦拍「奧德撒石階」那段著名的片段時，並沒有先想到要拍石階大屠殺，然後去找尋外景。愛氏拍「奧德撒石階」的一場完全是因為先見到了石階，才觸引了靈感在石階上拍的。而杜菜耶本人拍「殭屍」，也是因為經過磨坊，才想到在電影中運用白色作主動調。

　　我們看《羅生門》，一是會覺得一開始的羅生門非常宏偉，這，就是建築物帶來的電影感。同樣的，我們看《春情金絲貓》，片中的建築物也增強了電影的氣氛，那座別墅的平台，那麼出色的階梯，如果沒有了它，電影一定就會失去很多的光彩。再說《夢斷城西》吧，一開始的一段高空俯覽，紐約城的高樓大廈，給人的印象是何等強烈。

阿思思

散散漫漫歐陸式

看慣了荷里活的電影，一看歐陸的那些電影就覺得兩者果然不同。同樣的一個題材，到了荷里活，情節就緊湊起來，荷里活喜歡把故事的高潮集中起來，整個電影就一本正經地朝高潮推進，戲劇性非常濃。看那種電影，真的是所謂「刺激」，看幾個人打個燦爛，或者看一雙夫婦吵架，搗爛傢俱，都是火辣辣的，就算抒情的作品，也抒得相當感人，電影是枚傷風菌，叫人狠狠地咳一陣。

歐陸的電影就不了，那些電影喜歡懶洋洋的，導演偏要把一個故事鬆弛下來。明明是急流，一到了歐陸，就變了清溪水慢慢流，導演喜歡描述那些無關要緊的時光，反而把劇情重點拋到腦後，而一部電影，閒散的描述常常佔了百分之八十。

《魔鬼怪嬰》雖然同樣是波蘭斯基的，但卻是典型的荷里活式風格，反而他以前的《水中刀》，就是歐陸式。高達的《春情金絲貓》，不折不扣歐陸式，我們如果覺得它怪，那是因為我們看荷里活式電影看得太多了。

阿思思

甚麼最易叫人哭？

甚麼東西最易叫一個好端端的人哭起來呢。算起來，該數電影。一個人〔，〕正正常常的一個人，沒有受了甚麼刺激，沒有碰到甚麼傷心事，沒有哭的可能，但電影，快快樂樂的一個人開場時進去，哭哭啼啼的走出來〔，〕是常見的事。

一幅畫很少叫人哭，畫廊和博物院，進去的人很少哭着出來。一個人在街上看建築物，樓宇和橋樑和公路，也不哭。看書可以叫人哭，聽音樂也可以叫人哭，但看雕刻品，看芭蕾舞，哭的人似乎沒有。

藝術可以感人，說到作為催淚彈，電影坐的是第一把交椅。也因為這樣，電影在叫人哭這方面的確很成功。但是反過來說，電影叫人笑的本領高不高呢。似乎，令人笑的電影是棋逢敵手了。書本裏的幽默小品，一個人看了可以笑，不亦樂乎，朋友隨便講一則笑話，一夥人也可以笑痛了肚皮，所以，因此可見，拍叫人哭的電影容易，拍叫人笑的電影難。

國片如今轉變方向，努力拍喜劇，這是好現象，因為人們肯朝難的路上走，有進取心。

阿思思

場內與場外

在戶外去拍電影吧！自從有人拿了手提機到大街小巷去找尋活生生的景色開始，有人就覺得，片場中拍出來的電影，真是太假了。因為，同樣有拍一些街道、一些花園，但片場搭出來的景，街道上的牆〔，〕假得一點也沒有生氣，至於一些花，常常是塑膠的製品。於是，大家覺得，電影既然是一面鏡子，反映生活的一面，逼真些是重要的。而拍得逼真，就是要多拍一些真實的景色。到大街小巷去找實景。

其實，在片場內拍電影，雖然佈景假一點，卻有很多優點。許多名導演喜歡片場內的花園也不願意跑到大自然的草地上去。原因最主要的是光線控制的問題，在片場內，照明可以隨意調節，要多光就多光，這樣，拍起來就順利得多。在戶外，有時候一大伙人都齊了，但卻無法開拍，等的是甚麼呢？可能就是為了等一線陽光。有的電影在戶外拍足了三個月，不過為了拍一個日出的鏡頭。其次，在大街上拍電影也很困難，馬路上的行人全圍在一堆看，交通也受了阻塞，怎麼還可以順利拍片呢。

阿思思

603

作者還是合作者

電影忽然變得小說一樣，那是說，那些作者的名字。大家看小說的時候，會說，看狄更斯的《雙城記》，看羅曼羅蘭的《約翰克里斯朵夫》。這樣說，當然對，因為，雪尼卡登的一隻眼睛一隻鼻子也是狄更斯創造出來的，而且，狄更斯還把他一送送上斷頭台去。

但電影，畢竟是不同的。大家習慣了說，去看高達的《春情金絲貓》，其實，高達雖然好，雖然值得喜歡，但到底是電影的一〔部〕分。因為如果沒有了攝影的葛達，沒有了音樂的狄里路，沒有了碧姬芭鐸等等，《春情金絲貓》就不是這樣子了。導演，不是作者，〔也〕是作者。

想想就覺得很有趣，電影把導演的名字放在最重要的地方，人們也以導演的名字為大前提，實在像透了武俠小說裏的寨主，尾隨了一批大大小小的頭目，又糾集了一群嘍囉。

「作者論」把導演看作電影的作者，其實，作者沒有幾多，要是世界上的導演全是作者，說不一定有一天，我們也許要教狄更斯是《雙城記》的導演了。

阿思思

向行家示威

　　電影雖說是拍給觀眾看的，但有不少導演，拍電影有時也在那裏向行家示威。譬如說，阿瑟潘，他拍《雌雄大盜》，最末的一場槍殺，觀眾當然看得〔歎〕為觀止，其實，即使電影行家，看了也大吃一驚哩。本來，處理這麼的一場槍殺，別的人也會拍，但阿瑟潘拍得那麼真實，一點破綻也沒有，中間也不用甚麼剪接，從頭到尾的一段戲，清清楚楚的一氣呵成，行家看來看去，就不得不佩服人家拍得那麼技巧，時間又配合得那麼準確。

　　別人拍同樣的槍殺，當然也知道爆炸藥物安置在主角的身上，但這些藥品自然要處理得好，一不能傷及主角演員，二要爆得迫真，效果鮮明，三要時間配合，一顆一顆子彈分別爆，這樣，主角身上的彈痕就一排一排地逐漸顯現出來，血慢慢的染紅衣衫。別的電影工作〔者〕知道怎樣拍，可是，拍的時候可以借割接掩飾，而阿瑟潘，一場戲，不割，而且藝高人膽大，用慢鏡，慢慢給你看清楚。而行家們當然大了眼仔細找破綻，結果，一點也找不到。

阿思思

605

個人欣賞的電影

終於有一天，大家不到電影院去看電影了。為甚麼呢？因為電影一直在越變越大，終於有一天會越變越小。世界上有哪一件事不是老在循環，歷史重演的呢。最初，電影很小，那是說，銀幕框框很小，小得只夠一個人看，那時候，愛迪生的「電影機」，是個鑰匙孔式的洞孔機，只容納一個人一隻眼睛〔睖〕着看。那時候，看電影的人要排長龍，現在，電影銀幕越來越大，在一齊看的人也越來越多，變了群眾的藝術。其實，人是甚怪的，有時候，喜歡自己一個人做一些事，像看書，要自己一個人看，如果有一本書，一大群人一起看，十分麻煩。我們現在的電視，畫面體積比電影小了很多，但因為有所選擇，一家人常常爭執起來了。將來，一定有人發明一種小得像電筒一樣的電視機，一個人可以帶在身邊，自己看，不受別人干擾。而電影相信也不會例外。將來的電影，拷貝會多，像唱片一般，但體積卻小，人們要看電影，自己到店裏去買，放在電筒般的機中放來看，到時候，電影院就全要關門了。

阿思思

感覺的電影

直到目前為止，盲人並沒有電影可看，因為盲人根本看不見東西，而電影又是視覺的藝術，以前，盲人不可以上學讀書，而且也沒有書可以讀。因為書本的字需要眼睛去看。但現在的盲人，只要學習，一樣可以讀書，他們讀的書不是文字的書，也不是用眼睛來讀的。既然盲人可以用手來讀書，又可以利用觸覺，因此，有人就想到，盲人一樣也可以看電影。而且，還可以看電視。

有人在試驗，把光線照在盲人的皮膚上，讓他們感覺，通過感覺，盲人可以看電影了。這，就和他們讀觸覺的書本一樣，如果試驗成功的話，這當然是盲人的福音，而且，他們還可以用同樣的感覺來看電視。

感覺的電影也許發展到任何一個人也能欣賞，到那個時候，電影就十分有趣了。我們說不定因此要說：你去感電影嗎？我們一直在那裏看電影，也許，感電影的時代已經到來了。從上屆博覽會的電影來看，擴張電影所帶來的，其實也已經是感覺了。

阿思思

聲音畫面分家

我們現在看的電影，聲音和畫面很少分家。那即是說，當我們看見一個人在說話，我們就聽見聲音了。或者，一個人的〔腳〕是在木樓梯上走，我們就聽見樓梯咿啞咿啞的叫起來。

其實，聲音和畫面是可以分家的。譬如說，樓梯咿啞咿啞在響，但畫面中並沒有腳，像這樣，如果是一部恐怖片，那氣氛就夠儡人了。原則上，聲音總是和畫面配在一起的，但只要用腦多想想，就覺得聲音和畫面砌配得古怪，或者分了家，一樣有意外的效果。

通常，甲和乙兩個人說話，甲說話時，畫面是甲，聲音也是甲，其實，為甚麼不能變它一變呢。聲音是甲，畫面是乙，豈不有趣。若是拍一部喜劇片，把一個大肥子的聲音配給一個瘦小子，或把一個女人的聲音配給一個男人，讓他們吵吵架，於是，連劇中人自己也好笑起來，到劇中人覺得怎麼自己的聲音那麼怪，而抓抓頭皮時，觀眾一定笑得不亦樂乎。所以，電影中的聲音和畫面，可以隨意配砌，那就要看導演的功夫了。

阿思思

紅黃綠 123

　　英國把所有的電影分為三類。用英文字母來分別。其一是一般人看的。其二是成年人看的。其三是兒童不宜觀看的。美國本來也是如此這般，但去年，美國自己另創了一套分類法，把所有的電影分為四類，用另外幾個字母來代替。多了一項是十六歲以下的少年〔，〕如果有成年人陪同，可以入場。於是，英國美國的一大堆字母，搞得觀眾頭昏腦脹。英國電檢處的秘書先生，名叫約翰杜里維恩，最近又想出了新花樣，他認為用英文字母不好，太煩了，決定用數目字來代替。於是，以後的英國片，片上可能會出現 1234 的數目字了。凡是數目是 4 的電影，兒童不得觀看，而兒童，包括未成年的人，也就是未滿十八歲的。不過，這當然又很有趣，因為英國的成年合法年齡剛降到十六。所有數目標為 4 字的電影，既成了年，卻又看不得。至於美國，仍在沿用四級分的制度，當然，英文字母還是比較麻煩的，如果換了數目字，也許好，但未免太抄英國吧。說不定，明年英國還是學交通標誌，紅黃綠的好。

阿思思

《上帝與我》

國語片有《新娘與我》、《丈夫與我》。外國片也有一部叫《國王與我》、《獅子與我》。現在，意大利則拍了一部片叫做《上帝與我》。這是根斯奎爾史桂諦亞里的第一部作品。所謂「上帝」，並非真的描寫上帝，而是刻劃今日的神父。關於神父該不該結婚娶妻的問題。在眾多的電影中，這還是第一次把神父的婚姻問題搬上銀幕。

史桂諦亞里本人得過文學獎，當過三位導演的副導演，其中之一是法蘭西斯哥羅西。《上帝與我》拍完後，第昔加曾經看過，認為題材頗先進。第昔加能以先睹此片，原來是因為該片的音響效果是曼紐爾配的，曼紐爾是第昔加的兒子。

說到法蘭西斯哥羅西，在意大利，他並不是一個陌生的名字。第一影室在本月十三至十五日上映的一部《城市上之手》就是他導演的，講述拿不勒斯在位者之弄權。值得注意的乃是主演者洛史德加，以至有人乾脆稱該片為洛史德加之《城市上之手》，而不提導演羅西。

米蘭

把佈景拍成真景

常聽得從外國打了兩個轉回來的人說，外國的景物有很多真是見面不如聞名。像威尼斯，看風景相片時何等美麗，事實上，真的到了那兒，卻是一片臭水，骯髒得很。

相片是很怪的，和真實的景物差了一段距離。本來並不富麗堂皇的一個客廳，經過攝影機，居然可以變成宮殿一般繁華，氣勢萬千。到真的見了，覺得也不過平常。這裏的電影卻剛好相反。片場裏的景物，搭得非常逼真，樹木花草甚麼都是真的，樓房也搭得可以真的住進去，一點也不馬虎，可是到片子拍了出來一看，那些很逼真的佈景，卻變得甚假，給人一種「佈景而已」的感覺。彩色固然變了樣，真的花也好像變了塑膠品。

因此，現在的製片，大概該重視一下這一個問題，好好地研究一下原因。看能不能把電影拍成旅遊風景片段，本來不怎麼美的景物，經過攝影機，居然艷麗得驚人，而不是把本來甚好的景物拍出來後大打折扣。我們甚佩服甚麼羅西，安東尼奧尼的彩色作品，大概因為他們有本領把景物拍成旅遊風景照般吧。

米蘭

附錄

電影及人物譯名

凡例

一、本附錄以中文筆劃序列書中影片名稱、人物姓名等，分為三個表格：「外語電影」、「華語電影」（包括國語片及粵語片）及「外國影人、作家、藝術家」；

二、各表盡量羅列原文提及的譯名，惟未收錄無從臆補的名稱；

三、「外語電影」、「華語電影」兩表盡量收錄同一影片的各種譯名，讀者可根據名稱筆劃或本書頁碼查索；倘譯名首字相同，並行排列，以斜線區分；

四、原文未用而兩岸三地公映、今日通用的中文片名，另列一欄，不論首字是否相同，均並行排列，以斜線區分；

五、「年份」指影片完成或首次在出品地的公映年份，或與香港首次公映年份有別；

六、「外國影人、作家、藝術家」表僅羅列原文提及的影人、作家及各類藝術家，不收錄各類作品的角色名稱；

七、單篇中僅有姓氏或名字簡稱，「外國影人、作家、藝術家」表按首字筆劃另列一行；倘單篇中已有人物全名，所有簡稱不予另列。

外語電影

中文片名	原名	英文片名
	一劃	
一○一隻花斑狗	/	One Hundred and One Dalmatians
一夕風流恨事多	/	A Kind of Loving
一加一	One Plus One	Sympathy for the Devil
一代舞后	/	Loves of Isadora
一名美國妻子之秘密生活	/	The Secret Life of an American Wife
一夜狂歡	/	A Hard Day's Night
一起	/	Together
一個女人就是一個女人	Une femme est une femme	A Woman is a Woman
一個叫做查里白朗的男孩	/	A Boy Named Charlie Brown
一個婦人廿四小時的生活	Vierundzwanzig Stunden aus dem Leben einer Frau	24 Hours in the Life of a Woman
一個處女的回憶	/	Benjamin
	二劃	
人	/	Persona
二○○一／二○○一，太空歷程／二○○一年太空漫遊／二零零一·一首太空史詩	/	2001: A Space Odyssey
八十日環遊世界	/	Around the World in 80 Days
十二金剛	/	The Dirty Dozen
十二怒漢	/	12 Angry Man
九月中的兩星期	/	Two Weeks in September
人生長恨水長東	Orfeu Negro	Black Orpheus
八部半	8½	8½
人海狂潮	/	Medium Cool
七擒七縱七金剛	Sette volte sette	Seven Times Seven
入錯棺材死錯人	/	The Wrong Box

615

附錄　電影及人物譯名

中文片名	原名	英文片名
三劃		
女人百態	Le streghe	The Witches
女人是女人	Une femme est une femme	A Woman is a Woman
小女孩沙茜	Zazie dans le métro	Zazie in the Metro
三月情花開	/	The Sterile Cuckoo
土地	/	The Land
大地	Земля	Earth
大地震動	La Terra Trema	The Earth Trembles
小兵	Le petit soldat	The Little Soldier
女金剛勇破鑽石黨	/	Modesty Blaise
小姐與流氓	/	Lady and the Tramp
大都市	Mahanagar	The Big City
小飛象	/	Dumbo
上帝創造女人／上帝創造了女人	Et Dieu... créa la femme	And God created Woman
大都會	/	Metropolis
上帝與我	Io e Dio	Me & God
三部曲	/	Trilogy
上海快車	/	Shanghai Express
三個奇異故事／三個奇異的故事	Tales of Mystery and Imagination	Spirits of the Dead
小販	I magliari	The Swindlers
大國民	/	Citizen Kane
已婚婦人	Une femme mariée	A Married Woman
大國誕生	/	The Birth of a Nation
大盜九尾狐	/	After the Fox
大街上的小店	Obchod na korze	The Shop on Main Street
大衛荷茲曼的日記	/	David Holzman's Diary
大衛與麗莎	/	David and Lisa
大賽車	/	Grand Prix
四劃		
木乃伊的裹屍布	/	The Mummy's Shroud
父子淚	L'Arbre de Noël	The Christmas Tree
水中刀	Nóż w wodzie	Knife in the Water

中文片名	原名	英文片名
勾心鬥角黑吃黑	/	Jeff
日月精忠	/	A Man for All Seasons
巴巴麗娜	/	Barbarella
太平洋中之地獄	/	Hell in the Pacific
不朽之故事	Histoire immortelle	The Immortal Story
日妓	Belle de Jour	Beauty of the Day
午妓	Belle de Jour	Beauty of the Day
六壯士	/	The Guns of Navarone
天牢長恨	/	Birdman of Alcatraz
午夜牛郎	/	Midnight Cowboy
巴拉巴斯	/	Barabbas
火車大劫案	/	The Great Train Robbery
火星上的魯濱遜	/	Robinson Crusoe on Mars
比保之戀人	La ragazza di Bube	Bebo's Girl
匹馬走天涯	/	Lonely Are the Brave
天師捉妖	/	The Fearless Vampire Killers
月球上的第一人	/	First Men in the Moon
不設防的城市	Roma città aperta	Rome, Open City
天涯何處覓知心	/	The Heart Is a Lonely Hunter
天國兒女	Les Enfants du Paradis	Children of Paradise
月球旅行	Le Voyage dans la Lune	A Trip to the Moon
太陽浴血記	/	Duel in the Sun
天國與地獄	天国と地獄	High and Low
中華女兒	La Chinoise	The Chinese
不測之夏	Rozmarné léto	Capricious Summer
切腹	切腹	Harakiri
幻滅	La Grande Illusion	The Grand Illusion
幻想曲	/	Fantasia
月與六便士	/	The Moon and Sixpence
巴黎一賊	Le Voleur	The Thief of Paris
火箭船 XM	/	Rocketship XM
巴黎屬於我們	Paris nous appartient	Paris Belongs to Us
分離	Le Départ	The Departure

619

附錄　電影及人物譯名

中文片名	原名	英文片名
五劃		
巨人	/	Giant
四九一	/	491
他人之顏	他人の顔	The Face of Another
四大天王	Banditi a Milano	The Violent Four
玉女春心 / 玉女春色	/	Joanna
白上黑	Mustaa valkoisella	Black on White
扒手	/	Pickpocket
田中的百合花	/	Lilies of the Field
左手神槍	/	The Left Handed Gun
末代里奧	/	Leo the Last
去年在馬倫巴 / 去年在馬倫堡	L'année dernière à Marienbad	Last Year at Marienbad
四百擊	Les quatre cents coups	The 400 Blows
卡里加里博士之密室	Das Cabinet des Dr. Caligari	The Cabinet of Dr. Caligari
加里格里博士之密室	Das Cabinet des Dr. Caligari	The Cabinet of Dr. Caligari
生命，愛情和死亡 / 生命、愛情和死亡	Vivre pour vivre	Live for Life
加耶	Kaja, ubit cu te!	Kaya
古城春夢	Αλέξης Ζορμπάς (Alexis Zorbas)	Zorba the Greek
加美樂	/	Camelot
北部的納努克	/	Nanook of the North
白雪公主和七矮人	/	Snow White and the Seven Dwarfs
未啟發之回憶	Memorias del subdesarrollo	Memories of Underdevelopment
冬獅	/	The Lion in Winter
生葬驚魂	/	The Premature Burial
母與兒	/	Mother and Son
玉樓春曉	/	Interlude
仙樂飄飄處處聞	/	The Sound of Music
母親	Мать	Mother
失蹤	Le Mandat	Mandabi
六劃		
死亡目擊者	Who Saw Him Die?	Ole dole doff

附錄　電影及人物譯名

中文片名	原名	英文片名
西北西	/	North by Northwest
血印	/	The Pawnbroker
西西里女人	/	The Sicilian Belle
如此運動生涯	/	This Sporting Life
老阿里桑邦	/	In Old Arizona
好沙治	Le Beau Serge	Bitter Reunion
朱狄兒	/	Judith
再見，捷斯先生	/	Goodbye, Mr. Chips
有些吉普賽人快樂	Skupljači perja	I Even Met Happy Gypsies
年青的野蠻人	/	The Young Savages
安妮法蘭克的日記	/	The Diary of Anne Frank
朱門蕩母	/	Phaedra
死巷	/	Cul-de-sac
吃南瓜者	/	The Pumpkin Eater
西班牙園丁	/	The Spanish Gardener
安娜卡列妮娜 / 安娜卡列尼娜	Анна Каренина	Anna Karenina
全部出售	Wszystko na sprzedaz	Everything for Sale
安排	/	The Arrangement
安排香餌釣金鰲	/	The Honey Pot
地球這島	/	This Island Earth
同情魔鬼	One Plus One	Sympathy for the Devil
色情男女	/	The Knack... and How to Get It
在峰頂的藝術家們	Die Artisten in der Zirkuskuppel: ratlos	The Artists Under the Big Top: Perplexed
艾微拉‧麥迪根	/	Elvira Madigan
好像一座房子着火了	Horzhí, má panenko	The Firemen's Ball
安德魯狗	Un chien andalou	An Andalusian Dog
灰燼	Le feu follet	The Fire Within
米蘭大盜	Banditi a Milano	The Violent Four
七劃		
我，一個男人	/	I, a Man
但丁之地獄	/	Dutchman
狂人彼亞洛 / 狂人彼埃洛 / 狂人比埃洛	Pierrot le Fou	Crazy Pete

623

附錄 電影及人物譯名

中文片名	原名	英文片名
壯士山河血	/	Blue
阿巴支	/	Apache
沙丘女	砂の女	Woman in the Dunes
坐在他（神）的右邊 / 坐在神的右邊	Seduto alla sua destra	Black Jesus
冷血兇手	Le scandale	The Champagne Murders
我如何打勝仗	/	How I Won the War
赤色沙漠	Il deserto rosso	Red Desert
我好奇	Jag är nyfiken	I Am Curious
我好奇——黃色版	Jag är nyfiken — en film i gult	I Am Curious (Yellow)
冷血驚魂	/	Repulsion
赤足天使	/	The Barefoot Contessa
巫術驚魂	/	The Sorcerers
克里奧五至七時	Cléo de 5 à 7	Cléo from 5 to 7
妥協	Het compromis	The Compromise
吾妹吾愛	/	My Sister, My Love
男性女性	/	Masculin Féminin
我所知的關於她的兩三 事 / 我略知她一二	/	Two or Three Things I Know About Her
沒法脫衣	Le Déshabillage impossible	Going to Bed under Difficulties
別和魔鬼開玩笑	/	Toby Dammit
劫後昇平	/	Judgement at Nuremberg
扭計師爺	/	The Fortune Cookie
我們是林拔芙的少年	/	We Are the Lambeth Boys
汽船威利	/	Steamboat Willie
冷媒介	/	Medium Cool
忍無可忍	/	Intolerance: Love's Struggle Through the Ages
我愛，你愛 / 我愛你愛	Jag älskar, du älskar	I Love, You Love
我愛你，我愛你 / 我愛 你我愛你	Je t'aime, je t'aime	I Love You, I Love You
赤裸兒童	L'enfance nue	Naked Childhood
冷暖情天 / 冷暖晴天	/	Far From the Madding Crowd
初試雲雨情	/	Benjamin
沙漠上的西門 / 沙漠之 西蒙	Simón del desierto	Simon of the Desert

625

中文片名	原名	英文片名
沙漠之狐	/	The Desert Fox: The Story of Rommel
李察第三	/	Richard III
沙維多梧里安諾	/	Salvatore Giuliano
吾與吾弟	/	Me and My Brother
沙漠梟雄	/	Lawrence of Arabia
快樂之救主	Le gai savoir	The Joy of Learning
折箭為盟	/	Broken Arrow
別數蠟燭	/	Don't Count the Candles
沉默	Tystnaden	The Silence
攻擊	/	Attack
冷戰間諜網	/	The Deadly Affair
你騙人	Ni ljuger	You're Lying!
赤鬍子	赤ひげ	Red Beard
杜麗絲妲娜	/	Tristana
阿蘭之男	/	Man of Aran
男歡女愛	Un Homme et une femme	A Man and a Woman

八劃

夜	La Notte	The Night
阿力山大尼夫斯基 / 阿力山大尼也夫斯基 / 阿力山大尼索夫斯基	Алекса'ндр Не'вский	Alexander Nevsky
武士	Le Samouraï	The Godson
波士頓殺人王	/	The Boston Strangler
長日死亡	/	The Long Day's Dying
郎心如鐵	/	A Place in the Sun
雨月物語	雨月物語	Tales of Ugetsu
金手指	/	Goldfinger
夜之鑽石	Démanty noci	Diamonds Of The Night
拒斥	/	Repulsion
表兄弟	Les Cousins	The Cousins
夜半無人私語時	/	Pillow Talk
金石緣	/	Half a Sixpence
往哪裏去?	/	Quo Vadis
花朵與樹木	/	Flowers and Trees
阿巫比	L'Alibi	Alibi
波希米亞人	La Bohème	/

中文片名	原名	英文片名
奇兵定江山	/	Alfred the Great
佩杜莉亞	/	Petulia
波長	/	Wavelength
雨果及約瑟芬 / 雨果與約瑟芬	Hugo and Josefin	Hugo and Josephine
妹妹吾愛	/	My Sister, My Love
虎虎虎	トラ・トラ・トラ！	Tora! Tora! Tora!
東京世運會	東京オリンピック	Tokyo Olympiad
金枝玉葉	/	Roman Holiday
阿拉模	/	The Alamo
虎俠	/	Appaloosa
法律人	/	Lawman
法律以外	/	Beyond the Law
金屋淚	/	Room at the Top
金屋藏嬌	/	Life at the Top
夜狼	Vargtimmen	The Hour of The Wolf
波特金戰艦 / 波特金號戰艦	/	Battleship Potemkin
阿特蓮	Adélaïde	Adelaide
金剛嶺雙龍會	/	Paint Your Wagon
長途競走者之寂寞 / 長跑手之寂寞	/	The Loneliness of the Long Distance Runner
法國十三日	13 jours en france	Challenge in the Snow
法國式離去	/	French Leave
奇異的故事	Tales of Mystery and Imagination	Spirits of the Dead
牧野梟獍	/	Hud
命運	Der müde Tod	Destiny
幸福	Le bonheur	Happiness
花落斷腸時	/	Christine
阿爾伐城	Alphaville: une étrange aventure de Lemmy Caution	Alphaville
阿爾佛列大帝 / 阿爾佛烈大帝	/	Alfred the Great
法網情絲	/	Odd Man Out
金髮女郎之戀	Lásky jedné plavovlásky	Loves of a Blonde

629

附錄 電影及人物譯名

中文片名	原名	英文片名
青樓紅杏	Belle de Jour	/
披頭四黃色潛艇	/	Yellow Submarine
金龜婿	/	Guess Who's Coming to Dinner
征戰幾人回	/	The Long Day's Dying

九劃

食人獸	I cannibali	The Year of the Cannibals
除了聖誕節	/	Every Day Except Christmas
姿三四郎	/	Judo Saga
神女生涯原是夢	/	Walk on the Wild Side
昨日今日明日	Ieri, oggi, domani	Yesterday Today and Tomorrow
迷幻車手	/	Easy Rider
飛天英雄未了情	/	The Gypsy Moths
飛天萬能車	/	Chitty Chitty Bang Bang
祖母的放大鏡	/	Grandma's Reading Glass
城市上之手	Le Mani Sulla Citta	Hands Over the City
砂丘女	砂の女	Woman in the Dunes
洛可兄弟	Rocco e i suoi fratelli	Rocco and His Brothers
軍令如山	/	The Hill
祖先之子	/	Shadows of Forgotten Ancestors
活色生香	/	Circle of Love
春光乍洩	/	Blow-Up
春色撩人夜	/	Reflections in a Golden Eye
急先鋒奪命槍	/	Point Blank
星光燦爛樂昇平	/	Star
查里	/	Charly
查里巴布斯 / 查理白布斯 / 查理百布斯	/	Charlie Bubbles
迷你時光	/	Smashing Time
面具	/	Persona
流芳頌	生きる	Ikiru

631

附錄

電影及人物譯名

中文片名	原名	英文片名
叛逆	上意討ち 拝領妻始末	Samurai Rebellion
查洛之瘋婦	/	The Madwoman of Chaillot
風流世界	/	The Oldest Profession in the World
相思曲	/	Come Back and be Forgiven
春風秋雨	/	Imitation Of Life
俏紅娘	/	Hello Dolly!
相思草	/	Forget Me Not
風流劍俠走天涯 / 風流劍客走天涯	/	Tom Jones
相逢何必曾相識	/	John and Mary
怒海沉屍	Plein soleil	Purple Noon
苦海孤雛	/	Oliver Twist
英烈傳	/	The Charge of the Light Brigade
迷情	L'avventura	The Adventure
背棄者	Zbehovia a pútnici	The Deserter and the Nomads
春情金絲貓	Le Mepris	Contempt
威康威爾遜	/	William Wilson
保莉馬古	Qui êtes-vous, Polly Maggoo?	Who Are You, Polly Magoo?
流寇誌	/	The Wild Bunch
美國製造	/	Made in U.S.A.
後窗	/	Rear Window
香港女伯爵	/	A Countess from Hong Kong
星期六晚上和星期日早晨 / 星期六晚及星期日晨	/	Saturday Night and Sunday Morning
星期日與西貝兒	Les Dimanches de Ville-d'Avray	Sundays and Cybele
活焚女巫	La Strega Bruciata Viva	The Witch Burned Alive
英雄肝膽美人心 / 英雄肝膽美人恩	/	Camelot
神遊的茱麗葉	Giulietta degli spiriti	Juliet of the Spirits
卻堡雨傘	Les Parapluies de Cherbourg	The Umbrellas of Cherbourg
柳媚花嬌	Les Demoiselles de Rochefort	The Young Girls of Rochefort

中文片名	原名	英文片名
按掣客	Une affaire de cœur	Love Affair, or the Case of the Missing Switchboard
為愛艾薇	/	For Love of Ivy
俏傭與我	/	For Love of Ivy
神槍手與智多星	/	Butch Cassidy and the Sundance Kid
神槍手與黑珍珠	/	Tell Them Willie Boy Is Here
祖與占	Jules et Jim	Jules and Jim
逃獄金剛	/	Cool Hand Luke
迷魂陣	/	Bedazzled
削髮男人	De man die zijn haar kort liet knippen	The Man Who Had His Hair Cut Short
挑戰	La sfida	The Challenge
神龍猛虎闖金關	/	Mackenna's Gold
約翰與瑪麗	/	John and Mary
若翰與瑪麗	/	John and Mary
迷離世界	/	The Magus
叛艦喋血記	/	Mutiny on the Bounty
春蠶絲未盡	Vivre pour Vivre	Live for Life

十劃

豹	Il Gattopardo	The Leopard
衰亡	/	Decline and Fall... of a Birdwatcher
鬥士	Gladiatorerna	The Gladiators
烈火	/	Fahrenheit 451
通天大盜	/	Topkabi
埃及妖后	Cléopâtre	Cleopatra
海之呼嘯	/	The Sea Squawk
狼之時間	Vargtimmen	The Hour of the Wolf
馬田菲阿羅	Martín Fierro	Martin Fierro
浴血大逃亡	/	Hannibal Brooks
起死回生	Diaboliquement vôtre	Diabolically Yours
消防員舞會	Horzhí, má panenko	The Firemen's Ball
珠光寶氣	/	Breakfast at Tiffany's
桃李滿門	/	To Sir, with Love
夏洛	/	Harlot
借面試妻	他人の顔	The Face of Another
恥辱	Skammen	Shame

中文片名	原名	英文片名
脂粉七雄	/	Seven Brides for Seven Brothers
拿破崙	/	Napoleon
原野奇俠	/	Shane
殉情記	/	Romeo and Juliet
窈窕淑女	/	My Fair Lady
桑堡雨傘	Les parapluies de Cherbourg	The Umbrellas of Cherbourg
紐倫堡的審判	/	Judgement at Nuremberg
夏華頓先生	/	Monsieur Hawarden
被禁的星球	/	Forbidden Planet
宴會與來賓	O slavnosti a hostech	The Party and the Guests
氣蓋山河	Il Gattopardo	The Leopard
納粹狂魔	La caduta degli dei	The Damned
真實時刻	Il momento della verità	The Moment of Truth
冤獄酷刑	/	The Fixer
桑樹下團團轉	/	Here We Go Round the Mulberry Bush
馬賽	/	La Marseillaise
拿薩勒人	/	Nazarin
茱麗葉神遊記	Giulietta degli spiriti	Juliet of the Spirits
哦蘇珊娜	Apachenschlacht am schwarzen Berge	Oh! Susanna
海鷗	/	The Sea Gull
特權	/	Privilege

	十一劃	
鳥	/	The Birds
第七封印	/	The Seventh Seal
黑人奧非爾斯	Orfeu Negro	Black Orpheus
第五名騎士是恐懼	A pátý jezdec je strach	The Fifth Horseman is Fear
屠夫男孩	/	The Butcher Boy
國王與我	/	The King and I
週末	Week-end	Weekend
移民	Utvandrarna	The Emigrants
假如	/	If...
殺死鋼琴師	Tirez Sur Le Pianiste	Shoot the Piano Player
莫回顧	/	Don't Look Back

中文片名	原名	英文片名
梅利爾	Muriel ou Le temps d'un retour	Muriel
救命	/	Help!
動物	Les Créatures	The Creatures
雪姑七友	/	Snow White and the Seven Dwarfs
莉拉・克萊亞的傳説	/	The Legend Of Lylah Clare
淘金記	/	The Gold Rush
莫芝特	/	Mouchette
彩虹仙子	/	Finian's Rainbow
情挑淑女心	/	Goodbye Columbus
脱胎換骨	/	Seconds
羞恥	Skammen	Shame
野草莓	Smultronstället	Wild Strawberries
頂峰藝人	Die Artisten in der Zirkuskuppel: ratlos	The Artists Under the Big Top: Perplexed
情婦	Älskarinnan	The Mistress
貪婪	/	Greed
異鄉人	Lo straniero	The Stranger
麻雀不會唱	/	Sparrows Can't Sing
淡淡的熊星座	Vaghe stelle dell'Orsa	Sandra
偷情浪子	/	Alfie
偷情聖手	/	I'll Never Forget What's'isname
甜甜蜜蜜	/	A Taste of Honey
偷渡金山	/	America, America
雪堡雨傘	Les parapluies de Cherbourg	The Umbrellas of Cherbourg
情場浪子	/	All Fall Down
畢業生	/	The Graduate
第奧里瑪	/	Teorema
國際暗殺局	/	The Assassination Bureau
望遠鏡中所見的景象	/	As Seen Through a Telescope
寂寞的牛郎	/	Lonesome Cowboys

638

中文片名	原名	英文片名
甜蜜的謊言	Adorable Menteuse	Adorable Liar
密碼一一四	/	Dr. Strangelove or: How I Learned to Stop Worrying and Love the Bomb
寂靜的星	/	The Silent Star
野貓痴情	Vie privée	A Very Private Affair
豬欄	Porcile	Pigsty
荷蘭人	/	Dutchman
淚灑相思地	Amanti	A Place for Lovers
偷戀隔牆花	/	Cactus Flower
野蠻兒童	L'Enfant sauvage	The Wild Child
十二劃		
犀牛	Die Nashörner	/
紫色平原	/	The Purple Plain
智多星棋逢敵手	Le Cerveau	The Brain
喋血街道	/	Once a Thief
黃色潛水艇 / 黃色潛艇	/	Yellow Submarine
惡向膽邊生	/	In Cold Blood
渾身是膽	/	Bullitt
單車竊賊	Ladri di biciclette	Bicycle Thieves
雲雨巫山數落紅	/	Secret Ceremony
森林奇遇記	/	Jungle Book
逼虎跳牆	/	The Naked Runner
黃金熱	/	For Love of Gold
最後的笑	/	The Last Laugh
黑俠恩仇	La tulipe noire	The Black Tulip
菲特拉	/	Phaedra
絕頂	/	Summit
運動會	/	The Games
搜集者	La Collectionneuse	The Collector
富貴浮雲	/	Boom!
虛榮市	/	Becky Sharp
殘酷世界	Africa Addio	Africa Blood and Guts
湯鍾士	/	Tom Jones
隔牆有眼	/	Wonderwall
游擊怪傑	/	Che!

中文片名	原名	英文片名
遊戲規則	La Règle du jeu	The Rules of the Game

十三劃

中文片名	原名	英文片名
畸人查利／畸人查里	/	Charly
靶子	/	Targets
傻大姐偷情	/	Georgy Girl
聖女貞德	La Passion de Jeanne d'Arc	The Passion of Joan of Arc
獅子與我	/	Born Free
裸之大將	裸の大将	The Naked General
萬王之王	/	King of Kings
愛之島果杜	Goto, l'île d'amour	Goto, Island of Love
愛之殉道者	/	Martyrs of Love
意外／意馬心猿	/	Accident
亂世佳人	/	Gone with the Wind
萬世流芳	/	The Greatest Story Ever Told
萬里狂沙萬里仇	/	One Upon a Time in the West
愛君風流	/	Sweet Bird of Youth
障限	Bariera	Barrier
奧非	Orphée	Orpheus
愛的世界	Incompreso	Misunderstood
路易安那故事	/	Louisiana Story
愛果情花	Les Parapluies de Cherbourg	The Umbrellas of Cherbourg
盟約	/	The Covenant
新苦海孤雛	/	Oliver!
愛倫坡的三個奇異的故事	Tales of Mystery and Imagination	Spirits of the Dead
萬能俠	/	Danger: Diabolik
馴悍記	/	The Taming Of The Shrew
葛特露	/	Gertrud
電單車女郎	/	The Girl on a Motorcycle
奧運會	/	The Games

643

中文片名	原名	英文片名
媽媽不准	/	Momma Don't Allow
新萬世師表	/	Goodbye, Mr. Chips
雷蒙娜	/	Ramona
新潮小姐	/	Petulia
聖誕述異	/	Scrooge
新潮放蕩男女	/	Here We Go Round the Mulberry Bush
電影第五號	No. 5	Smile
電影第四號	No. 4	Bottoms
愛撫與接吻	Puss & kram	Hugs and Kisses
遠離越南	Loin du Viêtnam	Far from Vietnam
愛麗絲之餐室 / 愛麗絲餐館	/	Alice's Restaurant
滑鐵盧	/	Waterloo
痴戀	/	Girl with Green Eyes

十四劃		
睡	/	Sleep
僕人	/	The Servant
漢尼巴布祿士	/	Hannibal Brooks
齊瓦哥醫生	/	Doctor Zhivago
碧血千秋	/	Nine Hours to Rama
碧血長天	/	The Longest Day
滿池春色	La Piscine	The Swimming Pool
槍兵	The Carabineers	Les carabiniers
夥伴	/	Partner
賓折敏	/	Benjamin
誤把寒飛作玉郎	/	Up the Junction
維里戴安娜	/	Viridiana
銀河	La voie lactée	The Milky Way
疑妻記	/	The Appointment
漢姆雷特	/	Hamlet

645

附錄　電影及人物譯名

中文片名	原名	英文片名
奪命劍	上意討ち　拝領妻始末	Samurai Rebellion
維珍妮亞	/	Virginia City
蒙娜	/	Moana
與馬的一夜	Ma nuit chez Maud	My Night at Maud's
銀海痴鸞不了情	/	The Legend Of Lylah Clare
瑪琍亞萬歲 / 瑪莉亞萬歲	/	Viva Maria!
滿堂春色	La Curée	The Game Is Over
賓虛	/	Ben-Hur
誘惑	Boccaccio '70	Boccaccio '70
雌雄大盜	/	Bonnie and Clyde
雌雄拆白黨	/	Kill Me Quick, I'm Cold
齊雅哥醫生	/	Doctor Zhivago
銀湖寶藏	Der Schatz im Silbersee	Treasure of the Silver Lake
夢境	/	O Dreamland
漫漫白晝	/	Long Day's Journey Into Night
輕騎兵之突擊 / 輕騎兵的突擊	/	The Charge of the Light Brigade
魂離奈何天	/	The Diary of Anne Frank
夢斷城西	/	West Side Story

十五劃		
敵人	/	Hell in the Pacific
影子	/	Shadows
慾火焰情	/	The Fugitive Kind
衝出封鎖線	Liebesnächte in der Taiga	Escape from Taiga
衝出鐵幕	/	Torn Curtain
窮宇宙之末的旅程	Ikarie XB-1	Voyage to the End of the Universe
誰見到姬莉	/	Anybody Here Seen Kelly?
誰怕維珍妮亞吳爾芙？	/	Who's Afraid of Virginia Woolf?
蓬門綺夢	/	This Property Is Condemned
窮巷	/	Cul-de-sac
隨風而逝	/	Gone with the Wind

647

附錄　電影及人物譯名

中文片名	原名	英文片名
廣島之戀／廣島‧吾愛	Hiroshima Mon Amour	Hiroshima My Love
慾海春夢	/	The Group
慾海紅蓮	/	Poor Cow
賭徒龍虎鬥	/	5 Card Stud
慾海驚魂	À bout de souffle	Breathless
熱帶	Trópico	Tropici
熱情	/	The Passion of Anna
樓梯	/	Staircase
熱情如火	/	Some Like It Hot
慾望號街車	/	A Streetcar Named Desire
摩登時代	/	Modern Times
蔭蓋的篷車	/	The Covered Wagon
蝴蝶春夢	/	The Collector
蝴蝶夢	/	Rebecca
熱鐵屋頂上的貓	/	Cat on a Hot Tin Roof

十六劃

獨行俠決鬥地獄門	/	The Good, the Bad and the Ugly
獨行殺手	Le Samouraï	The Godson
貓兒叫春	/	What's New Pussycat
戰爭把戲／戰爭遊戲	/	The War Game
擁抱和接吻／擁抱與接吻	Puss & kram	Hugs and Kisses
龍虎恩仇	/	One-Eyed Jacks
戰爭終結	La Guerre Est Finie	The War is Over
戰爭與和平	Voyna i mir I-IV	War and Peace I-IV
賴活	Vivre sa vie: Film en douze tableaux	My Life to Live
龍城殲霸戰	/	High Noon
諜海間諜戰	/	A Dandy In Aspic
靜寂的世界	Le Monde Du Silence	The Silent World

649

中文片名	原名	英文片名
獨眼龍雙槍獵四虎 / 獨眼龍雙槍殲四虎	/	True Grit
錯認飛哥作玉郎	/	Up the Junction
龍鳳鬥智	/	The Thomas Crown Affair
諜魄	/	Topaz
橫衝直撞出重圍	La Grande Vadrouille	Don't Look Now... We're Being Shot ...
龍樓鳳血	/	Anne of the Thousand Days
龍膽忠魂未了情	/	The Singer Not the Song
錦繡山河烈士血	/	The Alamo
戰艦波特金號	/	Battleship Potemkin

十七劃

臉孔	/	Faces
鍾安娜 / 鍾娜	/	Joanna
環首刑	/	Death by Hanging
縱橫四海	Les Aventuriers	The Last Adventure
謝謝姑母	Grazie, zia	Come Play with Me
臉譜	/	Persona
燦爛時光	/	Smashing Time

十八劃

斷了氣	À bout de souffle	Breathless
藍天使	Der blaue Engel	The Blue Angel
薩布里斯奇據點	/	Zabriskie Point
薩泰麗康 / 薩泰里康	/	Satyricon
鯊魚	/	The Pool Shark
雛菊	/	Daisies
雙雄決鬥太平洋	/	Hell in the Pacific
職業	Il Lavoro	/
藍鬍子	Landru	Bluebeard

十九劃

羅可兄弟	Rocco e i suoi fratelli	Rocco and His Brothers
羅生門	羅生門	Rashomon
羅米歐與朱麗葉 / 羅米歐與茱麗葉	Romeo e Giulietta	Romeo and Juliet
羅拉	/	Laura
藝海生涯原是夢	/	Privilege

651

附錄　電影及人物譯名

中文片名	原名	英文片名
難禁玉女心	/	Twinky
二十劃		
麵包，愛情與夢想	Pane, amore e fantasia	Bread, Love and Dreams
觸目驚心	/	Psycho
寶貝歷險記	/	One Hundred and One Dalmatians
警匪血戰摩天樓	/	Madigan
二十一劃		
鐵金剛勇破神秘島	/	Dr. No
鐵金剛橫掃皇家賭場	/	Casino Royale
蠟炬成灰淚始乾 / 蠟炬成灰淚未乾	/	Sweet Charity
鐵馬	/	The Iron Horse
魔鬼怪嬰	/	Rosemary's Baby
魔術師	/	The Magus
魔術基督徒	/	The Magic Christian
露絲瑪莉之嬰兒	/	Rosemary's Baby
露滴牡丹開	La Dolce Vita	The Sweet Life
攝魄勾魂 / 懾魄勾魂	Tales of Mystery and Imagination	Spirits of the Dead
二十三劃		
驚弓之鳥	/	The President's Analyst
戀火融融	Vu du pont	A View From the Bridge
二十四劃		
艷女迷春	/	You're a Big Boy Now
靈慾思春	/	The Night of the Iguana
靈慾春宵	/	Who's Afraid of Virginia Woolf?
二十六劃		
驢子	Au Hasard Balthazar	Balthazar
二十七劃		
鑽石城	/	Diamond City

653

華語電影

中文片名	英文片名	電影出版年份	本書頁碼
第六個夢	Because of Love	1968	311, 312
寂寞的十七歲	Lonely Seventeen	1967	51, 105, 311, 312
十二劃			
窗	The Window	1968	236, 299
報仇	Vengeance!	1970	571
紫色風雨夜	Purple Night	1968	236, 310, 382
十三劃			
路	The Road	1967	519
董夫人	The Arch	1968	312, 492, 493, 494, 495, 568
裸血	Raw Passions	1966	464, 465, 466, 519
新娘與我	The Bride and I	1969	395, 422, 427, 610
十四劃			
滿天神佛	A Big Mess	1969	478, 479
嘉嘉	Affection	1969	432, 433
十六劃			
龍門客棧	Dragon Inn	1967	137, 138, 207, 396, 397, 398, 414
獨臂刀	The One-Armed Swordsman	1967	16, 207, 440

外國影人、作家、藝術家

名字	原名	本書頁碼
米修狄維爾	Michel Deville	216
伊倫妮科拉	Eleni Collard	335
伊恩金馬朗	Ian Cameron	278
伊恩法蘭明	Ian Fleming	410, 411
米高堅	Michael Caine	282, 325, 326, 598
米高詠納 / 米高溫納	Michael Winner	189, 388, 389, 582, 584
米高普勒	Michael J. Pollard	584
米修葛諾	Michel Cournot	272
艾略特	Thomas Eliot	325, 490, 499
艾略特保羅	Elliot Paul	220
伊莉莎白泰萊	Elizabeth Taylor	282
伊雲	Joris Ivens	53, 54
安絲娃達	Agnès Varda	323
西蒙	Jean-Daniel Simon	352
托爾斯泰	Leo Tolstoy	277
安德生	Hans Andersen	411
安德列巴仙 / 安德烈巴辛	André Bazin	96, 563
安德烈沙里士	Andrew Sarris	320
安德魯馬頓	Andrew Marton	386
米羅	Joan Miró	449

七劃

但丁	Dante Alighieri	577
杜夫茲漢可	Oleksandr Dovzhenko	234, 235
里夫斯伊遜	Reeves Eason	386
李安尼	Sergio Leone	506, 507, 514
克列斯馬克	Chris Marker	54
克里夫杜南 / 克里夫杜納 / 克里夫杜能 / 克里夫當納	Clive Donner	131, 268, 357, 488, 504, 505, 509, 512, 513, 514, 515
亨利方達	Henry Fonda	507, 508
佐里尼	Valerio Zurlini	274
杜里柏	Peter Draper	189
狄克星蒙	Dick Clement	582
貝克特	Samuel Beckett	49
亨利夏打威	Henry Hathaway	350
克里曼	Rene Clement	517
狄更斯	Charles Dickens	104, 370, 411, 478, 594, 604

663

名字	原名	本書頁碼
珍絲林頓	Jean Shrimpton	298
美雅花露	Mia Farrow	453, 579
柏斯特納克	Boris Pasternak	72
珍絲寶	Jean Seberg	96, 204, 578
神經六	Harold Lloyd	391
威廉亨利布拉特	William Pratt	364
威廉艾浦遜	William Empson	325
威廉克連	William Klein	22
威廉韋勒	William Wyler	378, 379, 386, 387, 388, 509
施瑞麗	Cyd Charisse	218
約瑟羅西 / 約瑟盧西 / 若瑟羅西	Joseph Losey	121, 122, 282, 288, 312, 347, 348, 382, 541, 546, 555
查爾斯布朗臣	Charles Bronson	507, 533, 572
查爾斯尼高斯	Charles Nichols	402
查爾斯頓	Charlton Heston	512
查爾斯蒙路蘇茲	Charles Schulz	544
施維奧挪里薩諾	Silvio Narizzano	201
英瑪褒曼	Ingmar Bergman	24, 49, 98, 115, 254, 255, 257, 264, 265, 305, 306, 321, 346, 347, 349, 351, 353, 354, 370, 371, 429, 469, 470, 537, 543, 574
紀德	André Gide	319
珍摩露	Jeanne Moreau	249, 546
卻德格拉斯	Kirk Douglas	596
柯德莉夏萍	Audrey Hepburn	57, 134, 238, 474
約翰巴里	John Barry	20
約翰史萊辛傑 / 約翰史來辛傑 / 約翰舒萊辛傑	John Schlesinger	147, 408, 414, 467, 468, 491
約翰西蒙	John Ivan Simon	498, 499
約翰波爾曼	John Boorman	484, 490, 491
約翰法蘭根海瑪	John Frankenheimer	474
約翰夏洛維	John Hallowell	374
約翰連儂	John Lennon	307
約翰基里殊	John Krish	282
約翰蘭道夫	John Randolph	475
保羅高納	Paul Kohner	386
保羅紐曼	Paul Newman	111, 298, 337, 347, 466, 527, 529, 553

665

名字	原名	本書頁碼
高達	Jean-Luc Godard	21, 53, 54, 68, 79, 80, 83, 84, 91, 95, 96, 98, 109, 110, 131, 143, 147, 165, 171, 179, 181, 183, 204, 214, 217, 218, 219, 228, 229, 230, 231, 232, 233, 254, 256, 257, 260, 273, 304, 305, 306, 307, 312, 313, 323, 324, 328, 335, 336, 341, 345, 349, 351, 352, 360, 362, 366, 367, 371, 372, 380, 394, 404, 473, 475, 480, 481, 491, 496, 532, 550, 556, 560, 563, 564, 588, 591, 604, 610
哥普拉	Francis Coppola	559
根斯奎爾史桂諦亞里	Pasquale Squitieri	610
格雷	Thomas Gray	104
高爾基	Maxim Gorky	589
茜蒙薛娜烈	Simone Signoret	308
連儂	John Lennon	101, 307
哥德	Johann Goethe	226
朗慕迪	Ron Moody	410
馬蓮德烈治	Marlene Dietrich	301
朗諾尼	Ronald Neame	594
馬龍白蘭度	Marlon Brando	61, 62, 148, 337, 347, 475, 516, 549, 587
唐諾梵	Donovan Leitch	182, 186
茱麗安德絲	Julie Andrews	381, 466
桃麗絲黛	Doris Day	394
烏蘇拉安德絲	Ursula Andress	514

十一劃

莎士比亞	William Shakespeare	76, 103, 104, 133, 134, 189, 284, 319, 594
畢立／畢亞洛	Maurice Pialat	192, 193, 352
堅尼夫阿當	Ken Adam	287
堅尼夫羅殊	Ken Loach	181
麥卡里	Dave McCary	504
畢加索	Pablo Picasso	179, 199, 355, 372, 448, 449
基加爾遜	Lewis Minor Carson	374
密米加	Vatroslav Mimica	352
域多利奧加士曼	Vittorio Gassman	497
麥西馮雪度	Max von Sydow	353

名字	原名	本書頁碼
齊法里尼／齊法拉里／齊法尼里／齊非里尼／齊非拉里／齊菲里尼	Franco Zeffirelli	39, 40, 133, 134, 282, 324, 512, 551, 594
歌迪亞卡汀娜	Claudia Cardinale	507
嘉芙蓮丹妮／嘉芙蓮丹妮芙／嘉芙蓮丹露	Catherine Deneuve	49, 216, 360, 361, 455, 459, 552, 576
嘉芙蓮協賓	Katharine Hepburn	416
維珍妮亞吳爾芙	Virginia Woolf	103
赫特	William Surrey Hart	56
碧姬芭鐸	Brigitte Bardot	21, 22, 55, 92, 238, 267, 272, 343, 344, 604
瑪莉安菲芙	Marianne Faithfull	268
瑪琍碧馥／瑪麗碧馥	Mary Pickford	57, 529
漢斯真諾維茲	Hans Janowitz	240
維斯康堤／維斯康蒂	Luchino Visconti	24, 40, 133, 222, 248, 254, 255, 275, 293, 324, 347, 349, 382, 416, 537, 559, 589
瑪蒂斯	Henri Matisse	179, 314
瑪蓮娜維拉地／瑪麗娜維拉地	Marina Vlady	21, 216
瑪蓮德列治／瑪蓮德烈治	Marlene Dietrich	58, 345
瑪麗蓮夢露	Marilyn Monroe	58, 542
嘉露惠	Carol White	190, 238
十五劃		
潘尼柏加	Donn Pennebaker	352
蓮格里芙	Lynn Redgrave	202
德斯汀荷夫曼／德斯汀賀夫曼	Dustin Hoffman	508, 533, 548, 566, 579
黎斯特	Richard Lester	199, 200, 203, 239, 248, 276, 357, 362, 366, 367
德琵雷諾	Debbie Reynolds	58
魯道夫杜弗	Rodolphe Töpffer	226
十六劃		
歷士夏里遜	Rex Harrison	41
積方特雷	Jacques Fonteray	227
積卡迪夫	Jack Cardiff	268
蕭邦	Frédéric Chopin	333, 476
盧米埃	Frères Lumière	270, 591
邁克尼可斯／邁克尼告斯	Mike Nichols	175, 199, 201
積里杜	Jacques Ledoux	102

671

附錄　電影及人物譯名

編後記

終結也是開始

　　本冊作為《西西看電影》全套書的最終章，收入西西在一九六七至一九六九年之間在《星島晚報》的「特稿」專欄，及由已故的張景熊先生所珍藏的剪報。兩年前，陳鳳珍女士在《西西看電影》上冊出版後，寄上了張先生珍藏的西西作品剪報，當中包括零星署名茜茜、阿思思的文章，以及一批署名米蘭的「電影筆記」專欄。前者，在內容上有不少與西西發表在《星島晚報》的文章重合，可確認是西西所寫，但因為沒有專欄名稱、報頭，無法確認出處；後者附有專欄報頭，其中一款由已故的蔡浩泉先生繪製，因此這個「電影筆記」專欄，很可能是來自《快報》的。根據張先生留下來的資料，這批文稿在一九六九至一九七〇年之間發表。惟因香港各大學圖書館未存有這兩年的《快報》，始終無法確認剪報出處。本冊在分類的時候，以「『電影筆記』專欄及其他」，錄入這批罕見而珍貴的西西舊作。

謝忱、難題與機遇

　　約在五、六年前，書刊收藏家連民安先生把《亞洲娛

樂》贈予西西，她方才記起為《亞洲娛樂》、《星島晚報》寫稿的經驗。我續根據她的提示，查找一九六八年的《星島晚報》，意外發現這個專欄一直寫到一九六九年。爾後，若無陳女士寄上剪報，西西早在一九六七年就發表的零星文章、後來短暫再寫的稿件，以及她以罕見筆名發表的作品，都將湮沒在歷史當中。這些幕後功臣，因關顧和重視西西的作品，促成《西西看電影》套書的豐厚面貌，必須再三由衷致謝。

幾年前，何福仁先生把這項工作交託予我時，因我手上已存有大部分的報刊影像底稿，以為只是簡單的校對工作。計劃展開以後，鄭樹森教授提議加入譯名附錄。我因拜讀過鄭教授的電影評論大作，以及《60風尚──中國學生周報影評十年》，深知譯名表能為讀者提供莫大的方便，就欣然答應了。編輯經驗尚淺的我，快速訂定了體例，又貿然提出為譯名逐一標示頁碼，未及仔細考量所需的時間。在微縮膠卷、剪報圖檔、正文書稿與附錄之間作整理校對、比對查證等工作，不僅實際操作遠比想像中複雜；全書出版期間，各種陸續增改補充稿件的工作，都將牽一髮而動全身。去年底，我輾轉讀到剪報收藏家陳進權先生對本書上冊的懇切指正。感謝他的斧正，個別的錯字、名稱未列入附錄等，我責無旁貸。惟考慮到今日讀者的閱讀習慣、全書的統一性，我與出版社斟酌以後，同意若非西

西或時代的慣用字，例如「裡／裏」、「峰／峯」一類的異
體字，只能「將錯就錯」，予以統一。倘因此有傷原稿的面
貌，當請讀者見諒。倘有二次再版的機會，前二冊的錯漏
亦當改正過來。

在過去兩年，整理《西西看電影》全書接近七十萬
字的文稿，着實是極大的挑戰。這個挑戰，在下冊尤其
明顯。論正文字數，下冊略多於中冊，而且西西的「特
稿」專欄來自每日刊出的晚報，不少譯介了當時最新的外
國影訊，令本冊需要查核、訂正資料的數目不少，難度亦
較高。光是附錄的項目，就超過上、中二冊的總和。我實
在並非電影專家，加上那個時代的中文譯名很是類似，有
時為了查證西西述及的一齣電影，花上幾天的時間才能確
認下來。西西文稿中錄載的一些歷史資料，有時甚至較今
日權威的外文電影網站所記錄的更詳盡，以致本冊成書之
時，仍有大約十多個影人名稱，至今遍尋不獲。

西西一生面對的困難不少，卻總是迎難而上，自己找
尋樂趣。在遠較預期繁重的編輯工作中，我不但獲得豐富
而寶貴的編輯經驗，更有不少有趣的觀察和新發現。這些
都將為我多年來的西西研究，注入動力。以下針對本冊內
容，略分享一二。

速度與廣度下的啟示

在查核各齣電影的出品年份，中、英文譯名的過程中，我較過去更深入地了解到一九六〇年代歐美電影經典傳入香港的情況，例如是香港各大院線片目與小眾影院之間的差異。本冊收入的文章，大部分來自一九六八年前後的《星島晚報》。當時，西西介紹的個別外語電影，她自己當年很可能尚未看過；另一些電影則在整個一九六〇年代都從未在香港市面公映，只能在第一影室（Studio One）觀賞得到；還有極少數的作品，甚至僅在千禧年代的電影節，才第一次在港公映。例如，高達（Jean-Luc Godard）的《女人就是女人》（*A Woman Is a Woman*, 1961）、弗立茲朗格（Fritz Lang）的《大都會》（*Metropolis*, 1927），都曾在第一影室上映，但論市面公映，前者要等到一九七六年，後者則延至一九七九年。高達的作品，至今甚至仍未悉數在港公映過。此外，捷克新浪潮經典之作《大街上的商店》（*The Shop on Main Street*, 1965），一直到二〇〇六年方才在港公映。[1]（當然，此中涉及影碟等發明，對電影發行及

---

1 第一影室分別於一九六五年及一九六八年放映過《大都會》及《女人就是女人》。此據《第一影室香港電影會二十週年》，頁三十六至三十七。至於各齣電影的香港本地上映年份，參考「故影集：香港外語電影資料網」：https://playitagain.info/site/（最後登入日期：二〇二四年四月七日）。

傳播模式所產生的影響，這則是題外話了。）除此以外，本冊還收入不少當時世界各地電影節的相關報道，不同電影的幕後製作過程、相關人員介紹。

無論從寫作方式和內容而言，本冊錄入的作品均與前二冊有明顯的分別，突顯出西西當時翻譯、引介外國電影潮流的速度與廣度，更體現了她當時仍相當關注各種新鮮的潮流動向。《星島晚報》是每日刊發的晚報，發行方式容許西西將隔日甚至即日的外文影訊翻譯轉載。從另一角度來說，每日發行的報章時效快，文稿正是西西當時所思所想的一種直觀式反映。

從潮流中回顧經典

在一九六七至六九年之間，西西正同步為月刊《香港影畫》、《亞洲娛樂》供稿，又涉足劇本創作、為大影會《影訊》擔任編輯工作。任職教師的她，在晚報譯介最新的外文影訊，除了可能是報紙的要求，大概也因為這類譯介較深入評論需時較少。然而，這類極速譯介的影訊，只佔了本冊小部分篇幅，西西當時仍緊貼歐美電影的發展潮流，她有更多的文稿，取材自著名的外文電影刊物如《電影與電影製作》（*Films and Filming*）、《視與聽》（*Sight and Sound*）等。同時，她仍會評論當時市面上廣為接受的歐美

電影。

　　比對西西同期發表在不同報刊的電影評論，若僅從內容上判斷，可能會誤以為有些說法略有矛盾，尤其是她對於形式與內容孰輕孰重的看法。實情是，西西面對不同的作品，關注點略有不同。例如，收入本書中冊的單篇電影作品評論，對象明確，自然要切中肯綮。相對來說，本冊收錄的文章，西西在快速評介各種新作以後，無論寫實或抽象，她往往能逆流而上，追本溯源。例如，她從波蘭斯基（Roman Polanski）回到希治閣（Alfred Hitchcock）；既看承襲「新潮」的《畢業生》（*The Graduate*, 1967）、《新潮放蕩男女》（*Here We Go Round the Mulberry Bush*, 1968），也再談路易馬盧（Louis Malle）、阿倫雷奈（Alain Resnais），同時上追超現實大師布紐爾（Luis Buñuel）的舊作和最新動向；西西亦會憑據電影節片目，介紹英國新浪潮大將的新舊之作，「左岸派」經典；面對荷里活史詩式鉅片，她則拈出杜萊葉（Carl Dreyer）籌備多年的《基督傳》消息。簡言之，出入於各種潮流與經典之間，是這批文稿的一大特色。

　　西西的「特稿」，多寫於一九六八年。這一年的歐美影壇，緊貼着當時社會和政治的動盪發展。西西部分文稿亦記錄了當年康城、威尼斯等著名電影節發生的各種風潮。正如她在專欄所寫的，興起於五十年代的歐洲電影新浪

潮，當時早已退潮；代之而起的，除了承襲所謂跳脫反叛精神的「新潮」形式和題材，更引人注目的是趨向平實的長鏡頭技巧，或紀錄片式風格，這是要以寫實之態，回應時代對於藝術要走入生活和大眾的呼籲。

在歐洲新潮早已減退或變質的時候，西西一方面從國際得獎製作，回首語言風格相近的經典外語電影，分享她對二十世紀各時代側重表現手法的導演和經典之看法。另一方面，面對當時諸多直面社會、政治面貌的最新拍攝潮流，西西除了關注當時也有明確轉向的高達，亦追蹤過去備受忽略的英國及捷克電影新浪潮，甚至從高達的訪問、差利卓別靈（Charles Chaplin）的舊作出發，肯定早期荷里活經典中體貼生活的黑色幽默、記錄式短片特色剪接的價值。

正如我在前冊後記提及過的，西西對六十年代後期趨向形式化的「新潮」電影，漸趨謹慎，儘管她仍可認同個別能反映時代面貌的作品如《色情男女》（*The Knack... and How to Get It*, 1965）。而正因為西西看到過去由拍攝形式引發的新潮如何變得僵化，甚至走向極端，當她面對其他新興的電影潮流，從接觸到接受，她在開放中亦謙虛學習，並始終保持自覺。

深入潮內而能自外的形式（省察）主義

　　此外，在西西出入於各種相近的潮流與經典之作的時候，她對於所謂娛樂或商業電影的態度，也值得注意。西西在六十年代中後期涉足電影製作，深知商業製作模式所帶來的掣肘。西西的個人經驗，讓她更能欣賞那些能「娛樂」大眾之餘，兼顧創造表現手法的導演，甚至自成一格，例如希治閣。西西曾在專欄中寫到：「娛樂實在是很好的字眼，看書是娛樂，聽音樂是娛樂，並不是說討好別人就是娛樂。」[2] 這句話，很可能是對六十年代初同樣發表在《星島晚報》的香港文學名作《酒徒》之回應。西西的說法，不僅表現出她對於娛樂與藝術表現並重的可能，態度正面，更突顯了她對於藝術創作能否通過表現手法達致交流的目的，異常重視，且當中少有知識份子的包袱。從這個角度來看，方能理解西西何以在波蘭斯基的驚慄片流行之時，提出希治閣、布紐爾作品之特色和價值。在西西眼中，即使電影可以粗略分為娛樂、藝術和記錄三大類，成功的導演很少執於其中之一，而往往是混合型的，只是偏重略有不同。[3] 她唯一肯定的，是各種表現手法的選擇，是

2　米蘭：〈電影三型〉，《星島晚報》（一九六八年十二月十一日），第十二版。

3　同上註。

否達到了觸發獨特感受方式的目的。

　　無論潮流如何改變，西西在她電影時期較晚之時，反覆以經典「顧後」，何嘗不是為了「前瞻」？縱覽她多年來的影話寫作，我認為西西個人較傾向法國《電影筆記》派所開創的道路，即視知識、對藝術媒介的透徹了解為創造的基礎。這從她較喜歡編導集於一身的創作、緊隨杜魯福（François Truffaut）等追蹤希治閣電影的價值、肯定導演是電影創作（而非製作）的作者，均可見一斑。當時的西西面對形式各異的「潮流」，穿梭於更早的表現主義、超現實主義、新寫實主義、左岸派等「經典」，體現了一種高度的自由與自覺。此中自然包含她對昔日不同時代的創新精神之高度重視，但更多的是對當下不理內容、不問因由的抄襲與應用，表示懷疑。西西顯然知道，無論寫實或抽象、戲劇化或詩化，最終都是一種表現的手段而已。當時的她早已參透，無論是偏向哪一種風格、形式，執於其一，容易走入死胡同。手法如何取捨，關鍵不在於是否「新潮」，而端看動機和出發點為何，作者是否自覺於表現手法與受眾、時代和潮流之間的關係。昔日「新潮」成為今日「經典」，大概也就如此。

　　所謂「經典」，過去不也曾是「新潮」？在西西看來，藝術創作關注怎樣說故事，此乃基本的追求。她始終認為，形式與內容緊密結合，所謂創新，才有其價值。唯

其如此，作品才能連結接受者，衝擊既有的觀察和感受方法，促成所謂的時代意義。因此，與其說西西是關注形式的作者，不如說她是對形式價值充滿省察的作者。

活用「經典」，若有助於闡發內容，實在亦可為當下再用，甚至激發另一「新潮」。在一九六六年和一九六八年，西西分別發表過兩個借鏡電影手法的中篇小說〈東城故事〉和〈象是笨蛋〉。二作風格大異奇趣，卻又都以獨特的角度，回應了當時的社會文化。二作正體現了西西如何緊貼五十年代末以降的西方電影思潮，化各種影像「經典」為文學「新潮」所用，且能出入其中，適所取捨。這種深入潮內而能自外的從容，至為難得。

本書的工作進入尾聲，既有不捨，亦感到興奮。再次感謝中華書局（香港）有限公司編輯張佩兒、副總編輯黎耀強先生的支持，尤其是張編輯，一直與我同行，分擔了最實質的編務工作；感謝香港藝術發展局資助此書出版，並就不斷變化的出版計劃給予空間。此外，感謝何福仁先生、鄭樹森教授，他們在不同方面對此書給予意見，不吝賜教，多番包容；業師樊善標教授，以豐富的編書經驗，指點迷津。還有其他或熟悉或陌生的鼓勵，其實都帶着對香港這樣一位作家的敬意和思念。

最後，感謝西西。能從她的讀者，忝成編者，是我莫

大的榮幸。編輯此書期間，個人生活有了極大的改變，西西的離去，打擊尤深，但也成為鞭策。全書順利出版，並不表示工作已經完成。在種種不足以外，我仍期望本書能為讀者帶來驚喜，為更多的西西、香港文學或電影研究，添磚加瓦。西西一直是我生活和寫作的明燈，她的作品、待人處世的態度，總在迷茫之時，帶來啟發。此書暫告一段落，亦是我嘗試提燈，獨立起行之時。期望將來有機會分享更多對西西作品的看法，照見一點甚麼，或至少帶來半分驚喜，一絲溫暖，也算告慰化作春泥的她。

趙曉彤

西西 著

趙曉彤 編

| 責任編輯 | 張佩兒 | 排　版 | 陳美連 |
| 裝幀設計 | 簡雋盈 | 印　務 | 周展棚 |

出版

中華書局（香港）有限公司

香港北角英皇道 499 號北角工業大廈 1 樓 B

電話：（852）2137 2338

傳真：（852）2713 8202

電子郵件：info@chunghwabook.com.hk

網址：http://www.chunghwabook.com.hk

發行

香港聯合書刊物流有限公司

香港新界荃灣德士古道 220 - 248 號

荃灣工業中心 16 樓

電話：（852）2150 2100

傳真：（852）2407 3062

電子郵件：info@suplogistics.com.hk

印刷

深圳市雅德印刷有限公司

深圳市龍崗區平湖街道

輔城坳工業大道 83 號 A14 棟

版次

2024 年 4 月初版

©2024 中華書局（香港）有限公司

規格

大 32 開（210mm x 145mm）

ISBN

978-988-8861-64-4